2023
Manual para
proclamadores
de la **palabra**®

Ximena DeBroeck

Gabriel Fierro

Raúl H. Lugo

Raúl Duarte

RECURSOS
CATÓLICOS
EN ESPAÑOL

ÍNDICE

Leccionario I © 1976 Comisión Episcopal de Pastoral Litúrgica de la Conferencia del Episcopado Mexicano. *Leccionario II* © 1987 Comisión Episcopal de Pastoral Litúrgica de la Conferencia del Episcopado Mexicano. *Leccionario III* © 1993 Comisión Episcopal de Pastoral Litúrgica de la Conferencia del Episcopado Mexicano. Usado con permiso. Todos los derechos reservados.

MANUAL PARA PROCLAMADORES DE LA PALABRA® 2023 © 2022 Arquidiócesis de Chicago, Liturgy Training Publications 3949 South Racine Avenue Chicago, IL 60609 800-933-1800 fax: 800-933-7094 email: orders@ltp.org

Visítanos en internet: www.LTP.org.

Edición: Ricardo López
Corrección: Christian Rocha
Cuidado de la edición:
Víctor R. Pérez
Tipografía: Juan Alberto Castillo
Diseño: Anna Manhart
Portada: Barbara Simcoe

Impreso en los Estados Unidos de América

ISBN: 978-1-61671-658-5

MP23

Nihil Obstat
Diácono Daniel G. Welter, JD
Canciller
Arquidiócesis de Chicago
8 de abril de 2022

Imprimatur
Obispo Auxiliar Robert G. Casey
Vicario General
Arquidiócesis de Chicago
8 de abril de 2022

Nihil Obstat e *Imprimatur* son declaraciones eclesiásticas oficiales de que un libro está libre de errores doctrinales y morales. Estas declaraciones no implican que quienes las han concedido están de acuerdo con el contenido, opiniones o declaraciones expresas en la obra. Tampoco ellos asumen alguna responsabilidad legal asociada con la publicación.

Ximena DeBroeck obtuvo su doctorado en Teología Sistemática de la Duquesne University. De su pluma son la introducción, y las notas y comentarios de Adviento y Navidad.

Gabriel Fierro es doctor en Teología con especialidad en Biblia por la Universidad Pontificia de México. Notas y comentarios de la Semana Santa y Vigilia Pascual son de su pluma.

Raúl H. Lugo Rodríguez es licenciado por el Instituto Bíblico Pontificio, de Roma. A él debemos notas y comentarios desde el Bautismo del Señor hasta el XVII Domingo Ordinario.

Raúl Duarte Castillo, egresado del Instituto Bíblico Pontificio (Roma) y de la École Biblique (Jerusalén), es doctor *honoris causa* por la Universidad Pontificia de México. Escribió comentarios y notas de las fechas de Cuaresma, Tiempo Pascual y de los Domingos del Tiempo Ordinario XVIII–XXXIV.

INTRODUCCIÓN

¡Hola! Es un gusto saludarlos en esta oportunidad para reflexionar en la palabra de Dios mediante este *Manual para proclamadores de la Palabra* y prepararnos mejor a nuestro ministerio. ¡Bienvenidos a estas páginas!

Desde el comienzo de los tiempos, Dios se ha comunicado con nosotros a través de su palabra, ya sea su palabra inspirada y escrita en los libros de la Biblia, o su palabra encarnada, Jesucristo, que vino y habitó con la gente de su pueblo en el primer siglo, y que habita hoy también entre nosotros.

Recientemente, el 30 de septiembre de 2019, el papa Francisco instituyó el "Domingo de la Palabra de Dios". En la carta apostólica, establece que "el III Domingo del Tiempo Ordinario esté dedicado a la celebración, reflexión y divulgación de la Palabra de Dios" y continúa, "la Sagrada Escritura indica a los que se ponen en actitud de escucha el camino a seguir para llegar a una auténtica y sólida unidad" (*Aperuit illis*, 3). Tener un día anual dedicado a la Palabra no significa únicamente que dirigiremos nuestra atención a la Palabra en ese domingo, sino más una invitación a centrar nuestra vida en los distintos ecos de la Palabra.

Teniendo en cuenta la importancia de la Palabra, de forma particular en la vida de quienes la proclaman, este *Manual para proclamadores de la palabra*® quiere servirle a preparar su ministerio litúrgico de lector; no simplemente la preparación inmediata previa a la proclamación de la Palabra durante la celebración de la liturgia, sino también en su crecimiento continuo de discípulo del Señor Jesús. En esta breve introducción presentamos tres momentos claves de nuestra relación con la Palabra: encuentro, respuesta y anuncio. A continuación, se ofrecen cuatro aspectos necesarios para la formación de quien proclama la Palabra.

Encontrarse con la Palabra

A través de su palabra, Dios se comunica con nosotros y nos invita a un encuentro personal con él, para conocerlo, y descubrir su invitación a vivir en comunión (ver *Dei Verbum*, 2). A lo largo de la historia del pueblo judío, el Espíritu inspiró a autores humanos a escribir, con sus palabras y contextos de su vida y cultura, relatos de acontecimientos o poemas de alabanza que proclaman las obras de Dios. También inspiró a escribir otros poemas que describen ciertas situaciones de sufrimiento y angustia, en las que Dios mismo nos da palabras de lamento, petición, y a la vez consuelo.

En las páginas de la Biblia, descubrimos varias formas de literatura: narración, profecía, poesía, cánticos, cartas a individuos y comunidades, cada una de estas formas, comunica a su estilo, un mensaje divino. A pesar de ser diversas, las páginas de la Biblia están tejidas con el mimo hilo, con el amor de Dios. En realidad, a lo largo de la Biblia, vemos constantemente los mismos protagonistas: Dios y la humanidad. Dios está continuamente invitando a la humanidad a que lo conozcan y lo reciban en su corazón. Nuestros antepasados respondieron en maneras diversas. Pero la historia no terminó con ellos; la historia continua en nuestra vida. El papa Francisco nos recuerda que, "La alegría del Evangelio llena el corazón y la vida entera de los que se encuentran con Jesús" (*Evangelii Gaudium*, 1). A cada uno de nosotros se nos invita al *encuentro personal con la Palabra*. En este encuentro, sale Dios a abrazarnos y nuestra respuesta se expresa a través de un corazón creyente.

> El Vaticano II determinó ampliar las lecturas bíblicas, proporcionando lecturas más amplias, variadas y mejor seleccionadas.

Y es desde este punto, desde donde podemos distinguir algo importante: proclamar no es lo mismo que leer. Cualquier persona puede leer un texto dado, incluso un texto bíblico. Entonces, debe quedar claro que existe una diferencia entre proclamar la palabra, y simplemente leer un pasaje de las Escrituras. De hecho, proclamar, conlleva comunicar el mensaje desde la perspectiva de un creyente; es decir desde el prisma de alguien que ha tenido un encuentro con la palabra, el cual ha inspirado y motivado la creencia en el Dios vivo.

La invitación a proclamar la palabra comienza con el encuentro personal con el Señor en nuestro corazón. Imaginarnos en tiempos pasados, cuando los contemporáneos de Jesús tuvieron un encuentro con él y se convirtieron en sus discípulos (ver Lucas 8:1–3; Juan 1:35–41; Juan 4, etc.). No tenemos todos los detalles, pero podemos deducir que tuvieron un encuentro con él, seguido por otros encuentros, los cuales iban despertando un deseo de conocerlo más y eventualmente lo siguieron, haciéndose sus discípulos. Hoy podemos encontrar al Señor, en su palabra. A más de la preparación para la lectura que se nos ha asignado, nuestro encuentro con la palabra debe ser frecuente y hasta cotidiano, a diario. Así como necesitamos agua y alimento para vivir, también necesitamos agua y alimento para vivir esa vida a la cual Dios nos invita. La palabra nos hidrata y alimenta espiritualmente.

Para muchos feligreses, la misa es la única oportunidad de encontrarse con Dios en su palabra. Quien proclama la palabra en una asamblea litúrgica está llamado a ser un instrumento para que la congregación, al escuchar abra el corazón, y a su vez tengan un encuentro con la palabra. Tenemos en las Sagradas Escrituras muchos ejemplos de grupos congregados a escuchar la palabra del Señor y a través de esos encuentros, sus corazones iban siendo transformados. Cuando el pueblo había regresado del exilio en Babilonia, se reunieron a escuchar la lectura del libro de la Ley. *Entonces el sacerdote Esdras trajo la ley delante de la asamblea de hombres y mujeres y de todos los que podían entender lo que oían. Era el primer día del mes séptimo. Y leyó en el libro frente a la plaza que estaba delante de la puerta de las Aguas, desde el amanecer hasta el mediodía, en presencia de hombres y mujeres y de los que podían entender; y los oídos de todo el pueblo estaban atentos al libro de la ley* (Nehemías 8:2–3). El papa Francisco comenta que hombres y mujeres escuchaban con atención, pues encontraban en la palabra, el significado de sus vidas; además, habiendo sido un pueblo en exilio, su retorno a su tierra es también una invitación a ser una comunidad, unida en fe (*Aperuit illis*, 4). En el Nuevo Testamento también vemos varias ocasiones en las cuales se hace referencia al pueblo en escucha de la palabra. Pablo instruye al joven líder Timoteo a que se ocupe en leer públicamente las Escrituras e incluso enseñar acerca de ellas (1 Timoteo 4:13), pues así la comunidad cristiana podía ser invitada a un encuentro con el Señor. Quien proclama la palabra hoy, sigue los pasos de Esdras, de Timoteo y de tantos que a través de la historia han sido instrumentos para que la palabra proclamada llegue a los corazones de los oyentes.

Responder a la palabra de Dios

El encuentro auténtico con la palabra provoca una respuesta. Tenemos el ejemplo de Abram, quien escuchó la voz del Señor, fue llamado a salir de su tierra, a emprenderse en rumbo desconocido, y a confiar en el Señor. Abram respondió, junto con su esposa Sara y su sobrino Lot, respondió a la palabra y se puso en camino (Génesis 12:1–5). A través de Jeremías, la palabra del Señor llega al pueblo, que se había alejado de Dios, y les dice que les dará un corazón para que lo conozcan, de tal modo que puedan responder a la palabra y regresen al Señor con todo su corazón (Jeremías 21:7). El salmo nos recuerda que la palabra es una lámpara que guiar nuestros pies y una luz para nuestro camino, pero nosotros tenemos que escoger la luz que nos conduce (Salmo 119:105). Jesucristo en sus enseñanzas durante el Sermón de la Montaña, narrado por Mateo, afirmó que quienes ponen a la práctica lo que escuchan en su palabra, serían como una persona prudente y sabia, que construye su casa sobre una fundación firme (Mateo 7:24). Dirigiéndose a las comunidades que vivían fuera de Jerusalén, Santiago les insiste a que "sean hacedores de la palabra y no solamente oidores" (Santiago 1:22), pues quienes solamente escuchan y no responden, se engañan a sí mismos. Quien responde a la palabra, lo demuestra en sus acciones de caridad con el prójimo.

El mundo formado por la Palabra es instrumento de diálogo.

Estos pasajes bíblicos nos ayudan a reflexionar sobre nuestra respuesta a la palabra. ¿Nos ha llamado Dios a un camino desconocido como lo hizo con Abram? ¿Cómo hemos respondido? ¿Hemos confiado en la palabra? Tal vez nos hemos apartado del Señor como el pueblo en el tiempo de Jeremías. ¿Cómo respondemos a la palabra que nos requiere un corazón nuevo para volvernos al Señor? O quizás es la palabra de Cristo, en la Montaña, la que nos llega en estos momentos. ¿Cómo respondemos a su palabra para construir nuestra vida sobre una fundación firme?

La comunidad al tener un encuentro con la palabra también está invitada a responder, por un lado, como individuos, y, por otro lado, como comunidad entera. En esta línea, conviene recordar la XII Asamblea General Ordinaria del Sínodo de los Obispos, celebrada en octubre de 2008, cuyo tema fue *La palabra de Dios en la vida y en la misión de la Iglesia*. Al final de ella, el papa Benedicto nos presenta una perspectiva importante de la naturaleza del pecado: "Con mucha frecuencia, tanto en el Antiguo como en el Nuevo Testamento, encontramos la descripción del pecado como un no prestar oído a la palabra, como ruptura de la alianza y, por tanto, como la cerrazón frente a Dios que llama a la comunión con él" (*Verbum Domini*, 26). Es decir, la falta de respuesta a la palabra nos conduce al pecado, e incluso puede considerarse en sí como pecado. Reflexionando en el mensaje de Santiago, podemos, como comunidad, hacer conciencia de nuestro nivel de respuesta. ¿Somos 'hacedores' o solamente 'oidores' de la palabra?

Anunciar la Palabra

El encuentro con la palabra y la respuesta a la palabra son momentos esenciales en la vida del discípulo. Ya abastecido de la palabra, el discípulo debe sentirse invitado a compartirla y anunciarla, es decir, volverse misionero de la palabra. El profeta Isaías, en su tercer poema del Siervo, comunicó el mensaje al pueblo que sufría en el exilio, que cada mañana ese Siervo del Señor es despertado para encontrarse con la palabra, y que, además, se le ha dado una lengua de discípulo para alentar al cansado (Isaías 50:4). Para quien ha aceptado la invitación de vivir como discípulo, el anunciar la palabra recibida es el siguiente paso.

En su relato del evangelio, Juan nos habla de la mujer Samaritana, quien, habiéndose encontrado con la Palabra encarnada, respondió al encuentro abriendo su corazón (ver Juan 4:1–30). Una vez transformada ella anuncio la palabra, y "Muchos de los habitantes de aquel pueblo creyeron en Jesús movidos por el testimonio de la Samaritana" (Juan 4:39). Lucas también nos relata un momento determinado, cuando ya resucitado, y antes de ascender al cielo, Jesucristo, se dirigió a los discípulos prometiéndoles el Espíritu Santo. A través del Espíritu, ellos recibirían la fuerza para ser testigos suyos por el mundo (ver Hechos 1:8). En otras palabras, ellos estaban siendo llamados y capacitados para anunciar la palabra.

¿Cuál pasaje bíblico nos ayuda más a entender el llamado al anuncio de la palabra? ¿Quizás ha sido el mensaje de Isaías recordándonos que el Señor nos ha dado la palabra para dar consuelo al afligido? O tal vez, nuestro encuentro ha sido tan transformativo como el que tuvo la Samaritana, que sintiéndose incapaz siquiera de conversar con Cristo, fue transformada, a tal punto que, cruzando fronteras sociales de su tiempo, anunció lo que experimentó. ¿Hemos reconocido los encuentros transformativos y hemos podido anunciar lo sucedido? Es posible que necesitemos recordar el relato de Lucas y hacer conciencia de que nosotros también hemos recibido la fuerza del Espíritu para anunciar la palabra. Tal como el Siervo de Isaías, o la mujer Samaritana, o los primeros discípulos, quienes proclaman la palabra son servidores o ministros de la palabra.

> La Palabra engendra hijos de Dios para inyectar una fuerza nueva a la historia humana.

El encuentro con la palabra, la respuesta a la palabra y el anuncio de la palabra son momentos claves en nuestra vida. A través de su palabra, Dios nos ha llamado a todos, primeramente, a estar en comunión con él, y desde esa comunión, a ser alimentados para servir. El Espíritu es uno solo, así como lo es el llamado a estar en unión con Dios; sin embargo, el llamado para servir es diverso, tal cual son los dones que el Espíritu ha dado a cada uno. Sabemos que, "ciertamente, hay diversidad de dones, pero todos proceden del mismo Espíritu. Hay diversidad de ministerios, pero un solo Señor. Hay diversidad de actividades, pero es el mismo Dios el que realiza todo en todos. En cada uno, el Espíritu se manifiesta para el bien común" (1 Corintios 12:4–7). Al recibir un llamado, recibimos también una invitación a prepararnos para poder responder de manera adecuada. Cuando Jesucristo llamo a sus primeros discípulos, los preparó durante mucho tiempo antes de enviarlos en misión. Y así también, la preparación para quien proclama la palabra es de suma importancia.

Prepararse y formarse

Imaginemos por un momento una cena para familia y amigos, un día de trabajo, un viaje, todos estos ejemplos necesitan una preparación específica, y la preparación consiste en varios aspectos, que eventualmente nos permiten llegar al punto deseado. En cualquiera de ellos necesitamos saber cuál es nuestro objetivo final, sea la cena, la actividad de trabajo o el lugar del viaje. Sabiendo entonces, cuál es el objetivo final, podremos dar pasos concretos para llegar al objetivo deseado. Es así con la proclamación de la palabra. El objetivo es anunciar el mensaje de Dios de manera que llegue a los corazones de la comunidad y los conmueva.

El papa Benedicto XVI habló enfáticamente sobre la necesidad de formación de quienes proclaman la palabra. Presentando el resultado de las reflexiones y discusiones del referido sínodo sobre *La palabra de Dios en la vida y en la misión de la Iglesia*, recalca el cuidado que debe tenerse al proclamar la palabra.

Quisiera hacerme eco de los Padres sinodales, que también en esta circunstancia han subrayado la necesidad de cuidar, con una formación apropiada, el ejercicio del *munus* de lector en la celebración litúrgica, y particularmente el ministerio del lectorado que, en cuanto tal, es un ministerio laical en el rito latino. Es necesario que los lectores encargados de este servicio, aunque no hayan sido instituidos, sean realmente idóneos y estén seriamente preparados. Dicha preparación ha de ser tanto bíblica y litúrgica, como técnica (*Verbum Domini*, 58).

Al instituir el Domingo de la Palabra de Dios, el papa Francisco afirmó que "es fundamental que no falte ningún esfuerzo para que algunos fieles se preparen con una formación adecuada a ser verdaderos anunciadores de la Palabra, como sucede de manera ya habitual para los acólitos o los ministros extraordinarios de la Comunión" (*Aperuit illis*, 3). Dicha 'formación adecuada' es sumamente importante. De hecho, es importante enfatizar, que no es sólo una 'preparación' casual y rápida para proclamar la lectura durante la misa, sino es una *continua formación integral de la persona entera*. Se destacan cuatro aspectos importantes en la formación de quien proclama: espiritual, humano, intelectual, y práctico.

El aspecto espiritual de la formación de quien proclama la palabra tiene como objetivo alimentar la sed a la santidad y ayudar a profundizar la relación personal con Cristo. El encuentro con la palabra, ya mencionado antes, es parte fundamental de la formación. *El encuentro y oración diarios con la palabra y la participación regular en los sacramentos* son elementos fundamentales que ofrecen oportunidades de fortalecer el deseo de conversión continua. Quienes son proclamadores de la palabra sirven en la liturgia ciertos días según sean asignados, sin embargo, son discípulos todos los días, de modo que, para crecer en la vida de discípulos, es indispensable profundicen su oración.

El *aspecto humano* de la formación tiene como objetivo ayudar a desarrollar las cualidades humanas y virtudes en la vida de quien proclama la palabra, de modo que la persona llegue a una mayor madurez e integración en la vida cristiana. Es importante tener alguien que sirva de mentor y guía para acompañar con el desarrollo de la dimensión humana.

El *aspecto intelectual*, que denota un aprender, tiene como meta ayudar a desarrollar mejor conocimiento de las Escrituras y de las enseñanzas de la Iglesia, y de manera especial un mejor entendimiento de la liturgia. La liturgia no es simplemente lo que hace la asamblea reunida, o que comúnmente se conoce como 'la obra del pueblo'. Desde la perspectiva de la tradición cristiana, la liturgia es la 'obra de Dios' en la cual el Pueblo de Dios participa (*Catecismo de la Iglesia Católica*, 1069). El participar es primeramente interior, de adentrarse en el misterio del amor divino. Toda la asamblea reunida, los servidores/ministros litúrgicos, y el sacerdote que preside la celebración, participan en la obra de Dios.

> Todas las Escrituras hablan de Cristo y Cristo nos revela a Dios y su misterio de salvación.

El aprender más sobre las Escrituras es parte fundamental de la formación de quien proclama la palabra, pues *estando realmente preparados*, podrán proclamar de tal modo que, al escuchar las lecturas divinas, los fieles conciban en su corazón el "amor suave y vivo hacia la Sagrada Escritura" (*Sacrosanctum Concilium*, 24). Este manual contribuye a este aspecto formativo ya que presenta las lecturas en su contexto original. Quien proclama las Escrituras debe continuamente crecer en la comprensión del texto, prestando atención a las características únicas de cada pasaje, las cuales revelan el mensaje divino que Dios quiso comunicarnos a través de palabras humanas en contextos específicos (*Dei Verbum*, 12).

Las Sagradas Escrituras están presentes a lo largo de la liturgia, pero hay cuatro momentos específicos que consiste en las cuatro lecturas proclamadas en liturgias dominicales y en solemnidades litúrgicas, como es la celebración de la Inmaculada Concepción: la primera lectura, el salmo, la segunda lectura, y el evangelio.

La primera lectura generalmente viene del Antiguo Testamento, *excepto* en el tiempo de Pascua, cuando viene de los Hechos de los Apóstoles. Es importante entender la conexión entre la lectura del Antiguo Testamento, el salmo, y el evangelio.

El Salmo responsorial fomenta meditación de la palabra; por lo general el salmo es cantado, pero puede también ser recitado. Quien canta o proclama el salmo, lo hace desde el ambón.

La segunda lectura viene del Nuevo Testamento y nos ayuda a conocer cómo vivían los primeros cristianos y cómo explicaban a los demás las enseñanzas de Jesús.

La lectura del evangelio nos hace conocer la vida y enseñanzas de Jesús; se toma de uno de los cuatro evangelios de acuerdo al cicló litúrgico: Mateo en el año A, Marcos en el año B, Lucas en el año C, y Juan en el Segundo Domingo de Adviento del año B, la misa de la Natividad durante, en varios domingos de Cuaresma, en la mayoría de domingos de Pascua, en la vigilia de Pentecostés, durante algunos domingos de tiempo ordinario en el año B, y en algunas otras solemnidades especiales.

El evangelio es proclamado por el diácono o, al no haber diácono disponible presente, por un presbítero, o incluso el propio presbítero celebrante.

El *aspecto práctico* de la formación es también de importancia y no debe ser omitido. Quien proclama la palabra debe practicar lo siguiente: pronunciación, proyección, entonación, ritmo, pausas y levantar la vista durante ciertos momentos.

Es importante enunciar y pronunciar las palabras claramente. Este es el caso, especialmente si venimos de regiones geográficas en las cuales ciertas letras se omiten al hablar, por ejemplo 'vamo' en lugar de 'vamos'.

Proyectar bien es indispensable para quien proclama la palabra. Proyectar no quiere decir gritar. Al gritar estamos elevando el volumen de la voz, sin control alguno. Al contrario, al proyectar estamos modulando la intensidad de la voz. La postura del cuerpo es esencial, debemos estar derechos, con los hombros altos y un poco hacia atrás.

La entonación es también punto clave. Ciertas lecturas necesitan ser proclamadas con tonos más suaves, o más sombríos, o de más urgencia. Tenemos que imaginarnos la emoción o el sentido que queremos comunicar y ayudarnos de nuestro tono para comunicar lo deseado. Debemos cuidar que la proclamación no sea hecha con tono monótono.

El ritmo se refiere a la velocidad de la proclamación. Proclamar en voz alta a una asamblea no es lo mismo que leer mentalmente a uno mismo. La proclamación no debe hacerse con un ritmo rápido. Es común que una lectura de la Escritura proclamada de prisa no sea bien entendida.

Se debe proclamar teniendo en cuenta las pausas indicadas por la puntuación del texto, ya sean comas o puntos. Las pausas son indispensables en comunicar el sentido del texto.

Finalmente, es importante levantar la mirada y hacer contacto visual con la asamblea. De este modo se comunica mejor que la palabra va dirigida a los corazones de quienes la escuchan.

¡Que el Señor bendiga su ministerio y sea usted un adecuado instrumento de su palabra!

— Ximena DeBroeck

I DOMINGO DE ADVIENTO

I LECTURA   Isaías 2:1–5

Lectura del libro del profeta Isaías

Visión de **Isaías**, hijo de **Amós**, acerca de **Judá** y **Jerusalén**:
En **días futuros**, el **monte** de la casa del **Señor**
 será **elevado** en la cima de los **montes**,
 encumbrado sobre las montañas
 y **hacia** él confluirán **todas las naciones**.

Acudirán pueblos **numerosos**, que dirán:
"**Vengan**, **subamos** al monte del Señor,
 a **la casa** del Dios de Jacob,
 para que **él** nos instruya en sus caminos
 y podamos **marchar** por sus sendas.
Porque de Sión **saldrá** la ley,
 de Jerusalén, la **palabra** del **Señor**".

Él será el **árbitro** de las naciones
 y el **juez** de pueblos numerosos.
De las **espadas** forjarán **arados**
 y de las **lanzas**, **podaderas**;
 ya no **alzará** la espada pueblo contra pueblo,
 ya no se adiestrarán para la guerra.

¡Casa de Jacob, **en marcha**!
Caminemos a la luz del **Señor**.

Proclama con entusiasmo esta invitación: "Vengan, subamos…". Marca bien las frases y detente en los puntos.

I LECTURA El tiempo de Adviento está impregnado con lecturas del profeta Isaías. Especialmente, en el año A, las primeras lecturas de los cuatro domingos de Adviento vienen de Isaías.

Mediante una visión, Isaías recibe un mensaje de Dios para su pueblo. Es un mensaje de paz para el futuro. Primeramente, anuncia un tiempo cuando el Reino de Dios, no el Reino del Norte ni del Sur, ni Asiria, regirá sobre todas las naciones. Esto es expresado usando la imagen del monte de la casa del Señor, es decir el monte del templo, que será encumbrado sobre las montañas. Al templo acudirán no solamente los habitantes del Reino del Norte, Israel, y del Reino del Sur, Judá; también ciudadanos de todas las naciones. Ésta es una promesa universal. La imagen del peregrinaje es clara: los peregrinos caminan hacia el templo en búsqueda de instrucción y guía del Señor.

Además, la visión comunica un tiempo de paz que vendrá. El contexto del sufrimiento de Jerusalén, por motivo de un ataque militar, nos ayuda a entender el impacto de este mensaje de paz. Dios le invita al pueblo a esperar un tiempo en el cual ellos puedan dedicarse a cultivar la tierra y de ella tener fruto, en lugar del tiempo de sufrimiento en el que se encuentran defendiéndose del ataque, con lanzas y espadas.

II LECTURA Pablo escribió esta Carta a los Romanos sin haber previamente visitado o fundado la comunidad cristiana en Roma. Ésta es la más larga de las cartas escritas por Pablo y se considera un resumen de su pensamiento y enseñanzas. La lectura para este primer domingo de Adviento viene de la sección de la carta que

1

SALMO RESPONSORIAL Salmo 121:1–2, 4–5, 6–7, 8–9

R. Qué alegría cuando me dijeron: "Vamos a la casa del Señor".

Qué alegría cuando me dijeron: "Vamos
  a la casa del Señor". Ya están pisando
  nuestros pies tus umbrales, Jerusalén. **R.**

Allá suben las tribus, las tribus del Señor.
Según la costumbre de Israel, a celebrar
  el nombre del Señor. En ella están los
  tribunales de justicia en el palacio
  de David. **R.**

Deseen la paz a Jerusalén: "Vivan seguros
  los que te aman, haya paz dentro de tus
  muros, seguridad en tus palacios". **R.**

Por mis hermanos y compañeros voy a decir:
  "La paz contigo". Por la casa del Señor
  nuestro Dios, te deseo todo bien. **R.**

II LECTURA Romanos 13:11–14

Lectura de la carta del apóstol san Pablo a los romanos

Hermanos:
Tomen en cuenta el **momento** en que vivimos.
Ya es hora de que se **despierten** del sueño,
  porque **ahora** nuestra salvación está **más cerca** que cuando
    empezamos a creer.
La noche está avanzada y se **acerca** el día.
Desechemos, pues,
  la obras de las tinieblas
  y **revistámonos** con las armas de la luz.

Comportémonos **honestamente**, como se hace **en pleno día**.
Nada de comilonas ni borracheras,
  nada de lujurias ni desenfrenos,
  nada de pleitos **ni** envidias.
Revístanse más bien, de nuestro Señor **Jesucristo**
  y que el **cuidado** de su cuerpo **no dé ocasión**
    a los **malos deseos**.

se enfoca con las obligaciones y deberes del cristiano (12:1—15:13).

Pablo exhorta a los cristianos de Roma a comportarse de manera consistente con el mensaje de la Buena Nueva de Cristo, ya sea en su relación con autoridades civiles, o en su trato con el prójimo. Especialmente, Pablo les pide estar despiertos y alerta, pues la hora de la salvación está cerca. Utiliza la imagen de la luz del amanecer para comunicar el mensaje de un nuevo comenzar, del pasar de un dormir en pecado a un despertar a vivir con la luz de Cristo, que da la salvación universal.

Pablo insiste en que el comportamiento propio de los cristianos debe ser motivado por amor, es decir, en imitación de Cristo. Si bien Pablo es líder, primero que nada, es discípulo, y él debe también comportase de tal manera que refleje las enseñanzas de Cristo. Pablo les da ejemplo concreto del comportamiento cristiano: con honestidad, sin excesos, sin pleitos, sin envidia, incluso deben cuidar de no suscitar malos deseos. Hoy sus palabras nos continúan animando a vivir alertas, despiertos, listos a la venida del Señor, al fin de nuestras vidas, y en cada momento de nuestros días.

EVANGELIO El texto de hoy viene del discurso escatológico (del fin de los tiempos o la parusía, capítulos 23–25) del Evangelio según san Mateo. Los discípulos de Jesús temían el fin, tanto el fin de Jerusalén, como el fin del mundo. Jesús solicita a sus discípulos de aquellos tiempos, y a nosotros hoy día, a estar atentos y vigilantes, pues así es posible estar listos a la venida del Señor.

No solamente nos preparamos para la venida de Dios encarnado, que la celebramos en Navidad; también nos preparamos para su segunda venida, al final de los tiem-

Esta lectura habla de la importancia de estar listos para la venida del Señor. Dale mayor velocidad a las frases que cierran cada párrafo.

EVANGELIO Mateo 24:37–44

Lectura del santo Evangelio según san Mateo

En **aquel** tiempo, Jesús dijo a sus **discípulos:**
"**Así** como sucedió en tiempos de **Noé,**
   así **también** sucederá cuando venga el **Hijo del hombre.**
Antes del diluvio,
   la gente **comía, bebía** y **se casaba,**
   hasta **el día** en que Noé entró en el **arca.**
Y cuando **menos** lo esperaban,
   sobrevino el **diluvio**
      y se llevó a **todos.**
Lo mismo sucederá cuando venga el **Hijo del hombre.**
Entonces,
   de **dos hombres** que estén en el campo,
   uno será llevado y **el otro** será dejado;
   de **dos mujeres** que estén **juntas** moliendo trigo,
   una será **tomada** y la otra **dejada.**

En este último párrafo, dale un poco más de fuerza a tu voz. Luego baja la velocidad conforme te acercas al final.

Velen, pues, y **estén** preparados,
   porque no saben **qué día** va a venir su **Señor.**
Tengan por cierto que si un padre de familia
    supiera **a qué hora** va a venir el **ladrón,**
   estaría **vigilando**
   y **no dejaría** que se le metiera
    por un boquete **en su casa.**
También ustedes **estén preparados,**
   porque a la hora que **menos lo piensen,**
   vendrá el **Hijo del hombre".**

pos. Así como sucedió en tiempos de Noé, que cuando menos esperaban el diluvio exterminó a todos los que no estaban en el arca (Génesis 6–9), así cuando menos esperamos, nuestra vida en este mundo puede terminar. Es una lectura que nos invita a reflexionar sobre el tema de estar alerta y preparados siempre, pues no sabemos cuándo será nuestro fin particular.

¿Pero tan sólo debemos prepararnos para nuestra muerte, nuestro fin particular? ¿Es aquel tiempo el único tiempo cuando Cristo viene a nuestras vidas? San Bernardo de Claraval, abad del siglo xii hablaba de tres venidas del Señor. La primera es su venida encarnada y humilde, el nacimiento de Cristo; la segunda, una venida intermedia, posible en nuestras vidas cotidianas; la tercera, su venida final y gloriosa, en el fin del mundo. Como se ha dicho, es la segunda venida o venida intermedia la que ocurre en nuestras vidas cotidianas. Experimentamos esta venida en nuestros corazones al recibir la Eucaristía, o cuando Cristo nos invita a un encuentro y está listo a morar en nuestros corazones; esto es posible cuando estamos vigilantes y estamos atentos a su presencia.

II DOMINGO DE ADVIENTO

Llénate de renovación. Proclama las características del espíritu con tono firme y pausado, de modo que se distinga cada una de ellas.

Haz énfasis en la forma en la que conviven las diferentes especies, pues así el tema de la armonía será recibido con la debida importancia.

I LECTURA Isaías 11:1–10

Lectura del libro del profeta Isaías

En aquel día **brotará** un renuevo del tronco de Jesé,
    un vástago **florecerá** de su raíz.
Sobre él **se posará** el espíritu **del Señor**,
    espíritu de sabiduría e inteligencia,
    espíritu de consejo y fortaleza,
    espíritu de piedad y temor de Dios.

No juzgará por apariencias,
    ni sentenciará de oídas;
    defenderá con justicia al **desamparado**
    y con equidad **dará** sentencia al pobre;
    herirá al violento con el **látigo** de su boca,
    con el soplo de sus labios **matará** al impío.
Será la justicia su **ceñidor**,
    la fidelidad **apretará** su cintura.

Habitará el **lobo** con el **cordero**,
    la **pantera** se echará con el **cabrito**,
    el **novillo** y el **león** pacerán **juntos**
    y un **muchachito** los apacentará.
La **vaca** pastará con la **osa**
    y sus **crías** vivirán **juntas**.
El león comerá paja con el **buey**.

I LECTURA Continuamos en este tiempo de Adviento con lecturas del profeta Isaías. La lectura de este domingo, al igual que la del primer domingo, viene de la primera parte del libro, la cual corresponde a profecías relacionadas al tiempo del reino dividido de Israel, pero que remiten a los años previos a que el Imperio de Asiria conquistara el Reino del Norte, Samaría o Israel. Este pasaje del capítulo 11, junto con secciones de los capítulos 7, 8, 9, y 10 conforma un grupo de profecías conocidas como las profecías de Emanuel.

En este mensaje, escrito en poesía, Isaías comunica a sus oyentes la promesa del reinado de Emanuel. El texto se presenta unos capítulos después del relato de la guerra entre el Reino del Norte, aliado con Aran, y el Reino del Sur, en coalición con Asiria (Isaías 7:1–25 y 8:5–10, también detallado en 2 Reyes 16:1–20). Después de largos tiempos oscuros e inciertos, después de guerras y hambrunas, después de despojos y escaseces, vendrá un tiempo de renovación. Este será un tiempo de restauración y cumplimiento de promesas de Dios bajo la alianza con David. En ese tiempo habrá un rey

ungido, un mesías, cuyo reinado será justo. El nuevo rey estará lleno del espíritu del Señor, un espíritu de sabiduría, inteligencia, consejo, fortaleza, piedad, y temor de Dios.

El nuevo rey restaurará la justicia y defenderá a los marginalizados. Este tiempo de paz no es solamente para los humanos; también implica una paz cósmica, una armonía del paraíso, donde animales cohabitan en paz, y donde un infante juega cerca del agujero de la víbora. Esta armonía es posible con el nuevo rey. Para comunicar este mensaje de renovación y nuevas realidades, Isaías utiliza la imagen de un tronco

Haz contacto visual con la asamblea en estas dos líneas. Para la oración final, eleva tu voz y ve bajando el ritmo.

El **niño** jugará sobre el agujero de la **víbora**;
 la **creatura** meterá la mano en el **escondrijo** de la **serpiente**.
No harán **daño** ni estrago por **todo** mi monte santo,
 porque **así** como las aguas **colman** el mar,
 así está **lleno** el país de la **ciencia** del Señor.
Aquel día la raíz de Jesé **se alzará**
 como bandera de los pueblos,
 la buscarán **todas** las naciones
 y **será gloriosa** su morada.

Para meditar

SALMO RESPONSORIAL   Salmo 71:1–2, 7–8, 12–13, 17

R. Que en sus días florezca la justicia, y la paz abunde eternamente.

Dios mío, confía tu juicio al rey, tu justicia al hijo de reyes: para que rija a tu pueblo con justicia, a tus humildes con rectitud. **R.**

Que en sus días florezca la justicia y la paz hasta que falte la luna; que domine de mar a mar, del Gran Río al confín de la tierra. **R.**

Porque él librará al pobre que clamaba, al afligido que no tenía protector; él se apiadará del pobre y del indigente, y salvará la vida de los pobres. **R.**

Que su nombre sea eterno y su fama dure como el sol; que él sea la bendición de todos los pueblos y lo proclamen dichoso todas las razas de la tierra. **R.**

II LECTURA   Romanos 15:4–9

Lectura de la carta del apóstol san Pablo a los romanos

Hermanos:
Todo lo que en el pasado ha **sido escrito** en los libros santos,
 se escribió para instrucción **nuestra**, a fin de que,
 por la paciencia y el consuelo **que dan las Escrituras**,
 mantengamos la esperanza.

Pronuncia con verdadero afecto la palabra "hermanos" y haz contacto visual con la asamblea antes de avanzar en la lectura.

de árbol que una vez cortado dará brote a un vástago que generará algo nuevo. O sea, el nuevo rey es un retoño o renuevo del árbol de Jesé, el padre del rey David.

II LECTURA   La Carta a los Romanos es la más extensa del epistolario paulino. El fragmento escuchado en la segunda lectura de hoy viene de la sección en la que Pablo habla de las obligaciones y deberes del cristiano (12:1—15:13). Los cristianos han de comportarse de manera acorde a la salvación recibida gratuitamente y dar testimonio del amor de Dios.

Pablo exhorta a la comunidad a que se acojan mutuamente de la misma forma que Jesús los acogió a ellos: sin condiciones. En el mundo bíblico, como en el mundo actual, existe gente que pertenece a distintos grupos de circunstancias sociales, culturales y políticas. Sin embargo, la acogida debe ser mutua y universal; al haber diversidad en varios aspectos, hay unidad en el Espíritu. También, Pablo afirma que Cristo vino a servir a la humanidad, a revelar plenamente el amor del Padre, a cumplir las promesas hechas a los patriarcas y a David. Además, Pablo ora por ellos, para que Dios les conceda armonía. Recordemos que ésta es una de las promesas de Dios, hechas a través de Isaías. En el tiempo de restauración y justicia, habrá armonía en el mundo.

Pablo hace recordar a la comunidad que las Santas Escrituras contienen un mensaje de esperanza. Es importante entender que por Sagradas Escrituras Pablo se refiere a los libros del Antiguo Testamento, pues el Nuevo Testamento aún estaba en la etapa de transmitirse de manera oral. Así pues, lo dicho por Moisés, los profetas, los salmistas y los demás escritos sagrados revelan el amor y misericordia de Dios, que nos

Esta parte es como una bendición familiar.

Que Dios, fuente de **toda** paciencia y consuelo,
　　les **conceda** a ustedes **vivir** en **perfecta** armonía unos
　　　　con otros,
　　conforme al espíritu de Cristo Jesús,
　　para que, con un **solo** corazón y una **sola** voz
　　alaben a Dios, **Padre** de nuestro Señor **Jesucristo**.

Inicia el párrafo con calidez y luego acelera un poco al proclamar el siguiente párrafo hasta terminar en tono elevado.

Por lo tanto,
　　acójanse los unos a los otros como **Cristo** los acogió a ustedes,
　　para **gloria** de Dios.
Quiero decir con esto,
　　que Cristo se **puso al servicio** del pueblo judío,
　　para **demostrar** la fidelidad de Dios,
　　cumpliendo las promesas hechas a los patriarcas
　　y que por su **misericordia** los paganos **alaban** a Dios,
　　según aquello que dice la Escritura:
　　*Por eso te **alabaré y cantaré** himnos a tu **nombre**.*

EVANGELIO   Mateo 3:1–12

Lectura del santo Evangelio según san Mateo

En aquel tiempo,
　　comenzó **Juan el Bautista** a predicar
　　　　en el **desierto** de Judea, diciendo
　　"**Arrepiéntanse**, porque el Reino de los cielos está cerca.
Juan es aquel de quien el profeta Isaías hablaba, **cuando dijo**:
　　*Una voz **clama** en el desierto:*
　　***Preparen** el camino del Señor, **enderecen** sus senderos.*

Juan usaba una túnica de pelo de camello,
　　ceñida con un cinturón de cuero,
　　y se alimentaba de saltamontes y de miel silvestre.

Proclama la llamada al arrepentimiento, "Preparen el camino del Señor, enderecen sus senderos" con convicción y levantando la mirada brevemente para que los presentes sientan más directamente que el mensaje es para ellos.

instruye y nos alienta a tener esperanza en las promesas divinas.

EVANGELIO Mateo nos presenta el relato de Juan Bautista, quien anuncia la venida del Señor y llama al pueblo a la conversión. Su anuncio es seguido por el bautismo y el inicio del ministerio público de Jesús. El evangelista se refiere a Juan Bautista como aquel de quien habló Isaías durante el exilio a Babilonia, aquel que anunciaría la venida del Señor y llamaría al pueblo a caminar por un sendero recto.

La descripción de la vestimenta de Juan, que nos ofrece Mateo, evoca imágenes de los profetas antiguos, bien sea Elías (ver 2 Reyes 1:8) o los profetas de quien Zacarías habla (Zacarías 13:4). De hecho, se vinculaba el regreso de Elías con la restauración del Reino de Dios. Entonces al presentar a Juan vestido como Elías, Mateo hace la conexión implícita de la venida del reino. Siguiendo la misión de los profetas del Antiguo Testamento, Juan llama al pueblo al arrepentimiento (ver por ejemplo Oseas 14; Ezequiel 14:6; 18:1–32) y a enderezar el camino.

Juan reprocha a ciertos fariseos y saduceos el acudir a bautizarse sin haberse arrepentido pensando que por ser descendientes de Abraham pueden escapar el castigo divino. Los reta a que demuestren su arrepentimiento con obras. Los fariseos eran un grupo dedicado a estudiar la ley, transmitida por escrito o por tradición oral. Los saduceos pertenecían a la clase sacerdotal y solamente aceptaban la ley escrita, no la ley transmitida oralmente. En todo caso, ni los unos ni los otros podían salvarse del castigo simplemente con el rito de bautizo vacío de una conversión de corazón.

Acudían a oírlo los habitantes de Jerusalén,
    de **toda** Judea y **de toda** la región cercana al Jordán;
    confesaban sus pecados y **él** los bautizaba en el río.

Al ver que muchos **fariseos y saduceos**
    iban a que **los bautizara**, les dijo:
"**Raza de víboras**, ¿**quién** les ha dicho que **podrán escapar**
    al castigo que les aguarda?
Hagan ver con obras su **arrepentimiento**
    y no se hagan **ilusiones** pensando que tienen
        por **padre** a Abraham,
    porque **yo les aseguro** que **hasta** de estas piedras **puede** Dios
        sacar **hijos** de Abraham.
Ya el hacha **está puesta** a la raíz de los árboles,
    y todo árbol que no dé fruto, será **cortado y arrojado** al fuego.

Yo los bautizo **con agua**,
    en señal de que ustedes se **han arrepentido**;
    pero el que viene **después** de mí, es **más fuerte** que yo,
    y **yo ni siquiera** soy digno de quitarle las sandalias.
Él los bautizará en el **Espíritu Santo** y su fuego.
Él tiene el bieldo en su mano para **separar** el trigo de la paja.
Guardará el trigo en su granero
    y **quemará** la paja en un fuego que **no se extingue**".

El profeta Juan conmina a todos, sobre todo a los que se creen prerfectos. Dale dureza a estas palabras y acentúa la pregunta.

Suaviza el tono porque hay un atisbo de esperanza cierta. Baja la velocidad y eleva el tono en la línea final.

El bautizo de agua de Juan era indicación de que la persona adulta ya se había arrepentido. Sin embargo, el bautismo en el Espíritu, que será dado por Cristo, es lo que realmente purificará a la persona.

INMACULADA CONCEPCIÓN DE LA BIENAVENTURADA VIRGEN MARÍA

I LECTURA Génesis 3:9–15, 20

Lectura del libro del Génesis

Es recomendable leer los dos primeros capítulos de Génesis para preparar mejor la proclamación de esta lectura. Lleva bien los diálogos, con las pausas debidas.

Después de que el hombre y la mujer
    comieron del fruto del árbol **prohibido**,
    el Señor Dios **llamó** al hombre y le preguntó:
    "¿Dónde estás?"
Éste le respondió:
    "**Oí** tus pasos en el jardín; y **tuve miedo**,
    porque estoy **desnudo**, y me **escondí**".
Entonces le dijo Dios:
    "¿Y **quién** te ha dicho que estabas **desnudo**?
    ¡**Has comido** acaso del árbol del que te **prohibí** comer?"
Respondió **Adán**:
    "**La mujer** que **me diste** por compañera
        me **ofreció** del fruto del árbol **y comí**".
El Señor Dios dijo a **la mujer**: "
    ¿**Por qué** has hecho esto?"
Repuso la mujer:
    "La serpiente **me engañó** y comí".

Endurece un tanto el tono en esta parte, porque se trata de una sentencia inapelable.

Entonces dijo el Señor Dios a la serpiente:
    "Porque has hecho **esto**,
serás **maldita** entre **todos** los animales
    y entre **todas** las bestias salvajes.
Te **arrastrarás** sobre tu vientre **y comerás polvo**
    todos los días de tu vida.

I LECTURA La solemnidad de la Inmaculada Concepción es uno de los días de precepto, es decir, días cuando es obligación participar en la misa. Desde tiempos antiguos, en los escritos de muchos de los padres de la Iglesia ya existía mención de que María fue concebida sin pecado. El 8 de diciembre de 1854, el papa Pío IX, declaró el dogma de la Inmaculada Concepción con la bula *Ineffabilis Deus*: "La bienaventurada Virgen María fue preservada inmune de toda la mancha de pecado original en el primer instante de su concepción por singular gracia y privilegio de Dios omni-potente, en atención a los méritos de Jesucristo Salvador del género humano".

La primera lectura de hoy viene de la sección de la Biblia conocida como "las historias primigenias"; este nombre designa a los primeros once capítulos del Génesis; en ellos se trata de los orígenes de la creación del mundo hasta el llamado de Abraham. Estos relatos nos hablan de los designios divinos para la humanidad y de la relación de justicia original en la que Adán y Eva fueron creados. Sin embargo, ese estado de una relación justa entre el hombre y Dios, y el resto de la creación, se interrum-pe por la desobediencia de los primeros humanos. La narración de este pecado original, conocido como "la caída", y sus consecuencias, es presentada en Génesis 3. El relato se vale de imágenes literarias para comunicar un evento primordial, que la Iglesia enseña, ocurrido al comienzo de la historia de la humanidad. Con amor infinito, Dios interviene para ofrecer reconciliación al mundo y es así como comienza el relato de la historia de la salvación.

Dios no abandona a la humanidad, al contrario: Dios busca y llama al hombre, y le pregunta, "¿Dónde estás?". Ahora bien, no

Pondré **enemistad** entre ti y la mujer,
   entre tu descendencia y **la suya**;
   y su descendencia **te aplastará** la cabeza,
   mientras tú **tratarás** de morder su talón".

El hombre le puso a su mujer el nombre de "**Eva**",
   porque ella fue la madre de **todos** los vivientes.

Marca bien esta pausa, para que se note que es el colofón del episodio.

Para meditar

SALMO RESPONSORIAL   Salmo 97:1, 2–3ab, 3cd–4
R. Canten al Señor un cántico nuevo, porque ha hecho maravillas.

Canten al Señor un cántico nuevo,
   porque ha hecho maravillas:
   su diestra le ha dado la victoria,
   su santo brazo. **R.**

El Señor da a conocer su victoria;
   revela a las naciones su justicia:
   se acordó de su misericordia|y su fidelidad
   en favor de la casa de Israel. **R.**

Los confines de la tierra han contemplado
   la victoria de nuestro Dios.
Aclama al Señor, tierra entera,
   griten, vitoreen, toquen. **R.**

II LECTURA   Efesios 1:3–6, 11–12

Lectura de la carta del apóstol san Pablo a los efesios

Bendito sea Dios, **Padre** de nuestro Señor **Jesucristo**,
   que nos ha bendecido **en él**
   con **toda** clase de bienes espirituales y celestiales.
Él nos **eligió** en Cristo, **antes** de crear el mundo,
   para que fuéramos **santos**
   e **irreprochables** a sus ojos, por **el amor**,
   y **determinó**, porque **así** lo quiso,
   que, por medio de Jesucristo, **fuéramos** sus hijos,
   para que **alabemos y glorifiquemos** la gracia
   con que nos **ha favorecido** por medio de su Hijo amado.

Llénate de entusiasmo para esta proclamación de la salvación gratuita de Dios. Siente agradecimiento por ser elegido a la santidad y dale profundidad a tu voz.

---

es que Dios, quien creó el universo entero, no supiera dónde estaba Adán. Más bien, esta pregunta es una invitación para que Adán y Eva comiencen un proceso de reflexión sobre sus acciones, encaminada a la conversión que posteriormente los lleve a desear y aceptar el perdón de Dios. El relato nos cuenta que Adán tuvo miedo y se escondió. En este punto del diálogo, vemos la dificultad que Adán y Eva tienen por aceptar responsabilidad por sus acciones y pasan la culpa a otra entidad. Luego, continúa la descripción de las consecuencias del pecado.

En ese punto, encontramos el protoevangelio (Génesis 3:15), el primer anuncio de la Buena Nueva de la redención y promesa de vida. Esta promesa es comunicada de manera sutil e ingeniosa. La promesa es de enemistad entre la serpiente y "la mujer". A pesar de que esto no parezca una promesa de vida, la mención de la "descendencia de la mujer" implica que la mujer vivirá y tendrá descendientes. Seguidamente, en el versículo 3:20 vemos una segunda indicación de promesa de vida. Curiosamente, las primeras cuatro veces la mujer es mencionada sin nombre particular. Pero en la quinta men-

ción, el relato habla de cómo Adán le puso el nombre de "Eva, porque ella fue la madre de todos los vivientes". En hebreo, lenguaje original de este texto, la promesa de vida es aún más clara, gracias a un juego de palabras evidente sólo en hebreo. De la mujer Eva, nacerán muchos descendientes, incluyendo María, quien será la nueva Eva, cuyo descendiente aplastará la cabeza de la serpiente.

II LECTURA   La Carta a los Efesios comienza con el saludo usual: primero, la presentación de Pablo; luego, un breve deseo de paz para los oyen-

Enfatiza la vocación de haciendo una proclamación más pausada conforme te acercas al final.

Con Cristo somos **herederos** también nosotros.
Para **esto** estábamos destinados,
    por **decisión** del que lo hace todo **según** su voluntad:
    para que **fuéramos** una alabanza **continua** de su gloria,
    nosotros, los que ya antes **esperábamos** en Cristo.

EVANGELIO   Lucas 1:26–38

Lectura del santo Evangelio según san Lucas

Este relato es muy familiar y entrañable. Haz que se note la parte descriptiva y la dialogal por el ritmo diferente que emplees.

En aquel tiempo,
    el **ángel** Gabriel fue enviado por Dios
    a una ciudad de Galilea, llamada **Nazaret**,
    a una **virgen** desposada con un varón de la estirpe de David,
    llamado **José**. La virgen se llamaba **María.**

El saludo angélico es de gran importancia en la celebración de esta fiesta. A pesar de ser breve, este anuncio está cargado de significado; no lo trivialices.

Entró el ángel a donde ella estaba y le dijo:
    "**Alégrate**, **llena** de gracia, el Señor **está** contigo".
Al oír **estas** palabras,
    ella se preocupó **mucho**
    y se preguntaba **qué querría decir** semejante saludo.

El ángel le dijo:
    "**No temas**, María, porque **has hallado** gracia ante Dios.
    Vas **a concebir** y a dar a luz **un hijo**
    y le pondrás por nombre **Jesús**.
Él será **grande** y será llamado **Hijo** del Altísimo;
    el Señor Dios le dará el trono de David, **su padre**,
    y él **reinará** sobre la casa de Jacob **por los siglos**
    y su reinado **no tendrá fin**".

---

tes; después, un segmento acerca del plan de salvación, del cual viene nuestra lectura de hoy. La presentación es en parte descriptiva y en parte un himno de bendición alabando a la Trinidad por el don de la salvación. Lo concerniente al Padre aparece en los versos 3–6, 8 y 11; a Cristo, versos 3, 5, 7–10 y 12; y al Espíritu, versos 13–14.

    El plan de salvación trae consigo un llamado. El Padre nos escogió en Cristo, incluso antes de la creación, con un propósito especial. Dios nos ha llamado a la santidad y nos ha elegido para que seamos herederos de un destino en continua alabanza. Los

versículos 13 y 14, aunque no están incluidos en la lectura, completan el significado de la herencia. Es ahí donde leemos que, en Cristo, luego de haber escuchado el evangelio y creído, hemos sido sellados con el Espíritu Santo.

    Además del llamado a la santidad, por ser elegidos en Cristo, por su medio, Dios nos ha destinado a ser hijos suyos. Es difícil apreciar el significado de esta palabra en español, o en otros idiomas modernos. En griego, el verbo conjugado en Efesios 1:6 es el mismo que en Lucas 1:28; de hecho, cada uno conjugado de forma diferente, pero el

mismo verbo: *charitoó*, "dar gracia o llenar de gracia". En el caso de Efesios, Pablo declara que tanto él como sus oyentes han recibido gracia [favor], que hemos sido favorecidos por medio de Cristo.

    Esta lectura nos enfoca en el regalo de la gracia, en Cristo, y en el correspondiente llamado a la santidad, al haber sido hechos hijos de Dios. También despierta en nuestros corazones la gratitud por el maravilloso plan de salvación.

| EVANGELIO | El anuncio que el ángel le hace María acerca del

María le dijo entonces al ángel:

"**¿Cómo** podrá ser esto, puesto que yo **permanezco virgen?**"

El ángel le contestó:

"El Espíritu Santo **descenderá** sobre ti

y el **poder** del Altísimo te cubrirá con su sombra.

Por eso, **el Santo**, que va a nacer **de ti**,

será llamado **Hijo de Dios.**

Ahí tienes a tu parienta **Isabel**,

que a pesar **de su vejez**, **ha concebido** un hijo

y ya va en el **sexto** mes la que llamaban **estéril**,

porque no hay **nada imposible** para Dios".

María contestó:

"**Yo soy** la esclava del Señor;

cúmplase en mí lo que me has dicho".

Y el ángel **se retiró** de su presencia.

Haz notar la certeza y aplomo de la respuesta de María; es el clìmax del episodio.

embarazo es único del evangelio lucano, que va presentando a Juan Bautista y a Jesús en paralelo. Hay dos anuncios de embarazo, dos nacimientos y dos cánticos de acción de gracias.

El anuncio a Zacarías del futuro nacimiento de Juan ocurre en el templo de Jerusalén; aquél era sacerdote judío y estaba en su día de servicio. El segundo anuncio, que hoy escuchamos, es hecho a María en Nazaret.

El saludo del ángel está lleno de significado. "Alégrate, llena de gracia, el Señor está contigo". El saludo comienza con una exhortación a alegrase, seguido por la descripción de su condición humana y termina con la razón por la cual ella debe alegrarse. Primeramente, nos enfocaremos en la exhortación. Los profetas ya habían usado la misma exhortación en el contexto de la restauración del reino; la dirigieron refiriéndose a Jerusalén y al pueblo (Sofonías 3:14 y Zacarías 9:9).

La descripción de su condición humana, al momento del saludo, es esencial para entender que María fue concebida sin pecado original. Después del primer pecado en el Paraíso, la humanidad nace en estado quebrantado, con falta de gracia original. Pero este no es el caso de María. El texto en español dice, "llena de gracia". Es difícil apreciar el significado de esta frase en español, o en idiomas que no sean el griego original. La palabra griega *kecharitōmenē* significa que ella ha estado llena de gracia no desde ese momento, sino desde antes. Es decir, María no está llena de gracia a partir del anuncio; al contrario, esa es ya su condición cuando el ángel le saluda.

El saludo describe la presencia del Señor con ella como el motivo de la alegría.

III DOMINGO DE ADVIENTO

Es domingo de alegría y regocijo. La perspectiva del Adviento se orienta ahora al nacimiento del Señor. Proclama con corazón alegre.

I LECTURA   Isaías 35:1–6a, 10

Lectura del libro del profeta Isaías

Esto dice el Señor:
    "**Regocíjate**, yermo sediento.
Que se **alegre** el desierto y se **cubra** de flores,
    que **florezca** como un campo de lirios,
    que se alegre y **dé gritos** de júbilo,
    porque le será dada la **gloria** del Líbano,
    el **esplendor** del Carmelo y del Sarón.

Ellos **verán** la gloria del Señor,
    el **esplendor** de nuestro Dios.
Fortalezcan las manos cansadas,
    afiancen las rodillas vacilantes.
Digan a los de corazón apocado:
    '**¡Ánimo! No teman.**
He aquí que su Dios,
    vengador y justiciero,
    viene **ya** para salvarlos'.

Se **iluminarán** entonces los ojos de los ciegos,
    y los oídos de los sordos se **abrirán**.
Saltará como un ciervo el cojo,
    y la lengua del mudo **cantará**.
Volverán a casa los **rescatados** por el Señor,
    vendrán a Sión con **cánticos** de **júbilo**,
    coronados de **perpetua** alegría;
    serán su escolta el **gozo** y la **dicha**,
    porque la pena y la aflicción **habrán terminado**".

Este es un verdadero Evangelio que trae la salvación a los más necesitados, como Cristo hará con su venida. Proclama esta sección despacio y fraseando con cuidado.

I LECTURA A este domingo se le llama *Gaudete* o domingo de regocijo y alegría. El mensaje de Isaías ciertamente comunica alegría. Isaías describe en el capítulo 35 cómo el territorio de desierto de Judá será transformado para facilitar el caminar del pueblo de Dios.

El mensaje de esta lectura tiene un enfoque especial en la liberación del pueblo de Dios y su regreso a su tierra. Es un canto que lleva un mensaje de ánimo y esperanza para el pueblo que ha sido despojado. El lenguaje de esta poesía asigna emociones humanas de regocijo y alegría a formas geográficas como el desierto y el yermo. A través de este mecanismo literario, el profeta nos comunica una alegría tan intensa, que hasta el desierto es transformado y siente esta emoción humana al ver la gloria del Señor.

Isaías continua el cántico de esperanza animando al peregrino, cuyas rodillas están inseguras y cuyas manos están agobiadas, en su caminar. Puede tener animo el peregrino, no por razones de rescate humano, pero porque Dios mismo viene al rescate. Cuando la salvación venga, en el tiempo de júbilo y alegría los que no pueden ver, oír o hablar, podrán recuperar vista, oído y habla, y estarán llenos de alegría, pues su sufrimiento habrá terminado.

II LECTURA La Carta de Santiago es una carta llena de consejos sabios acerca de cómo enfrentar la tentación y las dificultades, de lo importante de no solamente oír la palabra sino también de actuar de forma congruente con ella, de cómo usar nuestra lengua para bien, de la sabiduría verdadera, de la paciencia y del poder de la oración.

SALMO RESPONSORIAL   Salmo 145:6c–7, 8–9a, 9bc–10

R. Ven, Señor, a salvarnos.

El Señor mantiene su fidelidad
  perpetuamente, hace justicia a los
  oprimidos, da pan a los hambrientos.
El Señor liberta a los cautivos. **R.**

El Señor abre los ojos al ciego, el Señor
  endereza a los que ya se doblan,
  el Señor ama a los justos, el Señor
  guarda a los peregrinos. **R.**

Sustenta al huérfano y a la viuda y trastorna
  el camino de los malvados.
  El Señor reina eternamente; tu Dios,
  Sión, de edad en edad. **R.**

II LECTURA   Santiago 5:7–10

Lectura de la carta del apóstol Santiago

Hermanos:
Sean pacientes hasta la venida del Señor.
Vean cómo el labrador,
    con la **esperanza** de los frutos **preciosos** de la **tierra**,
    aguarda **pacientemente** las lluvias tempraneras y las tardías.
Aguarden **también** ustedes **con paciencia**
    y mantengan **firme** el ánimo,
    porque la venida del Señor **está cerca**.

No murmuren, hermanos,
    los unos de los otros,
    para que el día del juicio no sean **condenados.**
Miren que el juez ya está a la puerta.
Tomen como **ejemplo** de paciencia
    en el sufrimiento **a los profetas**,
    los cuales hablaron **en nombre** del Señor.

Para meditar

Hay que sostener el ánimo de los débiles y apagados de la asamblea. Tu voz debe ser firme y bien apoyada desde el vientre.

Haz contacto con la asamblea, pero viendo hacia el fondo del recinto, no a las personas en las bancas.

La lectura de hoy se concentra en el tema de esperar con paciencia. Santiago alude a la paciencia cuatro veces en esta lectura, usando diferentes palabras derivadas del verbo griego *makrothymeō*, "ser paciente": sean pacientes, aguarden pacientemente, aguarden con paciencia y tengan el ejemplo de la paciencia de los profetas. Para comunicar su mensaje sobre la paciencia, Santiago se vale de ejemplos figurativos tales como el labrador que espera las lluvias tempranas y tardías.

Hay dos estaciones lluviosas en Israel. Las lluvias tempranas se conocen con la voz hebrea *yoreh* y caen de octubre a diciembre. Estas lluvias después del verano hacen que la tierra se ablande y se vuelva fértil. Las lluvias tardías (llamadas *malkosh*) son fuertes y caen entre marzo y abril, coincidiendo con el tiempo de Pascua. Estas lluvias fuertes pueden penetrar más fácilmente en la tierra ya ablandada por las lluvias tempranas. El labrador hubiera esperado con paciencia a que las lluvias caigan para poder arar la tierra, luego plantar y más tarde cosechar. Igual que el labrador, Santiago nos anima: debemos esperar con paciencia la venida del Señor, él va transformando y ablandando nuestros corazones como el agua ablanda la tierra, y así la semilla de su palabra podrá dar fruto en nuestras vidas.

EVANGELIO Juan Bautista continúa manteniendo nuestra atención en el evangelio de hoy. Mateo nos cuenta que Juan, estando preso por órdenes de Herodes, preguntó a Jesús a través de dos discípulos si era él "el que ha de venir" o si había que continuar esperando. La respuesta que Jesús mandó torna alrededor de la transformación de seis

No olvides mirar a la asamblea después del anuncio y la signación del Evangeliario.

EVANGELIO   Mateo 11:2–11

Lectura del santo Evangelio según san Mateo

En aquel tiempo, Juan se encontraba **en la cárcel**,
  y habiendo oído hablar de **las obras** de Cristo,
  le mandó **preguntar** por medio de dos discípulos:
  "¿Eres tú el que **ha de venir** o tenemos que esperar a otro?"

Jesús les respondió:
  "**Vayan** a contar a Juan lo que están **viendo y oyendo**:
  los ciegos **ven**, los cojos **andan**,
  los leprosos **quedan limpios** de la lepra,
  los sordos **oyen**, los muertos **resucitan**
  y **a los pobres** se les anuncia el Evangelio.
Dichoso aquél que no se sienta **defraudado** por mí".

Subraya los efectos de las obras de Cristo, y realza la última línea del párrafo pronunciándola en dos momentos.

Cuando se fueron los discípulos,
  Jesús se puso a hablar a la gente acerca **de Juan**:
  "¿Qué fueron ustedes a ver **en el desierto**?
¿Una caña **sacudida** por el viento? No.
Pues entonces, ¿**qué** fueron a ver?
¿A un hombre **lujosamente** vestido?
No, ya que los que visten con lujo **habitan** en los palacios.
¿**A qué** fueron, pues?
¿A ver **a un profeta**?
Sí, yo se **lo aseguro**;
  y a uno que es todavía **más** que profeta.
Porque de él **está escrito**:
He aquí que yo envío a mi **mensajero**
  para que vaya **delante** *de ti y te prepare el* **camino**.
Yo les aseguro que **no ha surgido** entre los hijos de una mujer
  ninguno más grande que Juan el **Bautista**.
Sin embargo, el **más pequeño** en el **Reino de los cielos**,
  es todavía **más grande** que él".

Esta parte puede ser confusa a los oyentes. Haz las pausas debidas y respeta la puntuación de las frases.

---

grupos de gente: los ciegos ahora ven; los cojos caminan; los leprosos han sido curados; los sordos pueden oír; los muertos vuelven a tener vida; los pobres reciben la Buena Nueva. Los seis grupos se encontraban socialmente aislados por diferentes razones. Los cinco primeros grupos, ciegos, cojos, leprosos, sordos y muertos tenían impedimentos físicos. El sexto grupo, los pobres, estaban aislados por circunstancias sociales que les impedían integrarse al resto de la comunidad. Cada grupo recibe lo que necesita: los cojos no necesitan vista, sino

poder caminar, los leprosos no necesitan poder oír, sino ser curados.

Habiendo Jesús mandado, a través de los discípulos, respuesta a las preguntas del Bautista, se dirigió entonces a la gente para mostrar la relevancia de Juan. Así como Juan mandó a preguntar quién es Jesús, así Jesús preguntó a la gente por lo que fueron a ver en el desierto cuando encontraron al Bautista. Jesús les aseguró que no solamente Juan era un profeta, sino que también era el mensajero que se adelantaba para preparar el camino del Señor. No había habido ningún profeta desde Malaquías, el último

profeta del Antiguo Testamento. Y según sus profecías, el pueblo de Dios anticipaba que, en el tiempo de la restauración del reino, habría un profeta, un mensajero, que anunciaría la venida del mesías, del Ungido de Dios: "He aquí que yo envío a mi mensajero. Él preparará el camino delante de mí".

Esta declaración de Jesús acerca del Bautista confirma que la época mesiánica ha llegado. La preparación ya ha ocurrido, y el cumplimento de la promesa del Mesías ya es realidad. ¡Qué alegría! Con justa razón, este es el evangelio proclamado en el Domingo Gaudete.

BIENAVENTURADA VIRGEN MARÍA DE GUADALUPE

Procura que tu espíritu sintonice con la festividad del día. La lectura trae un mensaje de regocijo y esperanza. Hazla con gozo interior y exterior.

Haz contacto visual con la asamblea para hacerla sentir destinataria de estas bellas palabras del profeta.

I LECTURA   Zacarías 2:14–17

Lectura del libro del profeta Zacarías

"Canta de gozo y regocíjate, Jerusalén,
   pues vengo a vivir **en medio de ti**, dice el Señor.
Muchas naciones se unirán al Señor en aquel día;
   ellas también serán **mi pueblo**
   y yo habitaré **en medio** de ti
   y sabrás que el Señor de los ejércitos
   me ha enviado **a ti**.
El Señor tomará nuevamente a Judá
   como su **propiedad personal** en la tierra santa
   y Jerusalén volverá a ser la ciudad elegida".

¡Que todos guarden silencio ante el Señor,
   pues **él se levanta** ya de su santa morada!

O bien:

I LECTURA   Apocalipsis 11:19a; 12:1–6a, 10ab

Lectura del libro del Apocalipsis del apóstol san Juan

Se abrió el templo de Dios en el cielo
   y dentro de él se vio el **arca de la alianza**.

I LECTURA Perteneciente a la clase sacerdotal, Zacarías demuestra su interés en la reconstrucción del templo, especialmente en los primeros ocho capítulos de su libro. La lectura de hoy se enfoca en una profecía sobre el futuro Jerusalén, cuando el monte Sión haya sido renovado. En la profecía, Zacarías exhorta a Jerusalén a regocijarse, y a cantar de gozo, porque el Señor vendrá a vivir entre ellos. Jerusalén y otros pueblos serán juntos el pueblo de Dios. El profeta también anuncia que el Señor tomará nuevamente a Judá como su propiedad personal y Jerusalén vol-

verá a ser la ciudad elegida. Las frases "mi pueblo", "propiedad personal", "elegida" nos recuerdan la alianza con Moisés, cuando Dios escogió al pueblo de Israel como su "tesoro", para que fuera un reino de sacerdotes y un pueblo santo (ver Éxodo 19:5–6). Los exiliados debían darse cuenta de que Dios no se había olvidado de la alianza.

En el transcurso de la historia humana, Dios escoge y elige a quien parece poco apto o deseable para su pueblo y lo invita a cooperar con él y ser parte de su misión. Algunos ejemplos: Rajab, la cortesana de Jericó que escondió a espías israelitas, llegó

a ser la madre de Booz y abuela de Obed, a su vez el abuelo de David; Ciro el rey de medos y persas que liberó a los israelitas; Pablo, que perseguía a los seguidores de Cristo, y luego se convirtió en apóstol de Cristo para los que no eran judíos. Este fondo es apropiado para la celebración de la Virgen de Guadalupe. En 1531, en el cerro del Tepeyac, la Virgen María se le apareció a Juan Diego, un indígena convertido al cristianismo. De esas humildes raíces se origina la fiesta de la Virgen de Guadalupe que se celebra hoy en todas las Américas.

La visión de la mujer que aparece en el cielo es espléndida. Dale a esta escena un tono que transmita lo sorprendente de lo descrito.

Apareció entonces **en el cielo** una figura prodigiosa:
una mujer envuelta por **el sol**,
con **la luna** bajo sus pies
y con una corona de **doce estrellas** en la cabeza.
Estaba **encinta** y a punto de dar a luz
y **gemía** con los dolores del parto.

Aunque la amenaza es tremenda, la tensión se desvanece con la victoria de Dios. Dale cierto sentido dramático a las líneas de este cuadro.

Pero apareció **también en el cielo** otra figura:
un enorme dragón, **color de fuego**,
con siete cabezas y diez cuernos,
y una **corona** en cada una de sus siete cabezas.
Con su cola
barrió la tercera parte de las estrellas **del cielo**
y las arrojó sobre **la tierra**.
Después se detuvo delante de la mujer que **iba a dar a luz**,
para devorar a su hijo, **en cuanto éste** naciera.
La mujer **dio a luz** un hijo varón,
destinado a gobernar **todas las naciones**
con cetro de hierro;
y su hijo fue **llevado hasta Dios** y hasta su trono.
Y la mujer **huyó al desierto**, a un lugar preparado por Dios.

Entonces oí en el cielo **una voz poderosa**, que decía:
"Ha sonado **la hora de la victoria** de nuestro Dios,
de su dominio y de su reinado, y del **poder de su Mesías**".

Para meditar

SALMO RESPONSORIAL   Judit 13:18bcde, 19
R. Tú eres el orgullo de nuestra raza.

El Altísimo te ha bendecido, hija,
más que a todas las mujeres de la tierra.
Bendito el Señor, creador del cielo y tierra. **R.**

Que hoy ha glorificado tu nombre de
tal modo,
que tu alabanza estará siempre
en la boca de todos los que se acuerden
de esta obra poderosa de Dios. **R.**

II LECTURA El Apocalipsis se vale de imágenes y símbolos que nos invitan a entrar en el drama de la revelación de los últimos días cuando el Señor triunfará para siempre sobre el mal. El libro nos presenta visiones de Juan, sobre la lucha que enfrentan Cristo y sus discípulos con el Maligno y sus servidores. Ahora es tiempo de sufrimiento y persecución, e incluso del martirio, pero esto no es lo definitivo. El Apocalipsis anuncia la restauración y paz eternas.

Comienza nuestra lectura con una imagen del templo en el cielo, donde el arca de la alianza es visible. La visión inmediatamente describe a una mujer, que implícitamente viene a ser "el arca nueva" o "el arca de la nueva alianza". El arca resguardada en el templo de Salomón "soportaba" la presencia de Dios y guardaba en su interior las tablas de los mandamientos, fragmentos de maná y la vara de Aarón. El arca nueva lleva la presencia del Dios hecho humano en un vientre femenino. La mujer del Apocalipsis está embarazada y se enfrenta a un enorme dragón, dispuesto a devorar al hijo por nacer. Sin decir cómo, milagrosamente, el dragón fue derrotado y la mujer dio a luz a un niño destinado a ser rey sobre todo el mundo y a traer paz eterna.

La mujer embarazada sería la Virgen María, que dio a luz a Cristo, el Mesías de Dios. La imagen de esta mujer del Apocalipsis corresponde a la imagen que Juan Diego, el humilde indígena de México, vio en una aparición en el Tepeyac, en 1531, y quedó grabada en su tilma de macehual, prenda usual de los jornaleros.

EVANGELIO El evangelio de hoy viene de la sección que sigue inmediatamente al anuncio del ángel Gabriel

EVANGELIO   Lucas 1:39–47

Lectura del santo Evangelio según san Lucas

En aquellos días,
     María se **encaminó presurosa** a un pueblo de las montañas
          de Judea,
          y entrando en la casa de Zacarías, saludó a Isabel.
En cuanto ésta oyó **el saludo de** María,
     la creatura **saltó en su** seno.

Entonces Isabel **quedó llena** del Espíritu Santo,
     y levantando la voz, exclamó:
     "**¡Bendita tú** entre las mujeres
     y **bendito el fruto** de tu vientre!
¿Quién soy yo, para que la madre de mi Señor venga a verme?
Apenas llegó **tu saludo** a mis oídos, el niño saltó **de gozo**
     en mi seno.
Dichosa tú, que has creído,
     porque **se cumplirá** cuanto te fue anunciado de parte
          del Señor".

Entonces dijo María:
     "Mi alma **glorifica** al Señor
     y mi espíritu se llena **de júbilo** *en Dios, mi salvador*".

O bien: *Lucas 1:26–38*

Esamos ante la visita tierna y gozosa de María a Isabel. Detecta dónde está lo sorprendente del relato para que lo enfatices ante la asamblea.

Proclama las palabras de Isabel pausadamente, pero sin arrastrar el ritmo.

---

a María. El evangelista nos transporta a la región de Judea, invitándonos a acompañar a María en un viaje de visita a su pariente Isabel, a lo que sigue el cántico de alabanza de María. Este relato solamente aparece en el evangelio según Lucas.

Lucas tiene un enfoque principal en mujeres que son protagonistas en la historia de la salvación. Así es que nos presenta con un encuentro de dos mujeres embarazadas. Las dos fueron sorprendidas con su embarazo; Isabel por su edad avanzada y María por no haber estado todavía viviendo con su desposado. Las dos fueron elegidas de ma-

nera singular y las dos aceptaron la invitación de ser colaboradoras en la misión redentora de Dios.

La breve descripción del viaje de María a visitar a Isabel, su estadía ahí y la respuesta del niño en el vientre de Isabel (Lucas 1:39–44) son como un eco del viaje del arca de la alianza, en el reinado de David. En aquellos tiempos, el arca fue transportada también por las montañas de Judea (2 Samuel 6:1–5). No fue trasladada directamente a Jerusalén, sino que se quedó en la casa de Obed Edom por tres meses (2 Samuel 6:11). María también se quedó

con Isabel unos tres meses antes de volver a su casa (ver Lucas 1:56). El niño en el vientre de Isabel saltó de gozo cuando Isabel escuchó el saludo de María (Lucas 1:41, 44), y de manera similar, David se alegró y bailó cuando el arca se acercaba (2 Samuel 6:14). Desde tiempos antiguos, los padres de la Iglesia comentaron sobre estas semejanzas y enseñaron que María es el arca nueva.

IV DOMINGO DE ADVIENTO

Este episodio tiene dos momentos. Haz notarlas negativas del primer párrafo y el cambio de tono que la pregunta del profeta inicia.

I LECTURA   Isaías 7:10–14

Lectura del libro del profeta Isaías

En **aquellos** tiempos, **el Señor** le habló a Ajaz diciendo:
"**Pide** al Señor, tu Dios,
  una señal de abajo, en **lo profundo**
  o de **arriba**, en lo alto".
Contestó Ajaz:
  "**No** la pediré.
No tentaré al Señor".

Entonces dijo Isaías: "Oye, pues, **casa** de David:
¿No satisfechos con **cansar** a los hombres,
  quieren cansar **también** a mi Dios?
Pues bien, **el Señor mismo** les dará por eso **una señal**:
He aquí que la virgen **concebirá** y dará a luz un hijo
  y le pondrán el nombre de **Emmanuel**,
  que quiere decir **Dios-con-nosotros**".

Proclama la señal de Dios pausadamente, haciendo contacto visual con la asamblea. Esto facilitará que la reconozcan después.

Para meditar

SALMO RESPONSORIAL   Salmo 23:1–2, 3–4a, 5–6
R. Va a entrar el Señor: Él es el Rey de la Gloria.

Del Señor es la tierra y cuanto la llena, el orbe y todos sus habitantes: él la fundó sobre los mares, él la afianzó sobre los ríos. **R.**

¿Quién puede subir al monte del Señor? ¿Quién puede estar en el recinto Sacro? El hombre de manos inocentes y puro de corazón. **R.**

Ése recibirá la bendición del Señor, le hará justicia el Dios de salvación. Éste es el grupo que busca al Señor, que viene a tu presencia, Dios de Jacob. **R.**

I LECTURA   Nuestra lectura viene de las profecías del Emmanuel, que comienzan en el capítulo 7. Es importante tener una idea, aunque sea bastante resumida, del fondo histórico un tanto complicado por la guerra siro-efraimita del siglo VIII a. C. Pécaj, rey de Israel (el Reino del Norte o Efraín), se alió con el rey Rasín, del pequeño Reino de Siria o Aram. Juntos, Israel y Siria podrían defenderse de Asiria, el imperio dominante de esa época. El rey Ajaz, del Reino del Sur, (Reino de Judá) no quiso ser parte de la coalición entre Siria e Israel; tal decisión lo convirtió en enemigo de la coalición. Ajaz debió solicitar ayuda al rey asirio Teglatfalasar, para defenderse de Siria e Israel.

Desde este trasfondo llega nuestro texto de Isaías. En medio de esta terrible situación de verse atacado por la coalición Siro-efraimita, el Señor mandó a Isaías a hablar con Ajaz. Por su profeta, Dios invita a Ajaz a confiar en la providencia divina. En el verso previo a nuestra lectura, el Señor le anuncia a Ajaz, "Si ustedes no se mantienen firmes en su fe, no podrán subsistir" (Isaías 7:9). Tras esta advertencia, el Señor le dijo que le pidiera una señal que le certificara la protección divina. Sin embargo, Ajaz, tras un manto de humildad falsa se negó a pedir dicha señal. A pesar de la respuesta del rey, el Señor le da la señal: un niño, descendiente de Ajaz, nacerá de una doncella y llevará el nombre Emmanuel, que significa "Dios-con-nosotros", con el cual anuncia su misión: revelar la presencia de Dios en medio del pueblo.

El cumplimiento inmediato de esta profecía se realiza en Ezequías, hijo de Ajaz. En hebreo, el nombre Ezequías significa "Dios fortalece" o "da fuerza", que si bien no es Dios-con-nosotros, implícitamente entende-

II LECTURA   Romanos 1:1–7

Lectura de la carta del apóstol san Pablo a los romanos

Pablo se presenta a cristianos desconocidos. En tu proclamación, adopta un espíritu de amable cortesía en esta lectura, no de autoridad apostólica.

Yo, **Pablo**, siervo de Cristo Jesús,
     he sido **llamado** por Dios para ser apóstol
     y **elegido** por él para **proclamar** su Evangelio.
Ese Evangelio, que,
     anunciado de antemano
     por los profetas en las **Sagradas Escrituras**,
     se refiere a su Hijo,
     Jesucristo, nuestro Señor,
     que nació,
     en cuanto a su condición **de hombre**,
     del linaje **de David**,
     y en cuanto a su condición de espíritu **santificador**,
     se manifestó con **todo** su poder como **Hijo** de Dios,
     a partir de su **resurrección** de entre los muertos.

Contacta visualmente con la congregación. El tono en la proclamación es de humildad y disposición a servir.

Por medio de **Jesucristo**,
Dios me **concedió** la gracia del apostolado,
     a fin de **llevar** a los pueblos **paganos** a la **aceptación** de la fe,
     para **gloria** de su nombre.
Entre ellos, **también** se cuentan ustedes,
     llamados a pertenecer a **Cristo Jesús**.

A **todos** ustedes, los que viven en Roma,
     a quienes Dios **ama** y ha llamado a la **santidad**,
     les deseo **la gracia y la paz** de Dios,
     nuestro **Padre**,
     y de Jesucristo, **el Señor**.

---

mos que Dios, al fortalecernos, está con nosotros y que de manera muy especial lo experimentamos en la Natividad del Señor.

II LECTURA Pablo empieza esta carta describiéndose. Así comunica a su audiencia, y hoy a nosotros, que él es alguien con credibilidad. Él tiene credenciales para lo que nos dirá, no credenciales académicas ni de logros sino la credencial de su vocación de ser apóstol, la de saberse mensajero con una misión.

Siguiendo los pasos de profetas del Antiguo Testamento, Pablo también va a anunciar la Buena Nueva, tal como lo hizo Isaías, al comunicar el mensaje del Señor acerca de la venida de Emmanuel. Es importante apreciar la continuidad en el llamado a la vocación de ser profeta, tanto en el Antiguo Testamento como en el Nuevo. El profeta es un mensajero de Dios al pueblo para anunciar y recordar el amor de Dios y su voluntad. En realidad, la Buena Nueva, como lo dice Pablo, se refiere a la venida de Jesucristo, de la línea de David. Cristo, siendo totalmente humano, es también Dios verdadero y se encarnó por amor a la humanidad. Al cumplir su misterio pascual, pasión, muerte, resurrección y ascensión, nos ha alcanzado la salvación. Pablo cuenta a sus oyentes que su apostolado (es decir, su misión de llevar el Evangelio a los pueblos paganos) no fue algo que él hiciera por cuenta propia sino su respuesta al llamado divino, llamado hecho por medio de Cristo. Además, Pablo enfatiza su vocación, pero no sólo a él le corresponde, pues insiste en que también sus oyentes han sido llamados. Aquí se establece la comunión. Ellos, por la gracia de Dios, han recibido el llamado a pertenecer a Cristo y ser santos.

Nota que la primera línea da el tema de lo que sigue. La primera oración indica ya un drama tremendo; no lo banalices; marca la tensión entre las dos oraciones del párrafo.

EVANGELIO   Mateo 1:18–24

Lectura del santo Evangelio según san Mateo

Cristo vino al mundo de la siguiente manera:
    Estando **María**, su madre, **desposada** con José,
    y **antes** de que vivieran juntos,
    sucedió que ella,
    por obra del **Espíritu Santo**,
    estaba **esperando** un hijo.
José, su esposo,
    que era hombre **justo**,
    no queriendo ponerla en **evidencia**,
    pensó dejarla **en secreto**.

Mientras pensaba **en estas cosas**,
    un ángel del Señor le dijo en sueños:
    "José, **hijo** de David,
    no dudes en recibir en tu casa
    a María, tu esposa,
    porque ella **ha concebido** por obra **del Espíritu Santo**.
Dará a luz un hijo
    y **tú** le pondrás el nombre **de Jesús**,
    porque **él salvará** a su pueblo de sus pecados".

Todo esto sucedió para que **se cumpliera** lo que había **dicho** el Señor
        por boca del profeta Isaías:
    He aquí que la virgen *concebirá* y *dará a luz* un hijo,
    a quien pondrán el nombre de **Emmanuel**,
    que quiere decir **Dios-con-nosotros**.

Cuando José **despertó** de aquel sueño,
    hizo lo que le **había mandado** el ángel del Señor
    y **recibió** a su esposa.

Pronuncia deliberadamente despacio las palabras de la profecía de Isaías, para que la audicencia conecte con la primera lectura.

EVANGELIO   El pasaje del evangelio de hoy cuenta las circunstancias complicadas del nacimiento de Cristo. Su madre estaba desposada, o prometida en matrimonio a José. Si bien todavía no vive con él, repentinamente se encuentra embarazada. Esta situación hubiese, según la ley de Moisés, hubiese traído consecuencias desastrosas para María y su hijo. Por tanto, José, siendo hombre justo y recto, pensó romper el compromiso de matrimonio en secreto y dejar a María. Mateo nos hace un resumen de los eventos en su relato: un ángel se le presenta a José en un sueño y le asegura que no debe dudar de María y que más bien debe quedarse con ella y recibir al hijo que nacerá, e incluso darle el nombre de Jesús, que en hebreo significa "Dios salva".

Nos afirma el evangelista que las cosas sucedieron tal cual, pues así se cumpliría la profecía de Isaías, que escuchamos en la primera lectura. La profecía habla de una virgen que concebirá; la palabra hebrea *almah*, que significa "joven soltera", o "recién casada", fue traducida al griego con la voz *parthenos*, "virgen joven". Mateo nos aclara que la *almah* concibió su hijo por obra del Espíritu Santo.

Claramente, este pasaje del evangelio nos revela que Jesús es Dios verdadero, engendrado, no creado, como profesamos en el Credo, y encarnado de María: Dios y hombre verdadero. En otras palabras, desde su concepción, la vida de Jesús revela la manera prodigiosa en que Dios cumple su promesa de ser el Dios-con-nosotros.

NATIVIDAD DEL SEÑOR, MISA VESPERTINA DE LA VIGILIA

I LECTURA   Isaías 62:1–5

Lectura del libro del profeta Isaías

Por amor a Sión no me callaré
   y por **amor** a Jerusalén no me daré **reposo**,
   hasta que **surja** en ella esplendoroso el justo
   y **brille** su salvación como una antorcha.

Entonces las naciones verán tu justicia,
   y tu gloria **todos** los reyes.
Te llamarán con un nombre **nuevo**,
   pronunciado por **la boca** del Señor.
Serás corona de gloria en la **mano** del Señor
   y **diadema** real en la palma de su mano.

Ya no te llamarán "**Abandonada**",
   ni a tu tierra, "**Desolada**";
   a ti te llamarán "**Mi complacencia**"
   y a tu tierra, "**Desposada**",
   porque el Señor se ha complacido **en ti**
   y se **ha desposado** con tu tierra.

Como un joven se desposa con una doncella,
   se desposará **contigo** tu hacedor;
   como el esposo **se alegra** con la esposa,
   así **se alegrará** tu Dios contigo.

Esta lectura es amplia y requiere atención al tono y a la velocidad. Con ella se anuncia una transformación muy grande y gozosa. Así deberá ser tu espíritu al proclamarla.

Nota que las frases van como pareadas en esta secuencia de trasfondo nupcial.

Dale hondura y regocijo a tu tono de voz, en esta invitación a las bodas de Dios con su pueblo.

I LECTURA La época de Adviento ha terminado. Es el fin de la espera. Esta lectura de Isaías expresa bien el fin de una espera larga. El pasaje para la misa de la vigilia de Navidad viene de la parte del libro de Isaías que se enfoca en el tiempo en que el pueblo regresaba del exilio babilónico. Durante unos setenta años, el pueblo estuvo desterrado. Habiendo sido despojados de su tierra, tampoco tenían el templo donde podían ofrecer sacrificios y orar.

Isaías entrega este mensaje a un pueblo destrozado por el sufrimiento. Le anun-

cia que las desdichas y calamidades que ha padecido Jerusalén terminarán y que su destino cambiará. Jerusalén será ejemplo de justicia para las demás naciones y los reyes de otros lugares mirarán la gloria de la ciudad. El nombre de la ciudad tiene un enfoque principal. El adjetivo o la descripción que usamos para las cosas o personas describen la identidad que les asignamos. Por ejemplo, si llamamos a alguien "bondadoso", queremos comunicar que hay bondad en esa persona. Si consideramos un árbol "gastado", decimos que el árbol ya no nos da fruto.

Isaías anuncia que el Señor cambiará el destino de su pueblo, de modo que los nuevos nombres para Jerusalén serán "mi complacencia" y "esposada". Estas nuevas descripciones comunican algo muy personal. No es únicamente, una "reconstrucción" de una estructura derruida. Es más bien una reconstrucción, o mejor dicho, una restauración de una relación quebrantada. De ahí pues que se llamará "desposada", que quiere decir "prometida" o "novia".

De hecho, la restauración de la ciudad va más allá de reconstruir edificios o casas. El profeta habla de una reparación y sana-

Para meditar

SALMO RESPONSORIAL Salmo 88:4–5, 16–17, 27, 29

R. Cantaré eternamente las misericordias del Señor.

Sellé una alianza con mi elegido,
    jurando a David mi siervo:
"Te fundaré un linaje perpetuo,
    edificaré tu trono para todas
    las edades". **R.**

Dichoso el pueblo que sabe aclamarte:
    caminará, oh Señor, a la luz de tu rostro;
    tu nombre es su gozo cada día, tu
        justicia es su orgullo. **R.**

Él me invocará: "Tú eres mi padre,
    mi Dios, mi Roca salvadora".
Le mantendré eternamente mi favor
y mi alianza con él será estable. **R.**

II LECTURA   Hechos 13:16–17, 22–25

Lectura del libro de los Hechos de los Apóstoles

Al llegar Pablo a Antioquía de Pisidia,
    se puso **de pie** en la sinagoga
    y haciendo una señal **para que se callaran**, dijo:

"Israelitas y cuantos temen a Dios, **escuchen**:
    El Dios del pueblo de Israel **eligió** a nuestros padres,
    engrandeció al pueblo
    cuando éste vivía como **forastero** en Egipto y lo
    sacó de allí con todo su poder.
Les dio por rey a David, de quien hizo **esta alabanza**:
    He hallado a David, hijo de Jesé,
    hombre según mi corazón,
    quien realizará todos mis designios.

Del **linaje** de David, conforme a la promesa,
    Dios hizo nacer para Israel **un salvador,** Jesús.
Juan **preparó** su venida,
    predicando **a todo el pueblo** de Israel
    un bautismo **de penitencia**,
    y hacia **el final** de su vida,

En esta síntesis de la historia de la salvación, identifica las líneas que refieren a la identidad de Jesús y baja la velocidad al llegar a ellas.

Observa que todo se encamina a la aparición de Cristo todavía. No termines la lectura en tono bajo, como si todo estuviera dicho; falta algo aún.

ción de la relación entre Dios y su pueblo. La lectura termina afirmando que Dios se alegrará con Jerusalén. La imagen que presenta Isaías es vívida: ha habido una gran crisis en una relación personal e íntima. Por amor, se ha ofrecido perdón y hay un comenzar de nuevo. como resultado de la reconciliación, hay alegría en medio. ¡Es la imagen de la alegría de una boda!

II LECTURA Había muchos judíos que vivían en la cuenca del Mediterráneo. Habían migrado ahí y a otras regiones del Imperio romano como migran

ahora tantas personas a Estados Unidos. A donde iban establecían una sinagoga, o casa de oración, para reunirse los sábados a escuchar y conversar sobre la palabra de Dios, casi siempre en griego. Así alimentaban su fe, con las lecturas de la Ley, los Profetas y los demás Escritos. A las reuniones podían acudir también los no judíos, gente de buena voluntad, deseosa de conocer a Dios y seguir sus mandamientos, y a quienes se les conocía como "temerosos de Dios", porque no querían hacerse judíos para evitar adoptar todos los preceptos mosaicos, incluido el de la circuncisión.

Durante sus viajes misioneros, Pablo iba a la sinagoga del pueblo donde se encontraba y luego de escuchar la proclamación de la palabra, predicaba para anunciar la Buena Nueva de Cristo. Así, encontramos a Pablo en Antioquía de Pisidia, dirigiéndose a los israelitas y a los temerosos de Dios. Les recuenta las obras misericordiosas de Dios para rescatar a su pueblo de la esclavitud de Egipto y darles a David por rey; les recuerda las promesas de la alianza davídica: no faltaría un descendiente a su trono por siempre. Refiriéndose a las promesas, Pablo afirma que Jesús ha sido enviado por

Juan decía:
'Yo **no soy** el que ustedes piensan.
Después de mí
viene uno a quien **no merezco** desatarle las sandalias' ".

EVANGELIO   Mateo 1:1–25

Lectura del santo Evangelio según san Mateo

Genealogía de Jesucristo,
   hijo de David, hijo de Abraham:
Abraham **engendró** a Isaac, Isaac a Jacob,
   Jacob a Judá y **a sus hermanos**;
   Judá **engendró** de Tamar a Fares y a Zará;
   Fares a Esrom, Esrom a Aram, Aram a Aminadab,
   Aminadab a Naasón, Naasón a Salmón,
   Salmón engendró **de Rajab** a Booz;
   Booz engendró de Rut a Obed,
   Obed a Jesé, y Jesé **al rey David**.

David engendró de la mujer de Urías **a Salomón**,
   Salomón a Roboam, Roboam a Abiá, Abiá a Asaf,
   Asaf a Josafat, Josafat a Joram, Joram a Ozías,
   Ozías a Joatam, Joatam a Acaz, Acaz a Ezequías,
   Ezequías a Manasés, Manasés a Amón, Amón a Josías,
   Josías engendró a Jeconías y a sus hermanos,
   durante **el destierro** en Babilonia.

Después del destierro en Babilonia,
   Jeconías **engendró** a Salatiel, Salatiel a Zorobabel,
   Zorobabel a Abiud, Abiud a Eliaquim,
   Eliaquim a Azor, Azor a Sadoc, Sadoc a Aquim,
   Aquim a Eliud, Eliud a Eleazar, Eleazar a Matán,
   Matán a Jacob, y Jacob engendró **a José**,
   el esposo de María, de la cual nació **Jesús**, llamado Cristo.

Es un reto capturar la atención de la asamblea en toda la secuencia. Identifica los nombres de las mujeres y haz contacto visual con la audiencia en esas líneas. Esto ayudará a variar la cadencia.

Aunque separados, estos dos párrafos han de escucharse consecutivos, sin ruptura.

Dios como salvador, para cumplir esa promesa a David.

EVANGELIO Comienza el evangelio de Mateo con esta monumental genealogía de cuarenta y dos generaciones, que se remonta hasta Abraham. Consideremos primero el contorno de esta lectura. Mateo resume el mensaje clave, que Dios es el Dios de la alianza y que la alianza se mantiene firme. Al comenzar el relato de la genealogía, Mateo identifica a Jesucristo como hijo de David y como hijo de Abraham, las dos grandes alianzas, y ter-

mina este pasaje con la descripción de José cuando éste toma como esposa a María quien da a luz al niño, cuyo nombre es Jesús. El significado del nombre Jesús ya lo sabemos: ¡él salvará!

A primera vista, parece una lectura llena de nombres difíciles de pronunciar y de personas desconocidas. Sin embargo, la proclamación de este evangelio es de mucha importancia, especialmente en el contexto del cumplimiento de las promesas de las alianzas. La alianza con Abraham implicaba las promesas de tierra, descendientes numerosos y la bendición para todas las

naciones (ver Génesis 12:1–4). La alianza con David implicaba las promesas de una dinastía que permanecería para siempre y el amor incondicional de Dios (ver 2 Samuel 7:12–16).

En este contexto, Mateo nos presenta las cuarenta y dos generaciones en tres grupos de catorce generaciones cada uno. El primer grupo es desde Abraham hasta David; el segundo, desde David hasta el exilio de Babilonia; el tercero, desde el exilio hasta Cristo. Dentro de estos tres grupos, hay muchos detalles de importancia de los cuales destacaremos algunos. Las genealogías de

Enfatiza el número "catorce" porque es lo que da el sentido de plenitud y cumplimiento cabal que dispone a lo siguiente.

El relato es conocido, pero los cambios en tu entonación lo renovarán a los oídos de la asamblea. Apóyate en los contrastes.

Aminora la velocidad en esta parte. Deja que los diálogos sean más lentos.

De modo que **el total** de generaciones
 desde Abraham hasta David, es de **catorce;**
 desde David **hasta la deportación** a Babilonia, es **de catorce,**
 y de la deportación a Babilonia **hasta Cristo**, es de **catorce.**

Cristo vino al mundo de la siguiente manera:
Estando María, su madre, **desposada** con José,
 y **antes** de que vivieran juntos,
 sucedió que ella, **por obra** del Espíritu Santo,
 estaba **esperando** un hijo.
José, su esposo, que era hombre **justo**,
 no queriendo ponerla **en evidencia**,
 pensó dejarla **en secreto**.

Mientras pensaba en estas cosas,
 un ángel del Señor le dijo **en sueños:**
 "José, **hijo** de David,
 no dudes en recibir en tu casa a María, tu esposa,
 porque ella ha concebido **por obra** del Espíritu Santo.
Dará a luz un hijo
 y **tú** le pondrás el nombre de **Jesús**,
 porque él **salvará** a su pueblo de sus pecados".

Todo esto sucedió
 para que **se cumpliera** lo que había **dicho** el Señor
 por boca del profeta **Isaías:**
 He aquí que la virgen concebirá y dará a luz un hijo,
 a quien pondrán el nombre de Emmanuel,
 que quiere decir Dios-con-nosotros.

Realza que se trata de un sueño; poco a poco baja el ritmo de lectura en las líneas finales.

Cuando José **despertó** de aquel sueño,
 hizo lo que **le había mandado** el ángel del Señor
 y **recibió** a su esposa.
Y sin que él **hubiera tenido** relaciones con ella,
 María dio a luz un hijo
 y él le puso por nombre **Jesús**.

Forma breve: Mateo 1:18–25

tiempos antiguos eran hechas desde la perspectiva de padre a hijo. Sin embargo, aquí vemos que hay cuatro mujeres nombradas además de María: Tamar, Rajab, Rut y la mujer de Urías. Estas mujeres representan circunstancias tan fuera de lo ordinario, que hasta pudieran verse como antepasados indeseables de Jesús. No obstante, Dios mantiene sus promesas y es fiel, no como respuesta a las acciones humanas sino más bien a pesar de la infidelidad y del pecado del pueblo. Dios es misericordioso y fiel siempre. Las promesas de Dios son de carácter universal, no sólo para los israelitas,

porque se extienden a los extranjeros como estas mujeres del Antiguo Testamento. Ellas conllevan también un carácter de misericordia que hace posible perdonar el crimen de David por la mujer de Urías.

 Además de la fidelidad de Dios, este evangelio también nos revela la creatividad de Dios. Abraham y Sara, pareja ya entrada en años, concibieron a Isaac; incluso con la interrupción del exilio, la dinastía de David no fue rota pues Jeconías fue rey en el destierro y tuvo su hijo Salatiel en Babilonia, y éste, su hijo Zorobabel, quien fue gobernador de la provincia de Judea cuando

regresaron del destierro; María concibió por el Espíritu Santo y José tuvo el valor de tomarla por esposa después de haber recibido el mensaje del ángel.

 En realidad, Dios es fidelidad, creatividad, amor, al punto de hacerse hombre para ser Dios-con-nosotros.

NATIVIDAD DEL SEÑOR, MISA DE LA NOCHE

Es noche gozosa. Haz notar el cambio del primer al segundo párrafo. De lo impersonal, al autor de la transformación. Proclama con entusiasmo contenido.

I LECTURA   Isaías 9:1–3, 5–6

Lectura del libro del profeta Isaías

El pueblo que caminaba en tinieblas
    vio una **gran luz**;
    sobre los que **vivían** en tierra de sombras,
    una luz **resplandeció**.

Engrandeciste a tu pueblo
    e hiciste **grande** su alegría.
Se gozan en tu presencia como gozan al **cosechar**,
    como **se alegran** al repartirse el botín.
Porque tú **quebrantaste** su **pesado** yugo,
    la barra que **oprimía** sus hombros y **el cetro** de su tirano,
    como en el **día** de Madián.

Detén el ritmo y declama cada uno de los títulos mesiánicos.

Porque un niño **nos ha nacido**, **un hijo** se nos ha dado;
    lleva sobre sus hombros **el signo** del imperio y su nombre será:
    "Consejero **admirable**", "Dios **poderoso**",
    "**Padre** sempiterno", "**Príncipe** de la paz";
    para **extender** el principado con una paz **sin límites**
    sobre el **trono** de David y sobre su reino;
    para **establecerlo** y consolidarlo
    con la **justicia** y el derecho,
    desde **ahora y para siempre**.
El **celo** del Señor lo **realizará**.

| I LECTURA | La preparación del Adviento nos ha traído a esta noche de gloriosa celebración. Escuchamos durante esta temporada varias lecturas del libro del profeta Isaías. Son profecías de esperanza y promesas de un futuro mejor, que se escuchan en circunstancias muy duras y complejas. La gente se había apartado demasiado de Dios y había muchas injusticias sociales. Eran tiempos difíciles. Nosotros también hemos atravesado por momentos muy oscuros, a niveles individual y comunitario. En los últimos años hemos padecido los estragos de la pandemia global al tiempo que se agu-

dizan los conflictos sociales, por no hablar de enfermedades o desastres naturales que nos afectan a todos.

El mensaje de luz y esperanza del profeta viene al pueblo que ha caminado en las tinieblas del sufrimiento. Isaías, hablando con el Señor, dice que la presencia divina hace gozar al pueblo y él les trae alegría al haber roto el yugo pesado que les oprimía. ¿Y cómo fue rota la barra opresiva?, ¿cuál es el motivo concreto de la gran alegría? A través de Isaías, Dios nos revela los detalles: ¡es el nacimiento de un niño! La razón de este júbilo, que este niño será el rey ideal.

Este niño será quien gobernará al pueblo con justicia.

Se lo conocerá con un largo nombre que describe ciertas cualidades. Los nombres hebreos generalmente tienen un significado expresado por una frase u oración gramatical. Por ejemplo, el nombre Isaías significa "el Señor salva"; Ezequiel, "fuerza de Dios" o "Dios da fuerza"; Malaquías, "mi mensajero". Así también los nombres por los cuales se le conocerá a este niño tienen significados concretos: "Consejero admirable", "Dios todopoderoso", "Padre sempiterno" y "Príncipe de paz". Estos títulos

Para meditar

SALMO RESPONSORIAL   Salmo 95:1–2a, 2b–3, 11–12, 13

R. Hoy nos ha nacido el Salvador que es Cristo el Señor.

Canten al Señor un cántico nuevo,
   canten al Señor, toda la tierra;
   canten al Señor, bendigan su nombre. **R.**

Proclamen día tras día su victoria.
Cuenten a los pueblos su gloria,
   sus maravillas a todas las naciones. **R.**

Alégrese el cielo, goce la tierra,
   retumbe el mar y cuanto lo llena;
   vitoreen los campos y cuanto hay en ellos;
   aclamen los árboles del bosque. **R.**

Delante del Señor, que ya llega,
   ya llega a regir la tierra:
   regirá el orbe con justicia
   y los pueblos con fidelidad. **R.**

II LECTURA   Tito 2:11–14

Lectura de la carta del apóstol san Pablo a Tito

Muestra afecto desde la primera línea; el autor se involucra con el destinarario. Haz otro tanto con la asamblea; haz contacto visual frecuente con ella.

Querido hermano:
La **gracia** de Dios se ha **manifestado**
   para salvar a **todos** los hombres
y nos ha enseñado a **renunciar**
   a la vida sin religión y a los deseos mundanos,
   para que vivamos, ya **desde ahora**,
   de una manera **sobria**, justa y fiel a Dios,
   en espera de la **gloriosa** venida del **gran** Dios y salvador,
   Cristo Jesús, **nuestra** esperanza.

Eleva un tanto la intensidad de tu voz.

Él se entregó por nosotros para redimirnos
   de todo pecado y purificarnos,
a fin de convertirnos en **pueblo suyo**,
fervorosamente entregado a practicar el bien.

EVANGELIO   Lucas 2:1–14

Lectura del santo Evangelio según san Lucas

Frasea cuidadosamente para que no se pierda el sentido del párrafo.

Por **aquellos** días,
   se **promulgó** un edicto de César Augusto,
   que **ordenaba** un censo de todo el imperio.

---

describen las acciones de Dios que hace posible el nacimiento del niño anunciado por Isaías.

II LECTURA Esta carta fue originalmente dirigida a un líder de la iglesia en la isla de Creta. Uno de sus propósitos principales es el de instruir sobre la vida cristiana. En este segmento, Tito recibe consejos para su trabajo pastoral. Si bien es un líder, Tito es antes que todo un discípulo. Desde ese plano, él debe enfocarse en que la gracia de Dios ha sido manifestada para salvación de todos. Es decir, la salvación no es para un grupo especial sino para toda la humanidad.

El regalo de la salvación entraña la invitación a transformar nuestro modo de vivir. Para acompañar a su comunidad, Tito debe tener presente que la misma gracia de Dios nos solicita renunciar a vivir sin Dios y a todo aquello que nos aleja de él. El insistir en que la gente practique mejor la religión, no se trata únicamente de dedicarse a acciones externas sino ser transformados interiormente.

El objeto de la salvación es la comunión con Dios, y Tito debe recordar a la gente de Creta que el momento de vivir de forma diferente es el actual. Tienen que vivir con fidelidad a Dios desde el presente. El mensaje es claro: Cristo dio la vida pare redimirnos para que podamos vivir en su gracia, para ser pueblo santo y vivir practicando el bien, ser personas de buena voluntad.

EVANGELIO El evangelio de esta noche nos presenta las imágenes que asociamos más con el pesebre navideño. San Lucas pone un marco de referencia al nacimiento de Jesús. Se trata de un censo de la población ordenado por el

Este **primer** censo se hizo cuando **Quirino**
        era gobernador de Siria.
Todos iban a empadronarse, **cada uno** en su **propia** ciudad;
        así es que **también** José,
        perteneciente a la casa y familia **de David**,
        se dirigió **desde** la ciudad de **Nazaret**, en Galilea,
        a la ciudad de David, llamada **Belén**, para **empadronarse**,
        juntamente con María, **su esposa**, que estaba encinta.

Describes un cuadro a contemplar. Modula tu tono de voz mostrando reverencia y arrobo.

Mientras estaban ahí, le **llegó** a María el tiempo de **dar a luz**
        y tuvo a su hijo **primogénito**;
        lo **envolvió** en pañales y **lo recostó** en un pesebre,
        porque **no hubo** lugar para ellos en la posada.

En **aquella** región había unos pastores
        que pasaban la noche en el campo,
        vigilando **por turno** sus rebaños.
Un **ángel** del Señor se les apareció
        y **la gloria** de Dios los **envolvió** con su luz
        y **se llenaron** de temor.

Con entusiasmo pronuncia la Buena Nueva del ángel; subraya el "esto" al dar la señal a los pastores.

El **ángel** les dijo:
        "**No teman.** Les traigo una **buena** noticia,
        que causará **gran** alegría a **todo** el pueblo:
        hoy les ha nacido, en la ciudad de David, **un salvador**,
        que es el **Mesías, el Señor**.
Esto les servirá **de señal**:
        encontrarán al niño **envuelto** en pañales
        y **recostado** en un pesebre".

De pronto se le unió al ángel **una multitud** del ejército celestial,
        que **alababa** a Dios, diciendo:
        "**¡Gloria** a Dios en el cielo,
        y en la tierra **paz** a los hombres de **buena** voluntad!"

Imperio. Cada familia tenía que ir a su propia ciudad a registrarse. Por este motivo, María, ya con el embarazo avanzado, y José tienen que desplazarse desde Nazaret de Galilea hasta Belén de Judá (la ciudad de David), porque de allí es la familia de José. Llega el momento del parto y, a falta de de posada, el niño nace en un humilde pesebre.

Lucas nos ofrece un banquete de enseñanzas. El rey del mundo nace en uno de los más humildes lugares. Quienes primero reciben el mensaje de salvación son pastores. El rey David, antepasado de Cristo, fue pastor. Pero ya en el tiempo de Jesús los pastores eran gente humilde y sencilla, tal vez incluso despreciados por aquellos de clases sociales más altas. Sin embargo, los pastores son los destinatarios del mensaje del ángel. El mensajero celestial les anuncia la buena noticia del nacimiento de un salvador, de un ungido o Mesías, y les da la curiosa instrucción que vayan al pesebre donde encontraran al niño Mesías envuelto en pañales.

¡Que ironías nos presenta este evangelio! El al gobernador Quirino, la autoridad civil, seguramente desde la comodidad, ordena con aparente autoridad, pero realmente con autoridad limitada a la que su superior le da. Por otro lado, el Rey del Universo, a Dios encarnado, todopoderoso, con autoridad infinita y propia, naciendo en un lugar incomodo y humilde. El gobernador seguramente da su mensaje de órdenes de censo por medios oficiales. En contraste, el anuncio de la noticia más grande de la humanidad es revelado a humildes pastores, que serán los primeros testigos del regalo divino.

El Rey de Reyes, el Príncipe de la Paz, viene a ser Dios-con-nosotros y se revela en humildad a los más humildes; viene a traer paz a todos los de buena voluntad, sin importar raza, ocupación ni linaje.

NATIVIDAD DEL SEÑOR, MISA DE LA AURORA

I LECTURA   Isaías 62:11–12

Lectura del libro del profeta Isaías

Escuchen lo que el Señor hace oír
    hasta el **último** rincón de la tierra:

"**Digan** a la hija de Sión:
    Mira que **ya llega** tu salvador.
El **premio** de su victoria lo acompaña
    y **su recompensa** lo precede.
Tus hijos serán llamados '**Pueblo santo**',
    '**Redimidos** del Señor',
    y **a ti** te llamarán
    'Ciudad **deseada**, Ciudad **no abandonada**'".

El anuncio de la redención se introduce con singular solemnidad. Haz una pausa de dos tiempos antes de iniciar lo entrecomillado.

El ritmo avanza pareando las frases. La puntuación hará que la asamblea las capte.

Para meditar

SALMO RESPONSORIAL   Salmo 96:1, 6, 11–12
R Hoy brillará una luz sobre nosotros, porque nos ha nacido el Señor.

El Señor reina, la tierra goza,
    se alegran las islas innumerables.
Los cielos pregonan su justicia
    y todos los pueblos contemplan
    su gloria. **R.**

Amanece la luz para el justo,
    y la alegría para los rectos de corazón.
Alégrense, justos con el Señor,
    celebren su santo nombre. **R.**

I LECTURA ¡Es la madrugada de la Natividad! Siglos antes de nacer Cristo y después de una larga espera de exilio, llegó la madrugada de un nuevo comienzo. El profeta Isaías se dirige a los desterrados que regresaban a su tierra después de unos setenta años de exilio.

Estamos ante un mensaje de mucha esperanza que debió alegrar los corazones del pueblo que tanto había sufrido. Para los oyentes de hoy el mensaje aún resuena. A pesar de no haber vivido el exilio babilónico, los sufrimientos actuales son diferentes, pero tan reales como los de aquel tiempo.

Isaías anima al pueblo y le invita a escuchar atentamente el mensaje del Señor. El anuncio va dirigido a todos los rincones de la tierra; es decir, es un mensaje universal, sin fronteras políticas, económicas, étnicas ni de otro tipo. El anuncio se refiere a la llegada del Salvador. A través de él, los habitantes de Jerusalén serán un pueblo santo, la vocación desde los tiempos de Moisés (ver Éxodo 19:6).

Después de la terrible desgracia por la que pasó Jerusalén, por fin dejará de ser la ciudad desolada y abandonada, pues el Señor la rodeará con su amor y la convertirá en ciudad deseada. La imagen de reconciliación personal e íntima es palpable.

II LECTURA Tito, el líder de la comunidad en la isla de Creta, recibe consejos para su quehacer pastoral. Tal vez Tito, a través de los discípulos más cercanos a Cristo, haya recibido muchas orientaciones, pero sin duda fue san Pablo su principal mentor. Estos líderes apoyaron mucho a Tito para que pudiera servir fielmente a su comunidad cristiana y profundizar su propio discipulado.

II LECTURA   Tito 3:4–7

Lectura de la carta del apóstol san Pablo a Tito

Hermano:
Al **manifestarse** la bondad de Dios, nuestro salvador,
    y su amor **a los hombres**, él **nos salvó**,
    no porque nosotros hubiéramos hecho algo **digno de merecerlo**,
    sino por **su misericordia.**
Lo hizo mediante **el bautismo**, que nos **regenera** y nos renueva,
    por **la acción** del Espíritu Santo,
    a quien Dios derramó **abundantemente** sobre nosotros,
    por Cristo, nuestro **Salvador.**
Así, **justificados** por su gracia,
    nos convertiremos en **herederos**,
    cuando se realice **la esperanza** de la vida eterna.

EVANGELIO   Lucas 2:15–20

Lectura del santo Evangelio según san Lucas

Cuando los ángeles los dejaron para **volver** al cielo,
    los pastores se dijeron unos a otros:
    "**Vayamos** hasta Belén,
    para ver **eso** que el Señor nos ha **anunciado**".

Se fueron, pues, **a toda prisa**
    y encontraron a María,
    a José **y al niño**, recostado en el pesebre.
Después de verlo,
    contaron lo que se les había dicho
        de aquel niño,
    y cuantos los oían quedaban **maravillados.**

Es una lectura exigente. La exposición se podrá entender si acentúas las frases correctamente. Domina el hilo del argumento para que le puedas dar sentido a la proclamación.

Es un relato maravilloso. Imprime esa marca en tu espíritu y en tu voz.

En este segmento de la carta, Tito recibe instrucciones para llevar a cabo la transformación de vida a la que Cristo invita a sus discípulos. Dios nos ha salvado, no por mérito propio sino por su gran misericordia. Específicamente, se enfatiza el bautismo como regalo que nos da vida nueva, por la acción del Espíritu Santo, dejando claro que el Espíritu fue derramado por Cristo. Todo esto es una manifestación de la bondad de Dios, quien por su amor nos regala la salvación. El amor y la gracia de Dios nos han justificado, nos han devuelto la relación justa con Dios, la cual perdimos por el primer pecado. De este modo, tenemos esperanza en la vida eterna al poder participar en la vida divina.

EVANGELIO El evangelio proclamado en esta misa es bastante breve. Es un segmento del Evangelio según san Lucas que continúa el relato de lo escuchado en la misa de la noche de la Natividad del Señor. Aunque no encontramos los detalles de por qué María y José se encontraban en Belén, los fieles conocen ya los antecedentes gracias a la catequesis bíblica. Tampoco se presentan los detalles llenos de ironía de ver al Rey del Universo, al Dios-hombre, al Príncipe de Paz nacido en un humilde pesebre.

San Lucas nos narra ahora eventos posteriores al anuncio del ángel a los pastores que cuidaban sus rebaños cerca de Belén. Ellos recibieron la aparición del coro de ángeles que cantanban y alababan a Dios. Ahora acompañamos a los pastores a su visita al recién nacido. Habiendo escuchado a los ángeles, los pastores se ponen de camino a Belén. Lucas nos dice que se fueron a toda prisa. La respuesta de los pastores nos indica que ellos entendieron la

Nota el paralelismo de los personajes; dale tono meditativo al primero, entusiasta al grupo de pastores.

María, por su parte,
   guardaba todas estas cosas y las **meditaba** en su corazón.
Los pastores se **volvieron** a sus campos,
   alabando y **glorificando** a Dios
      por **todo** cuanto habían visto y oído,
   según lo que se les había **anunciado**.

importancia del anuncio y no querían perder tiempo para ver y adorar al Niño. Encontraron pues a madre e hijo.

Los humildes pastores se convierten en los primeros heraldos de la Buena Nueva del nacimiento de Cristo. Dieron testimonio de cómo llegaron a este dichoso encuentro a cuantos los escuchaban, y esto causaba gran admiración. Los pastores, con su humildad y sencillez, fueron los primeros misioneros del Evangelio.

Por otro lado, María, tras escuchar el testimonio de los pastores, meditaba en su corazón cuanto sucedía a su alrededor. Ella acoge el Evangelio y nos enseña la actitud discipular de reflexión y meditación que es tan necesaria para darnos cuenta de la presencia de Dios en nuestra vida. Ella, como primera en aceptar a Cristo en su vida, nos muestra el camino del discipulado.

NATIVIDAD DEL SEÑOR, MISA DEL DÍA

Es día de gala para todos. Muestra esto en tu atuendo, tu porte y tu prestancia para proclamar la Palabra a la asamblea.

Estas líneas contienen una alegría incontenible que debe resaltar en tu manera de proclamar.

I LECTURA   Isaías 52:7–10

Lectura del libro del profeta Isaías

¡**Qué hermoso** es ver correr sobre los montes
    al mensajero que **anuncia** la paz,
    al mensajero que trae **la buena nueva**,
    que **pregona** la salvación,
    que dice a Sión: "Tu Dios **es rey**"!

Escucha: Tus centinelas **alzan** la voz
    y todos a una gritan alborozados,
    porque ven **con sus propios ojos** al Señor,
    que retorna a Sión.

Prorrumpan en gritos **de alegría**, ruinas de Jerusalén,
    porque el Señor **rescata** a su pueblo, **consuela** a Jerusalén.
Descubre el Señor su santo brazo
    a la vista **de todas** las naciones.
Verá la tierra **entera**
    la salvación que viene de **nuestro** Dios.

 Hemos llegado al día tan anticipado. El pasaje escogido para nuestra misa está tomado de la segunda parte del libro de Isaías (capítulos 40–55) que se dirigía al pueblo que se encontraba al fin del exilio. Habiendo sido cautivados por Babilonia, desterrados, y sin el templo por unos setenta años, los exiliados por fin llegan al final de su espera.

En los primeros seis versículos del capítulo 52, Isaías anima a Jerusalén a despertar porque el Señor viene a liberarla. En el versículo previo al segmento de hoy, Dios afirma, "¡Aquí estoy!" (Isaías 52:6). Y nuestra lectura comienza con la declaración de cuán hermoso que es ver al heraldo que lleva la buena nueva y que le recuerda a Jerusalén que Dios es su rey. Esta primera parte de la lectura se enfoca en el mensajero que lleva la buena nueva de la paz y pregona salvación. El correo va corriendo para hacer ver que hay un sentido de urgencia.

La segunda parte de la lectura se concentra en el mensaje. Esta sección está claramente marcada con el imperativo "Escucha…". Entonces, ¿cuál es el mensaje? En forma de poesía, el profeta da el mensaje: ¡el retorno es seguro! En efecto, el poema presenta el regreso del Señor a Jerusalén. Usando la imagen de un centinela que mira desde una torre alta, Isaías avisa el regreso de Dios. Los exiliados regresarán a Jerusalén y el Señor estará con ellos. Dios rescatará al pueblo. El mundo entero se dará cuenta que la salvación viene de Dios.

Con este mensaje, Isaías anima al pueblo, les recuerda que Dios es rey y salvador. El reino que ellos pensaron estaba perdido para siempre durante el exilio, será restaurado. Las promesas hechas a David durante el establecimiento de la alianza no han que-

Para meditar

SALMO RESPONSORIAL   Salmo 97:1, 2–3ab, 3cd–4, 5–6

R. Los confines de la tierra han contemplado la victoria de nuestro Dios.

Canten al Señor un cántico nuevo,
    porque ha hecho maravillas.
Su diestra le ha dado la victoria,
    su santo brazo. **R.**

El Señor da a conocer su victoria;
    revela a las naciones su justicia:
    se acordó de su misericordia y su fidelidad
    en favor de la casa de Israel. **R.**

Los confines de la tierra han contemplado
    la victoria de nuestro Dios.
Aclamen al Señor, tierra entera,
    griten, vitoreen, toquen. **R.**

Toquen la cítara para el Señor,
    suenen los instrumentos:
    con clarines y al son de trompetas
    aclamen al rey y Señor. **R.**

II LECTURA   Hebreos 1:1–6

Lectura de la carta a los hebreos

En **distintas** ocasiones y **de muchas** maneras
    habló Dios en el pasado a nuestros padres,
    por **boca de los profetas**.
Ahora, **en estos** tiempos,
    nos ha hablado **por medio de su Hijo**,
    a quien constituyó **heredero** de todas las cosas
    y por medio del cual **hizo** el universo.

El Hijo es el **resplandor** de la gloria de Dios,
    la imagen **fiel** de su ser
    y el sostén **de todas las cosas** con su palabra **poderosa**.
Él mismo, después de efectuar la **purificación** de los pecados,
    se sentó **a la diestra** de la majestad de Dios, en **las alturas**,
    tanto **más encumbrado** sobre los ángeles,
    cuanto **más excelso** es el nombre que, **como herencia**,
    le corresponde.

Es fundamental guardar la acentuación marcada con la puntuación propia a cada frase porque son amplias y puede perderse el hilo del argumento.

Nota la correlación del "tanto... cuanto" que muestra la superioridad de Cristo.

dado quebrantas, interrumpidas tal vez, pero no olvidadas.

Hoy día nosotros también recibimos la misma buena nueva: Dios es nuestro rey, nacido en un humilde pesebre, para mostrarnos el amor del Padre y salvarnos del pecado. La alegría del pueblo al escuchar la noticia del fin de la espera para la restauración del reino y del fin del exilio, para regresar a su tierra, es la misma alegría que hoy sentimos, al celebrar que nuestro rey recién ha nacido.

II LECTURA   Escuchamos que, desde el principio, Dios se ha reve-

lado mediante su palabra, primero en la creación y luego a través de los patriarcas y profetas. Y en un punto determinado en la historia de su pueblo, Dios habló, o reveló su palabra por medio de Cristo. Podemos entonces entender que Dios, desde el inicio del tiempo, ha deseado y desea comunicarse con nosotros. Nos pide escuchar su voz, atender su palabra, para reconocerlo, pues mediante ella, él se nos da a conocer. Detrás de esto podemos descubrir la iniciativa divina de invitar al hombre a una relación de intimidad, de conocimiento profundo y de amistad inquebrantable.

Caigamos en la cuenta de un punto que tal vez puede ser pasado por alto o tal vez malentendido. Concretamente me refiero a que el Hijo no solamente fue emisario enviado, quien nos habló de Dios Padre, sino que además por medio del Hijo, Dios creó el universo. Es decir, el Hijo ha existido desde la eternidad. Proverbios, uno de los libros sapienciales, toca este punto hablando de la Sabiduría personificada y, desde ese eje, la Sabiduría misma se expresa, declarando que estuvo presente antes de la creación (Proverbios 8:22–31). Este es un tema que también presenta el Evangelio según Juan al

Modula tu voz para que las palabras de las Escrituras se diferencien del resto.

Porque ¿**a cuál** de los ángeles le dijo Dios:
  Tú eres mi Hijo; yo te he engendrado hoy?
  ¿O de qué ángel dijo Dios:
  Yo seré para él un padre
  y él será para mí un hijo?
Además, en **otro** pasaje,
  cuando introduce en el mundo a **su primogénito**, dice:
  Adórenlo todos los ángeles de Dios.

EVANGELIO   Juan 1:1–18

Lectura del santo Evangelio según san Juan

No es fácil comunicar este himno teológico. Identifica sus partes con claridad. Nota los enganches de palabras entre línea y línea para que no se diluya el argumento.

En el principio **ya existía** aquel que es la Palabra,
  y aquel que es **la Palabra** estaba con Dios y **era Dios**.
Ya en el principio él estaba **con Dios**.
Todas las cosas vinieron a la existencia **por él**
  y sin él **nada** empezó de cuanto existe.
Él era **la vida**, y la vida era **la luz** de los hombres.
La luz **brilla** en las tinieblas
  y las tinieblas **no la recibieron**.

Hubo un hombre **enviado** por Dios, que se llamaba Juan.
Este vino como **testigo**, para dar **testimonio** de la luz,
  para que todos creyeran **por medio de él**.
Él no era la luz, sino **testigo** de la luz.

Reasume con vigor esta sección y marca cierta decepción en el párrafo con tu voz también.

Aquel que es la Palabra era la luz **verdadera**,
  que ilumina **a todo hombre** que viene a este mundo.
En el mundo **estaba**;
  el mundo había sido hecho **por él**
  y, sin embargo, el mundo **no lo conoció**.

Contrasta también con el tono los resultados positivos.

Vino a los suyos y los suyos **no lo recibieron**;

---

decir, "En el principio ya existía aquel que es la Palabra".

En la Carta a los Hebreos descubrimos más del Hijo. Ciertamente, estuvo presente desde el principio, y por medio de él fue el universo hecho, pero también *él* es la imagen del Padre, *él* es la luz o resplandor del Padre. El Hijo no simplemente refleja la luz, *él* es la luz. El tema de luz también será presentado en el evangelio de hoy.

El Hijo, que nació en el humilde pesebre en Belén, es la Palabra, la Sabiduría y la Luz del Padre, que vino a efectuar la purificación de nuestros pecados. Es decir, él es

el agente que causo el efecto de nuestra purificación. Luego de su resurrección, el Hijo —en su humanidad— ascendió al cielo y se sentó a la derecha de Dios. Se aclara aquí el punto, de que, siendo Dios mismo, el Hijo no estuvo separado del Padre, pero su humanidad ascendió al cielo. Así pues, nos dio testimonio del fruto de su obra, en otras palabras, de la herencia que nos espera a toda la humanidad.

Al contemplar el nacimiento de Cristo, con la ayuda de esta lectura, estamos invitados a escuchar la palabra encarnada y acogerla en nuestros corazones, para que

haga morada dentro de nosotros. La palabra, que es *luz* propia, ilumina nuestras vidas para transformarlas y nos invita a tener una vida nueva con la promesa de una herencia de vida eterna en unión con Dios.

EVANGELIO   Juan habla de la existencia eterna de Cristo, y también nos presenta la encarnación como una nueva creación.

Comienza con una frase que nos regresa a Génesis 1: "En el principio…" cuando en aquel principio, Dios creaba los cielos y la tierra. Y ahora, Juan insiste que, en el

pero **a todos** los que lo recibieron
les **concedió** poder llegar a ser **hijos** de Dios,
a los que **creen** en su nombre,
los cuales **no nacieron** de la sangre,
ni del deseo de la carne, ni por voluntad **del hombre**,
sino que nacieron **de Dios**.

Y aquel que es la Palabra **se hizo hombre**
y **habitó** entre nosotros.
Hemos visto **su gloria**,
gloria que le corresponde como a **Unigénito** del Padre,
lleno de gracia y **de verdad**.

Juan el Bautista **dio testimonio** de él, clamando:
"**A éste** me refería cuando dije:
'El que viene **después** de mí, tiene **precedencia** sobre mí,
porque **ya existía** antes que yo' ".

De su plenitud hemos recibido **todos** gracia sobre gracia.
Porque **la ley** fue dada por medio de Moisés,
mientras que la gracia y la verdad vinieron **por Jesucristo**.
A Dios **nadie** lo ha visto **jamás**.
El Hijo **unigénito**, que está en el seno del Padre,
es quien lo **ha revelado**.

Forma breve: Juan 1:1–5, 9–14

Páusate e imprime a este párrafo un tono meditativo.

Alarga el dueto "gracia y verdad" y páusate antes de proclamar las dos oraciones del fin.

principio, la Palabra, que es Jesús, ya existía, era coeterno del Padre. La Palabra ya existía, estaba con Dios, y era Dios. Luego hay dos puntos más de conexión con Génesis. La luz, lo primero creado por la Palabra ("Dios dijo…") de Dios, y la vida que Dios le da al hombre al soplar en su nariz el propio aliento divino.

Luego, Juan alude a Juan Bautista, quien sin ser luz, da testimonio de la luz. Juan fue enviado para preparar el camino de la luz.

El evangelista nos dice que la Palabra, Jesús, es luz verdadera y que da luz a todos lo que le aceptan. A pesar de estar entre los hombres, a quienes creó, Jesús no fue aceptado por muchos. La ironía que presenta Juan es que, a pesar de ser creada por Dios, la humanidad no conoció a la Palabra. No todos recibieron a Jesús.

Juan enfoca la encarnación. La Palabra-Dios no es un concepto abstracto. Al contrario, es un hombre. El Verbo se encarnó, tomó carne, adoptó la fragilidad y debilidad humanas. Y la gloria de Dios se hizo visible, a pesar y a través de la fragilidad de ser hombre. En Cristo tenemos la revelación plena del Padre. Es algo que la mente huma-na no puede comprender totalmente, lo humano revelando lo divino, y lo divino haciendo tabernáculo en lo humano. Esto se conoce como el abajamiento de Dios en la encarnación.

Al celebrar la Natividad, celebramos el misterio de recibir a Dios hecho hombre, de poder ver su gloria y misericordia en la fragilidad humana y de contemplar su amor infinito.

SAGRADA FAMILIA DE JESÚS, MARÍA Y JOSÉ

La sabiduría de esta lectura se basa en la enseñanza de la Ley. El tono es mesurado y didáctico, pero no de regaño.

I LECTURA Eclesiástico 3:2–6, 12–14

Lectura del libro del Eclesiástico (Sirácide)

El Señor **honra** al padre en **los hijos**
    y **respalda** la autoridad de la madre **sobre** ellos.
El que **honra** a su padre queda **limpio** de pecado;
    y **acumula** tesoros, el que **respeta** a su madre.

Quien **honra** a su padre,
    encontrará **alegría** en sus hijos
    y su oración **será escuchada**;
    el que **enaltece** a su padre, tendrá **larga vida**
    y el que **obedece** al Señor, **es consuelo** de su madre.

Hijo, **cuida** de tu padre **en la vejez**
    y en su vida **no** le causes tristeza;
    aunque chochee, **ten** paciencia con él
    y **no** lo menosprecies por estar tú en **pleno** vigor.
El bien hecho al padre **no quedará** en el olvido
    y **se tomará a cuenta** de tus pecados.

Lectura alternativa: Génesis 1:5, 1–6

Infunde cariño genuino a esta recomendación.

I LECTURA El libro de Eclesiástico (o Sirácide) fue escrito en hebreo por Jesús ben Sirac entre los años 200 y 175 a. C. y traducido al griego hacia el año 132 de esa era por el nieto de su autor. Hasta fines del siglo xix, solamente se habían encontrado copias de este libro en griego. De hecho, esa pudo ser la razón de no ser incluido en la Biblia hebrea. Sin embargo, después de la década de 1800, y especialmente a partir de mediados del siglo xx, se han descubierto más de dos tercios del libro en hebreo. Sirácide ha sido parte siempre de la Biblia cristiana. Cabe tener en cuenta que habría personas en nuestra asamblea dominical que crecieron en otras tradiciones cristianas, que tal vez nunca hayan oído de este libro.

Escritos que contienen enseñanzas de sabiduría se encuentran en todas las culturas y forman parte de la fibra de casi todas las generaciones. En general, se encuentran en diversas formas de consejos para vivir una vida buena, feliz, y tener paz.

La lectura de hoy viene de la sección que trata sobre las responsabilidades respecto a los padres. Honrar a los padres es uno de los mandamientos de Dios; es el primero luego de los mandamientos que guían nuestra relación con Dios. Es el único de los diez mandamientos que tiene una recompensa especifica incluida (ver Éxodo 20:12 y Deuteronomio 5:16). La primera parte de la lectura de hoy presenta de manera alternada recompensas por honrar al padre y a la madre. El segundo bloque presenta más consecuencias a razón de honrar al padre, la persona encontrará alegría en sus propios hijos, su oración será escuchada y tendrá larga vida. Se ve un cambio enseguida, donde Ben Sirac se dirige a la experiencia de consuelo para una madre cuando sus hijos

Para meditar

SALMO RESPONSORIAL   Salmo 104:1b–2, 3–4, 5–6, 8–9

R. El Señor se acuerda de su alianza eternamente.

Den a conocer las hazañas del Señor a los
    pueblos; cántenle al son de instrumentos,
    hablen de sus maravillas. **R.**

Gloríense de su nombre santo, que se
    alegren los que buscan al Señor.
Recurran al Señor y a su poder, busquen
    continuamente su rostro. **R.**

Recuerden las maravillas que hizo, sus
    prodigios, las sentencias de su boca.
¡Estirpe de Abraham, su siervo; hijos
    de Jacob, su elegido! **R.**

Se acuerda de su alianza eternamente,
    de la palabra dada, por mil generaciones;
    de la alianza sellada con Abraham,
    del juramento hecho a Isaac. **R.**

I LECTURA   Colosenses 3:12–21

Lectura de la carta del apóstol san Pablo a los colosenses

Hermanos:
Puesto que Dios los ha elegido a **ustedes**,
    los ha consagrado **a él** y les ha dado **su amor**,
    sean **compasivos**, magnánimos, **humildes**, afables y **pacientes**.
Sopórtense **mutuamente**
    y **perdónense** cuando tengan quejas contra otro,
    como el Señor **los ha perdonado** a ustedes.
Y sobre **todas** estas virtudes, tengan **amor**,
    que es el vínculo de la **perfecta** unión.

Que en sus corazones **reine** la paz de Cristo,
    esa paz a la que han sido **llamados**,
    como miembros de un **solo** cuerpo.
Finalmente, sean **agradecidos**.

Que la palabra de Cristo **habite** en ustedes con **toda** su riqueza.
Enséñense y aconséjense **unos a otros** lo mejor que sepan.
Con el corazón **lleno** de gratitud,
    alaben a Dios con salmos,
    himnos y **cánticos espirituales**;

Estas exhortaciones son amables y llaman al buen trato entre los creyentes. Haz contacto visual entre un párrafo y otro.

Eleva la voz en las frases donde refiere a Cristo como fuente de las actitudes cristianas.

obedecen al Señor. Finalmente, en la tercera sección, Ben Sirac habla de los deberes de los hijos hacia los padres que van envejeciendo. Es una sección muy tierna.

II LECTURA En sendas cartas a los Colosenses y a los Efesios, Pablo habla expresamente del comportamiento en familia. El segmento de la Carta a los Colosenses de la lectura de hoy comienza unos versículos antes de los consejos sobre la familia. Esta lectura viene del contexto de la explicación que la comunidad ha resucitado con Cristo y que ha recibido

una nueva vida en él. En otras palabras, son una creación nueva y como tal deben renunciar formas pasadas de vivir.

Pablo primero presenta a sus oyentes, los de su tiempo y del nuestro, el tema del llamado y las obligaciones de la respuesta al mismo. Declara que, por amor, Dios los ha elegido, los ha consagrado, los ha separado. Es un llamado a la paz, que se origina de la paz que existe en Dios, quien es paz completa. Al aceptar este llamado a la paz, entonces, las personas deben ser pacientes y compasivas mutuamente; también deben perdonarse unos a otros, siguiendo el ejem-

plo del Señor que nos ha perdonado nuestras ofensas. Al avanzar la lectura, vienen los consejos familiares. Esta sección es generalmente mal entendida, pues pareciera como que solamente las esposas tienen que respetar a los esposos. Pero el significado completo es que debe haber un respeto mutuo, basado en el amor que Dios les da y en la dignidad que cada uno recibió al ser creado a imagen de Dios. La lectura termina con consejos de obediencia.

EVANGELIO Escuchamos una lectura tomada de "los relatos de la

En idéntico tono pronuncia estas cuatro recomendaciones. Haz una pausa de dos tiempos antes de pronunciar la fórmula litúrgica conclusiva.

y **todo** lo que digan y todo lo que hagan,
 háganlo en el nombre del **Señor Jesús**,
 dándole gracias a **Dios Padre**, por medio **de Cristo**.

Mujeres,
 respeten la autoridad de sus maridos,
  como lo quiere el Señor.
Maridos,
 amen a sus esposas **y no sean** rudos con ellas.
Hijos,
 obedezcan **en todo** a sus padres,
 porque eso es **agradable** al Señor.
Padres,
 no exijan **demasiado** a sus hijos,
  para que **no se depriman**.
Forma breve: Colosenses 3:12–17

EVANGELIO   Mt 2:13–15, 19–23

Lectura del santo evangelio según san Mateo

El relato es muy dramático. De entre la asamblea, muchos conocen la angustia por sobrevivir y la confianza en Dios. Dispón tu corazón para estar a tono con ellos.

Después de que los magos **partieron de** Belén,
 el ángel del Señor se le apareció **en sueños** a José y le dijo:
"**Levántate**, toma al niño y a su madre, y **huye a Egipto**.
Quédate allá **hasta que yo** te avise,
 porque Herodes va a **buscar al niño** para matarlo".

José se levantó
 y **esa misma noche** tomó al niño y a su madre
 y partió para Egipto,
 donde permaneció **hasta la muerte** de Herodes.
Así **se cumplió** lo que dijo el Señor
 por medio del profeta:
De Egipto llamé a mi hijo.

infancia" del Evangelio según san Mateo. Él es el único evangelista que nos cuenta la huida de la sagrada familia a Egipto. Es una lectura hermosa. El protagonista es José y la historia está enmarcada por dos sueños mediante los cuales el ángel del Señor le comunica un mensaje a José. Ya tenemos el antecedente del primer capítulo de Mateo del ángel que se comunica con José a través de sueños, cuando le anunció que María había concebido por obra del Espíritu Santo. Desde el tiempo de los patriarcas y profetas, Dios se ha comunicado a través de sueños,

y este relato muestra esa continuidad en la historia de la salvación del pueblo de Dios.

La huida está enmarcada por los sueños de José. El comienzo y el final de la historia presentan imágenes reversas, como de espejo: primero la emigración de Belén o la salida a Egipto, y luego la inmigración o el ingreso a Israel.

Conocemos la migración por los relatos de las Sagradas Escrituras. En particular tenemos los relatos del patriarca José, hijo de Jacob, al que siguió su familia entera (ver Génesis 39–46) y los de la historia de Moisés (Éxodo 1–2). Cada uno migró por razones

diferentes, pero ambos acompañados por Dios en su jornada. En nuestra lectura de hoy, la Sagrada Familia huye a Egipto buscando refugio pues la vida del niño Jesús estaba en peligro. Esta etapa de la vida de la Sagrada familia nos muestra a José como padre protector de la familia, llevándola a un lugar de más seguridad. Este relato también nos ayuda a descubrir que Dios-con-nosotros está en solidaridad con la humanidad, incluso desde su infancia. Hoy en día, el tema de migración continúa; oremos pues por tantas familias que buscan refugio en tierras ajenas.

La prudencia de José es manifiesta. Subraya la frase del cumplimiento profético que con su decisión se lleva a cabo.

Después de muerto Herodes,
     el ángel del Señor se le apareció **en sueños** a José y le dijo:
"Levántate, toma al niño y a su madre
     y regresa a la tierra de Israel,
     porque **ya murieron**
     los que intentaban **quitarle la vida** al niño".

Se levantó José,
     tomó al niño y a su madre **y regresó** a tierra de Israel.
Pero, habiendo oído decir que **Arquelao**
     reinaba en Judea **en lugar de su padre**, Herodes,
          tuvo miedo de ir allá,
     y advertido **en sueños**, se retiró a Galilea
     y se fue a vivir en una población llamada **Nazaret**.
Así se cumplió lo que habían dicho los profetas:
     Se le llamará nazareno.

SANTA MARÍA, MADRE DE DIOS

I LECTURA   Números 6:22–27

Lectura del libro de los Números

En **aquel** tiempo, el Señor **habló** a Moisés y le dijo:
   "Di a Aarón y a sus hijos:
   'De **esta manera** bendecirán a los israelitas:
El Señor te bendiga y te proteja,
   haga **resplandecer** su rostro sobre ti
   y te conceda su favor.
Que el Señor te mire con **benevolencia**
   y te conceda la paz'.

Así invocarán mi nombre sobre los israelitas
   y yo los bendeciré".

SALMO RESPONSORIAL   Salmo 66:2–3, 5, 6, 8
R. El Señor tenga piedad y nos bendiga.

El Señor tenga piedad y nos bendiga,
   ilumine su rostro sobre nosotros:
   conozca la tierra tus caminos,
   todos los pueblos tu salvación. **R.**

Que canten de alegría las naciones,
   porque riges la tierra con justicia,
   riges los pueblos con rectitud
   y gobiernas las naciones de la tierra. **R.**

Oh Dios, que te alaben los pueblos,
   que todos los pueblos te alaben.
Que Dios nos bendiga;
   que le teman hasta los confines
   del orbe. **R.**

Aunque solemne, la bendición es personal y asegura la protección divina. Alarga las frases bendicionales que van hiladas con "y".

A esta altura, haz contacto visual con la asamblea antes del formulismo conclusivo.

Para meditar

I LECTURA La Iglesia nos invita a comenzar el año nuevo civil con una celebración en honor a María, Madre de Dios, para recapacitar en nuestra vida con frescura e inspirarnos a caminar fielmente siguiendo a Jesús.

El libro de Números tiene como tema central el caminar hacia la tierra prometida. La bendición que escuchamos está dirigida a cada padre de familia, no al pueblo en general, por eso se la expresa usando el singular, "El Señor te bendiga…".

La bendición tiene tres partes; en el hebreo original se aprecian ciertos detalles más claramente. La primera parte invoca la bendición y la protección del Señor. El verbo bendecir conlleva la imagen de benevolencia hacia alguien. Al encarnarse de la Virgen y hacerse hombre su Hijo, Dios nos mostró su buena voluntad de manera extraordinaria al dárnoslo. El verbo *proteger* es usado para poner un cercado de espinos alrededor de un rebaño que está pastando para evitar ser atacado por animales salvajes. Es decir, Dios quiere protegernos poniendo un cercado alrededor nuestro, el cercado de su amor que nos protege.

La segunda parte habla del Señor *hacer brillar su rostro y conceder su favor*. Al hacer brillar o resplandecer su rostro el Señor, él nos está dando su presencia. Darnos su presencia es en sí concedernos su favor o su gracia. La tercera y última parte se concreta en la mirada del Señor y en la paz. A través de María, el Señor nos dio su presencia, su luz, y su paz.

¡Empecemos el nuevo año recibiendo la bendición del Señor a través de María!

II LECTURA La lectura de hoy viene de la sección en la que Pablo

---

II LECTURA   Gálatas 4:4–7

Lectura de la carta del apóstol san Pablo a los gálatas

Hermanos:
Al llegar la **plenitud** de los tiempos,
    envió Dios a su Hijo, nacido de **una mujer**,
    nacido **bajo la ley**,
    para **rescatar** a los que **estábamos** bajo la ley,
    a fin de hacernos **hijos suyos**.

Puesto que **ya son ustedes hijos**,
Dios envió a sus corazones **el Espíritu** de su Hijo,
    que clama "¡**Abbá**!", es decir, ¡Padre!
Así que ya no **eres siervo**, sino hijo;
    y siendo hijo,
    eres también **heredero** por voluntad de **Dios**.

Ubica la frase principal del parágrafo y haz que resalte.

La segunda línea porta el peso del argumento. Recítala con el entusiasmo que te da esa certeza.

EVANGELIO   Lucas 2:16–21

Lectura del santo Evangelio según san Lucas

En **aquel** tiempo,
    los pastores fueron a **toda prisa** hacia Belén
    y encontraron a **María**, a José y al **niño**,
    recostado en el pesebre.
Después de verlo,
    contaron lo que se les **había dicho** de aquel niño
    y **cuantos** los oían, quedaban **maravillados**.
María, por su parte, guardaba **todas** estas cosas
    y las meditaba **en su corazón**.

Imagina aquella escena primero y decide la entonación más adecuada a cada cuadro de esta lectura. El centro es la figura de María.

---

declara que, "[al llegar a la plenitud de los tiempos", en Cristo, los oyentes son ya hijos de Dios. La plenitud de los tiempos se refiere al momento específico durante el cual la gente de ese entonces estaba lista para escuchar el mensaje revelado en el nacimiento de Cristo. Si bien es cierto que la estabilidad que trajo la *pax romana* fue propicia para la transmisión del mensaje, hay algo aún más profundo que hace que la plenitud de los tiempos haya llegado.

El pueblo había finalmente llegado a un punto en que podía escuchar el mensaje; ahora los corazones estaban abiertos para recibir las bendiciones que Dios les ofrecía. En los versículos anteriores (vv. 1–3), Pablo dice que hay un espacio de tiempo dado, cuando el heredero, siendo menor de edad, es igual al esclavo, pues el niño, a pesar de ser dueño de lo del padre, todavía está bajo el cuidado de guardianes hasta una edad determinada. Con esta analogía, Pablo dice que antes de la plenitud del tiempo, la comunidad gálata, e incluido él mismo, estaba sujeta a los cosas elementales o cosas rudimentarias, refiriéndose a las tendencias a la idolatría o quizás también a prácticas politeístas.

Pablo conecta "la plenitud de los tiempos" con un nacimiento. Esta imagen es curiosamente interesante, puesto que, en la traducción griega del Antiguo Testamento, la expresión "plenitud de tiempo" es usada cuando se cumplieron los días del embarazo de Rebeca y "era hora" [era tiempo] de dar a luz a sus hijos. Entonces, cuando era tiempo, María, mujer mandada por Dios, dio a luz a su hijo, para que así la humanidad entera entráramos en relación filial con el Padre. Siendo ya hijos, el Espíritu de Cristo nos enseña a dirigirnos a Dios diciendo Abba ("padre" en arameo). A través de María,

Imprime alegría y gozo a estas líneas, pero sin exagerar. Recuerda que la asamblea nota el cambio en tu expresión facial.

Los pastores se volvieron a sus campos,
  alabando y **glorificando** a Dios
    por todo cuanto habían **visto y oído**,
  según lo que se les **había anunciado**.

Cumplidos los **ocho** días, **circuncidaron** al niño
  y le pusieron el nombre **de Jesús**,
  aquel mismo que había dicho el ángel,
  antes de que el niño fuera concebido.

Madre de Dios, la hora de que Cristo nazca llegó, y con él, el tiempo de una nueva vida para todos también.

EVANGELIO A través de María se cumple la bendición de la primera lectura, que Dios prescribió para que Aarón y sus hijos pronunciaran sobre cada israelita. De María nace Cristo, quien se abaja para ser bendición para la humanidad entera; quien nos rodea con su amor, formando así un cercado protector contra el mal.

Los pastores acuden de prisa a ver al recién nacido. Los primeros en recibir las noticias del nacimiento fueron gente humilde, que acogieron al anuncio y obedecieron las instrucciones del ángel.

Lucas nos dice que, al llegar al pesebre, los pastores contaron lo que les había anunciado el ángel. Anunció que el niño es un ungido (Mesías) y también Dios (Señor). El mensaje dejó claro que ella era la Madre de Dios. Al escuchar este mensaje recibido por los pastores, María lo acoge en su corazón. Su capacidad de escuchar y de contemplar nos dan testimonio de su fidelidad a Dios y a la vez nos dan ejemplo de cómo responder a la gracia de Dios en nuestra vida.

Los primeros destinatarios de su revelación fueron los humildes pastores. María también nos muestra humildad en su escucha, en su sí cuando recibió el anuncio de Gabriel y en su obediencia de la ley mosaica al cumplir la ley de la circuncisión y llevar sacrificios de purificación al templo. Cristo, siendo Dios se abajó; María, siendo Madre de Dios, también nos da ejemplo de humildad.

EPIFANÍA DEL SEÑOR

La celebración invita al regocijo litúrgico. Pronuncia esta descripción majestuosa con parsimonia.

Dirígete a la asamblea con timbre alegre y vivaz, para que visualice la descripción de lo está sucediendo y celebre.

Vocaliza bien los nombres propios; deben sonar exóticos a los oyentes.

I LECTURA   Isaías 60:1–6

Lectura del libro del profeta Isaías

Levántate y resplandece, **Jerusalén**,
   porque **ha llegado** tu luz
   y **la gloria** del Señor alborea sobre ti.
Mira: las tinieblas **cubren** la tierra
   y **espesa** niebla **envuelve** a los pueblos;
   pero sobre ti **resplandece** el Señor
   y **en ti** se manifiesta su gloria.
Caminarán los pueblos **a tu luz**
   y los reyes, **al resplandor** de tu aurora.

Levanta los ojos y mira **alrededor**:
   todos se reúnen **y vienen** a ti;
   tus hijos llegan **de lejos**, a tus hijas las traen **en brazos**.
Entonces verás esto **radiante** de alegría;
   tu corazón **se alegrará**, y se ensanchará,
   cuando se **vuelquen** sobre ti los **tesoros** del mar
   y te traigan **las riquezas** de los pueblos.
Te **inundará** una multitud de camellos y dromedarios,
   procedentes de **Madián** y de **Efá**.
Vendrán **todos** los de Sabá
   trayendo **incienso y oro**
   y proclamando **las alabanzas** del Señor.

I LECTURA El regreso a Jerusalén no fue fácil; los israelitas que volvieron tuvieron que reconstruir la ciudad y el templo. Además, iban surgiendo conflictos internos entre los distintos grupos de gente. Por un lado, había un grueso de gente muy pobre que no había sido exiliada, sino que había permanecido en la región de Judá, en una tierra desolada; por otro, algunos de los judíos regresaron de Babilonia con esposas no judías. Cada grupo se consideraba superior al otro.

En medio de estos conflictos e incertidumbres, el mensaje de Isaías brinda espe-ranza, aliento, y consuelo. Declara que una luz ha llegado para iluminar a un pueblo que había estado cubierto de tinieblas. Usando verbos que invitan al pueblo a actuar, el profeta anima a despertar de un sueño pesado con sufrimientos: "Levántate... Mira...".

El contraste comunicado con esta imagen es espectacular: la falta de visibilidad causada por el pecado se desvanecerá con la luz de la gloria del Señor. Estos dos momentos están separados por un punto clave de transición, la luz del Señor.

Jerusalén, ya iluminada, servirá de faro a los viajeros que se acercan desde lejos.

Incluso reyes de tierras distantes caminarán guiados por la luz que brilla en Jerusalén. La ciudad dormida se despertará con alegría para recibir a los pueblos lejanos que traen sus tesoros y riquezas. Con estas imágenes de extranjeros y ciudadanos celebrando juntos, el profeta invita al pueblo a una vida nueva, donde juntos alabarán al Señor.

II LECTURA Explica Pablo que Dios le ha confiado el anuncio para beneficio de los oyentes. Él llegó a conocer el misterio, que no había sido manifestado a hombres en otros tiempos, pero que en la

SALMO RESPONSORIAL Salmo 71:1–2, 7–8, 10–11, 12–13
R. Se postrarán ante ti, Señor, todos los pueblos de la tierra.

Dios mío, confía tu juicio al rey, tu justicia
al hijo de reyes: para que rija a tu pueblo
con justicia, a tus humildes con
rectitud. **R.**

Que en sus días florezca la justicia y la paz
hasta que falte la luna; que domine de
mar a mar, del Gran Río al confín de
la tierra. **R.**

Que los reyes de Tarsis y de las islas le
paguen tributo; que los reyes de Sabá
y de Arabia le ofrezcan sus dones, que
se postren ante él todos los reyes, y que
todos los pueblos le sirvan. **R.**

Porque él librará al pobre que clamaba,
al afligido que no tenía protector;
él se apiadará del pobre y del indigente,
y salvará la vida de los pobres. **R.**

II LECTURA   Efesios 3:2–3a, 5–6

Lectura de la carta del apóstol san Pablo a los efesios

Hermanos:
Han oído hablar de la **distribución** de la **gracia** de Dios,
que se me ha **confiado** en favor de ustedes.
Por revelación se me **dio a conocer** este misterio,
que no **había sido** manifestado a los hombres en otros tiempos,
pero que ha sido revelado **ahora** por el Espíritu
a sus **santos** apóstoles y profetas:
es decir, que por el Evangelio,
también los paganos son **coherederos** de **la misma** herencia,
miembros del **mismo** cuerpo
y **partícipes** de **la misma** promesa en Jesucristo.

EVANGELIO   Mateo 2:1–12

Lectura del santo Evangelio según san Mateo

Jesús nació en **Belén de Judá**, en tiempos del rey Herodes.
Unos **magos** de Oriente
llegaron entonces a Jerusalén
y **preguntaron**:
"¿**Dónde** está el rey de los judíos que **acaba** de nacer?

Para meditar

El contenido es confidencial, pero el tono no debe sonar esotérico, como si fuera algo incomprensible.

Aumenta un poco el volumen de voz en esta parte final.

Tras la primera línea contacta visualmente con la asamblea para fortalecer la complicidad con ella; los datos son consabidos.

época del primer siglo había sido revelado por el Espíritu.

En nuestro tiempo, *misterio* tiene el sentido de algo que debe ser resuelto tipo rompecabezas o investigación. Pero ese no es el sentido de la palabra griega usada en otros pasajes de las Escrituras. En este caso, misterio se refiere a los designios de Dios que son inescrutables al entendimiento humano; de modo que, será posible comprender ciertos aspectos, pero no todos, pues el ser humano no puede abarcar la plenitud divina. En general, puede decirse que es algo difícil de entender racionalmente.

Misterio es también algo que ha estado escondido, con un propósito único que será revelado a su debido tiempo. Dios revela sus misterios a quien él desea.

Dentro de este marco, el misterio al cual Pablo se refiere es el plan de salvación en Cristo. Es misterioso escuchar que los paganos, quienes no habían conocido al Dios de Israel, o tal vez habiendo oído de él, lo consideraban uno más del panteón de dioses, sean también herederos de la gracia de Dios. Este es el misterio revelado a Pablo. Habiendo resucitado Cristo, y habiendo dejado su Espíritu como intercesor e instructor,

es posible entender, que el amor del Padre y la herencia de comunión con Dios por la eternidad son también posibles para quienes no siendo judíos no habían sido parte de la alianza con Moisés o con David.

En realidad, es un misterio, que quienes no habían sido parte de las antiguas alianzas, ahora, oyendo la buena nueva de Cristo, sean partícipes de las mismas promesas. Como tal, acuden a celebrar el amor de Dios, como aquellos extranjeros de la primera lectura, que, siguiendo la luz del Señor en Jerusalén, se unían los judíos, con sus tesoros y ofrendas para alabar a Dios.

Porque **vimos surgir** su estrella
y **hemos venido** a adorarlo".

Al enterarse **de esto**,
el rey Herodes se **sobresaltó**
y **toda** Jerusalén con él.
Convocó entonces a los sumos sacerdotes
y a los escribas del pueblo
y les preguntó **dónde** tenía que nacer el Mesías.
Ellos le contestaron:
"**En Belén de Judá**, porque **así** lo ha escrito el profeta:
*Y tú, **Belén,** tierra de Judá,*
*no eres **en manera alguna** la menor*
*entre las ciudades **ilustres** de Judá, pues **de ti** saldrá un jefe,*
que será el pastor de mi pueblo, Israel".

Entonces Herodes llamó **en secreto** a los magos,
para que le **precisaran** el tiempo
en que se les había aparecido la estrella
y los mandó a Belén, **diciéndoles**:
"**Vayan** a averiguar **cuidadosamente qué hay** de ese niño,
y cuando lo encuentren, **avísenme**
para que yo **también** vaya a adorarlo".

Después de oír al rey, los magos se pusieron **en camino**,
y **de pronto** la estrella que habían visto surgir,
comenzó a guiarlos,
hasta que se detuvo **encima** de donde estaba el niño.
Al ver **de nuevo** la estrella, se llenaron de **inmensa** alegría.
Entraron en la casa y **vieron** al niño con **María**, su madre,
y **postrándose**, lo adoraron.
Después, abriendo sus cofres, le ofrecieron regalos:
oro, incienso y mirra.
Advertidos durante el sueño de que **no volvieran** a Herodes,
regresaron a su tierra por **otro** camino.

Acelera un tanto en esta parte, y cambia el ritmo en el discurso directo del rey.

El cuadro es reverente e invita a la contemplación. No alteres el tono en las líneas finales.

Epifanía significa manifestación o revelación de algo no entendido antes. Para Pablo, la experiencia de manifestación del misterio fue una epifanía. Hoy la Iglesia celebra esa manifestación de un amor incondicional de Dios.

EVANGELIO Tenemos en la lectura del evangelio de hoy un contraste entre dos reyes. Uno es el rey Herodes, monarca ilegítimo por no tener ascendencia davídica, ni siquiera era un judío devoto; la gente del pueblo no lo aceptaba bien. El otro es el verdadero rey ungido

de los judíos: un recién nacido, de la dinastía de David, enviado por Señor. Es inaudito que este pequeño, nacido de familia humilde pudiera ser rey.

Herodes, temiendo perder su reinado, se sobresaltó cuando supo que los Magos de Oriente habían llegado queriendo conocer dónde encontrar al rey de los judíos. Entonces convocó a las autoridades religiosas y a los escribas del pueblo para preguntar dónde habría de nacer el Mesías, quienes se refieren a la profecía de Miqueas (véase Miqueas 5:2). Belén también fue la ciudad donde el rey David nació (ver 1 Samuel 17:12, 15; 20:6).

Dios obra de maneras inesperadas. A pesar de haber estudiado las Escrituras y practicar la religión con devoción, muchos no pudieron reconocer al Mesías en la pequeñez de un recién nacido en un humilde pesebre. Sin embargo, gentes de tierras extranjeras reconocieron los signos que Dios les mandó, y con disposición dócil, siguieron la luz del Señor. Estos extranjeros, magos, que vienen de lejos a honrar al nuevo rey, y le traen tesoros y regalos, son un eco de la profecía de Isaías de que judíos y no judíos celebrarán la presencia del Señor.

BAUTISMO DEL SEÑOR

II LECTURA   Isaías 42:1–4, 6–7

Lectura del libro del profeta Isaías

El párrafo describe a alguien con la fuerza de Dios. La fuerza está en las palabras, no en el tono de la proclamación. Adopta una postura amable, nada de rigor ni solemnidad postiza.

Esto dice el Señor:
   "**Miren** a mi siervo, a quien **sostengo**,
   a mi **elegido**, en quien tengo **mis complacencias**.
En él he puesto mi espíritu
   para que **haga brillar** la justicia sobre las naciones.

No gritará, **no clamará**, **no hará oír** su voz por las calles;
   no romperá la caña resquebrajada,
   ni apagará la mecha que aún humea.
Promoverá con firmeza la justicia,
   no **titubeará** ni se doblegará
   hasta **haber establecido** el derecho sobre la tierra
   y hasta que las islas **escuchen** su enseñanza.

Hay un cambio en el discurso. Dale calidez a estas líneas que despiertan esperanza de todo el auditorio.

Yo, el Señor,
   fiel a mi designio de salvación,
   te llamé, te tomé de la mano, **te he formado**
   y te he constituido **alianza** de un pueblo,
   luz de las naciones,
   para que **abras** los ojos de los ciegos,
   saques a los cautivos de la prisión
   y de la mazmorra a los que **habitan** en tinieblas".

I LECTURA Dentro del libro del profeta Isaías hay una sección conocida como Isaías Segundo, capítulos 40–55. Allí encontramos cuatro poemas vigorosos que tratan de una figura misteriosa: el Siervo de Yahveh. Aunque el poeta parece conocerlo, esa figura es de alguien a quien no podemos identificar. El primero de esos poemas es proclamado en la lectura de hoy. Escuchamos la presentación de un personaje con claros rasgos mesiánicos. La lectura se compone de tres estrofas en las que se escucha la propia voz de Dios diciendo lo que su Siervo realizará.

En las primeras dos estrofas, anuncia Dios que el Siervo va a establecer la justicia y el derecho divinos sobre la tierra entera. Aquí tenemos la primera gran novedad, porque entre los pueblos y las naciones lo que se ve es que los más fuertes y violentos se imponen sobre los demás y los someten a tributo y servidumbre. El Siervo de Dios, por el contrario, se valdrá del derecho, de la razón persuasiva, para crear armonía y paz entre las naciones, pero también entre las gentes del propio pueblo.

Otro punto novedoso es que, para su obra, el Siervo se valdrá, ni más ni menos, que del mismo Espíritu Creador de Dios. Esta novedad no consiste en fanfarrias triunfalistas, ni tampoco en dejar en el olvido todo lo pasado, sino en validar el respeto a los ultrajados, vigorizar a los mermados y modelar el corazón de cada persona con los preceptos del Señor. Esta obra mayúscula del Siervo producirá luz y libertad a cuantos andan en coyundas y se va a extender a los extremos más remotos de la tierra. Estas acciones son justamente las que agradan a Dios. El Siervo es figura que anticipa a Jesús.

Para meditar

SALMO RESPONSORIAL   Salmo 28:1a y 2, 3ac–4, 3b y 9c–10
R. El Señor bendice a su pueblo con la paz.

Hijos de Dios, aclamen al Señor, aclamen la gloria del nombre del Señor, póstrense ante el Señor en el atrio sagrado. **R.**

La voz del Señor sobre las aguas, el Señor sobre las aguas torrenciales. La voz del Señor es potente, la voz del Señor es magnífica. **R.**

El Dios de la gloria ha tronado. En su templo, un grito unánime: ¡Gloria! El Señor se sienta por encima del aguacero, el Señor se sienta como rey eterno. **R.**

II LECTURA   Hechos 10:34–38

Lectura del libro de los Hechos de los Apóstoles

En aquellos días,
    Pedro se dirigió a **Cornelio** y a los que estaban en su casa,
        con **estas** palabras:
"Ahora caigo en la cuenta de que Dios
    no hace distinción de personas,
    sino que **acepta** al que lo teme y practica la justicia,
    sea de la nación que fuere.
Él **envió** su palabra a los hijos de Israel,
    para **anunciarles** la paz por medio de Jesucristo,
        Señor de todos.

Ya saben ustedes lo sucedido **en toda Judea**,
    que tuvo principio **en Galilea**,
    después del bautismo **predicado** por Juan:
    cómo Dios **ungió** con el **poder** del Espíritu Santo
        a **Jesús de Nazaret**
    y cómo éste pasó haciendo el bien,
    sanando a **todos** los oprimidos por el diablo,
    porque Dios **estaba con él**".

El relato es breve y sustancioso. Haz notar dónde comienza Pedro a hablar, como alargando la frase introductoria de sus palabras y haciendo una pausa que evidencie la diferencia.

Haz contacto visual con la asamblea, como si se tratara de los oyentes de Pedro. Ralentiza las líneas finales, al mencionar a Jesús de Nazaret.

II LECTURA En Hechos de los Apóstoles, san Lucas muestra cómo el anuncio de la salvación en Cristo Jesús se va expandiendo sucesivamente por el territorio de Israel y va a llegar hasta "los últimos confines de la tierra", gracias a la fuerza del Espíritu Santo que obra por medio de los apóstoles (1:8). La salvación de Dios es para todas las naciones y rebasa las fronteras del pueblo de las promesas. En lo que hoy escuchamos, se da un paso muy importante en ese trayecto. Pedro, después de mirar derrumbadas sus resistencias judías gracias a una visión celeste, entra en casa de un no judío, Cornelio, para anunciar la Buena Nueva de Jesucristo. Por eso comienza su discurso reconociendo que la pureza de las personas depende no de su raza sino de su actitud ante Dios. Así es como el Espíritu Santo va derribando todos los obstáculos para que los no judíos tengan acceso a la paz y salvación de Dios. Cornelio y su casa son los primeros paganos en escuchar y aceptar el Evangelio, es decir, en abrazar a Cristo Jesús como "Señor de todos".

En orden a la salvación actual, el privilegio de ser judío o pertenecer al pueblo de la alianza mosaica deja de tener sentido. Lo que importa ahora es que la persona tenga temor de Dios y practique la justicia. Estos dos componentes son lo único necesario e insustituible para estar en paz con Dios. No basta creer en Dios si no hay obras que avalen dicha fe, y viceversa, no basta practicar la justicia sin el motivo que le dé coherencia trascendente a los actos.

¿Quién es Jesús, el Señor? Pedro hace un apretado resumen de la vida de Jesús de Nazaret diciendo apenas lo sustantivo de este evangelio. El fondo del evangelio de Jesús de Nazaret es que fue ungido por el Espíritu Santo.

EVANGELIO   Mateo 3:13–17

Lectura del santo Evangelio según san Mateo

En aquel tiempo,
 Jesús llegó de Galilea al río **Jordán**
 y le pidió a Juan que **lo bautizara**.
Pero **Juan** se resistía, **diciendo:**
"**Yo soy** quien debe ser **bautizado** por ti,
 ¿y tú vienes a que yo te bautice?"
Jesús le respondió:
"**Haz** ahora lo que te digo, porque **es necesario**
 que **así** cumplamos **todo** lo que Dios quiere".
Entonces Juan **accedió** a bautizarlo.

Al **salir** Jesús del agua, una vez **bautizado**,
 se le **abrieron** los cielos y vio al Espíritu de Dios,
 que **descendía** sobre él en forma de **paloma**
 y **oyó** una voz que decía, desde **el cielo:**
"**Éste** es mi Hijo **muy amado**, en quien tengo
 mis **complacencias**".

Las palabras de Juan deben sonar firmes y decididas. Sube de nivel en el tono para la segunda parte de su declaración.

Crea expectativa como alargando las sílabas de las frases introductorias. Amplifica la visión, alarga el fraseo, como si al describir el evento lo miraras.

EVANGELIO   Este domingo, el evangelio nos entrega dos cuadros muy elocuentes; uno se enfoca en Juan Bautista y otro en Jesús de Nazaret.

Juan fue una figura singular; su manera de vestir y sobre todo su prédica justiciera junto con su práctica de renovación bautismal que congregaba una comunidad de vida diferente, hicieron que mucha gente del pueblo albergara la idea de que éste era el esperado mesías de Dios. Esto mismo le acarreó su trágico destino, pues los poderosos lo vieron como una amenaza. Por su parte, Juan tenía una idea muy diferente de

sí, según trasluce el diálogo que nos transmite el evangelio hoy. Juan no es superior a Jesús, pero el camino que Dios le ha destinado a Jesús pasa por el sometimiento, lo que implica su muerte. Esto se puede conjeturar de los propios gestos del bautismo.

El otro cuadro se enfoca en la visión que Jesús tiene, una vez que ha sido bautizado por Juan en el Jordán. En la visión se le descubre que está investido con el Espíritu Santo de Dios, para llevar a cabo una obra de reconciliación, como insinúa la figura de paloma que baja sobre él. Esa obra es la que complace a Dios y hace de Jesús el "Hijo

muy amado". La alusión a la obra del Siervo de Yahveh que escuchamos en la primera lectura es inevitable.

También los cristianos somos ungidos con el Espíritu Santo para llevar a cabo la obra pacificadora de Dios. Es un quehacer que requiere de mucha fortaleza y paciencia, pues se basa en la justicia y el derecho que es lo que a agrada a nuestro Señor.

II DOMINGO ORDINARIO

Se trata de la presentación del Siervo de Yahvé. Dale un tono solemne a la lectura, pero sin afectaciones.

Imprime cierta ternura agradecida en la voz del siervo por haber sido elegido desde el vientre materno.

La misión del siervo se amplía para abarcar a todos los pueblos. Remarca este mensaje enfatizando la última frase.

I LECTURA   Isaías 49:3, 5–6

Lectura del libro del profeta Isaías

El **Señor** me dijo:
"**Tú eres** mi siervo, **Israel**;
   en ti **manifestaré** mi gloria".

Ahora habla el Señor,
   el que **me formó** desde el seno materno,
   para que fuera su servidor,
   para **hacer** que Jacob **volviera** a él
   y **congregar** a Israel en **torno** suyo
   —tanto **así** me honró el **Señor**
   y mi **Dios fue mi fuerza**—.
Ahora, pues, dice el Señor:
"**Es poco** que seas mi siervo sólo
   para restablecer a las tribus de Jacob
   y reunir a los **sobrevivientes** de Israel;
   te voy a **convertir** en **luz** de las naciones,
   para que mi salvación **llegue**
   hasta los **últimos** rincones de la tierra".

 I LECTURA Cuatro hermosas piezas poéticas conocidas como los Cánticos del Servidor sirven de columna vertebral a la obra del Segundo Isaías (Isaías 40–55), profeta que desarrolló su ministerio de consuelo en medio de los exiliados en Babilonia en el siglo VI a. C., a quienes anuncia que Dios desplegará un designio de salvación que incluye el retorno a su tierra y la recuperación de su dignidad de pueblo elegido.

Nuestra lectura está tomada del segundo Cántico (Is 49:1–6), que recomiendo leer completo para captar su mensaje ínte-gro. El oráculo muestra el alcance universal de la elección de Israel como pueblo de Dios. Aunque la misión del Siervo es reunir a Israel como una sola familia porque las tribus de Jacob son el pueblo que Dios ha elegido, esta misión empequeñece ante la dimensión última de la voluntad divina: hacer que la salvación llegue a todos los pueblos de la tierra. Gracias a esta acción del Servidor, Israel puede comprender ahora el alcance universal de su vocación: ¡es un botón de muestra de aquello que Dios quie-re para todos los pueblos!

El eco de la fiesta del Bautismo del Señor, que celebramos la semana pasada, resuena en nuestra lectura: Jesús cumple en su persona la misión del siervo humilde y paciente que, rompiendo las fronteras ét-nicas y geográficas, se convierte en luz para todas las naciones.

II LECTURA Iniciamos hoy la lectura de los principales pasajes de la primera carta de san Pablo a los Corintios, que continuaremos durante seis domingos más. Capital de la provincia de Acaya, Corinto es una ciudad cosmopolita debido a

Para meditar

SALMO RESPONSORIAL   Salmo 39:2 y 4ab, 7–8a, 8b–9, 10

R. Aquí estoy, Señor, para hacer tu voluntad.

Yo esperaba con ansia al Señor: él se inclinó y escuchó mi grito; me puso en la boca un cántico nuevo, un himno a nuestro Dios. **R.**

Tú no quieres sacrificios ni ofrendas, y, en cambio, me abriste el oído; no pides sacrificio expiatorio, entonces yo digo: "Aquí estoy". **R.**

Como está escrito en mi libro: "para hacer tu voluntad". Dios mío, lo quiero, y llevo tu ley en las entrañas. **R.**

He proclamado tu salvación ante la gran asamblea; no he cerrado los labios, Señor, tú lo sabes. **R.**

II LECTURA   1 Corintios 1:1–3

Lectura de la primera carta del apóstol san Pablo a los corintios

El saludo de Pablo debe ser proclamado con gozo porque anuncia la obra de Dios que nos llama a ser parte de su pueblo.

Cuando pronuncies la palabra 'ustedes', dirige tu mirada a la comunidad.

Termina con una cierta solemnidad al proclamar el deseo de Pablo, que es un saludo litúrgico que usamos en la misa.

Yo, Pablo, **apóstol** de Jesucristo por **voluntad** de Dios,
   y **Sóstenes**, mi colaborador,
   saludamos a la comunidad cristiana que está en Corinto.
A **todos** ustedes,
   a quienes Dios **santificó** en Cristo Jesús
   y que son su pueblo santo,
   así como a **todos** aquellos que en **cualquier** lugar
      invocan el nombre de Cristo Jesús,
   Señor nuestro y Señor de ellos,
   les deseo la gracia y la paz de **parte** de Dios, nuestro **Padre**,
   y de Cristo Jesús, **el Señor**.

sus dos puertos, Céncreas y Lequeo, que la convirtieron en lugar de intercambio étnico y comercial, y espacio de competencias deportivas y excesos de carácter sexual. Con medio millón de habitantes, Corinto fue visitada por Pablo hacia el año 50 d. C. (ver Hechos 18:1–17). Después de fundar una comunidad, asistido de Timoteo y Silas, Pablo permaneció ahí cerca de año y medio evangelizando.

La carta muestra una comunidad pequeña, pero de gran vitalidad. El origen mayoritario de sus miembros proviene de las religiones paganas y tienen que luchar por mantener su fe en medio de un enjambre de culturas y religiones distintas. La lectura que haremos desde hoy y hasta el domingo VIII nos irá mostrando la problemática de esta comunidad paulina y los esfuerzos del Apóstol por ayudarla a madurar.

En el saludo inicial que hoy leemos, Pablo se presenta como apóstol de Cristo Jesús. No se trata sólo de su identidad sino también de su misión: ha de conducir a toda la comunidad a la comunión con Jesucristo (1 Corintios 1:9). Con audacia, Pablo se dirige a los corintios, sumergidos en un ambiente de efervescencia comercial y sexual,

llamándolos santos y recordándoles así su identidad más honda: son la familia de Dios, han sido consagrados a Jesucristo y tienen como horizonte la plenitud de la santidad. Los corintios pueden estar orgullosos de este llamado fundamental que los coloca a la misma altura de las demás comunidades cristianas.

EVANGELIO Es común encontrar en nuestras iglesias imágenes que representan a Jesús como un cordero. Quizá la más popular sea la arrancada de Apocalipsis 5:6–14 donde Jesús aparece

Juan Bautista presenta a Jesús como el cordero de Dios. Pronuncia claramente cada frase, para facilitar la comprensión de la asamblea.

En dos ocasiones Juan proclama: "Yo no lo conocía, pero...". Enfatiza la doble proclamación para que la audiencia capte el contraste que muestra que el mensaje de Juan no es suyo, sino que viene de Dios.

EVANGELIO   Juan 1:29–34

Lectura del santo Evangelio según san Juan

En **aquel** tiempo,
    vio Juan el Bautista a **Jesús**, que venía hacia él, y **exclamó:**
"Éste es el **Cordero de Dios,**
    el que quita el **pecado del mundo.**
Éste es **aquél** de quien yo he dicho:
    'El que viene **después** de mí,
    tiene **precedencia** sobre mí,
    porque **ya existía** antes que yo'.
Yo no lo **conocía,**
    pero he venido a **bautizar** con **agua,**
    para que él sea dado a **conocer** a **Israel**".

Entonces Juan dio **este testimonio:**
    "Vi al Espíritu **descender** del cielo
    en forma de **paloma** y
    posarse sobre él.
Yo no lo **conocía,**
    pero el que me envió a **bautizar** con **agua** me dijo:
    '**Aquél** sobre quien veas que **baja**
    y se posa el **Espíritu Sant**o,
    ése es el que ha de **bautizar** con el **Espíritu Santo**'.
Pues bien, yo lo vi
    y doy **testimonio** de que éste es el **Hijo de Dios**".

---

como un cordero sentado sobre un libro, cuyos sellos solamente él puede abrir y revelar.

Juan narra el segundo día del ministerio de Jesús. Juan Bautista lo presenta como el cordero de Dios que quita el pecado del mundo. La imagen del cordero evoca a Éxodo 12:21–28, víctima que va unida a la intervención de Dios en favor de su pueblo al liberarlo de la esclavitud de Egipto. Aparece también en el cuarto Cántico del Servidor (Isaías 53:7–12) para mostrar la paradoja de la salvación: el triunfo obtenido por la entrega silenciosa del Siervo sufriente que, como cordero, es llevado al sacrificio.

El Cuarto evangelio hará notar también la honda dimensión simbólica de un hecho aparentemente insignificante: Jesús morirá en la cruz a la misma hora que, en el templo de Jerusalén, eran sacrificados los corderos que servirían para la cena de Pascua (ver Juan 19:31–37). Muestra así a Jesús inaugurando la nueva pascua definitiva.

Así pues, la figura del cordero describe la misión de salvación para la cual ha sido ungido Jesús en el bautismo. Lleno del Espíritu, el Mesías es quien con su muerte y resurrección llevará a plenitud la obra del Padre. La imagen del cordero sólo se comprende si se toma en cuenta que la comunidad cristiana ha experimentado ya la pascua cristiana y la entrega del Espíritu.

III DOMINGO ORDINARIO

I LECTURA   Isaías 8:23—9:3

Lectura del libro del profeta Isaías

En otro tiempo el Señor **humilló**
    al país de **Zabulón** y al país de **Neftalí**;
pero en el **futuro** llenará de **gloria** el camino del mar,
    más allá del **Jordán**, en la región de los **paganos**.

El pueblo que caminaba en **tinieblas**
    vio una **gran luz**.
Sobre los que vivían en **tierra de sombras**,
    una luz **resplandeció**.

Engrandeciste a tu **pueblo**
    e hiciste **grande** su **alegría**.
Se gozan en tu **presencia** como gozan al **cosechar**,
    como se **alegran** al repartirse el botín.

Porque tú **quebrantaste** su pesado yugo,
    la barra que **oprimía** sus hombros
    y el cetro de su **tirano**,
    como en el día de **Madián**.

La proclamación del oráculo requiere de una firmeza alegre. El futuro es luminoso y eso debe notarse en tu lectura.

El oráculo se convierte en oración. El profeta ahora se dirige a Dios. Hay que pronunciar de manera que la asamblea se una a esta acción de gracias gozosa.

I LECTURA Los versículos 8:21–23, que preceden a nuestro pasaje, describen al pueblo de Dios sufriendo hambre y angustia, cansancio y oscuridad. Esta realidad de desolación, sin embargo, llegará a su fin. El oráculo de esperanza, del cual se arranca nuestra lectura, abarca 8:23b–9:6 y es recomendable que el proclamador lo conozca completo. Aunque anónimo, el personaje cuyo advenimiento se anuncia es un rey de la dinastía de David que transformará la situación de guerra y hambre por la que atraviesa el pueblo. Entre los años 734 y 732 a. C., el Imperio asirio se había anexado los territorios de Zabulón y Neftalí, en la zona de Galilea. Isaías anuncia ahora que ha llegado el tiempo de la liberación y que será ese territorio el que experimentará el amanecer de una nueva era de paz y justicia.

A la liberación del yugo extranjero deberá corresponder la transformación interior del pueblo y la renovación de sus instituciones, sobre todo de la monarquía. Este nuevo reinado será fuente de alegría para todo el pueblo y hará que el pueblo recuerde el "día de Madián", paradigma histórico del triunfo de Dios sobre sus enemigos (Jueces 7–8; Isaías 10:26). Los versículos finales del oráculo (Isaías 9:4–6) mencionan los títulos del nuevo rey: consejero, Dios fuerte, padre eterno, príncipe de paz. Muy pronto, este oráculo adquirió dimensiones mesiánicas. La tradición cristiana reconoce en Jesús, el Mesías de Galilea, el cumplimiento a cabalidad del oráculo de Isaías.

II LECTURA El pasaje da testimonio de la compleja problemática por la que atraviesa la comunidad cristiana de Corinto, como si fuera una radiografía de sus conflictos internos. El primero de ellos es la división de la comunidad. El papel de

SALMO RESPONSORIAL   Salmo 26:1, 4, 13–14

R. El Señor es mi luz y mi salvación.

El Señor es mi luz y mi salvación, ¿a quién
 temeré? El Señor es la defensa de mi vida,
 ¿quién me hará temblar? **R.**

Una cosa pido al Señor, eso buscaré: habitar
 en la casa del Señor por los días de
 mi vida; gozar de la dulzura del Señor
 contemplando su templo. **R.**

Espero gozar de la dicha del Señor en el
 país de la vida. Espera en el Señor,
 sé valiente, ten ánimo, espera en
 el Señor. **R.**

II LECTURA   1 Corintios 1:10–13, 17

Lectura de la primera carta del apóstol san Pablo a los corintios

Hermanos:
Los **exhorto**, en nombre de nuestro Señor **Jesucristo**,
 a que todos vivan en **concordia**
 y no haya **divisiones** entre ustedes,
 a que estén **perfectamente unidos**
  en un mismo **sentir** y en un mismo **pensar**.

Me he enterado, **hermanos**,
 por algunos **servidores** de **Cloe**,
 de que hay **discordia** entre ustedes.
Les digo **esto**, porque **cada uno** de ustedes
 ha tomado partido, **diciendo**:
 "Yo soy de **Pablo**", "Yo de **Apolo**",
 "Yo de **Pedro**", "Yo de **Cristo**".
¿Acaso **Cristo** está dividido?
¿Es que Pablo fue **crucificado** por ustedes?
¿O han sido **bautizados** ustedes en nombre de **Pablo**?

Por lo demás, no me envió Cristo a **bautizar**,
 sino a **predicar** el **Evangelio**,
 y eso, no con **sabiduría** de **palabras**,
 para no hacer **ineficaz** la **cruz** de **Cristo**.

los evangelizadores que han impactado la vida de los corintios ha sido tan fuerte, que se han creado facciones que se identifican con uno u otro de los apóstoles que ahí han ejercido su ministerio. Estas rivalidades rompen la unidad de la comunidad y ponen el riesgo el testimonio que debería dar en medio de un ambiente dividido, precisamente, por múltiples ofertas culturales y religiosas de influencia idolátrica. No es sólo un conflicto interno sino una piedra de tropiezo para la misión de la comunidad, llamada a ser luz del mundo y sal de la tierra, ciudad puesta en lo alto de un monte.

A oídos de Pablo llegan las noticias de los enviados de Cloe, comerciante integrada a la comunidad, quienes le informan de los grupos confrontados que se han formado en torno a los distintos predicadores que han pasado por Corinto. Pablo escribe para recordarles una verdad central: el discípulo, muerto y resucitado con Cristo por el bautismo, no se pertenece a sí mismo sino solamente a Cristo. El Espíritu Santo nos ha hecho miembros del Cuerpo de Cristo, que es la iglesia. No es el misionero quien ha realizado esta obra de la gracia, sino el Señor resucitado. ¿Cómo pueden, entonces,

identificarse con el servidor y no con el Señor de la gloria? La división de los cristianos es para el Apóstol una contradicción que escandaliza. Nadie ha sido bautizado sino en nombre de Cristo.

EVANGELIO Una vez que Jesús ha superado las tentaciones, Mateo describe su asentamiento en Cafarnaúm, que será conocida como la ciudad de Jesús. Al citar a Isaías 8:23—9:1, Mateo proclama que esta profecía se cumple en Jesús y anuncia la dimensión universal de su obra: traer la salvación a todas las

EVANGELIO Mateo 4:12–23

Lectura del santo Evangelio según san Mateo

Al enterarse **Jesús** de que **Juan** había sido **arrestado**,
se retiró a **Galilea**, y dejando el pueblo de **Nazaret**,
se fue a vivir a **Cafarnaúm**, junto al lago,
en territorio de **Zabulón** y **Neftalí**,
para que **así** se **cumpliera** lo que había
anunciado el profeta **Isaías**:

*Tierra de **Zabulón** y **Neftalí**, camino del mar,
al otro lado del **Jordán**, **Galilea** de los **paganos**.
El pueblo que caminaba en **tinieblas** vio una **gran luz**.
Sobre los que vivían en **tierra de sombras** una **luz** resplandeció.*

Desde entonces comenzó Jesús a **predicar**, diciendo:
"**Conviértanse**, porque ya está **cerca** el **Reino** de los **cielos**".

Una vez que **Jesús** caminaba por la ribera del mar de **Galilea**,
vio a dos hermanos, **Simón**, llamado después **Pedro**, y **Andrés**,
los cuales estaban echando las **redes** al **mar**,
porque eran **pescadores**.
Jesús les **dijo**:
"**Síganme**
y los haré **pescadores de hombres**".
Ellos **inmediatamente** dejaron las redes y lo **siguieron**.
Pasando **más adelante**, vio a **otros** dos hermanos,
Santiago y **Juan**, hijos de **Zebedeo**,
que estaban con su **padre** en la **barca**,
remendando las redes, y los llamó **también**.
Ellos, dejando **enseguida** la barca y a su padre, lo **siguieron**.

Andaba por **toda** Galilea, **enseñando** en las **sinagogas**
y proclamando la **buena nueva** del **Reino de Dios**
y **curando** a la gente de **toda enfermedad** y **dolencia**.

Forma breve: Mateo 4:12–17

Este párrafo de presentación debe ser leído con mucha claridad, para que la asamblea identifique los nombres y siga con atención la narración.

La profecía se cumple ahora en Jesús, luz que llega a este mundo. Léela con aplomo.

El llamado de Jesús es la columna vertebral de este evangelio. Lee pausadamente y haz contacto visual con la asamblea al pronunciar la llamada del Maestro.

El párrafo final describe la actividad esencial de Jesús. Lee pausadamente las tres frases como conclusión de todo el evangelio.

---

personas y pueblos al romper con las barreras que dividen a la humanidad.

Una nueva etapa comienza: Jesús emerge anunciando el Reino de Dios. Mateo, en respeto a la costumbre judía de evitar mencionar el nombre de Dios, lo refiere como Reino de los Cielos. Es una manera de expresar que en la persona del Mesías Jesús se hace presente la soberanía de Dios. Todas las palabras y obras de Jesús serán señales claras de que el Padre misericordioso ha comenzado a reinar en el mundo. Este anuncio exige la conversión de quien lo escucha, pues es el punto de partida necesa-

rio para dejar que la situación personal y social se transforme según esta nueva propuesta de vida.

Jesús convoca a discípulos que serán testigos de su acción salvadora y, más tarde, continuadores de su misión. En estos relatos de llamamiento aparece la respuesta que el Reino exige de quien quiere acogerlo: disponibilidad total, ruptura de los lazos familiares y sociales para asumir el estilo de vida de Jesús. Los discípulos serán testigos de cómo el Reino ha venido para transformar de raíz la realidad. Deberán ser aprendices atentos, porque más tarde

deberán continuar esa proclamación cuando sean enviados por el Maestro (Mateo 9:36—10:42).

IV DOMINGO ORDINARIO

Sofonías quiere infundir esperanza en lo poco que queda, no desolación. Tu voz debe ser animosa en este exhorto.

Recarga la esperanza. Baja el tono de una línea a la siguiente.

Describe la conducta con sereno vigor. Nada de aspavientos ni autoritarismo en la voz.

I LECTURA   Sofonías 2:3; 3:12–13

Lectura del libro del profeta Sofonías

Busquen al Señor,
 ustedes los humildes de la tierra,
 los que cumplen los mandamientos de Dios.
Busquen la justicia, busquen la humildad.
Quizá puedan así quedar a cubierto
 el día **de la ira** del Señor.

"Aquel día, dice el Señor,
 yo dejaré **en medio de ti**, pueblo mío,
 un puñado de gente pobre y humilde.

Este **resto de Israel**
 confiará en el nombre del Señor.
No cometerá maldades ni dirá mentiras;
 no se hallará en su boca una lengua embustera.
Permanecerán tranquilos
 y descansarán sin que **nadie los moleste**".

 I LECTURA En los años 640–609 a. C. gobernó en Israel el rey Josías, quien emprendió una reforma para hacer volver al pueblo a sus raíces religiosas, librarlo de la idolatría y mantener a raya la influencia de los asirios. Durante este reinado profetizó Sofonías, que es conocido como el profeta del Día del Señor porque anunció la llegada de un tiempo en el que Dios establecería su reinado de justicia y de paz, después de haber llamado a todos a la conversión y de realizar el juicio contra los pecadores que no acojan el llamado al arrepentimiento.

De apenas tres capítulos de longitud, el libro de Sofonías anuncia la llegada inminente del Día del Señor como amenaza contra quienes han acumulado riquezas y se han desentendido de los pobres. Nuestra lectura está arrancada de la sección en que el tono amenazante cede su lugar al anuncio de la salvación. Esta salvación no aparece ligada a la pertenencia a Israel; más bien extiende sus ramas a toda persona que busque la justicia y se comprometa a vivir en la humildad, independientemente de su procedencia geográfica o étnica. En Israel, un resto humilde y pobre dará testimonio de las actitudes fundamentales que le agradan a Dios. Desaparecerá la arrogancia y la mentira y se buscará con sincero corazón a Aquél, que en la primera parte del libro había aparecido como juez temible, y que ahora se presenta como salvador y como pastor. Ese resto de Israel es el preludio del pueblo de las bienaventuranzas, que se fundará sobre la predicación del Reino.

II LECTURA Ante el problema de las divisiones comunitarias que ha sido descrito la semana pasada, Pablo ofrece una vía de salida: la escuela de la

---

SALMO RESPONSORIAL　Salmo 146 (145):7, 8–9a, 9–bc–10

R. Dichosos los pobres de espíritu, porque de ellos es el Reino de los cielos.

El Señor mantiene su fidelidad
　perpetuamente,
　hace justicia a los oprimidos,
　da pan a los hambrientos.
El Señor liberta a los cautivos. **R.**

El Señor abre los ojos al ciego,
　el Señor endereza a los que ya se doblan,
　el Señor ama a los justos.
　El Señor guarda a los peregrinos. **R.**

El Señor sustenta al huérfano y a la viuda
　y trastorna el camino de los malvados.
　El Señor reina eternamente,
　tu Dios, Sión, de edad en edad. **R.**

II LECTURA　1 Corintios 1:26–31

Lectura de la primera carta del apóstol san Pablo a los corintios

Hermanos:
Consideren que **entre ustedes**, los que han sido llamados por
　Dios,
　no hay muchos sabios, ni muchos poderosos,
　ni muchos nobles, según los criterios humanos.
Pues Dios ha elegido a **los ignorantes de este mundo**, para
　humillar a los sabios;
　a los débiles del mundo, para avergonzar a los fuertes;
　a los insignificantes y despreciados del mundo,
　es decir, **a los que no valen nada**, para reducir a la nada a los
　que valen;
de manera que nadie pueda presumir delante de Dios.

En efecto, por obra de Dios, ustedes están injertados en
　Cristo Jesús,
　a quien Dios hizo **nuestra sabiduría**, nuestra justicia,
　nuestra santificación y **nuestra redención**.
Por lo tanto, como dice la Escritura: *El que se gloría, que se
　gloríe en el Señor.*

Para meditar (notas marginales):

Tras el saludo, haz contacto visual con la asamblea; alarga la última línea de este párrafo.

Fíjate cómo avanza el pensamiento por frases pareadas. Las segundas son las conclusivas. Así mantén la tensión en este párrafo.

Llega algo sustancial: vivir injertados en Cristo. Dale calidez al "ustedes" para que cada miembro de la asamblea se sienta incluido.

---

cruz. En 1:18–25, que no proclamaremos, el Apóstol enseña que la sabiduría de Dios, a diferencia de aquellas doctrinas que se centran en la elocuencia y en la erudición, tiene en la cruz su lenguaje propio: Dios ha obrado la salvación a través de la debilidad y de la entrega de Jesús, el Mesías. Esta locura de Dios, afirma Pablo, es más sabia que la sabiduría de los hombres.

De esta exposición, el Apóstol pasa a confrontar a la comunidad de los corintios con su propia realidad. ¿Están los miembros de la comunidad buscando honores y reconocimiento, poder y sabiduría humana?

Pues que miren su propia realidad y consten a quiénes ha elegido Dios para formar parte de su pueblo, no a grandes maestros o a poderosos gobernantes sino a aquellos que el mundo considera locos, ignorantes y débiles.

La conformación de la comunidad de Corinto es, en sí misma, una evidencia de la manera como Dios hace las cosas; o sea, a través de una comunidad humilde, que no pone su confianza en la propia sabiduría y santidad, sino que acepta la debilidad como condición propia y abre su corazón para recibir el don de la gracia, que no es fruto de

los méritos personales sino del amor del Padre derramado en Cristo. Pablo colabora así, con su evangelio de la gracia, a la construcción de la espiritualidad de los pobres del Señor, tan a tono con las bienaventuranzas que hoy se proclaman en el evangelio.

EVANGELIO El sermón inaugural de Jesús, también conocido como sermón de la montaña, que enmarca su solemnidad mostrando a Jesús desde la cumbre de un monte y enseñando a sus discípulos, inicia con la proclamación de las bienaventuranzas.

EVANGELIO   Mateo 5:1–12a

Lectura del santo Evangelio según san Mateo

En aquel tiempo,
   cuando Jesús **vio a la muchedumbre**, subió al monte y
      se sentó.
Entonces se le acercaron sus discípulos.
Enseguida **comenzó a enseñarles**, hablándoles así:
   "Dichosos los pobres de espíritu,
      porque de ellos es el Reino de los cielos.
Dichosos los que lloran,
      porque serán consolados.
Dichosos los sufridos,
      porque heredarán la tierra.
Dichosos los que tienen hambre y sed de justicia,
      porque serán saciados.
Dichosos los misericordiosos,
      porque obtendrán misericordia.
Dichosos los limpios de corazón,
      porque verán a Dios.
Dichosos los que trabajan por la paz,
      porque se les llamará hijos de Dios.
Dichosos los perseguidos por causa de la justicia,
      porque de ellos es el Reino de los cielos.
Dichosos serán **ustedes cuando** los injurien,
   los persigan y digan cosas falsas de ustedes **por causa mía**.
Alégrense y salten de contento,
      porque su premio será grande en los cielos".

Antes de proclamar esta lectura, haz pasar sus líneas por la oración y la contemplación. Es el núcleo de la Buena Noticia.

Formula con viva serenidad cada línea. No leas con el mismo énfasis cada proclamación. Haz la primera línea como en voz baja y para la segunda súbela un tanto.

Al llegar al "ustedes" de esta bienaventuranza, mira a la asamblea y dale un tono entusiasta a tu voz. El "alégrense" debe ser contagioso.

No me referiré aquí a las diferencias entre las bienaventuranzas de Mateo y las de Lucas, que son más como gritos de alegría por la llegada del Reino de Dios. Corresponderá a cada proclamador buscar esa información. Baste señalar que para Mateo las bienaventuranzas son como pistas, señales, rumbos para alcanzar la verdadera felicidad. Se trata de un compendio de actitudes fundamentales que habrán de adoptar todas las personas que quieran pertenecer al Reino de Dios, que Jesús ha venido a proclamar y establecer.

Las bienaventuranzas apuntan a la identidad profunda de los discípulos de Jesús, muestran el lugar que éstos ocupan en el Reino que Jesús proclama y muestran el camino para compartir la misión del Maestro. Son un elemento clave para comprender el conjunto del sermón de la montaña (Mateo 5–7). Ya desde la primera bienaventuranza se señala cuál ha de ser la actitud fundamental del discípulo, que se desglosará en el resto de las proclamaciones: el desprendimiento de los bienes de este mundo y la dependencia absoluta de Dios. Estas pautas de comportamiento propuestas por Jesús se ofrecen de manera especial a quienes en este mundo son considerados malditos y desgraciados, pero cuya suerte mueve el corazón de Dios, que les ofrece esta buena noticia.

V DOMINGO ORDINARIO

I LECTURA   Isaías 58:7–10

Lectura del libro del profeta Isaías

Esto dice el **Señor**:
  "**Comparte** tu **pan** con el **hambriento**,
abre tu **casa** al **pobre sin techo**,
viste al **desnudo**
y no des la **espalda** a tu **propio hermano**.

Entonces **surgirá** tu luz como la **aurora**
  y **cicatrizarán** de prisa tus heridas;
  te **abrirá** camino la **justicia**
  y la **gloria del Señor** cerrará tu **marcha**.

Entonces clamarás al **Señor** y él te **responderá**;
  lo llamarás, y él **te dirá**: 'Aquí **estoy**'.

Cuando renuncies a **oprimir** a los demás
  y **destierres** de ti el gesto **amenazador**
  y la palabra **ofensiva**;
  cuando **compartas** tu pan con el **hambriento**
  y **sacies** la necesidad del **humillado**,
  brillará tu luz en las tinieblas
  y tu oscuridad **será** como el mediodía".

El oráculo exhorta con autoridad divina a los escuchas. También a quienes participamos de esta asamblea hoy el Señor nos exhorta. Que la comunidad sienta este llamado como dirigido a ellos mismos.

El motivo de la luz conecta esta lectura con el evangelio. Lee con aplomo cada referencia a la luz que haya en la lectura.

No sólo hay maldad e injusticias venidas de fuera. Hay que desterrar los malos sentimientos que nos hacen opresores de los demás. Lee la frase final como broche de oro de toda la lectura.

I LECTURA El llamado Tercer Isaías (Isaías 56–66) reúne una colección de oráculos, no sabemos si sólo de un profeta o de varios, predicados bajo el reinado persa cuando los exiliados habían regresado ya a Jerusalén desde el destierro. Como toda literatura profética, incluye denuncias por los pecados del pueblo y anuncios de salvación.

La sección 58:1–12, de donde está tomado nuestro pasaje, es una crítica a la práctica del ayuno religioso. Quizá sea el pasaje más conocido del Tercer Isaías. Bajo la forma de una querella, el pasaje desnuda

los sentimientos del pueblo: "ayunamos y no sirve de nada, hacemos sacrificio y no obtenemos de Dios los resultados que esperamos" (58:1–3). Entonces claman a Dios. Pero Dios les advierte que el ayuno debería ser un medio de expresión de la integridad de vida, de coherencia con el cumplimiento de la alianza. El pueblo, en cambio, manifiesta conductas injustas, se aprovecha del hermano, vive en violencia y explotación. El reclamo del pueblo contra Dios es injustificado porque su ayuno no es auténtico, sino que encubre solamente injusticias y egoísmos.

Entonces el profeta proclama las características del auténtico ayuno, aquél que agrada a Dios. El ayuno verdadero está compuesto de acciones de solidaridad con los que sufren, de liberación hacia los que son explotados y oprimidos. El ayuno requiere, para ser auténtico y lograr su propósito, un corazón misericordioso, que busca la justicia. Sólo entonces la vida del pueblo será testigo de la luz de Dios.

II LECTURA El libro de los Hechos de los Apóstoles nos cuenta uno de los más estrepitosos fracasos de Pablo:

Para meditar

SALMO RESPONSORIAL   Salmo 111:4–5, 6–7, 8a y 9
R. El justo brilla en las tinieblas como una luz.

En las tinieblas brilla como una luz el que
    es justo, clemente y compasivo. Dichoso
    el que se apiada y presta y administra
    rectamente sus asuntos. **R.**

El justo jamás vacilará, su recuerdo será
    perpetuo. No temerá las malas noticias,
    su corazón está firme en el Señor. **R.**

Su corazón está seguro, sin temor, reparte
    limosna a los pobres, su caridad es
    constante, sin falta, y alzará la frente
    con dignidad. **R.**

II LECTURA   1 Corintios 2:1–5

Lectura de la primera carta del apóstol san Pablo a los corintios

Hermanos:
Cuando **llegué** a la ciudad de ustedes
    para **anunciarles** el Evangelio,
no busqué hacerlo mediante la **elocuencia** del lenguaje
    o la **sabiduría humana**,
sino que **resolví** no hablarles sino de **Jesucristo**,
más aún, de Jesucristo **crucificado**.

Me presenté ante ustedes **débil** y **temblando de miedo**.
Cuando les **hablé** y les **prediqué** el Evangelio,
    no quise convencerlos con palabras de hombre sabio;
al contrario, los **convencí** por medio del **Espíritu**
    y del **poder de Dios**,
a fin de que la fe de ustedes **dependiera** del **poder** de **Dios**
y **no** de la sabiduría de los **hombres**.

Pablo comparte su situación al llegar a Corinto después de su fracaso en Atenas. La última frase de este párrafo debe ser proclamada con claridad y fuerza.

Subraya en tu lectura el contraste entre la debilidad humana y la fuerza de Dios, entre la sabiduría de este mundo y la fe en el poder de Dios.

su predicación en Atenas (Hechos 17:16–33). De Atenas, Pablo viajó hacia Corinto. En la lectura de hoy el Apóstol reconoce que su propia persona, pero también la configuración de la comunidad de los corintios muestra clara de lo que Dios es capaz de hacer con la debilidad humana. Pablo reconoce haber llegado a Corinto "débil y temblando de miedo' (1 Corintios 2:3) después de su fracaso en Atenas.

Esta circunstancia le sirve al Apóstol para dar una enseñanza a los corintios: los criterios de fama y honor son propios de este mundo, pero no son los criterios de

Dios. No es la sabiduría humana la que da validez y eficacia a la obra de la evangelización, sino la misteriosa sabiduría de Dios, que escoge medios débiles para su anuncio de salvación. Nadie en Corinto, ni los miembros de la comunidad ni Pablo, su dirigente, puede hacer alarde de méritos personales. Lo que importa no es el mensajero sino el mensaje.

Y este mensaje es la teología de la cruz: Dios ha manifestado su poder salvador a través de un crucificado, de un justo ajusticiado. Del mismo modo, él sigue realizando su obra de salvación a través de personas débiles, quedando en evidencia

que es el Espíritu y su fuerza sobrenatural quien actúa en la historia para llamar a todos a la salvación y no los méritos humanos de los mensajeros. La palabra elocuente produce intelectuales. Sólo el Espíritu de Dios tiene como fruto discípulos de corazón ardiente.

EVANGELIO Las bienaventuranzas, leídas el domingo pasado, han dejado en claro cuáles son las actitudes que dan identidad al verdadero discípulo. A partir de esta identidad toca ahora a los discípulos participar de la misma misión de Jesús: ser sal de la tierra y luz del mundo,

EVANGELIO   Mateo 5:13–16

Lectura del santo Evangelio según san Mateo

En **aquel** tiempo, Jesús dijo a sus **discípulos**:
    "Ustedes son la **sal de la tierra**.
    Si la sal se vuelve **insípida**, ¿con qué se le devolverá el **sabor**?
Ya no sirve para **nada** y se **tira** a la calle para que la pise la gente.

Ustedes son la **luz del mundo**.
No se puede **ocultar** una ciudad construida
        en **lo alto** de un monte;
    y cuando se **enciende** una vela,
    no se esconde **debajo** de una olla,
    sino que se pone sobre un **candelero**,
    para que **alumbre** a **todos** los de la casa.

Que de **igual** manera **brille** la luz de ustedes ante los hombres,
    para que viendo las **buenas obras** que ustedes hacen,
    den **gloria** a su **Padre**, que está en los cielos".

Estas palabras describen la misión del discípulo de Cristo y se dirigen ahora a nosotros. Haz contacto visual con la asamblea cada vez que menciones el pronombre ustedes.

El testimonio cristiano debe resplandecer. Que en tu voz resuene este llamado a iluminar a los demás con nuestras acciones.

El resultado del testimonio cristiano es la gloria de Dios y no la vanagloria humana. Lee lenta y claramente el párrafo final.

---

iluminar y dar sabor de evangelio al mundo al que son enviados.

Sal que da sabor y preserva de la putrefacción, luz que alumbra e ilumina las tinieblas, ciudad que no puede ocultarse porque está puesta en lo alto de un monte, lámpara sobre un candelero, todos son signos de la obligación que todo discípulo tiene de dar testimonio de Cristo. Esta manifestación ante los demás no busca la vanagloria; más bien que el Padre del Cielo sea glorificado por todos. Podrá haber oposición al mensaje e incluso persecución: la Buena Noticia ha de ser anunciada siempre.

Hay una frase atribuida a san Francisco de Asís: "Predica el evangelio en todo momento, y si es necesario, usa las palabras". De eso hablan las imágenes del evangelio de hoy: la vida toda del discípulo ha de hablar del evangelio, no sólo ni principalmente sus palabras. Ya san Pablo VI, en *Evangelii nuntiandi*, mencionaba: "El ser humano contemporáneo escucha más a gusto a los testigos que a los maestros, o si escucha a los maestros es porque son testigos". El maestro tiene el don de compartir lo que ha aprendido, pero el testigo habla con su vida de aquello que ha experimentado en carne propia. El mundo de hoy necesita testigos.

VI DOMINGO ORDINARIO

El centro e la lectura es la libertad humana. El estilo sapiencial exhorta en segunda persona. Haz sentir a la asamblea que esta palabra se dirige a los presentes.

I LECTURA   Eclesiástico 15:16–21

Lectura del libro del Eclesiástico (Sirácide)

Si tú lo **quieres**, puedes guardar los **mandamientos**;
    permanecer **fiel** a ellos es cosa **tuya**.
El **Señor** ha puesto delante de ti **fuego** y **agua**;
    extiende la **mano** a lo que **quieras**.
Delante del **hombre** están la **muerte** y la **vida**;
    le será dado lo que él **escoja**.

Es **infinita** la **sabiduría** del **Señor**;
    es **inmenso** su **poder** y él lo ve **todo**.
Los **ojos** del **Señor** ven con **agrado**
    a quienes lo **temen**;
el **Señor** conoce a **todas** las **obras** del **hombre**.
A **nadie** le ha **mandado** ser **impío**
    y a **nadie** le ha dado **permiso** de **pecar**.

A nadie impulsa Dios hacia el mal. Por el contrario, nos invita permanentemente a obrar el bien. Al leer lentamente la última frase, haz contacto visual con la asamblea.

Para meditar

SALMO RESPONSORIAL   Salmo 118:1–2, 4–5, 17–18, 33–34

R. Dichosos los que caminan en la voluntad del Señor.

Dichoso el que con vida intachable camina en la voluntad del Señor; dichoso el que guardando sus preceptos lo busca de todo corazón. **R.**

Tú promulgas tus decretos para que se observen exactamente; ¡ojalá esté firme mi camino para cumplir tus consignas! **R.**

Haz bien a tu siervo: viviré y cumpliré tus palabras; ábreme los ojos y contemplaré las maravillas de tu voluntad. **R.**

Muéstrame, Señor, el camino de tus leyes y lo seguiré puntualmente; enséñame a cumplir tu voluntad y a guardarla de todo corazón. **R.**

I LECTURA Uno de los cuestionamientos que ha sacudido de antiguo la conciencia de la humanidad es el origen del mal. Nos preguntamos por qué existe la maldad, quién se tiene la culpa. Ya filósofos antiguos respondían que eran los dioses o el destino quienes, de manera caprichosa, determinaban las calamidades naturales o las malas acciones de los seres humanos, o ambas. En el tiempo de la composición del libro de Ben Sirá, que conocemos como Eclesiástico, a mitad del siglo II a. C., algunos sabios responsabilizaban a Dios de la existencia del mal porque, desde su creación, hizo al ser humano débil y proclive a cometer maldades.

En la sección 15:11–20 el autor sagrado muestra que Dios no puede ser el creador de aquello que lo contradice. Él, fuente del sumo bien, no puede ser al mismo tiempo hacedor del mal, porque todo orden y bien proviene de él (Génesis 1; Sabiduría 11:24). Por otro lado, el ser humano ha sido creado libre y es, por tanto, responsable de sus acciones. La capacidad de elegir libre y conscientemente entre lo malo y lo bueno hace del ser humano una persona libre y responsable. Dios, nos advierte Ben Sirá, no empuja a nadie al pecado ni da permiso para hacer el mal. Una buena parte de los males de este mundo dependen de las decisiones humanas. Esta enseñanza, que en el Nuevo Testamento retomará la carta de Santiago (1:13–15), muestra que cada persona será juzgada por sus decisiones libres. Somos, en palabras del poeta mexicano Amado Nervo, arquitectos de nuestro propio destino.

El primer párrafo describe la sabiduría divina. No es un párrafo sencillo. Hay que leer frase por frase, respetando los signos de puntuación.

"El Señor de la Gloria", denominación de Dios en el Antiguo Testamento, se aplica ahora a Jesús. Lee con énfasis esta proclamación.

La última frase debe ser proclamada con agradecimiento por la revelación divina que Dios ha querido compartirnos.

II LECTURA   1 Corintios 2:6–10

Lectura de la primera carta del apóstol san Pablo a los corintios

Hermanos:
Es **cierto** que a los **adultos** en la fe les predicamos la **sabiduría**,
    pero no la sabiduría de este **mundo**
    ni la de aquellos que **dominan al mundo**,
    los cuales van a quedar **aniquilados**.
Por el contrario, predicamos una sabiduría **divina**, **misteriosa**,
    que ha permanecido **oculta**
    y que fue **prevista** por **Dios** desde antes de los **siglos**,
    para conducirnos a la **gloria**.
Ninguno de los que **dominan** este mundo la **conoció**,
    porque, de haberla **conocido**, nunca hubieran **crucificado**
        al **Señor** de la **gloria**.

Pero lo que **nosotros** predicamos es, como dice la **Escritura**,
    que *lo que Dios ha preparado para los que lo aman,*
    ni el ojo lo ha visto, ni el oído lo ha escuchado,
    ni la mente del hombre pudo siquiera haberlo imaginado.
A nosotros, **en cambio**, Dios nos lo ha **revelado**
    por el **Espíritu** que conoce **perfectamente** todo,
    hasta lo más **profundo** de **Dios**.

II LECTURA El mensaje cristiano pone de cabeza muchas veces el aparente orden de este mundo. Una de las virtudes más apreciadas en el siglo I era la sabiduría, entendiendo por esto la acumulación de conocimientos o el fruto de la experiencia humana. Pero esta sabiduría humana es solamente un peldaño en el crecimiento espiritual. Pablo habla en la sección 2:6–16, de la cual se extrae nuestra lectura, de otra sabiduría, que tiene su raíz en Dios y que obra, en lo más hondo del espíritu humano, la santificación y la redención que de Dios vienen.

No es esta sabiduría una simple erudición humana sino una nueva manera de vivir. Es esta convicción la que permitirá al Apóstol en otra de sus cartas (Filipenses 4:8), afirmar que Jesucristo es la verdadera sabiduría de Dios. No es que el Apóstol haga del seguimiento de Jesús un camino para personas ignorantes. La sabiduría del evangelio ha encontrado su expresión máxima en la debilidad del Mesías crucificado y ha sido transmitida por la enseñanza de los apóstoles (Romanos 16:25–26; Colosenses 1:25–28). Esta sabiduría implica una conciencia bien formada, como señalarán los últimos versículos de la sección que no leemos en la proclamación litúrgica (1 Corintios 2:13–16). Esta conciencia le permite al ser humano asumir conscientemente el Evangelio y encontrar el sentido más hondo de su propia vida y de su historia.

EVANGELIO   Mateo 5:17–37

Lectura del santo Evangelio según san Mateo

En aquel tiempo, Jesús dijo a sus discípulos:
   "No crean que he venido **a abolir** la ley o los profetas;
   no he venido a abolirlos, sino a **darles plenitud**.
Yo les aseguro que antes **se acabarán** el cielo y la tierra,
   que deje de cumplirse hasta **la más pequeña** letra
      o coma de la ley.
Por lo tanto, **el que quebrante** uno de estos preceptos menores
   y **enseñe** eso a los hombres,
   será el menor en el Reino de los cielos;
   pero **el que los cumpla** y los enseñe,
   será grande en el Reino de los cielos.
Les aseguro que si **su justicia** no es mayor
      que la de los escribas y fariseos,
   ciertamente **no entrarán** ustedes en el Reino de los cielos.

Han oído que **se dijo a los antiguos:**
   No matarás y *el que mate será llevado ante el tribunal.*
Pero **yo les digo:**
   Todo **el que se enoje** con su hermano,
   será llevado también **ante el tribunal;**
   el que insulte a su hermano,
   será llevado **ante el tribunal supremo,**
   y **el que lo desprecie,**
   será llevado **al fuego** del lugar de castigo.

Por lo tanto, si cuando vas a poner **tu ofrenda** sobre el altar,
   te acuerdas allí mismo de que **tu hermano** tiene alguna queja
      contra ti,
   deja **tu ofrenda** junto al altar
   y ve primero a **reconciliarte** con tu hermano,
   y vuelve luego a **presentar tu ofrenda**.

Jesús viene a llevar la Ley antigua a su plenitud. Después de su revisión, los antiguos mandamientos ya nunca serán los mismos. Lee con solemnidad este primer párrafo.

Jesús corrige el quinto mandamiento. No basta con no matar. Que la asamblea capte la llamada a librarnos de enojos y rencores. Solo un corazón en paz construye la paz.

La unión entre culto y vida es remarcada en este párrafo. Léelo con claridad de manera que la asamblea capte esta relación íntima.

EVANGELIO | El sermón de la montaña introduce una nueva valoración de la Ley de Moisés. En Mateo 5:17–19 Jesús insiste en la validez eterna de la Ley de Dios. Pero inmediatamente después, en Mateo 5:20–48, propone nuevos criterios para comprender la Ley y llevarla a su plenitud. Son seis los mandamientos que Jesús revisará con una mirada alternativa que le otorga mayor profundidad. Esto es lo que se expresa en el estribillo: "Han oído que se dijo… Pero yo les digo…". De esos seis, cuatro están en la lectura de hoy.

Ante un acercamiento casuístico, Jesús interioriza los mandamientos, haciendo universal la pasión de Dios por el bien del ser humano, que desborda el simple cumplimiento de la Ley con la nueva exigencia del amor y la misericordia. La lista de preceptos no es exhaustiva, sino que marca el derrotero de una lectura renovada de toda la Ley, desde la perspectiva del nuevo estilo de vida del evangelio.

El primer mandamiento revisado por Jesús es el de Éxodo 20:13. No es suficiente con no matar, hay que combatir la violencia y el enojo lo más profundo del corazón humano. El segundo mandamiento proviene de Éxodo 20:14: no basta con no cometer adulterio, hay que amar al cónyuge de manera que no quede en el corazón espacio para nadie más. El tercer mandamiento proviene de Deuteronomio 24:1 y permite el repudio de la mujer a partir del simple capricho del varón. Jesús prohíbe el divorcio y, de manera más amplia en Mateo 19:1–12, saldrá en defensa de la mujer en esta inequitativa situación. Finalmente, Jesús menciona el mandamiento de los juramentos

Arréglate pronto con tu adversario,
    mientras vas con él por el camino;
    no sea que **te entregue** al juez,
    el juez **al policía**
    y te metan a **la cárcel.**
Te aseguro que **no saldrás de allí** hasta que hayas pagado el
        último centavo.

También han oído que **se dijo a los antiguos:**
    No cometerás adulterio.
Pero **yo les digo** que quien mire con malos deseos a una mujer,
    ya cometió adulterio con ella en su corazón.
Por eso, si tu ojo derecho es para ti **ocasión de pecado,**
    arráncatelo y tíralo lejos,
    porque **más te vale** perder una parte de tu cuerpo
    y no que todo él sea arrojado al **lugar de castigo.**
Y si tu mano derecha es para ti **ocasión de pecado,**
    córtatela y arrójala lejos de ti,
    porque **más te vale** perder una parte de tu cuerpo
    y no que todo él sea arrojado al **lugar de castigo.**

También se **dijo antes:**
    *El **que se divorcie**,*
    que le dé a su mujer un certificado de divorcio;
    pero **yo les digo** que el que se divorcia,
    salvo el caso de que vivan en **unión ilegítima,**
    expone a su mujer al adulterio,
    y el que se casa con una divorciada **comete adulterio.**

Han oído que **se dijo** a los antiguos:
    *No **jurarás** en falso*
    *y le **cumplirás** al Señor*
        lo que le hayas prometido con juramento.
Pero **yo les digo:**
    No juren de ninguna manera,
        ni por el **cielo,**
        que es el trono de Dios;

La imagen de la mutilación es muy fuerte. Pronuncia con claridad y haz contacto visual con la asamblea.

(Levítico 19:12; Números 30:3) para invitar a los discípulos a una sinceridad total, en que la palabra recupere su valor perdido y los juramentos sean innecesarios.

La palabra del cristiano ha de ser signo de su integridad. Lee con aplomo este párrafo de cierre.

ni por **la tierra**,
porque es donde él pone los pies;
ni por **Jerusalén**,
que es la ciudad del gran Rey.

Tampoco jures por tu cabeza,
porque no puedes hacer blanco o negro uno solo de tus
cabellos.
Digan **simplemente sí**,
cuando es sí;
y no,
cuando es no.
Lo que se diga **de más**,
viene del maligno".

Forma breve: Mateo 5:20–22, 27–28, 33–37

VII DOMINGO ORDINARIO

I LECTURA   Levítico 19:1–2, 17–18

Lectura del libro del Levítico

Dios nos quiere santos. Proclama con fuerza la última línea del párrafo.

En aquellos días, dijo el **Señor** a **Moisés:**
   "**Habla** a la **asamblea** de los **hijos de Israel** y **diles:**
   '**Sean santos,** porque **yo,** el **Señor,** soy **santo.**

Acentúa el contraste entre prohibiciones y exhortaciones, dando mayor fuerza a estas últimas.

No **odies** a tu **hermano** ni en lo **secreto** de tu **corazón.**
Trata de **corregirlo,** para que no cargues **tú** con su **pecado.**
No te **vengues** ni guardes **rencor** a los **hijos** de tu **pueblo.**
Ama a tu **prójimo** como a ti mismo. Yo soy el **Señor'** ".

Para meditar

SALMO RESPONSORIAL   Salmo 102:1–2, 3–4, 8 y 10, 12–13

R. El Señor es compasivo y misericordioso.

Bendice, alma mía, al Señor, y todo mi ser a su santo nombre. Bendice, alma mía, al Señor, y no olvides sus beneficios. **R.**

Él perdona todas tus culpas, y cura todas tus enfermedades; él rescata tu vida de la fosa y te colma de gracia y de ternura. **R.**

El Señor es compasivo y misericordioso, lento a la ira y rico en clemencia. No nos trata como merecen nuestros pecados ni nos paga según nuestras culpas. **R.**

Como dista el oriente del ocaso, así aleja de nosotros nuestros delitos; como un padre siente ternura por sus hijos, siente el Señor ternura por sus fieles. **R.**

I LECTURA En una ocasión le preguntaron a Jesús cuál era el mandamiento más grande de la Ley (Marcos 12:28–34), a lo que el Maestro responde: amarás al Señor con todo tu corazón (Deuteronomio 6:5) y a tu prójimo como a ti mismo. Esta segunda parte del mandamiento principal, la toma Jesús del Código de Santidad (Levítico 17–26), sección a la que pertenece el pasaje que hoy leemos.

El Levítico, tercero de los cinco libros que constituyen la Torah o Ley de Moisés, ofrece criterios que permitan al pueblo elegido alcanzar la santidad. Tiene la intención de que el culto del templo, tan exquisitamente detallado en los capítulos 1–10, no sea la única experiencia que manifieste la santidad del pueblo, sino que dicha santidad permee toda su vida, incluidos sus rincones más domésticos y cotidianos tales como la alimentación (Levítico 11), el nacimiento y las enfermedades (Levítico 12–14), y la actividad sexual (Levítico 15).

Nuestro pasaje es una de las cumbres del pensamiento del Antiguo Testamento. Aplicado al prójimo, el cercano, este mandato hace de Israel una comunidad fraterna. Pero además, Levítico 19:33 extenderá esta obligación a los extranjeros. En el Nuevo Testamento, Jesús ampliará la condición de proximidad a todo ser humano. Para Jesús la projimidad no depende de los lazos de parentesco: todos son nuestro prójimo, si nosotros nos acercamos a ellos (Lucas 10:25–36). Se trata de un criterio para la creación de comunidades en las que sea el amor el ingrediente principal de la convivencia.

II LECTURA Continuando con su combate contra las divisiones que existen en la comunidad de Corinto,

II LECTURA   1 Corintios 3:16–23

Lectura de la primera carta del apóstol san Pablo a los corintios

Hermanos:
¿No saben **ustedes** que son el **templo** de **Dios**
    y que el **Espíritu** de Dios **habita** en **ustedes**?
Quien **destruye** el **templo** de Dios, será **destruido** por **Dios**,
    porque el **templo** de **Dios** es **santo** y **ustedes** son ese **templo**.

Que **nadie** se **engañe**:
    si **alguno** de ustedes se tiene a sí mismo por **sabio** según
        los **criterios** de este **mundo**,
    que se haga **ignorante** para llegar a ser **verdaderamente sabio**.
Porque la **sabiduría** de este mundo es **ignorancia** de **Dios**, como
        dice la **Escritura**:
    Dios hace que los sabios caigan en la trampa
        de su propia astucia.
También dice:
    El Señor conoce los pensamientos de los sabios y los tiene
        por vanos.

Así pues, que **nadie** se **gloríe** de **pertenecer** a ningún **hombre**,
    ya que **todo** les pertenece a **ustedes**:
    Pablo, **Apolo** y **Pedro**, el **mundo**, la **vida** y la **muerte**,
    lo **presente** y lo **futuro**: **todo** es de **ustedes**;
    ustedes son de **Cristo**, y **Cristo** es de **Dios**.

La lectura comienza con una pregunta. Dale la entonación necesaria. Mira a la asamblea en la última frase de este párrafo.

Remarca en tu proclamación el contraste entre sabiduría humana y sabiduría que viene de Dios. Lee pausadamente.

Dale tono de conclusión a la lectura de este párrafo. La última frase, broche de oro del pasaje, debe ser leída lenta y claramente.

Pablo recurre a la imagen del templo. Prácticamente todas las religiones conocidas en el siglo I tenían en alta estima la santidad de los templos. Había normas severas que castigaban su profanación. El Apóstol recoge ese sentimiento generalizado y lo aplica a cada cristiano: como templos de Dios y morada del Espíritu, cada persona merece respeto a su dignidad y consideración de su valor intrínseco.

Pablo culmina así una larga exhortación a la unidad (1 Corintios 3:1–15) que manifiesta cómo los corintios, en su afán por ir tras caudillos en vez de seguir el evangelio, habían desdeñado su identidad fundamental. No somos seguidores de ningún apóstol sino de Cristo. A él le pertenecemos y esta es la fuente de nuestra dignidad fundamental de hijas e hijos de Dios. El valor de cada uno no está en las cualidades que pueda ostentar, sino en su condición de bautizado, que es la fuente de nuestra dignidad cristiana.

Pablo termina afirmando que la sabiduría de este mundo, entendida como competencia encarnizada, lleva a la disgregación comunitaria. La sabiduría de lo alto, en cambio, la que brota de la crucifixión del Mesías, nos unifica, porque nos señala que el único cimiento para lograr la plena comunión con Dios reside en la pascua de Cristo, y no en las habilidades humanas de sus ministros.

EVANGELIO La corrección de la Ley antigua que Jesús realiza en el sermón de la montaña culmina con estos dos últimos mandamientos que son sometidos a revisión desde la nueva justicia que el Maestro proclama. Se remarca así las dos etapas de la única historia de salvación, parte ambas de un continuo progreso, pero subrayando la superioridad de la segunda

---

EVANGELIO   Mateo 5:38–48

Lectura del santo Evangelio según san Mateo

En aquel tiempo, **Jesús** dijo a sus **discípulos**:
  "**Ustedes** han oído que se dijo: *Ojo por ojo, diente por diente;*
  pero **yo** les digo que no hagan **resistencia** al hombre **malo**.
Si alguno te **golpea** en la mejilla **derecha**, preséntale **también**
      la **izquierda**;
  al que te quiera **demandar** en **juicio** para **quitarte** la **túnica**,
  cédele también el **manto**.
Si alguno te **obliga** a caminar **mil** pasos en su servicio,
  camina con él **dos mil**.
Al que te **pide, dale**;
  y al que **quiere** que le **prestes**,
  no le **vuelvas** la **espalda**.

Han oído **ustedes** que se dijo: *Ama a tu prójimo*
      y odia a tu enemigo;
  yo, **en cambio**, les digo:
  Amen a sus **enemigos**, hagan el **bien** a los que los **odian**
  y **rueguen** por los que los **persiguen** y **calumnian**,
  para que sean **hijos** de su **Padre** celestial,
  que hace **salir** su **sol** sobre los **buenos** y los **malos**,
  y **manda** su **lluvia** sobre los **justos** y los **injustos**.

Porque si **ustedes** aman a los que los aman, ¿qué
      recompensa merecen?
¿No hacen **eso** mismo los **publicanos**?
Y si saludan tan **sólo** a sus **hermanos**,
      ¿qué hacen de **extraordinario**?
¿No hacen **eso** mismo los **paganos**?
Ustedes, pues, sean **perfectos**,
      como su **Padre** celestial es **perfecto**".

"Ustedes han oído… pero yo les digo" es el estribillo que hace de columna vertebral a todo el pasaje. Con firmeza, muestra en tu tono cómo la enseñanza de Jesús va a lo profundo.

Las frases que describen el amor del Padre celestial deben ser leídas con ternura y claridad. Son pepitas de oro.

Lee cada interrogación con el tono adecuado. Nada de dramas. La frase final corona todo el pasaje. Léela pausadamente y con solemnidad.

---

con respecto a la primera. La nueva interpretación de Jesús parte de la compasión del Padre Celestial, compasión que se extiende a todos los campos de la vida, y no se limita al cumplimiento externo de preceptos sino al cambio radical del corazón.

Conocida como "ley del talión", de la raíz latina que significa semejante, idéntico, este principio jurídico asumido por el Antiguo Testamento (Éxodo 21:23–25; Levítico 24:19–20) implica la equiparación de la venganza. Este principio fue un avance sustancial frente a la venganza sin límites, que propiciaba la ley del más fuerte. Pero ahora,

sometido a la perspectiva del Reino de Dios, muestra su imperfección. La propuesta de Jesús cala más hondo, mira más lejos. La venganza debe dejar paso al amor sin límites, a la desarticulación de la fuerza del mal, a base de la avasalladora fuerza del bien.

Finalmente, Jesús enfrenta un último precepto, derivado más de la enseñanza de los fariseos que de la Escritura misma: el llamado a amar sólo a los cercanos y odiar a los enemigos. El amor de Dios es incondicional y generoso. A esta semejanza deberá ser el amor cristiano: referido a todas las personas sin distinción. Esta abundancia de

misericordia y compasión será la que nos haga dignos de aquella perfección de Dios, que se transparenta en su misericordia para con todos.

MIÉRCOLES DE CENIZA

El llamado es apremiante pero no con malos modos. El tono de urgencia debe salir desde el corazón.

I LECTURA Joel 2:12–18

Lectura del libro del profeta Joel

Esto dice el **Señor:**
"**Todavía** es tiempo.
Vuélvanse a mí de todo corazón,
con ayunos, con **lágrimas** y **llanto**;
enluten su **corazón** y **no** sus **vestidos.**

Vuélvanse al Señor Dios nuestro,
porque es **compasivo** y **misericordioso,**
lento a la **cólera, rico** en **clemencia,**
y **se conmueve** ante la desgracia.

Quizá se arrepienta, **se compadezca** de nosotros
y nos deje una **bendición,**
que haga posibles las **ofrendas** y **libaciones**
al Señor, nuestro Dios.

Toquen la trompeta en Sión, **promulguen** un ayuno,
convoquen la asamblea, **reúnan** al pueblo,
santifiquen la reunión, **junten** a los ancianos,
convoquen a los niños, aun a los niños de pecho.
Que el recién casado **deje su alcoba**
y su tálamo la recién casada.

Abarca con su mirada a toda la asamblea, primero a una parte y luego a otra del recinto, como invitando a todos a activarse.

I LECTURA Esta celebración litúrgica, tan arraigada entre nosotros, nos trae de nuevo la voz del profeta Joel. El profeta describe una terrible invasión de langostas que devoran todos los sembradíos y que amenaza la nación. Enseguida, y aludiendo a la bondad del Señor, invita al pueblo a cambiar de conducta y volver al buen camino.

La única forma de detener esta amenazante invasión será con la conversión verdadera. Explicita esta conversión con los tres medios tradicionales con que Israel expresaba su arrepentimiento: ayuno, llanto y

luto. El sonido ronco y lastimero del cuerno en los distintos pueblos era una invitación tradicional a la penitencia.

El profeta Joel, como los anteriores, era muy consciente de que lo externo miente y encubre la maldad que hay dentro. Por esto los invita a que la costumbre de rasgarse el vestido en señal de arrepentimiento corresponda a un rasgarse el corazón. Todo porque para el hebreo, el corazón es la sede no del sentimiento sino de la razón, del razonamiento. Lo que está en juego es un cambio que provenga de un convencimiento. No se trata de una corazonada como de-

cimos hoy. Esta dura poco y pasa enseguida. Pasado el peligro, se vuelve a la anterior conducta. De aquí que el profeta insista en el convencimiento.

Recuerda el pueblo lo que es propio de Dios: bondad, misericordia y perdón. Claro, añade un tal vez. Esta especie de condición encubierta en esa frase se debe a que las conversiones del pueblo estaban llenas de conversiones a medias, cortas y embusteras.

La conversión a la que llama Joel, la apunta en una serie de actos que sean señales de que el pueblo sí toma en serio su

Entre el **vestíbulo** y el **altar lloren** los sacerdotes,
    ministros del Señor, diciendo:
    '**Perdona**, Señor, **perdona** a tu pueblo.
No entregues tu heredad a la **burla** de las naciones.
Que no digan los paganos: ¿**Dónde está** el Dios de Israel?' "

Y el Señor **se llenó** de celo por su tierra
    y tuvo **piedad** de su **pueblo**.

Haz una pausa de tres tiempos antes de las dos íneas finales.

Para meditar

SALMO RESPONSORIAL   Salmo 50:2–3, 5–6a, 12–13, 14, y 17

R. Misericordia, Señor, hemos pecado.

Misericordia, Dios mío, por tu bondad,
    por tu inmensa compasión borra mi
    culpa; lava del todo mi delito, /
    limpia mi pecado. **R.**

Pues yo reconozco mi culpa, / tengo siempre
    presente mi pecado: / contra ti, contra
    ti solo pequé. / Cometí la maldad que
    aborreces. **R.**

Oh Dios, crea en mí un corazón puro,
    renuévame por dentro con espíritu firme;
    no me arrojes lejos de tu rostro, / no me
    quites tu santo espíritu. **R.**

Devuélveme la alegría de tu salvación,
    afiánzame con espíritu generoso. /
    Señor, me abrirás los labios, / y mi boca
    proclamará tu alabanza. **R.**

II LECTURA   2 Corintios 5:20—6:2

Lectura de la segunda carta del apóstol san Pablo a los corintios

Hermanos:
    Somos embajadores de **Cristo**,
    y por nuestro medio, es como si **Dios mismo** los exhorta
        a ustedes.
En nombre de **Cristo** les pedimos que **se reconcilien** con Dios.
Al que nunca cometió **pecado**,
    Dios lo hizo "pecado" por **nosotros**,
    para que, **unidos** a él recibamos la **salvación** de Dios
    y nos volvamos **justos** y **santos**.

El llamado a la conversión nace del amor de Dios. El exhorto debe hallar eco en tí, primeramente, luego en la asamblea.

conversión. Actos litúrgicos como el ayuno, debe ser seguido con acciones más significativas que ejemplifica: que el esposo y esposa se abstengan por un tiempo de sus legítimas relaciones maritales y que los sacerdotes se pongan en serio a ejercitar los actos de culto. Añade al final el celo de Dios por su nombre. No vayan a decir los paganos que el Dios de Israel no puede ayudar a su pueblo.

Esta invitación que la Iglesia hace con las palabras de Joel debería entrar en nuestra cabeza para que después las convirtamos en actos concretos, poniendo en primera línea el cambiar de un camino sinuoso a uno recto.

II LECTURA San Pablo despliega la obra realizada por Dios en Cristo Jesús en favor de la humanidad entera, incluidos los corintios. Es una obra que marca un parteaguas en la historia humana pues señala un antes y un después que el Apóstol traduce en términos de condenación o enemistad y de reconciliación o gracia, entre otros; pero también la describe como lo caduco y lo nuevo, en otras partes. El parteaguas de la entera historia humana es la resurrección de Cristo, una novedad total. A partir de allí, lo anterior a Cristo queda despojado de sentido salvífico, en tanto que la resurrección abrió un caudal de bienes para todo ser humano. Esos bienes Dios nos los hace accesibles gracias al quehacer evangelizador de sus enviados, Pablo entre ellos. Pero lejos de forzar o imponer la fe en Cristo, ¡Dios suplica a los creyentes dejarse abrazar por la reconciliación! Enseguida, y con unas expresiones cuajadas de escándalo, el Apóstol anota cómo ha operado Dios la reconciliación con el género humano.

Nota el "ahora" apremiante con el que cierra la lectura y enfatízalo alargando su pronunciación.

Como **colaboradores** que somos de Dios,
    los exhortamos a **no echar** su gracia en saco roto.
Porque **el Señor** dice:
    *En el tiempo favorable te **escuché***
    *y en el día de la salvación **te socorrí**.*
Pues bien,
    ahora es el tiempo favorable;
    ahora es el día de la **salvación**.

EVANGELIO   Mateo 6:1–6, 16–18

Lectura del santo Evangelio según san Mateo

En aquel tiempo, Jesús dijo a sus **discípulos**:
    "Tengan cuidado de **no practicar** sus obras de piedad
    delante de los hombres para que los **vean**.
De lo contrario, **no tendrán** recompensa con su Padre celestial.

Por lo tanto, cuando des **limosna**,
    no lo anuncies con **trompeta**,
    como hacen los **hipócritas** en las sinagogas y por las calles,
    para que los **alaben** los hombres.
Yo les aseguro que **ya recibieron** su recompensa.
Tú, **en cambio**, cuando des limosna,
    que no sepa tu mano **izquierda** lo que hace la **derecha**,
    para que tu limosna quede **en secreto**;
    y tu Padre, que ve lo secreto, **te recompensará**.

Cuando ustedes hagan **oración**,
    no sean como los **hipócritas**,
    a quienes **les gusta** orar de pie
    en las **sinagogas** y en las esquinas de las **plazas**,
    para que los vea la **gente**.
Yo les aseguro que **ya recibieron** su recompensa.

Proclama con aplomo este párrafo, sabiéndote aludido. Nota la estructura de cada sentencia y dale convencimiento a cada línea conclusiva.

Haz contacto visual con la asamblea en esta parte, y ralentiza la lectura.

Si algo hay repugnante y contrario a Cristo Jesús es el pecado, pues es la negación de Dios. La fidelidad de Cristo a la voluntad de Dios fue total y absoluta en todo momento, de manera que el pecado, por leve que pudiera parecer, viene a ser una imposibilidad simple y llana en Cristo. El pecado y Cristo son incompatibles en todo punto. Es como hablar de un "círculo cuadrado", un absurdo. Esto lo afirma la primera parte de la sentencia que dice "[a]l que nunca cometió pecado…". Pero la imposibilidad no detuvo a Dios para reconciliar consigo a la humanidad enemistada. Pablo nos deja pasmados cuando anota: "Dios lo hizo 'pecado' por nosotros". Al entrecomillar pecado, el texto litúrgico resalta la paradoja encerrada en la expresión; el texto griego va liso. Se entiende que lo que está de fondo es la imagen del Crucificado, pues la cruz era la muestra más palmaria de la reprobación divina y la sentencia de un criminal convicto. Pero la resurrección de Jesús es la mejor garantía de su inocencia.

Esta Cuaresma, el Señor nos llama a la reconciliación y a llevar una vida santa. Abajemos nuestro corazón ante la obra maravillosa de Dios "por nosotros", y volvámonos embajadores de Cristo como nuestro bautismo nos exige.

EVANGELIO   Apenas uno navega por internet personal, lo asaltan a uno inmediatamente muchas "influencias" que anuncian una serie de objetos que aseguran una manera de vida nueva, mejor, más agradable. Muchos se dejan influenciar y compran, y pronto se encuentran con una serie de productos amontonados que no les queda más que tirarlos, echarlos a la basura. Al final, uno cae en la cuenta de que esos objetos ni lo hacían a uno mejor y sí le

Baja un poco el tono de voz para que el "tú, en cambio" suene íntimo, como de confidente.

Tú, **en cambio**, cuando vayas a orar,
entra en tu cuarto, **cierra** la puerta y **ora** ante tu Padre,
que está allí, en **lo secreto**;
y tu Padre, que ve lo secreto, **te recompensará**.

Cuando ustedes ayunen, **no pongan** cara triste,
como esos **hipócritas** que **descuidan** la apariencia de su rostro,
para que la gente **note** que están ayunando.
Yo les aseguro que **ya recibieron** su recompensa.
Tú, **en cambio**, cuando ayunes,
perfúmate la cabeza y **lávate** la cara,
para que **no sepa** la gente que estás **ayunando**,
sino tu Padre, que está en **lo secreto**;
y tu Padre, que ve lo secreto, **te recompensará**".

sacaron un dinero necesario para asuntos o cosas más importantes.

Lo anterior nos ayuda a entender la pregunta que nos lanza el evangelio leído en la liturgia de hoy. Jesús critica a los que sólo les interesa expresar externamente su religiosidad. Sus motivos dañan esta postura, porque lo hacen para ser alabados. A esta clase de gente Jesús propone que escojan la privacidad. Es decir, Jesús insiste en un comportamiento acercado a la sinceridad. Ser coherente con lo que uno hace. En el fondo, Jesús está planteando la sinceridad. Ser coherente con lo que uno hace.

Jesús está invitando a la sinceridad, la verdad. Esa verdad de la que Jesús habló con Pilato: "Sí soy rey", le contestó Jesús al procurador, pero del reino de la verdad, de la autenticidad.

Jesús nos invita a esta autenticidad. A ese encerrarse en el cuarto de uno, dejar el oropel a la superficialidad y cavar hondo en aplicar su doctrina a nuestros defectos o carencias. Estos no se remedian en la superficie, sino en lo hondo del corazón. Jesús nos llama a hacer todo aquello que sea benéfico para el entorno en que vivimos y donde nos relacionamos. El mandato del

Señor, en una palabra, es hacer el bien, no hacernos el bien.

Si no se te ocurre durante esta cuaresma hacer alguna obra por tus prójimos, búscate un lugar solitario en tu propia casa y desgrana ante Dios un poco de tu vida. Es el auténtico rezar. En esta conversación contigo mismo y ¿por qué no? con Dios, podrás oír muchas sugerencias para entender y mejor llevar tu vida.

I DOMINGO DE CUARESMA

Es un relato seductor y fácil de seguir. Dale ritmo ligero a las descripciones y entona bien los diálogos, pero sin alambicamientos. Abarca con tu mirada a los catecúmenos para que no se sientan extraños.

I LECTURA   Génesis 2:7–9; 3:1–7

Lectura del libro del Génesis

Después de haber creado el **cielo** y la **tierra**,
    el Señor Dios **tomó** polvo del suelo y con él **formó** al hombre;
    le **sopló** en las narices un **aliento de vida**,
    y el hombre **comenzó** a vivir.
Después **plantó** el Señor **un jardín** al oriente del Edén
    y **allí** puso al hombre que **había formado**.
El Señor Dios **hizo brotar** del suelo **toda** clase de árboles,
    de **hermoso** aspecto y **sabrosos** frutos,
    y **además**, en medio del jardín,
    el **árbol de la vida** y el **árbol del conocimiento**
        del **bien** y del **mal**.

La serpiente
    era el **más astuto** de los animales del campo
        que había creado el Señor Dios, dijo **a la mujer**:
"¿Es cierto Dios **les ha prohibido** comer **de todos**
        los árboles del jardín?"

La mujer respondió:
"**Podemos** comer del fruto de **todos** los árboles del huerto,
    pero del árbol que está **en el centro** del jardín, dijo Dios:
'No **comerán** de él **ni lo tocarán**, porque de lo contrario,
        habrán de morir'".

Esta respuesta debe escucharse sincera en todo punto. La referencia al mandato de Dios hazlo sin acelerar y natural.

I LECTURA El Génesis nos hace recordar que el hombre no quiso aceptar su limitación, de que era una criatura de Dios, buena y adornada de todas las cualidades, pero no más de las que el Creador la había dotado; menos aún, podía pretender ser como Dios, su Creador. Aquí nos está contado con toda sencillez este esfuerzo humano de pretender traspasar su limitación. Es el famoso querer ser más que los demás, que como tentación traemos todos los humanos pegados a la piel. El deseo de superación es bueno y benéfico, pero hay un límite. Pasar ese límite es autodestruirse. El ser humano no puede tener la perfección absoluta. No es dueño absoluto de sí mismo. No puede llegar a lo más delicado: decidir su propia estatura frente al otro. En el fondo, esto representa este corto relato de comer del árbol de la ciencia del bien y del mal.

El hombre, Adán, quiso poseer lo más profundo: dominar el bien y el mal. Es decir, decidir él lo que es bueno y lo que es malo. No aceptar la diferencia y el peligro que encerraba el tener esta facultad, que en manos humanas conduce a la destrucción. Por esto el Credo seguirá repitiéndonos "un solo Dios". No somos dioses. Siendo plenamente humanos alcanzaremos nuestra perfección, reflejaremos la bondad y perfección divina. Adán, el hombre, no lo aceptó. Con paciencia Dios le enseñará el camino para adquirir la perfección y alegría perfecta, al aceptar la razón de ser del hombre: saber dar a los demás, sin esperar nada a cambio, como el Creador.

II LECTURA En nuestra lectura, Adán es puesto como paradigma del hombre pecador, para hacer ver que, si las consecuencias de su desobediencia primera fueron desgraciadas, las gracias acarreadas

La serpiente **replicó** a la mujer:
"**De ningún modo. No morirán.**
Bien sabe Dios
   que **el día** que coman de los frutos de **ese** árbol,
   se les **abrirán** a ustedes los ojos
   y **serán como Dios**, que conoce **el bien y el mal**".

La mujer **vio** que el árbol **era bueno** para **comer**,
   agradable a la vista y **codiciable**,
     además, para alcanzar la sabiduría.
Tomó, pues, de su fruto, **comió** y le dio **a su marido**,
   el cual **también** comió.
Entonces se les **abrieron** los ojos **a los dos**
   y se dieron cuenta de que **estaban desnudos**.
Entrelazaron unas hojas de higuera
   y se las ciñeron para cubrise.

El desenlace del diálogo está a la vista. identifica los verbos clave de las acciones y enfatízalos. El "entonces" del resultado pide una pausa antes de proseguir.

Para meditar

SALMO RESPONSORIAL Salmo 50:3–4, 5–6ab, 12–13, 14 y 17
R. Misericordia, Señor, hemos pecado.

Misericordia, Dios mío, por tu bondad;
   por tu inmensa compasión borra mi
   culpa. Lava del todo mi delito, limpia
   mi pecado. **R.**

Pues yo reconozco mi culpa, tengo siempre
   presente mi pecado. Contra ti, contra
   ti solo pequé, cometí la maldad que
   aborreces. **R.**

Oh Dios, crea en mí un corazón puro,
   renuévame por dentro con espíritu firme;
   no me arrojes lejos de tu rostro, no me
   quites tu santo espíritu. **R.**

Devuélveme la alegría de tu salvación,
   afiánzame con espíritu generoso.
   Señor, me abrirás los labios, y mi boca
   proclamará tu alabanza. **R.**

II LECTURA   Romanos 5:12–19

Lectura de la carta del apóstol san Pablo a los romanos

Hermanos:
Así como por **un solo hombre** entró el pecado en el mundo
   y por el pecado **entró la muerte**,
   así la muerte **pasó a todos** los hombres,
     porque **todos pecaron**.

La lectura expone un argumento concatenado y complejo, pero la puntuación ayudará mucho a darle el tono a las frases.

por Cristo superan con mucho aquellas calamidades. Pablo dice que Adán es figura o anuncio de lo que había de venir después, pero no a manera de una mera réplica del pasado, sino como una novedad contrapuesta e infinitamente superior en el orden de la salvación. Así, en Jesucristo, Dios ha establecido un nuevo régimen de justicia universal que es ubérrimo, generoso y gratuito.

La justicia nueva de Dios no se finca en el cumplimiento cabal de la ley mosaica sino en la obediencia de un solo hombre, Cristo Jesús, el único justo. Pablo habla del don desbordante y gracioso de Dios para los hu-

manos: el de la vida nueva que revierte la situación de pecado y el señorío de la muerte, y que procura una vida soberana en la justicia divina. El hombre que se acoge a Cristo resucitado deja de estar sometido al pecado porque participa de la soberanía de vida del propio Cristo. Es la resurrección de Cristo lo que posibilita la libertad de los hijos de Dios, porque es como un llamado o vocación a vivir para Dios. Esto es lo que se oferta en el Evangelio y lo impulsa a vivir en la justicia y la santidad, que no en la desobediencia o rebeldía a los mandatos divinos. El nuevo régimen de justicia procurado

por Dios significa para el hombre reinar en Cristo sobre todas las cosas.

Los días de la Cuaresma invitan a redescubrir nuestra vocación primigenia de justicia y santidad. El pecado de Adán ha dejado secuelas en nosotros, pero por Cristo hemos recibido la gracia redentora de la vida sobreabundante por la fe y los sacramentos. Meditemos en lo que la gracia de Dios ha obrado en nuestra vida y despojémonos de todo aquello que nos impida vivir la libertad de los redimidos en Cristo.

Antes de la ley de Moisés **ya existía** el pecado en el mundo
  y, si bien es cierto que el pecado **no se castiga** cuando
    no hay ley,
  sin embargo, **la muerte reinó** desde Adán hasta Moisés,
  aun sobre aquellos que no pecaron como pecó Adán,
  cuando desobedeció un mandato directo de Dios.
Por lo demás, Adán **era figura** de Cristo, el que había de venir.

Ahora bien, el don de Dios **supera con mucho** al delito.
Pues si por el delito de uno solo hombre **todos fueron castigados**
  con la muerte, por el don de un solo hombre, Jesucristo,
  se ha desbordado **sobre todos la abundancia** de la vida
  y la gracia de Dios.
Tampoco pueden compararse **los efectos** del pecado de Adán
  con **los efectos** de la gracia de Dios.
Porque ciertamente, la sentencia vino a causa de un solo pecado
  y fue **sentencia de condenación**,
  pero **el don de la gracia** vino a causa de muchos pecados
  y nos conduce a la justificación.

En efecto, si por el pecado de un solo hombre
  estableció la muerte su reinado,
  con mucha mayor razón **reinarán en la vida**
  por un solo hombre, Jesucristo,
  aquellos que reciben la **gracia sobreabundante**
  que los hace justos.
En resumen, así como por el pecado **de un solo hombre** Adán,
  vino la **condenación** para todos,
  así por la justicia de **un solo hombre**, Jesucristo,
  ha venido para todos la **justificación que da la vida**.
  Y así como por la **desobediencia de uno**,
  todos fueron hechos pecadores,
  así por la obediencia de uno solo, **todos serán hechos justos**.

Forma breve: Romanos 5:12, 17–19

Procura que las partes de cada oración gramatical se distingan para balancear el todo. Hay varias frases consecutivas, por lo que los acentos son clave para comprender.

Avanza pausadamente pero sin arrastrar las palabras. Haz notar las frases correlativas: "si esto... (entonces) esto".

Pausa dos tiempos después de "En resumen", para recapturar la atención de la asamblea.

EVANGELIO Mateo nos habla de las tentaciones de Jesús al principio de su actividad pública. El evangelista las narra escuetamente, sin invitar al público a tomar una postura. Son tres tentaciones, aunque realmente la tercera es simplemente una pregunta del poder del Mesías; las dos primeras tratan del camino que debería tomar Jesús si quiere ser aceptado como el Mesías.

Estas tentaciones, sin testigos, suponen que el Señor les habría contado a sus íntimos alguna vez, lo que le habría aparecido en la mente como una tentación. De aquí que luego las primeras colecciones de la vida de Jesús y de su mensaje, hayan puesto antes de su predicación de la Buena Nueva, estas tentaciones.

En el fondo, estas tres tentaciones resumen las dificultades con las que se encuentra todo aquel cristiano que quiere seguir el camino mostrado por Jesús.

El Espíritu de Dios del que Jesús está lleno por el bautismo, lo conduce al desierto. Tradicionalmente se consideraba el desierto el lugar donde Israel se había encontrado con Dios y también donde el pueblo había pecado. Se entendía que en esa soledad era donde habitaban los demonios y malos espíritus.

Jesús propuso al mundo una manera de vivir muy diferente a la que proponía el mundo pagano y el mundo judío de entonces. En la lectura evangélica de hoy están tipificadas tres tentaciones ante las que se encontraban las comunidades cristianas. La primera: el alimento; es decir, el sostenimiento de una persona. Diríamos, es algo indispensable. Jesús está aludiendo a la petición de los hebreos en su travesía por el desierto cuando criticaban a Moisés y a Dios por su falta de alimento. El Señor les solu-

Es un relato bien armado que la asamblea puede seguir sin dificultades. Modula de manera que la asamblea distinga las voces de los personajes y del narrador.

EVANGELIO   Mateo 4:1–11

Lectura del santo Evangelio según san Mateo

En **aquel** tiempo,
　　Jesús fue conducido por el Espíritu al **desierto**,
　　para ser **tentado** por el demonio.
Pasó **cuarenta** días y cuarenta noches sin **comer**
　　y, al final, tuvo **hambre**.
Entonces se le acercó el **tentador** y le dijo:
"Si tú **eres** el Hijo de Dios,
　　manda que **estas piedras** se conviertan **en panes**".
Jesús le respondió:
"**Está** escrito: *No **sólo** de pan vive el hombre,*
　　*sino también **de toda** palabra que **sale** de la boca de Dios*".

Deja que asome un poco de admiración ante las acciones del diablo. Mantén un matiz sereno y vigoroso en las palabras de Jesús.

Entonces el diablo lo llevó a la **ciudad santa**,
　　lo puso en la parte **más alta** del templo y le dijo:
"Si **eres** el Hijo de Dios, **échate** para abajo, porque **está** escrito:
*Mandará a sus ángeles que **te cuiden***
　　*y ellos te tomarán **en sus manos**,*
　　*para que no **tropiece** tu pie en piedra **alguna**"*.
Jesús le contestó: "**También** está escrito:
　　No tentarás al Señor, tu Dios".

Alarga la locución del diablo pero a la de Jesús dale cierta dureza como para zanjar todo. Haz la pausa debida antes de las dos líneas finales.

Luego lo llevó el diablo a un monte **muy alto**
　　y desde ahí **le hizo ver** la grandeza de **todos** los reinos
　　　del mundo y le dijo:
"Te daré todo esto, si te postras y **me adoras**".
Pero **Jesús** le replicó: "**Retírate**, Satanás, porque está escrito:
*Adorarás al Señor, tu Dios, y a **él sólo** servirás*".

Entonces lo dejó el **diablo**
　　y se acercaron los ángeles **para servirle**.

---

cionó el problema dándoles lo suficiente para vivir. Una llamada de atención a que busquemos ese pan de cada día, sabiendo que el Señor nunca nos lo negará. Esta suficiencia exige que los cristianos como pueblo tengan en cuenta lo que es el alimento y no lo conviertan en un arma contra los demás hombres o pueblos por la vía del comercio a ultranza o el acaparamiento.

Segundo, lo que llamamos tentar a Dios. Es decir, lanzarse uno al peligro en los distintos campos de la existencia humana, confiando en que Dios vendrá en nuestra ayuda. Seria tratar a Dios como si fuera una máquina.

Tercero, el dinero. La riqueza que dicen algunos, no solo mueve montañas sino continentes enteros. Tal vez sea lo más usual por llamativo y engañoso. Como decía en una ocasión Jesús: "Quién a base de dinero puede alargar un poco su vida?". Nadie. No todo es vendible o comprable. El cristiano siempre verá en la riqueza un medio, no un fin. El cristianismo siempre debe luchar para que exista en su entorno y en el mundo cierta igualdad.

II DOMINGO DE CUARESMA

El llamado divino está cargado de promesas. Dale hondura a tu voz y frasea sin prisas. Descansa en la puntuación.

Separa la línea final como si fuera independiente.

Para meditar

I LECTURA   Génesis 12:1–4a

Lectura del libro del Génesis

En **aquellos** días, dijo el Señor a **Abram**:
"**Deja** tu país, a tu parentela y la casa de tu padre,
  para **ir** a la tierra que yo **te mostraré**.
Haré nacer de ti **un gran** pueblo y te **bendeciré**.
Engrandeceré tu nombre y **tú mismo** serás una bendición.
Bendeciré a los que te bendigan,
  maldeciré a los que te maldigan.
En ti serán bendecidos **todos** los pueblos de la tierra".
Abram **partió**, como se lo había **ordenado** el Señor.

SALMO RESPONSORIAL   Salmo 32:4–5, 18–19, 20 y 22
R. Que tu misericordia, Señor, venga sobre nosotros, como lo esperamos de ti.

La palabra del Señor es sincera y todas sus acciones son leales; él ama la justicia y el derecho, y su misericordia llena la tierra. **R.**

Los ojos del Señor están puestos en sus fieles, en los que esperan en su misericordia, para librar sus vidas de la muerte y reanimarlos en tiempo de hambre. **R.**

Nosotros aguardamos al Señor: él es nuestro auxilio y escudo; que tu misericordia, Señor, venga sobre nosotros, como lo esperamos de ti. **R.**

I LECTURA   En el capítulo anterior, el Génesis habla de las diez generaciones que preceden al ciclo de Abrahán. Con esto está indicando que la familia de Abrahán llegó a su término, ya no había futuro para Abrahán. Además, la ancianidad del patriarca indica lo mismo: el final. Es en estos finales donde le gusta intervenir a Dios.

Con Abrahán empieza Dios un futuro seguro por medio de su palabra. El punto de partida de Abrahán es Ur de los Caldeos y la meta es la tierra de Canaán. Esto señala que el libro está haciendo una relectura de la figura e historia de Abrahán en la época postexílica. Abrahán es el primero de los exiliados de Babilonia que regresa a la tierra prometida.

Dios no le indica el lugar a donde lo envía. Simplemente le dice: "a la tierra que yo te mostraré". En otras palabras, le está pidiendo su fe, como nos la pide a nosotros. Con todo, Dios le da una promesa que exige también la fe: lo hará fecundo. Sin embargo, aparte de su ancianidad y la de su mujer Sara, ésta es estéril. La promesa se llevará a cabo en el futuro. En el futuro está la tierra y su descendencia. Así obra Dios con noso-tros. Nos habla de futuros, porque el presente siempre está jalado por el futuro. Cuando empezamos un trabajo, una carrera o cualquier proyecto, siempre aparece en lontananza la realización. Dios nos lanza, por la fe, a un futuro del cual no tenemos casi ninguna seguridad humana, pero sí, lo que es mejor, su palabra.

En esta cuaresma pensemos y meditemos en este inicio de la fe de Abraham y sigámoslo. En el fondo, el Señor nos ampliará este camino pidiéndolos lo mismo: que dejemos lo que nos impide caminar y que lo sigamos.

II LECTURA   2 Timoteo 1:8b–10

Lectura de la segunda carta del apóstol san Pablo a Timoteo

Querido **hermano**:
Comparte conmigo los **sufrimientos**
　　　por la **predicación** del Evangelio,
　　sostenido por la fuerza de Dios.
Pues **Dios** es quien nos **ha salvado**
　　y nos **ha llamado** a que le consagremos **nuestra vida**,
　　no porque lo **merecieran** nuestras buenas obras,
　　sino porque **así** lo dispuso él **gratuitamente**.

Este **don**,
　　que Dios **ya** nos ha concedido por medio **de Cristo Jesús**
　　　desde **toda** la eternidad,
　　ahora se ha manifestado con la venida **del mismo Cristo Jesús**,
　　nuestro salvador, que **destruyó** la muerte
　　　y ha hecho **brillar** la luz de la vida y de la **inmortalidad**,
　　por **medio** del **Evangelio**.

EVANGELIO   Mateo 17:1–9

Lectura del santo Evangelio según san Mateo

En **aquel** tiempo,
　　Jesús tomó consigo a Pedro, a Santiago y a Juan,
　　el hermano de éste,
　　y los **hizo subir** a solas con él a un monte **elevado**.
Ahí se **transfiguró** en su presencia:
　　su rostro se puso **resplandeciente** como el sol
　　　y sus vestiduras se volvieron **blancas** como la nieve.

Dale tono suave a esta lectura, como invitando a compartir la responsabilidad en momentos difíciles.

Dale mayor fuerza a las palabras que hablan de la obra de Cristo, como anunciándola por vez primera a la asamblea.

El relato es maravilloso. Dale certeza a tu voz y desacelera un poco al describir la transfiguración.

II LECTURA En la brevísima lectura que escuchamos se distinguen dos líneas que se adentran en la identidad cristiana; el ardor primero de la fe parece irse diluyendo y surgen en las comunidades cristianas multitud de voces divergentes respecto al mensaje escuchado en los orígenes.

El autor exhorta a Timoteo, líder de una comunidad, a renovar su entrega a la causa apostólica a la que se debe, no por logros propios sino por haber sido llamado y haber recibido "un espíritu de fortaleza, caridad y sensatez" (1:7), mediante el gesto de la imposición de las manos, que nuestra lectura no recoge. El carisma específico del liderazgo cristiano, por tanto, mira al anuncio del Evangelio justamente cuando los tiempos que corren le son adversos. En la adversidad, el liderazgo apostólico se distingue por esa tripleta de virtudes espirituales concomitantes al propio Evangelio y lo hacen brillar.

Entre las múltiples voces que inundan y distorsionan el mensaje evangélico, muchas de ellas motivadas por el lucro y el afán de manipular, la voz genuinamente cristiana ha de hacer brillar el núcleo pascual de la vida inmortal manifestada en Cristo. La luz de Cristo salva porque destruye cuanto causa muerte y desolación entre los hombres. Cuando un mensaje opaca o diverge esa luz de vida traiciona al Evangelio mismo.

La Cuaresma es tiempo para meditar nuestra vocación cristiana y los dones recibidos en nuestro bautismo. El Señor nos llama a confirmar nuestro cometido de profetas, reyes y sacerdotes en Cristo Jesús en las acciones de nuestro día, para que la luz de la vida verdadera ilumine nuestro derredor.

EVANGELIO La transfiguración trata de un relato que nos asoma

De pronto aparecieron ante ellos **Moisés y Elías**,
    conversando con Jesús.

Entonces Pedro le dijo a Jesús:
"**Señor**, ¡**qué bueno** sería quedarnos **aquí**!
Si quieres, haremos aquí **tres chozas**,
    una para ti, otra **para Moisés** y otra **para Elías**".

Cuando **aún** estaba hablando, una nube **luminosa** los cubrió
    y de ella **salió** una voz que decía:
"**Éste** es mi Hijo **muy amado**,
    en quien **tengo puestas** mis complacencias; **escúchenlo**".
Al oír esto, los discípulos cayeron **rostro en tierra**,
    llenos de un **gran temor**.
Jesús se acercó a ellos, **los tocó** y les dijo:
"**Levántense** y no teman".
Alzando entonces los **ojos**, **ya no vieron a nadie** más que a Jesús.

Mientras bajaban del monte, Jesús **les ordenó**:
"No le **cuenten** a **nadie** lo que han **visto**,
    hasta que el Hijo del hombre **haya resucitado**
        de entre los **muertos**".

La teofanía no cesa sino que se prolonga en la voz. Haz contacto visual con la asamblea en este punto.

Deja un momento la mirada sobre el Evangeliario, antes de decir la fórmula conclusiva y besar el libro.

tanto a la divinidad de Jesús como a nuestra humanidad necesitada de transformación. Aunque a veces se entiende ese pasaje como una simple manifestación del poderío divino de Jesús, su sentido se nos descubre en los otros elementos de la descripción.

La figura de Jesús se transfigura en un monte donde acto seguido aparecen Moisés y Elías platicando con él. Allí no para todo. Cuando Pedro interviene, se deja ver una nube luminosa, figura de Dios invisible, cuya voz descubre la identidad de Jesús y demanda escucharlo al tiempo que cubre a sus

tres enviados en gloria. Para Mateo la audición es lo fundamental, no la visión.

Tanto Moisés como Elías fueron enviados divinos que sufrieron de parte del pueblo por su fidelidad a Dios; Jesús comparte con ellos esa marca de los enviados auténticos, pero nuestra escena subraya el punto final de su camino: la gloria de Dios. Ese mismo destino le aguarda a Jesús, aunque los discípulos no distingan todavía la ruta. Es la voz la que les marca el camino: "Escúchenlo". Al escucharlo, podrán construir esas chozas que alberguen la gloria celestial entre los hombres.

La cercanía con Jesús debe despertar en el discípulo un ansia de estar con él en la gloria. No para una contemplación pasiva, sino para un diálogo luminoso de revelación mediado por la Ley (Moisés) y los Profetas (Elías, padre del profetismo). En ese diálogo se transfigura el discípulo al ir conociendo a Jesús "resucitado de entre los muertos", en total intimidad y sin intermediarios. Su palabra nos guía en nuestra Cuaresma hasta ese encuentro pascual, que traspasa la muerte mientras nos transfigura.

III DOMINGO DE CUARESMA

I LECTURA   Éxodo 17:3–7

Lectura del libro del Éxodo

El episodio es dramático. Procura que tu voz refleje las emociones del relato. Mira a los catecúmenos y hazlos sentir parte de la congregación.

En **aquellos** días, el pueblo, **torturado** por la **sed**,
    fue a **protestar** contra Moisés, diciéndole:
"¿Nos has hecho **salir** de Egipto
    para **hacernos morir de sed** a nosotros,
    a nuestros hijos y a nuestro ganado?"
Moisés **clamó** al Señor y le dijo:
"¿**Qué** puedo hacer con **este pueblo**?
Sólo falta que me apedreen".
Respondió el Señor a Moisés:
"**Preséntate** al pueblo, llevando contigo a algunos
    de los ancianos de Israel,
    toma en tu mano el cayado con que **golpeaste** el Nilo **y vete**.
Yo **estaré** ante ti, sobre la peña, en Horeb.
Golpea la peña y **saldrá** de ella agua para que beba el pueblo".

Subraya las frases finales que dan pie al episodio. No hagas contacto visual con la asamblea sino hasta la fórmula conclusiva.

Así lo hizo Moisés a la vista de los ancianos de Israel
    y puso por nombre a aquel lugar **Masá y Meribá**,
    por la **rebelión** de los hijos de Israel
    y porque habían **tentado** al Señor, diciendo:
"¿**Está o no está** el Señor en **medio** de **nosotros**?"

I LECTURA El episodio del Éxodo que escuchamos sucede durante el recorrido del pueblo de Dios por el desierto. Este episodio está colocado entre la liberación de Egipto y la narración de la Alianza al pie del Sinaí. No existe un paso de la esclavitud a la libertad sin la experiencia del desierto, sin la tentación frente a la adversidad. El pueblo caminaba alegre cuando de pronto se topó con la realidad del desierto: no había agua. Hay algo sustancial que parece negar o poner en duda la libertad; es el precio de la vida. El pueblo va a aprender que cuesta vivir libre; hay muchas cosas y personas que se interponen en la ruta de la libertad. Aquí la falta de agua es una amenaza mortal.

La rebelión de los hebreos se trasvasa a una pregunta llena de sorna y duda: "¿Está o no está el Señor en medio de nosotros?". La respuesta del texto es no. Dios está fuera, fuera del campamento. Dios manda a Moisés a salir del campamento y a ir a la piedra del Horeb. Allí golpeará la roca con el bastón con que golpeó al Nilo; es decir, el Dios que te salvó de la esclavitud es el que te mantendrá en las dificultades futuras, pero manteniendo Dios su libertad y respetando la que el pueblo comienza a experimentar caminando por el desierto. Esta libertad exige la fe en un Dios libre que actúa dentro y fuera, cerca y lejos. Un Dios cercano es el que la Iglesia reconoce, cuando el sacerdote nos saluda con "El Señor esté con ustedes".

Los hebreos son libres bajo la mirada protectora de Dios; sienten la libertad. Ésta tiene muchas facetas, una de ellas es la ausencia de egoísmo. Exige confianza en el que la funda y mantiene: el Señor. La libertad es, en el fondo, una manifestación de nuestra fe; fe en que Dios siempre estará cerca, en que

Para meditar

SALMO RESPONSORIAL   Salmo 94:1–2, 6–7, 8–9

R. Ojalá escuchen hoy su voz: "No endurezcan el corazón".

Vengan, aclamemos al Señor, demos vítores
a la Roca que nos salva; entremos a su
presencia dándole gracias, vitoreándolo
al son de instrumentos. **R.**

Entren, postrémonos por tierra, bendiciendo
al Señor, creador nuestro. Porque él es
nuestro Dios y nosotros su pueblo, el
rebaño que él guía. **R.**

Ojalá escuchen hoy su voz: "No endurezcan
el corazón como en Meribá, como el día
de Masá en el desierto, cuando los padres
de ustedes me pusieron a prueba y me
tentaron, aunque habían visto
mis obras". **R.**

II LECTURA   Romanos 5:1–2, 5–8

Lectura de la carta del apóstol san Pablo a los romanos

Hermanos:
Ya que hemos sido **justificados** por la **fe**,
   mantengámonos en paz con Dios,
   por mediación de nuestro **Señor Jesucristo**.
Por él hemos obtenido, con la **fe**,
   la **entrada** al mundo de la **gracia**, en la cual **nos encontramos**;
   por él, podemos gloriarnos de tener la esperanza de **participar**
      en la **gloria de Dios**.

La esperanza **no defrauda**,
   porque Dios **ha infundido** su amor en **nuestros** corazones
   por medio del **Espíritu Santo**, que **él mismo** nos ha dado.
En efecto, cuando **todavía** no teníamos fuerzas
   para **salir** del pecado,
   Cristo **murió** por los pecadores en el tiempo **señalado**.

Difícilmente habrá **alguien** que quiera morir **por un justo**,
   aunque puede haber alguno que **esté dispuesto** a morir
   por una persona **sumamente** buena.
Y la prueba de que Dios **nos ama**
   está en que Cristo murió por **nosotros**,
   cuando **aún** éramos **pecadores**.

Del trasfondo de la lectura surge el agradecimiento por la salvación. Déjate embriagar por la gracia de Dios y con humilde amabilidad proclama esta pieza.

Que la esperanza no defrauda debe ser una convicción del cristiano. Recuerda antes de proclamar este párrafo algún hecho de tu vida donde hayas experimentado esta certeza.

Mira a la asamblea al llegar a la segunda línea, como buscando un voluntario. No pierdas el hilo ni el ritmo. Luego eleva tu tono de voz al frasear la muerte de Cristo, y haz que descienda para la línea final.

---

nos acompañará allí donde veamos el muro de la imposibilidad humana.

El pueblo de Israel distorsiona el sentido del éxodo, interpretándolo como un camino hacia la muerte. Ve el desierto no como un paso sino como un destino, un lugar de muerte, como una traición de un Dios malévolos e inoperante. Traen a cuento la nostalgia del pasado que es un rechazo de la libertad.

El narrador deja abierta la interrogación para que toda generación futura lea y relea el recorrido por el desierto como un paradigma del camino de la fe y de la esperanza.

La tradición judía mantuvo vivo el episodio y pronto reelaboró la piedra del Sinaí hasta convertirla en algo que acompañaba al pueblo por todo su andar por el desierto. Un *midrás*, que es como un desarrollo edificante sobre pasajes de la Escritura, afirma: "Después de que Moisés golpeó la roca en el monte Horeb y esta dio agua, la piedra se convirtió en un bloque redondo, que acompañó a Israel cuarenta años" (*Shabbat* 35a). El apóstol Pablo conocía esta tradición, que cita, refiriéndose a Éxodo 17: "porque bebían de la roca espiritual que les seguía, roca que es Cristo" (1 Corintios 10:4).

Las dificultades que encontró el pueblo bíblico al atravesar el desierto en libertad, falta de alimento y de agua, enemigos y administración de justicia, entre otros, son una enseñanza eterna para todo judío y cristiano que quiere vivir en libertad.

II LECTURA San Pablo viene exponiendo a los cristianos de las comunidades romanas en qué consiste el Evangelio que predica, pues ha causado vivas controversias entre los judíos. En esta carta, el Apóstol ha mostrado ya que la humanidad entera, judíos y no judíos, se

EVANGELIO   Juan 4:5–42

Lectura del santo Evangelio según san Juan

En **aquel** tiempo, llegó **Jesús** a un pueblo de **Samaria**,
    llamado **Sicar**,
  cerca del campo que dio Jacob a su hijo **José**.
Ahí estaba el pozo de Jacob.
Jesús, que venía **cansado** del camino,
    se **sentó** sin más en el brocal del pozo.
Era **cerca** del mediodía.

Entonces llegó una **mujer de Samaria** a **sacar agua** y Jesús le dijo:
"**Dame** de beber".
(Sus discípulos habían ido al pueblo a **comprar** comida).
La samaritana le contestó:
"**¿Cómo** es que tú, **siendo judío**, me pides de beber **a mí**,
    que soy **samaritana**?"
(Porque los judíos **no tratan** a los samaritanos).
Jesús le dijo: "Si **conocieras** el don de Dios
    y **quién** es el que te pide de beber,
    tú le pedirías **a él**, y él te daría **agua viva**".

La mujer le respondió:
"**Señor**, **ni siquiera** tienes **con qué** sacar agua
    y el pozo es **profundo**,
  ¿**cómo** vas a darme **agua viva**?
¿**Acaso** eres tú **más** que nuestro padre Jacob,
    que nos dio **este pozo**, del que bebieron él,
      sus hijos y sus ganados?"
Jesús le contestó:
"El que bebe de esta agua **vuelve** a tener sed.
Pero el que beba del agua que yo le daré, **nunca más** tendrá sed;
    el agua **que yo le daré** se convertirá **dentro de él** en un
      manantial **capaz** de dar la **vida eterna**".

encuentra en situación de condenación tras haber rechazado a Dios al tomar el camino de la rebelión y hallarse imposibilitada de agradar a su Hacedor. Por eso está necesitada de la redención que Dios ha manifestado en Cristo Jesús (ver Romanos 1–4). Esta salvación Dios la oferta ahora en el evangelio de Cristo Jesús, a quien resucitó de entre los muertos y lo ha establecido Señor de todos. Por eso, a quienes se acojan a esta fe acreditando la obra de Dios, se miran reconciliados con Dios y se benefician de los bienes que Dios depara a sus elegidos (ver Romanos 5–8).

En las líneas de la lectura de este día, Pablo pondera la realidad de la salvación que experimentan ya los creyentes. Al mismo tiempo, orienta la mirada al futuro tan ansiado como cierto, porque está preñado con la gracia que ya les ha concedido Dios.

La fe en el Evangelio que Pablo predica significa un paso determinante ante Dios, porque el creyente deja atrás la situación de enemistad para introducirse en el régimen de la gratuidad divina. El cristiano deja de estar afanado por cumplir con las "obras de la ley"; es decir, aquellos actos buenos y meritorios que lo justifican como elegido de

Dios, porque con la fe todo su ser y su actuar obedece al dinamismo amoroso del Espíritu Santo recibido en el bautismo en el nombre del Señor Jesús. Pablo va más lejos todavía al afirmar el amor divino.

Dios ama al hombre antes de que éste haga cualquier cosa meritoria para ganarse su favor. El amor de Dios se ha manifestado cuando el creyente estaba sometido al pecado y enemistado con su Señor. Ese amor gratuito de Dios es la garantía firme de la gracia divina que establece una relación filial con Dios. A este régimen de gracia en el que es introducido el cristiano se le llama

El deseo de la samaritana debe escucharse como un anhelo genuino de Dios. No ahorres el matiz.

Deja que la mención de la hora suene enigmática. Procura alargar las menciones de "en espíritu y en verdad".

El "soy yo" de Jesús ha de escucharse sonoro y majestuoso.

La mujer le dijo:
"Señor, **dame** de esa agua para que **no vuelva** a tener sed
   ni tenga que venir **hasta aquí** a sacarla".
Él le dijo: "Ve a llamar a tu marido y **vuelve**".
La mujer le contestó: "No **tengo** marido".
Jesús le dijo: "**Tienes** razón en decir: '**No tengo** marido'.
Has tenido **cinco**, y el de ahora **no es** tu marido.
En eso has dicho **la verdad**".

La mujer le dijo: "**Señor**, ya veo que eres **profeta**.
Nuestros padres dieron culto **en este monte**
   y ustedes dicen que el sitio donde **se debe dar culto**
      está en **Jerusalén**".
Jesús le dijo: "**Créeme**, mujer, que se **acerca** la hora
   en que **ni en este** monte **ni en Jerusalén** adorarán al Padre.
Ustedes adoran **lo que no conocen**;
   nosotros adoramos **lo que conocemos**.
Porque la salvación **viene** de los judíos.
Pero se **acerca** la hora, **y ya está aquí**,
   en que los que quieran dar culto **verdadero**
   adorarán al Padre **en espíritu y en verdad**,
      porque **así** es como el Padre **quiere** que se le dé culto.
Dios **es espíritu**, y los que lo adoran **deben hacerlo**
   en **espíritu** y en **verdad**".

La mujer le dijo: "**Ya sé** que va a venir el Mesías
   (**es decir**, Cristo).
Cuando venga, él nos dará **razón de todo**".
Jesús le dijo: "**Soy yo**, el que habla contigo".

En **esto** llegaron los discípulos
   y **se sorprendieron** de que estuviera conversando
      con **una mujer**;
   sin embargo, **ninguno** le dijo:
      '¿**Qué** le preguntas o **de qué** hablas con ella?'

justificación, de la que el Apóstol menciona algunos frutos.

El primer beneficio que experimenta el cristiano es la paz con Dios y con los demás. No es una paz que haya labrado con méritos personales, porque es la condición resultante de darle crédito al Evangelio de Jesucristo; éste es el garante de la paz, y Dios no se puede desdecir. Es la muerte y la resurrección de Cristo la prenda de nuestra reconciliación. No cabe sino abrazar con agradecimiento total este don infinito y ser consecuente con él; es decir, darle la espalda al pecado y a todo lo que significa la corrupción del mundo.

Esta Cuaresma tenemos la oportunidad de avivar nuestra esperanza y dejarnos guiar por el Espíritu Santo, de escuchar en el silencio de nuestro corazón su voz que nos certifica el amor inconmovible que Dios nos tiene. Dejemos que tome cauce en la amabilidad y jovialidad en el trato con los demás

EVANGELIO Un espléndido relato nos ofrece san Juan del encuentro entre Jesús y una mujer samaritana cuyo nombre ignoramos. Lo único que sabemos es que era samaritana. Venía con su cántaro a sacar agua del pozo, que se encontraba en Sicar. Con esto el autor quiere aludir a tantos recuerdos que le podrían traer varias pláticas alrededor de un pozo. La Biblia conserva hermosas narraciones de ese tipo con imágenes de las épocas antiguas y patriarcales: el encuentro de Rebeca con el enviado de Abrahán y el encuentro fortuito entre Jacob y Raquel. Al autor sin duda le vendrían a la mente estos y otros recuerdos bíblicos de escenas alrededor de un pozo.

Deja que resuene la convicción en las palabras de la mujer. Tiene sentido misionero y debe leerse con cierta urgencia.

Entonces la mujer **dejó** su cántaro,
se fue al pueblo y **comenzó** a decir a la gente:
"**Vengan** a ver a un hombre que me ha dicho **todo**
lo que he hecho.
¿No será éste el **Mesías**?"
Salieron del pueblo y se **pusieron en camino**
hacia donde él estaba.

Mientras tanto, sus discípulos **le insistían**: "Maestro, come".
Él les dijo:
"Yo **tengo** por comida un alimento que ustedes **no conocen**".
Los discípulos comentaban **entre sí**:
"¿Le **habrá** traído alguien **de comer**?"
Jesús les dijo:
"Mi **alimento** es **hacer** la voluntad del que **me envió**
y llevar a **término** su obra.
¿Acaso no dicen ustedes que **todavía** faltan **cuatro** meses
para la **siega**?
Pues bien, **yo** les digo:
Levanten los ojos y **contemplen** los campos,
que **ya están** dorados para la **siega**.
Ya el segador **recibe** su jornal y **almacena** frutos
para la **vida eterna**.
De **este modo** se alegran **por igual** el sembrador y el segador.
Aquí se cumple el dicho:
'**Uno** es el que siembra y **otro** el que cosecha'.
Yo los **envié** a cosecharlo que **no habían** trabajado.
Otros trabajaron y **ustedes** recogieron su fruto".

Extiende tu mirada sobre la asamblea y más específicamente sobre los catecúmenos, al llegar a las líneas sobre los campos listos para ser segados. No olvides marcar muy bien los "yo" enfáticos de Jesús.

A este pozo llega una mujer del pueblo con su cántaro a sacar agua. Una acción simple y cotidiana. En esta parte montañosa de Samaria no corren ríos. Es una mujer simple que no iba en busca de Jesús sino de agua. Por aquí empieza Jesús su acercamiento a esta mujer.

A Jesús le gustaba hablar y comunicar su doctrina partiendo de lo más simple y sencillo. Todo porque en la sencillez no se oculta fácilmente la mentira. Una simple petición de agua inicia la plática y provoca la admiración de la mujer. La samaritana irá de

admiración en admiración al tiempo que Jesús le entrega la Buena Noticia que porta.

La mujer olvida entonces el cántaro. Empieza por lo que todo creyente en Dios debe hacer: anunciar, aunque sea a medias, a Jesús y su verdadera personalidad. Es Jesús el que nos trae el agua del Espíritu que nos limpia y nos da la inmortalidad.

Para anunciar el Evangelio hay que perder toda vergüenza y todo aquello que impida hablar de Jesús y su mensaje. Si es que la samaritana creía que no todos los habitantes de Sicar conocían su vida escandalosa, ahora, después de su encuentro y plática

con Jesús, ya no le importa su fama sino que vayan a ver a Jesús.

Así fue la evangelización desde el principio. Jesús escogió a pocos, doce, para que fueran a anunciar su Buena Noticia. Poco a poco, los que creían en Jesús, como creyó la samaritana, harán lo mismo: anunciar el Evangelio. Algo muy importante: siguiendo lo que dijeron los habitantes de Sicar tras haber escuchado y convivido con Jesús por dos días, invitarán a un encuentro con Jesús. Estos habitantes de Sicar dijeron a la mujer que su testimonio o invitación había sido importante, pero no decisivo. Esto pasa

La mujer ha jugado un papel fundamental en la fe de sus paisanos. Subraya esto elevando tu voz cada vez que la menciona el texto.

Muchos samaritanos de aquel poblado
    creyeron en Jesús por el testimonio de la mujer:
'Me dijo **todo** lo que he hecho'.
Cuando los samaritanos llegaron a donde él estaba,
    le rogaban que se **quedara** con ellos, y se quedó allí **dos días**.
Muchos más **creyeron en él** al oír su palabra.
Y decían a la mujer:
"Ya **no** creemos por lo que **tú** nos has contado,
    pues **nosotros mismos** lo hemos oído
    y **sabemos** que él es, de veras, el **salvador** del **mundo**".

Forma breve: Juan 4:5–15, 19–26, 39, 40–42

con el auténtico apostolado cristiano: el anuncio debe conducir a un encuentro personal con Cristo a través de los sacramentos en su Iglesia. Son necesarios los intermediarios, pero la fe cristiana exige el encuentra personal con Jesús. El intermediario, catequista, predicador o ministro, debe hacerse a un lado para que el creyente se encuentre y relacione con Jesús. Nunca debemos perder de vista la exigencia, mejor aun, la finalidad de todo apostolado: llevar a los cristianos y a los no cristianos a un encuentro personal con el Señor. Esto es como el amor; mientras no se encuentre el amante con la amada,

lo que queda es secundario y en poco o en mucho tiempo se acaba.

La liturgia de hoy nos recuerda lo del agua aludiendo a esa agua del bautismo que llevará al nacimiento de los nuevos cristianos en la vigilia de la resurrección. De ahí que los textos escogidos por la liturgia se conforman de pasajes tomados del Antiguo y Nuevo Testamento. Pero al final, estos mismos textos nos invitan al encuentro con Jesús, el Señor. Él es el único que nos dará el agua viva, esa agua que llenará nuestros anhelos de felicidad.

También debemos tener en cuenta la gradualidad de la fe. Aquí en nuestro relato aparecen cinco títulos para designar a Jesús. Y cada uno de ellos, indica un aspecto de la personalidad de Jesús. De aquí que no olvidemos en nuestra presentación de Jesús, ningún aspecto. Todo esto porque somos seres humanos y no podemos captar el misterio de una persona sino por partes y gradualmente.

IV DOMINGO DE CUARESMA

Este relato tiene su encanto. Sin precipitación, avanza con fluidez en las acciones y algo sosegado en las conversaciones.

I LECTURA   1 Samuel 16:1b, 6–7, 10–13a

Lectura del primer libro de Samuel

En **aquellos** días, dijo el Señor a **Samuel**:
"Ve a la casa de Jesé, en **Belén**,
  porque de entre sus **hijos** me he escogido **un rey**.
Llena, pues, tu cuerno de aceite **para ungirlo** y **vete**".

Cuando llegó Samuel a Belén y **vio** a Eliab,
    el hijo mayor de Jesé, **pensó**:
"Éste es, **sin duda**, el que voy a **ungir** como rey".
Pero el Señor le dijo:
"No te dejes **impresionar** por su aspecto ni por su **gran estatura**,
  pues yo lo **he descartado**,
  porque **yo no juzgo** como juzga el hombre.
El hombre se fija **en las apariencias**,
  pero el Señor se fija **en los corazones**".

Así fueron pasando ante Samuel **siete** de los hijos de Jesé;
    pero Samuel dijo: "**Ninguno** de éstos es el **elegido** del Señor".
Luego le preguntó a Jesé: "¿Son **éstos todos** tus hijos?"
Él respondió:
    "Falta el **más pequeño**, que está cuidando el rebaño".
Samuel le dijo: "**Hazlo venir**,
  porque **no** nos sentaremos a comer **hasta** que llegue".
Y **Jesé** lo mandó llamar.

La frase es el eje del relato. Busca que resalte en tu proclamación y se ancle en la mente de los fieles.

Las palabras de Jesé pueden sonar cansinas, pero las de Samuel resueltas.

I LECTURA Samuel había sido elegido por Dios para el sacerdocio. Con el tiempo se habrá de convertir en un personaje importante ante el pequeño grupo que estaba asentándose en lo que vendrá a ser la tierra de Efraín. Se le habría reconocido cierta autoridad por estar al frente del pequeño santuario que albergaba el arca de la alianza. Tenía también el favor de Dios, ya que Dios le había hablado varias veces.

Samuel quería mucho a Saúl; de hecho, él mismo lo había ungido como primer rey de Israel. El hombre posee pensamiento y sentimiento. Sentía, tal vez, que era como hechura suya. Al principio del capítulo 16 se dice que Samuel le pedía a Dios que perdonara a Saúl. Pero Dios ya le había escogido un sucesor.

Samuel fue enviado a un pequeño pueblo como era entonces Belén, a casa de un hombre llamado Isaí. Aquí iba a encontrar al sucesor de Saúl. Saúl tenía una especie de paranoia, que le hacía muy suspicaz. Había perdido el apoyo de Dios y tenía muy en cuenta los movimientos de Samuel. Tuvo que ser algo público el rompimiento entre Samuel y Saúl, dado el temor que manifies-tan las autoridades de Belén ante la visita de Samuel a este pueblo.

Samuel justificó su visita: haría un sa-crificio al que invitó a la familia de Jesé. Es llamativo e importante lo del hermano mayor, Eliab. Primero, porque muestra que Samuel está juzgando, como lo hacemos nosotros a menudo, según las cualidades humanas, como si fuera la fuerza y el poder la forma en que Dios conduce la historia. El autor nos recuerda la forma de obrar de Dios: Dios no ve como los hombres, que ven la apariencia; el Señor ve el corazón. Del co-razón salen las buenas o malas intenciones.

El muchacho era rubio, de ojos vivos y buena presencia.
Entonces el Señor dijo a Samuel:
"Levántate y **úngelo**, porque **éste es**".
Tomó Samuel el cuerno con el **aceite**
   y lo **ungió** delante de sus **hermanos**.

Apremia el ritmo de lectura en la orden del Señor. Enseguida retarda las acciones de Samuel.

Para meditar

SALMO RESPONSORIAL   Salmo 22:1–3a, 3b–4, 5, 6

R. El Señor es mi pastor, nada me falta.

El Señor es mi pastor, nada me falta: en
   verdes praderas me hace recostar;
me conduce hacia fuentes tranquilas
y repara mis fuerzas. **R.**

Me guía por el sendero justo, por el honor
   de su nombre. Aunque camine por
   cañadas oscuras, nada temo, porque
   tú vas conmigo: tu vara y tu cayado
   me sosiegan. **R.**

Preparas una mesa ante mí, enfrente de
   mis enemigos; me unges la cabeza con
   perfume, y mi copa rebosa. **R.**

Tu bondad y tu misericordia me acompañan
   todos los días de mi vida, y habitaré en la
   casa del Señor por años sin
   término. **R.**

II LECTURA   Efesios 5:8–14

Lectura de la carta del apóstol san Pablo a los efesios

Hermanos:
En **otro** tiempo ustedes fueron **tinieblas**,
   pero **ahora**, unidos al Señor, son **luz**.
Vivan, por lo tanto, como **hijos de la luz**.
Los **frutos** de la luz son la **bondad**, la **santidad** y la **verdad**.
Busquen lo que es **agradable** al Señor
   y **no** tomen parte en las obras **estériles** de los
      que son **tinieblas**.

Al **contrario**, repruébenlas **abiertamente**;
   porque, si bien las cosas que ellos hacen **en secreto**
   da rubor **aun mencionarlas**,
   al ser reprobadas **abiertamente**, todo queda **en claro**,
   porque **todo** lo que es iluminado **por la luz** se convierte en luz.

Aprópiate del tono amoroso, de un padre que exhorta a un hijo adulto con puntos flacos pero que no quiere ventilarlos abiertamente.

En esta sección contacta visualmente con el grupo de catecúmenos y luego con la asamblea.

Esto explica que el Señor haya escogido a David, el más pequeño.

Es curioso, Samuel en otras partes del libro es llamado el "Vidente". Ahora no ve. Dicho verbo aparece aquí siete veces. Primero, Samuel no supo ver sino la altura y fuerza. Lo que le recordó a Saúl que tenía esas cualidades humanas.

El relato juega con el número siete, símbolo de plenitud. No está el elegido en el séptimo lugar. No queda sino el excedente, David. Como Pablo entre los apóstoles, también es el número trece. Pues fue Pablo

el elegido, el que no cuenta, excede al número de doce.

David era pastor desde jovencito. El oficio exige cualidades que debe poseer todo buen gobernante: astucia, presencia, valor y, sobre todo, querencia por las ovejas. Esta sencillez de corazón consiste en saber quién es uno. Esto fue suficiente para dejarse guiar por Dios, que era el que obraba, y lo sigue haciendo en cada uno de nosotros.

II LECTURA Muy diferentes a las de nuestra era digital eran las condiciones del siglo cuando inició la fe cris-

tiana, cuando no había corriente eléctrica disponible y la gente se alumbraba con velas, lámparas de aceite o antorchas empapadas de chapopote. El dominio de la oscuridad era más extenso e imponente entonces. Pero desde entonces, el sol ha sido la principal fuente de calor y de luz, y así se entienden las líneas de la Carta a los Efesios.

El autor alude el estado negativo de vida que marcaba a los efesios antes de su conversión, pero del que ya han salido, y recalca su estado actual, mucho más ventajoso, exhortándolos a ser coherentes con éste. Eran tinieblas, ahora son luz. El

Por eso se dice:
Despierta, *tú que duermes;*
    levántate de entre los muertos y Cristo será tu **luz**.

EVANGELIO   Juan 9:1–41

Lectura del santo Evangelio según san Juan

En **aquel** tiempo, Jesús vio al pasar a un **ciego de nacimiento**,
    y sus discípulos **le preguntaron:**
"Maestro, ¿**quién** pecó para que **éste** naciera ciego,
    él o sus **padres?**"
Jesús respondió: "**Ni él** pecó, **ni tampoco** sus padres.
Nació así para que **en él** se manifestaran las **obras de Dios**.
Es **necesario** que yo haga las obras del que **me envió**,
    mientras es de **día**,
    porque luego **llega** la noche y ya **nadie** puede trabajar.
Mientras esté en el **mundo**, yo soy la **luz** del mundo".

Dicho esto, **escupió** en el suelo, hizo **lodo** con la saliva,
    se lo puso en **los ojos** al ciego y le dijo:
"Ve a **lavarte** en la piscina de **Siloé**" (que significa 'Enviado').
Él **fue**, se **lavó** y **volvió** con vista.

Entonces los vecinos y los que lo habían visto antes
    pidiendo limosna, preguntaban:
"¿No es **éste** el que se sentaba a pedir **limosna**?"
Unos decían: "Es el **mismo**".
Otros: "No es **él**, sino que se le **parece**".
Pero él decía: "**Yo soy**".
Y le preguntaban: "**Entonces**, ¿**cómo** se te abrieron los ojos?"
Él les **respondió**: "El hombre que se llama **Jesús** hizo **lodo**,
    me lo puso en los **ojos** y me dijo: 'Ve a **Siloé** y **lávate**'.

[Nota al margen izquierdo:] Visualiza los distintos cuadros del relato para darles un ritmo propio; más ligero a las escenas donde Jesús está ausente, pero sosegado cuando él está presente.

[Nota al margen izquierdo:] Dale genuino tono de perplejidad a la voz de los vecinos.

cambio radical ocurre al creer en Cristo y hacerse bautizar en su nombre. No es difícil percibir que son las imágenes bautismales las que forman el trasfondo a esta exhortación, pues los cristianos también llamaban al bautismo iluminación, porque a eso correspondía.

La identidad del cristiano no es un concepto, sino que tiene implicaciones éticas o morales que envuelven al individuo entero. Así, el estado de tiniebla no solo refiere a la ignorancia o ceguera que impide percibir al Dios verdadero, sino que se equipara a la muerte misma, porque vivir sin Dios es como

estar muerto. De ahí que las obras que realice la persona estando en la tiniebla no puedan agradar a Dios. La luz expone las obras del mal, la corrupción y la mentira. Con este tipo de acciones no cabe transigir ni en el seno de la comunidad ni fuera de ella.

Las obras de la luz, en el contexto litúrgico de nuestra lectura, están impregnadas de "bondad, santidad y verdad". El creyente, por tanto, asume la iniciativa de promover el bien en todas las dimensiones de la vida, la personal, la social y la cósmica. Ese es el camino de la santidad que nos hace preguntarnos continuamente si nuestro modo de

actuar es lo que Dios espera de nosotros. No cabe simulación alguna ni confinar la identidad cristiana a un segmento de la vida. La pertenencia a la luz exige nuestra coherencia total.

Las líneas que cierran nuestra lectura exhortan a recobrar conciencia del estado en el que el oyente se encuentra: "Despierta, tú que duermes; levántate de entre los muertos y Cristo será tu luz". Son líneas de un cántico cristiano primitivo, probablemente, que proclamaba la resurrección de Cristo, al que todo bautizado ha que configurarse. Queda claro que la luz que una vida

Entonces **fui, me lavé** y comencé a **ver**".
Le preguntaron: "¿En **dónde** está él?" Les contestó: "**No lo sé**".

Llevaron **entonces** ante los fariseos al que había sido **ciego**.
Era **sábado** el día en que Jesús **hizo lodo** y le **abrió los ojos**.
También los **fariseos** le preguntaron
          cómo había adquirido la **vista**.
Él les contestó: "Me puso **lodo** en los ojos, me lavé y **veo**".
Algunos de los **fariseos** comentaban:
"Ese hombre **no** viene de Dios, porque **no guarda el sábado**".
Otros replicaban:
"¿Cómo puede un **pecador** hacer semejantes **prodigios**?"
Y había **división** entre ellos.
Entonces **volvieron** a preguntarle al **ciego**:
"Y **tú**, ¿qué piensas del que te **abrió los ojos**?"
Él les contestó: "Que es un **profeta**".

Pero los judíos **no creyeron** que aquel hombre,
          que había sido **ciego**,
      hubiera recobrado la **vista**.
Llamaron, pues, a sus **padres** y les **preguntaron**:
"¿Es **éste** su hijo, del que ustedes dicen que **nació ciego**?
¿Cómo es que **ahora** ve?"
Sus padres contestaron: "Sabemos que **éste** es nuestro hijo
          y que **nació ciego**.
Cómo es que **ahora** ve o quién le haya dado la vista,
          no lo sabemos.
Pregúntenselo **a él**; ya tiene edad **suficiente**
          y responderá **por sí mismo**".
Los **padres** del que había sido ciego dijeron **esto**
          por **miedo** a los judíos,
      porque **éstos** ya habían convenido en **expulsar** de la sinagoga
      a quien reconociera a **Jesús** como el **Mesías**.
Por eso sus padres dijeron: '**Ya** tiene edad; pregúntenle **a él**'.

Endurece un tanto el tono en esta escena, porque la situación necesita un tajo.

cristiana irradia a su alrededor surge de Cristo resucitado. Él ilumina los pasos y las decisiones de todo fiel.

EVANGELIO La curación del ciego de nacimiento es uno de los relatos más bellos de la literatura universal. Las palabras están seleccionadas, también los personajes. La acción se enreda inmediatamente en drama y en el centro aparece la figura ausente del gran acusado que en realidad es el acusador.

Antes del milagro, el evangelista da la significación teológica del milagro. Éste es narrado de una manera sucinta (vv. 6–7). El interés se encuentra en las interrogaciones. Hay una continua comprensión de Jesús por parte del ciego: un hombre llamado Jesús (v. 11); Jesús es un profeta (v. 17); viene de parte de Dios (v. 33); al final reconoce a Jesús como Hijo del hombre (v. 37).

Los fariseos, por su parte, se van endureciendo cada vez más. Aceptan al principio la curación (v. 15). Unos no pueden perdonar que se haya hecho en sábado; otros se acercan a la interpretación del ciego (v. 17). En el segundo interrogatorio empiezan a dudar del hecho. Al final, tratan de coger al ciego en una inexactitud (v. 27). No aceptan la pretensión de Jesús (v. 29). Vilipendian al testigo (v. 34).

El ciego confiesa su ignorancia tres veces (vv. 12, 25, 36); también los fariseos tres veces su propio conocimiento (vv. 16, 24, 29). Emerge el ciego como testigo preclaro de Jesús.

Por naturaleza, el hombre es ciego de nacimiento. Como hay que nacer de nuevo, se necesita la luz dada por Dios. Bajo esta luz todo el mundo tendrá que ver, empezando por uno mismo. Donde hay luz, hay también tiniebla.

Hay cierta ironía en las respuestas del curado. Lejos de sentirse intimidado por las autoridades, él se muestra convencido de su experiencia.

Llamaron **de nuevo** al que había sido **ciego** y le dijeron:
"Da gloria a **Dios**.
Nosotros sabemos que **ese hombre** es pecador".
Contestó él: "Si es pecador, **yo no lo sé**;
    sólo sé que yo era ciego y **ahora** veo".
Le preguntaron **otra vez**: "¿Qué te hizo? ¿**Cómo** te abrió los ojos?"
Les contestó: "**Ya** se lo dije a ustedes y **no** me han dado **crédito**.
¿Para qué quieren oírlo **otra vez**?
¿Acaso **también** ustedes quieren hacerse discípulos **suyos**?"
Entonces ellos lo **llenaron** de **insultos** y le dijeron:
"Discípulo de **ése** lo serás **tú**.
Nosotros somos discípulos de **Moisés**.
Nosotros **sabemos** que **a Moisés** le habló Dios.
Pero **ése**, no sabemos de **dónde** viene".

Hay un matiz despectivo en las palabras de los fariseos; deja que se note cierta rabia entre las líneas.

Replicó **aquel** hombre:
"Es **curioso** que ustedes no sepan de **dónde** viene
    y, sin embargo, me ha **abierto** los ojos.
Sabemos que Dios no escucha a los **pecadores**,
    pero al que lo **teme** y **hace su voluntad**, a ése **sí** lo escucha.
Jamás se había oído decir que alguien
    abriera los ojos a un **ciego de nacimiento**.
Si **éste** no viniera de Dios, no tendría **ningún poder**".
Le **replicaron**:
"Tú eres **puro pecado** desde que naciste,
    ¿cómo pretendes darnos **lecciones**?"
Y lo echaron **fuera**.

LLegados al punto culminante del relato, baja la velocidad pero no el tono de la proclamación.

Supo **Jesús** que lo habían echado fuera,
    y cuando lo **encontró**, le dijo:
"¿Crees **tú** en el **Hijo del hombre**?"
Él contestó: "¿Y **quién** es, Señor, para que **yo crea** en él?"
Jesús le dijo: "**Ya** lo has **visto**;
    el que está hablando contigo, **ése** es".

Los judíos creían, a pesar de lo mostrado en el libro de Job, que toda enfermedad estaba relacionada con algún pecado. En alguien de edad adulta, era claro que su mal tenía que haber venido de cometer algún pecado. Un niño enfermo puede ser el signo de un pecado de los padres, o como algunos rabinos opinaban, de un pecado personal en el seno materno. Se apoyaban en Éxodo 20:5 y Deuteronomio 5:9. Tal vez la pregunta de los discípulos haya sido en la dirección de saber su opinión entre estas dos escuelas de pensamiento. Jesús responde sólo a una parte de la cuestión. Esto

(lo de la ceguera) sucedió para glorificar a Dios. Como en la pugna por el pueblo con el Faraón. Niega Jesús la ilación lógica que hacían los judíos entre mal físico y pecado.

Jesús unta lodo hecho con su saliva en los ojos cegados y envía al ciego a Siloé (que significa "enviado"). Allí recupera la vista. El asunto provoca disenso tal, que se remite a las autoridades religiosas. Éstas se quejan de la violación del sábado. Entre las treinta y nueve obras prohibidas en sábado, estaba la de hacer lodo; también estaba prohibido el untarlo en el ojo. Pero el ciego avanza en su conocimiento de

Jesús. Es un profeta, dice. Así termina el primer interrogatorio.

Las autoridades no creen en la identidad del curado. Algo debe estar mal. Van con sus padres. ¿Quién mejor que ellos? Los padres afirman la identidad, pero rehúsan comprometerse. Aparece de nuevo la exigencia del compromiso. De ahí que Juan considere esto la raíz de lo que en su tiempo era una terrible realidad: la expulsión de los cristianos de la sinagoga.

Dado el fracaso con los padres, los fariseos buscan intimidar al ciego: "Da gloria a Dios". Esto era una solemne abjuración,

Alarga estas frases y al párrafo siguiente imprime un tono magisterial.

Él dijo: "**Creo,** Señor".
Y postrándose, lo **adoró**.

Entonces le dijo Jesús:
"Yo **he venido** a este mundo para que se **definan** los campos:
    para que **los ciegos vean**, y los que ven **queden ciegos**".
Al oír esto, algunos **fariseos** que estaban con él le **preguntaron**:
"¿Entonces, **también nosotros** estamos ciegos?"
Jesús les contestó: "Si **estuvieran ciegos, no tendrían** pecado;
    pero como **dicen** que ven, **siguen** en su **pecado**".

Forma breve: Juan 9:1, 6–9, 13–17, 34–38

exigiendo la verdad (ver Job 7:19). Al decir la verdad, se da gloria a Dios. Los judíos pretenden que el ciego afirme que Jesús es un pecador. Él rehúsa entrar por el vericueto jurídico de las reglas. Una sola cosa sabe: que él era ciego y ahora ve. Esto es incontestable.

Quieren los judíos que repita lo acaecido. A ver si con algún detalle logran hacerlo caer en contradicción. El ciego se da cuenta y les dice, con sorna, si quieren hacerse también ellos discípulos de Jesús. Se les recuerda que, aunque ellos no quieran, Jesús está reuniendo discípulos. En su réplica,

dicen que ellos ni siquiera saben de dónde sea Jesús (cf. 1:17). El ciego es tajante y un ejemplo para el cristiano que lee; invoca un tema bíblico común (Isaías 1:15; 29:2; Miqueas 3:4; Proverbios 15:29) que dice, siguiendo una lógica irrefutable, que Jesús no puede ser pecador.

Los judíos resuelven la disputa con su propia lógica: si el hombre nació ciego es prueba de que es un pecador. Lo expulsan.

Enseguida se contrasta la fe del que estaba ciego con la ceguera deliberada de los que ven, pero también las diferencias

entre Jesús que es luz con los guías ciegos que se le oponen.

Jesús busca al curado y le ofrece la posibilidad de llegar a una confesión definitiva de fe. "¿Crees tú en el Hijo del hombre?". "¿Y quién es, Señor...?". El ciego no pregunta sobre el significado de lo hecho en él, simplemente responde: "Creo, Señor". Esto es lo que de nosotros espera el Señor.

V DOMINGO DE CUARESMA

I LECTURA   Ezequiel 37:12–14

Lectura del libro del profeta Ezequiel

Esto dice el Señor Dios:
"Pueblo mío, **yo mismo abriré** sus sepulcros,
   los **haré salir** de ellos y los **conduciré** de nuevo
      a la tierra de **Israel**.

Cuando **abra** sus sepulcros y los **saque** de ellos, **pueblo mío**,
   ustedes **dirán** que **yo soy** el Señor.

Entonces les **infundiré** a ustedes mi espíritu y **vivirán**,
   los **estableceré** en su tierra
   y ustedes **sabrán** que yo, el Señor, lo **dije** y lo **cumplí**".

SALMO RESPONSORIAL   Salmo 129:1–2, 3–4, 5–7ab, 7cd–8
R. Del Señor viene la misericordia, la redención copiosa.

Desde lo hondo a ti grito, Señor: Señor,
   escucha mi voz; estén tus oídos atentos
   a la voz de mi súplica. **R.**

Si llevas cuentas de los delitos, Señor, ¿quién
   podrá resistir? Pero de ti procede el
   perdón, y así infundes respeto. R.

Mi alma espera en el Señor, espera en su
   palabra; mi alma aguarda al Señor, más
   que el centinela la aurora. Aguarde Israel
   al Señor, como el centinela la aurora. **R.**

Porque del Señor viene la misericordia,
   la redención copiosa; y él redimirá a
   Israel de todos sus delitos. **R.**

Las promesas son muy esperanzadoras. Llena tu voz y tu porte como de un gozo contenido. Mira alternativamente a los catecúmenos y luego a la asamblea en cada párrafo.

Para meditar

I LECTURA Ezequiel fue uno de los sacerdotes principales que fue llevado al destierro babilónico. En tierra extranjera fue llamado por Dios a profetizar, era el año 593 a. C. Su tarea era muy ruda: explicar al pueblo el porqué de la desgracia y, sobre todo, sembrarle la esperanza ante aquella negrura que tenía enfrente.

En estas palabras leídas hoy (vv. 12–14), misteriosas y aparentemente terribles, se anuncia al pueblo una gran alegría. En la descripción de los desterrados como huesos calcinados, resuenan y se repiten dos

términos: huesos (ocho veces) y espíritu, viento (diez veces).

La visión del profeta tiene lugar en Babilonia, en cuya cercanía se encontraban las barracas de los exiliados. La visión toma el carácter de un drama y la voz divina pregunta: "¿Hijo del hombre, podrán revivir esos huesos?". Lo imposible se evidencia. Por eso el profeta responde que sólo el que pregunta lo podrá hacer. Dios le comunica a su profeta su intención con una impresionante visión del movimiento de los huesos y lo maravilloso de verlos llenarse de carne y tendones, pero no tienen vida. Es lo princi-

pal. El hombre tal vez pronto podrá hacer con su ciencia y técnica esto mismo. Pero faltará lo principal: dar la vida. Sólo Dios puede darla. Los desterrados se sentían como esos huesos: sin vida.

Ahora Dios le da al profeta la orden fundamental: "Profetiza sobre estos huesos: huesos secos, escuchen la palabra del Señor". Lo que más adelante se traduce en "Infundiré mi espíritu en ustedes para que revivan, los estableceré en su tierra…".

Ya en el siglo II a. C., cuando Israel introduciría la esperanza en la resurrección, se entenderá ese texto como un anuncio de

Hay referencias a los que no son bautizados y a los creyentes. Haz que tu tono marque bien ese contraste al proclamar.

Apoya las palaras sobre la resurrección de Cristo con una mirada que abrace a los catecúmenos. Transmíteles certeza y convicción en este punto.

Prepara bien esta lectura, observa sus partes y cómo se estructuran, porque darle el tono a cada parte es un gran reto. Recuerda que hay en la asamblea quienes la escucharán por vez primera; atiende con cariño a estas personas y da lo mejor de ti.

II LECTURA   Romanos 8:8–11

Lectura de la carta del apóstol san Pablo a los romanos

Hermanos:
Los que viven en forma **desordenada** y **egoísta**
    no pueden **agradar** a Dios.
Pero ustedes **no llevan** esa clase de vida,
    sino una vida **conforme al Espíritu**,
    puesto que el Espíritu de Dios habita **verdaderamente**
        en **ustedes**.

Quien **no tiene** el Espíritu de Cristo, **no es** de Cristo.
En cambio, si Cristo **vive** en ustedes,
    aunque su cuerpo **siga sujeto** a la muerte a causa del **pecado**,
    su espíritu **vive** a causa de la actividad **salvadora** de Dios.

Si el **Espíritu** del Padre, que resucitó a Jesús de entre los
        muertos, habita en **ustedes**,
    entonces el **Padre**, que resucitó a Jesús de entre los muertos,
    también les dará **vida** a sus cuerpos mortales,
    por obra de su **Espíritu**, que habita en **ustedes**.

EVANGELIO   Juan 11:1–45

Lectura del santo Evangelio según san Juan

En **aquel** tiempo, se encontraba enfermo **Lázaro**, en **Betania**,
    el pueblo de **María** y de su hermana **Marta**.
María era la que una vez **ungió** al Señor con **perfume**
    y le **enjugó los pies** con su **cabellera**.
El **enfermo** era su hermano **Lázaro**.
Por eso las dos hermanas le mandaron decir a **Jesús**:
"**Señor**, el amigo a quien tanto quieres está **enfermo**".

la resurrección. Lo retomará en este sentido la tradición cristiana y por medio de este texto anunciará la resurrección de Jesús y de todos sus fieles (ver Mateo 27:51b–53). Hacia esa meta de vida definitiva vamos en camino.

II LECTURA Los pensadores griegos habían deducido que el ser humano se integra de un componente carnal, el cuerpo, y de otro espiritual, el alma, donde residen las inclinaciones o potencias para obrar tanto el bien como el mal. A la razón o inteligencia le corresponde dilucidar

lo que más le conviene al individuo para conseguir una vida feliz y de bienestar, y, en consecuencia, espolear la voluntad en pos de esa meta. La felicidad, con todo, no cabe comprenderla circunscrita a cada particular, pues sólo se completa con su dimensión social o relacional. De este modo, los valores que han de alentar la vida social y personal han de ser los más nobles, bellos, justos y verdaderos. Pero este marco referencial distaba de verse plasmado en la realidad cotidiana. Pablo y los destinatarios de su escrito lo saben perfectamente.

El cristiano ha recibido, en el bautismo, la capacidad de vivir agradando a Dios, pues desde entonces habita en él el Espíritu Santo. No es, pues, un principio externo, lo que era la Ley, lo que motiva la conducta cristiana, sino uno interno, duradero y que sabe lo que le es grato a Dios. Este Espíritu certifica o afianza al creyente en una convicción fundamental: su filiación divina. En el bautismo, el creyente ha sido configurado con Cristo al recibir su mismo Espíritu. Es este Espíritu el que reanimó a Cristo, sacándolo de entre los muertos, y es también el que ahora re-anima a todo creyente

Al oír esto, **Jesús** dijo:
"Esta enfermedad **no acabará** en la muerte,
    sino que servirá para la **gloria de Dios**,
    para que el **Hijo de Dios** sea **glorificado** por ella".

Jesús amaba a **Marta**, a su **hermana** y a **Lázaro**.
Sin embargo, cuando se enteró de que **Lázaro** estaba **enfermo**,
    se detuvo **dos días más** en el lugar en que se hallaba.
Después dijo a sus discípulos: "Vayamos **otra vez** a Judea".
Los **discípulos** le dijeron:
"**Maestro**, hace poco que los judíos querían **apedrearte**,
    ¿y tú vas a **volver** allá?"
Jesús les contestó: "¿**Acaso** no tiene doce horas el día?
El que camina de **día** no tropieza,
    porque ve la **luz** de este mundo;
en cambio, el que camina de **noche** tropieza,
    porque le **falta** la luz".

Dijo esto y **luego** añadió:
"**Lázaro**, nuestro amigo, se ha **dormido**;
    pero yo voy **ahora** a despertarlo".
Entonces le dijeron sus discípulos:
"**Señor**, si duerme, es que va a **sanar**".
Jesús hablaba de la **muerte**,
    pero ellos **creyeron** que hablaba del **sueño natural**.
Entonces Jesús les dijo **abiertamente**:
"Lázaro **ha muerto**, y me alegro por ustedes
    de **no** haber estado ahí,
    para que crean.
Ahora, vamos allá".
Entonces **Tomás**, por sobrenombre el **Gemelo**,
    dijo a los **demás** discípulos:
"Vayamos **también nosotros**, para **morir** con él".

Cuando llegó **Jesús**, Lázaro llevaba **ya cuatro días** en el sepulcro.
Betania quedaba **cerca** de Jerusalén,
como a unos **dos kilómetros y medio**,

Amplía las palabras clarividosas de Jesús paseando la mirada por el recinto, sin fijarte en nadie en particular.

Aligera el ritmo, pero sin precipitación en las partes descriptivas.

---

y su obrar. Por esto, el cristiano agrada a Dios en todo lo que hace con su cuerpo. Lo resultante es una transformación radical, porque la apetencia de la corporeidad que sometía a los humanos al pecado destinándolo a la condenación, ha sido renovada con la novedad del Espíritu de Cristo.

Durante el tiempo cuaresmal, la Iglesia nos conduce por el camino de la renovación. La renovación se da sólo si nos examinamos para descubrir los sutiles hilos con los que el ego nos va atando. Incluso haciendo obras buenas, como un ministerio en la Iglesia, podemos caer en la trampa de rea-

lizarlas porque nos hacen sentir mejores y diferentes a los demás, y así servimos al ego, y no a la novedad que el Espíritu de Cristo nos exige. Honremos al Espíritu que mora en nosotros y llevemos una vida ordenada y altruista, sujeta al Espíritu divino.

EVANGELIO Esta familia de tres hermanos vivía en Betania, poblado que cambió de nombre por el de Lázaro, personaje que la hizo famosa en este evangelio. Es un pueblito adormecido en las faltas orientales del monte de los Olivos. Cuando el hermano cayó grave-

mente enfermo, las hermanas deciden enviar un curioso recado a Jesús: "El amigo a quien tanto quieres está enfermo". Esta familia tiene a Jesús por enviado de Dios.

La respuesta de Jesús es oscura. "Esa enfermedad no acabará en la muerte". Las hermanas no deben preocuparse, la muerte no llegará. Pero esas palabras, en el lenguaje de Juan, tienen un sentido más profundo: esto llevará a la manifestación de Dios. ¿Cómo? Por medio de la resurrección, el Hijo se manifestará capaz de dar vida y tendrá esa gloria como su Padre. De esta forma, se glorificará a su Padre también.

y **muchos** judíos habían ido a ver a **Marta** y a **María**
para **consolarlas** por la muerte de su hermano.
Apenas oyó Marta que Jesús llegaba, **salió** a su encuentro;
pero María **se quedó** en casa.
Le dijo **Marta** a Jesús:
"**Señor**, si hubieras estado aquí, no habría **muerto** mi hermano.
Pero **aún ahora** estoy **segura** de que Dios
te **concederá** cuanto le **pidas**".
Jesús le dijo: "Tu hermano **resucitará**".
Marta respondió:
"**Ya sé** que resucitará en la resurrección del **último día**".
Jesús le dijo: "**Yo soy** la resurrección y la vida.
El que **cree** en mí, aunque haya muerto, **vivirá**;
y todo aquel que está vivo y **cree en mí**,
no morirá para siempre.
¿Crees **tú** esto?"
Ella le contestó:
"**Sí, Señor**. Creo **firmemente** que tú eres el **Mesías**,
el **Hijo de Dios**,
el que tenía que **venir** al mundo".

Después de decir **estas palabras**,
fue a buscar a su hermana **María** y le dijo en **voz baja**:
"**Ya vino** el Maestro y **te llama**".
Al oír **esto**, María **se levantó** en el acto
y **salió** hacia donde estaba **Jesús**,
porque **él** no había llegado aún al pueblo,
sino que estaba en el lugar donde **Marta** lo había **encontrado**.
Los **judíos** que estaban con María en la casa, **consolándola**,
viendo que ella **se levantaba** y salía **de prisa**,
pensaron que iba al sepulcro para **llorar** ahí y la **siguieron**.

Cuando llegó **María** adonde estaba Jesús, al verlo,
se echó a sus pies y le dijo:
"**Señor**, si hubieras estado aquí, no habría **muerto** mi **hermano**".

El diálogo es cuidadoso y de altura teológica; no lo trivialices. Gestiona las inflexiones de tu voz hasta culminar en la confesión de fe de Marta.

Es un cuadro muy similar al de la otra hermana. Pero ahora Jesús va a actuar. Con la gravedad del momento, aviva las palabras del Señor.

En el cuadro siguiente (versos 6–19) resuena algo de lo sucedido antes: el intento de apedrear a Jesús. El tema de la luz y las tinieblas (9:4) se proyecta acá con el día y la noche. Los discípulos tienen miedo y cuando parten, van con la convicción de ir a morir. Así (versículos 11–15) aparece la posibilidad de ayudar a Lázaro. Entonces Jesús habla abiertamente y da la significación teológica. El milagro se relaciona con Dios (v. 4) y con los discípulos (v. 15). Este último signo tiene mucho en común con el primero: reveló su gloria y los discípulos creyeron en él (11:40).

Tenemos dos cuadros similares. Primero llegamos al diálogo entre Jesús y Marta (11:20–27). Marta sale a saludar a Jesús, porque es la dueña de la casa. Las costumbres se imponen. Después es María la que sale a saludar a Jesús (11:28–33). Marta cree en Jesús, pero de una manera inadecuada. Se dirige a Jesús, le responde con títulos que reflejan, sin duda, la reflexión confesional de los primeros cristianos. Jesús es para ella un intercesor al que Dios puede oír, pero no lo entiende como vida.

Puede verse que Marta no espera la resurrección inmediata de su hermano (v. 39). Marta cree que las palabras de Jesús son uno de estos pésames de sociedad. La doctrina bíblica de la resurrección es tardía, de apenas poco más de un siglo antes de Jesucristo. Aquí sale un punto de revelación fundamental: Jesús es la resurrección. En la presente situación Jesús es lo que ella espera sólo para el futuro. Pero Jesús es *la* vida, la vida de lo alto. Las expresiones "yo soy" describen lo que Jesús es para los hombres (ver 6:4. 54; 5:24–25).

Marta responde con títulos. Jesús, para hacerle entender a Marta que él es fuente de vida, hará el milagro. Le hará ver a Marta lo

Jesús, al verla **llorar** y al ver llorar a los judíos
        que la **acompañaban**,
    se conmovió hasta **lo más hondo** y preguntó:
"¿**Dónde** lo han puesto?"
Le contestaron: "**Ven**, Señor, y lo **verás**".
Jesús se puso a **llorar** y los judíos **comentaban**:
"De veras ¡**cuánto lo amaba**!"
Algunos decían:
        "¿No podía **éste**, que abrió los **ojos** al **ciego de nacimiento**,
    hacer que Lázaro **no muriera**?"

Jesús, **profundamente** conmovido **todavía**,
    se detuvo ante el **sepulcro**, que era una **cueva**,
        sellada con una **losa**.
Entonces dijo Jesús: "**Quiten** la losa".
Pero **Marta**, la hermana del que había muerto, **le replicó**:
"**Señor**, ya huele mal, porque lleva **cuatro días**".
Le dijo Jesús:
    "¿No te he dicho que **si crees**,
        verás la **gloria de Dios**?"
Entonces **quitaron** la piedra.

Jesús **levantó** los ojos a lo alto y **dijo**:
"**Padre**, te doy **gracias** porque me has **escuchado**.
Yo **ya sabía** que tú siempre me **escuchas**;
    pero lo he dicho a causa de esta **muchedumbre** que me rodea,
    para que **crean** que tú me has **enviado**".
Luego **gritó** con voz potente: "¡**Lázaro, sal de ahí**!"
Y salió el **muerto**, atados con **vendas** las **manos** y los **pies**,
    y la **cara** envuelta en un **sudario**.
Jesús les dijo: "**Desátenlo**, para que pueda **andar**".

Muchos de los judíos que habían ido a casa de **Marta** y **María**,
    al **ver** lo que había hecho Jesús, **creyeron en él**.

Forma breve: Juan 11:3–7, 17, 20–27, 33b–45

Procura firmeza y calma en la voz de Jesús y cierto titubeo a la de Marta.

La oración de Jesús debe sonar segura y reverente. Guarda una pausa antes del grito de Jesús ante el sepulcro abierto, y otro antes de su resultado.

Pasea la mirada por la congregación como incitándola a unirse a la fe.

---

más profundo que hay en los títulos. La dificultad de Marta está en que no puede entender que la luz y la vida vinieron al mundo.

Acudimos enseguida al diálogo similar entre Jesús y María. Luego vienen los comentarios judíos (28–37).

María saluda a Jesús, como antes su hermana. Lo que cambia, es que María se lanza a los pies de Jesús. Así se pinta en Juan 12:3 (ver Lucas 10:39). La emoción de Jesús viene por la inminencia de la muerte y la lucha contra Satanás.

Jesús confronta la muerte y resucita a Lázaro (11:38–44).

La forma de las palabras de Jesús es la de una oración (vv. 41–42). ¿Por qué reza? ¿Para pedir? No es esta la única forma de orar, la oración de petición. La oración es una forma de unión con Dios. La vida del Cristo juaneo es hacer la voluntad de Dios; su alimento es hacer la voluntad de Dios. Jesús sabe que el Padre lo oye, porque siempre pide lo que es de su agrado (ver 1 Juan 5:14).

Preparado el pueblo para el signo, Jesús llama a Lázaro salir del sepulcro. Hay brevedad en la descripción del milagro. No hay detalles. No está la importancia en lo maravilloso. Lo importante es que Jesús ha dado vida material, símbolo del poder de dar vida eterna sobre esta tierra (escatología realizada) y promete que lo hará al final (escatología consecuente).

Al celebrar litúrgicamente la resurrección del Señor, nos vendrá a la mente y al corazón este hecho, que es el fundamento de nuestra fe y que es lo que le da, en el fondo, sentido a nuestra vida. Estaremos con el Señor para siempre. Sin esto, como nos decía san Pablo, nuestra fe, y nuestra vida entera, sería vana.

DOMINGO DE RAMOS DE LA PASIÓN DEL SEÑOR

Importa mucho que esta proclamación sea audible para todos. Es un momento de algarabía y fiesta, pero no de relajo chabacano.

EVANGELIO Mateo 21:1–11

Lectura del santo Evangelio según san Mateo

Cuando se aproximaban ya a **Jerusalén**,
al llegar a **Betfagé**, junto al **monte de los Olivos**,
envió Jesús a **dos de sus discípulos**, diciéndoles:
"**Vayan** al pueblo que **ven** allí enfrente;
al entrar, **encontrarán** amarrada una **burra**
y un **burrito** con ella;
desátenlos y **tráiganmelos**.
Si **alguien** les pregunta algo,
díganle que el Señor **los necesita** y enseguida los devolverá".

Esto sucedió para que **se cumplieran** las palabras del profeta:
Díganle a la hija de Sión: He aquí que tu rey viene a ti, apacible
y montado en un burro,
en un burrito, hijo de animal de yugo.

Fueron, pues, los discípulos e **hicieron** lo que Jesús
les había **encargado**
y trajeron consigo la **burra** y el **burrito**.
Luego pusieron sobre ellos sus **mantos** y Jesús **se sentó** encima.
La gente, **muy numerosa**, extendía sus **mantos** por el **camino**;
algunos cortaban **ramas** de los árboles y **las tendían** a su paso.
Los que iban delante de él y los que lo seguían **gritaban**:
"*¡Hosanna! ¡Viva el Hijo de David!*
¡Bendito el que viene en nombre del Señor! ¡Hosanna en el cielo!"

Aumenta tu tono de voz y la velocidad de lectura conforme llegan las fogosas aclamaciones de la gente.

PROCESIÓN Esta escena de la entrada de Jesús, un israelita marginal del norte, a la ciudad capital de Jerusalén, está cargada de simbolismo mesiánico de principio a fin. Jesús es recibido como el Mesías esperado por el pueblo pobre y desprotegido de las provincias —la élite de la ciudad nada esperaba— que traería la liberación a todo lo creado. Para resaltar la idea de una redención cósmica, los distintos elementos de la creación se hacen presentes: espacios, seres vivos vegetales, animales y humanos.

Ese episodio se ubicaba simbólicamente en Bet-fagé, la Casa de los *Higos*, junto al monte de los Olivos. Para el pueblo de Israel los higos eran símbolo de sanación (ver 2 Reyes 20:7), mientras que los olivos, fruto del que se sacaba el aceite para la unción (*mashaj*) del Mesías (*meshiaj*) simbolizaban la misión mesiánica (Zacarías 4:11–14). Jesús eligió estos dos lugares simbólicos para iniciar su última semana en Jerusalén, como el Mesías esperado por el pueblo.

Estaba cerca la fiesta de la Pascua; el ambiente festivo y las ramas de los árboles también nos recuerdan a la fiesta de las Tiendas (Levítico 23:24). Esta era la fiesta de más alegría, la más apreciada por el pueblo común. Durante esta fiesta, la comida, la bebida, la danza y el canto animaban las casas israelitas. Con Jesús en Jerusalén, el pueblo se siente en casa y los higos, las aceitunas, las palmas y toda clase de rama adornan el camino a Jerusalén. Están de fiesta, cantan y danzan al paso de su Mesías.

Un canto es recurrente en esta gente numerosa. Un grito melodioso que retumbaba en las murallas de Jerusalén: "¡Hosanna!". Este canto está tomado de un salmo

Al entrar Jesús en Jerusalén, **toda la ciudad** se conmovió.
Unos decían: "¿Quién es **éste?**"
Y la **gente** respondía:
   "**Éste** es el **profeta Jesús**, de **Nazaret** de **Galilea**".

I LECTURA   Isaías 50:4–7

Lectura del libro del profeta Isaías

En aquel entonces, dijo **Isaías**:
"El **Señor** me ha dado una **lengua experta**,
   para que pueda **confortar** al abatido
   con **palabras de aliento**.

Mañana tras mañana, el Señor **despierta** mi oído,
   para que **escuche** yo, como **discípulo**.
El Señor Dios me ha hecho oír **sus palabras**
   y yo no he opuesto **resistencia**
   ni me he **echado** para **atrás**.

Ofrecí la **espalda** a los que me **golpeaban**,
   la mejilla a los que me tiraban de la barba.
No aparté mi rostro de los **insultos** y **salivazos**.

Pero el **Señor** me **ayuda**,
   por eso no quedaré **confundido**,
   por eso **endureció** mi rostro como **roca**
   y sé que no quedaré **avergonzado**".

Aplaza la pregunta como si estuvieras tú mismo turbado.

Prepara esta lectura haciendo tuya esta palabra, de la que eres portavoz. Luego recítala como entregando algo tuyo a la asamblea.

Haz notar la repetición y la constancia en las acciones del Siervo.

Hay un cambio de enfoque desde el "Pero el Señor...". Hazlo relevante para que lo capte la asamblea.

que se cantaba y se danzaba, precisamente, en la fiesta de las Tiendas. Dando gracias a Dios por la salvación recibida en tiempos de angustia, el pueblo de Israel cantaba a toda voz: "¡Yahvé, sálvanos por favor! (*hoshi'a na' 'aná*) (Salmo 118:25). Este verso del salmo ahora es cantado a Jesús (*Yeshu'a*), cuyo nombre significa "Yahvé salva". Jesús es la respuesta al canto del pueblo en la fiesta de las Tiendas que el pueblo de Israel había entonado desde hacía mucho tiempo; es el Mesías que llega para reconciliar a la creación entera.

Ya esa reconciliación debía alcanzar también a los animales, que comparte espíritu (*ruaj*) con la humanidad. Para el profeta Zacarías, el rey mesiánico vendría de manera humilde y victorioso en un *burrito* (Zacarías 9:9). No era sobre un caballo —animal de guerra— como los de los grandes jefes militares de la antigüedad, sino sobre un burro —animal de trabajo— que Jesús entra victorioso a Jerusalén. Su victoria es una victoria de paz, de humildad y de sanación. Su misión mesiánica no es de imposición ni de violencia; no viene a abusar de su poder, sino a ofrecer bendición a los

que se cruzan por su camino. Así como la burra de Balaán cambió la maldición en bendición para el pueblo israelita peregrino por el desierto (Números 22), así Jesús montado sobre una burra y su cría no trae el juicio implacable de un rey, sino la bendición para los que en su camino lo aclaman como rey, Hijo de David.

I LECTURA Este poema religioso es uno de los denominados "cánticos del Siervo". El Siervo (*'ebed*) está inspirado en la conexión que existe, según la teología bíblica, entre el ser humano y los

Para meditar

SALMO RESPONSORIAL   Salmo 21:8–9, 17–18a, 19–20, 23–24

R. Dios mío, Dios mío, ¿por qué me has abandonado?

Al verme se burlan de mí, hacen visajes,
menean la cabeza: "Acudió al Señor,
que lo ponga a salvo; que lo libre si tanto
lo quiere". **R.**

Me acorrala una jauría de mastines, me
cerca una banda de malhechores: me
taladran las manos y los pies, puedo
contar mis huesos. **R.**

Se reparten mi ropa, echan a suerte mi
túnica. Pero tú, Señor, no te quedes lejos;
fuerza mía, ven corriendo a ayudarme. **R.**

Contaré tu fama a mis hermanos, en
medio de la asamblea te alabaré. Fieles
del Señor, alábenlo, linaje de Jacob,
glorifíquenlo, témanle, linaje
de Israel. **R.**

II LECTURA   Filipenses 2:6–11

Lectura de la carta del apóstol san Pablo a los filipenses

Se trata de un canto antiguo, por lo que
hay que procurarle ritmo y cadencia a la
proclamación.

Cristo, siendo **Dios**,
    no consideró que debía **aferrarse**
    a las **prerrogativas** de su condición **divina**,
    sino que, por el **contrario**, **se anonadó** a sí mismo,
    tomando la condición de **siervo**,
    y se hizo **semejante** a los hombres.
Así, hecho uno de ellos, **se humilló** a sí mismo
    y por **obediencia** aceptó **incluso** la muerte,
    y una **muerte** de **cruz**.

Marca la primera línea elevando un poco
tu tono de voz, porque lo que sigue es un
crescendo continuo hasta el final.

Por eso Dios **lo exaltó** sobre **todas** las cosas
    y **le otorgó** el nombre que está sobre **todo** nombre,
    para que, **al nombre de Jesús**, **todos** doblen la rodilla
    en el **cielo**, en la **tierra** y en los **abismos**,
    y **todos** reconozcan **públicamente** que **Jesucristo** es el **Señor**,
    para **gloria** de **Dios Padre**.

animales. La figura enigmática del Siervo de Yahvé que aludiría al profeta Isaías, al pueblo de Israel exiliado en Babilonia o al Mesías, se identifica con la actitud humilde y pacífica de un cordero (*ebed*) llevado al matadero (Jeremías 11:19).

El poema que se proclama como primera lectura en este domingo de Ramos se concentra en la cabeza de ese cordero: lengua, oído, mejilla, barba, rostro. El Siervo de Yahvé tienen una lengua, no para insultar como sus agresores, sino para animar a los abatidos y brindarles palabras de aliento. El Siervo de Yahvé tiene oídos para escuchar

la palabra de Dios, pero también para escuchar insultos sin caer en la provocación. También tiene barba como símbolo de su consagración total, como lo hacían el nazir y el sacerdote (Levítico 19:27; 21:5).

Pero el Siervo, sobre todo, tiene un rostro. En hebreo, el idioma original de este poema, el rostro (*panim*) también se traduce por "presencia". El Siervo se hace presente en el dolor de su pueblo abatido, confundido y avergonzado. Yahvé muestra su rostro de esperanza y misericordia a través del rostro del Siervo-Mesías. Así la primera lectura va desvelando el verdadero

rostro de Jesús-Siervo, la presencia tangible de Dios.

| II LECTURA | La comunidad de Filipo era una de las más apreciadas para san Pablo. Por ese se preocupó muchísimo cuando se enteró que entre ellos había algunas discordias y rivalidades. San Pablo entonces les propuso a Jesucristo como modelo de humildad y servicio, tomando de trasfondo la figura del Siervo de Yahvé del que había profetizado Isaías.

La primera estrofa es un "abajamiento" que comienza en el cielo, el ámbito natural

EVANGELIO   Mateo 26:14—27:66

Pasión de nuestro Señor Jesucristo según san Mateo

Conviene que sean varios los lectores que preparen y proclamen el relato de la Pasión. Mantengan siempre reverencia por el texto y profundo respeto por la asamblea orante.

En **aquel** tiempo, uno de los **Doce**, llamado **Judas Iscariote**,
    fue a ver a los **sumos sacerdotes** y les dijo:
"¿**Cuánto** me dan si les entregó a **Jesús**?"
Ellos quedaron en darle **treinta monedas de plata**.
Y desde ese momento **andaba buscando**
    una **oportunidad** para **entregárselo**.

El **primer día** de la **fiesta** de los panes **Ázimos**,
    los discípulos **se acercaron** a Jesús y le **preguntaron**:
"¿**Dónde** quieres que te preparemos la **cena de Pascua**?"
Él respondió:
"**Vayan** a la ciudad, a casa de Fulano, y **díganle**:
'El **Maestro** dice: Mi **hora** está ya **cerca**.
Voy a celebrar la **Pascua** con mis **discípulos** en tu **casa**'".
Ellos **hicieron** lo que Jesús les había **ordenado**
    y **prepararon** la cena de **Pascua**.

Baja un poco la velocidad de lectura y la voz para darle intimidad a este cuadro.

Al **atardecer**, se sentó a la mesa con los **Doce**,
    y mientras **cenaban**, les dijo:
"Yo les **aseguro** que uno de ustedes va a **entregarme**".
Ellos se pusieron **muy tristes**
    y comenzaron a preguntarle **uno por uno**:
"¿Acaso **soy yo**, Señor?"
Él respondió:
"El que **moja** su **pan** en el **mismo** plato que yo,
    ése va a entregarme.
Porque el **Hijo del Hombre** va a **morir**, como está **escrito** de él;
    pero ¡**ay de aquel** por quien el Hijo del hombre
        va a ser **entregado**!
¡**Más** le valiera a ese hombre **no haber nacido**!"

de la divinidad. La primera palabra del himno es un *nombre*: Cristo; es decir, resalta la condición divina del Hijo de Dios. Pero a diferencia de Adán, prototipo de toda la humanidad y que quiso ser como Dios, Cristo renunció a los privilegios de ser Dios y tomó la condición de Siervo. El Mesías no tomó la forma de un león poderoso como Asiria, ni la de un halcón majestuoso como en Egipto ni la de un imponente leopardo como en Babilonia. El Mesías israelita es una Cordero manso y humilde.

    A partir de haber asumido la naturaleza de un hombre cualquiera, el Hijo de Dios ya

no es mencionado por su *nombre*, sólo es "uno de ellos". Si Adán era el prototipo de la humanidad, el Siervo es el culmen de esa humanidad. Es tanto su abajamiento que experimenta la muerte; vaya contradicción: el Dios que da la vida padece la muerte. Y además no es una muerte cualquiera sino la de un malhechor, una muerte en cruz.

    Pero en la siguiente estrofa del himno todo cambia. Dios va levantándolo de su abatimiento para exaltarlo sobre toda la creación. Con la humildad del Siervo que aceptó la cruz y sus consecuencias, toda la creación —no solo la humanidad— se

benefició de esa salvación: lo de abajo (abismos), lo de en medio (tierra) y lo de arriba (cielo). La salvación es cósmica y no sólo antropológica. En Cristo Jesús el desorden de la creación es ordenado de nuevo. Los humanos asumen su lugar en esa nueva creación, son creaturas y no dioses, junto a los demás seres vivos; y Jesucristo, ya con su *nombre* pleno, regresa al ámbito de lo divino junto a su Padre Dios.

EVANGELIO El momento culminante de la Liturgia de la palabra es la proclamación del evangelio. Un día, cada

Entonces preguntó **Judas,** el que lo iba a entregar:
"¿Acaso **soy yo**, Maestro?"
Jesús le respondió: "**Tú lo has dicho**".

Durante la cena, Jesús **tomó un pan**, y pronunciada la **bendición**,
    lo **partió** y lo dio a sus **discípulos**, diciendo:
"**Tomen y coman**. Este es mi **Cuerpo**".
Luego tomó en sus manos una **copa de vino**,
    y pronunciada la **acción de gracias**,
    la **pasó** a sus discípulos, diciendo:
"**Beban** todos de ella, porque ésta es mi **Sangre**,
    Sangre de la **nueva alianza**,
    que será **derramada** por todos,
    para el **perdón** de los pecados.
Les digo que **ya no beberé** más del fruto de la vid,
    hasta el día en que beba con ustedes el **vino nuevo**
    en el **Reino** de mi Padre".

Después de haber cantado el **himno**,
    salieron hacia el **monte de los Olivos**.
Entonces **Jesús** les dijo:
"**Todos** ustedes se van a **escandalizar** de mí esta noche,
    porque está **escrito**:
Heriré al pastor y *se dispersarán* las ovejas del rebaño.
Pero **después** de que yo **resucite**, iré **delante** de ustedes a **Galilea**".
Entonces Pedro le replicó: "Aunque **todos** se escandalicen de ti,
    yo **nunca** me escandalizaré".
Jesús le dijo:
"**Yo te aseguro** que esta misma noche,
    antes de que el gallo cante, me habrás negado **tres veces**".
Pedro le replicó:
"Aunque tenga que **morir** contigo, **no te negaré**".
Y lo mismo dijeron **todos** los discípulos.

Páusate tres tiempos para que la respuesta de Jesús se prolongue en el ambiente. Luego reinicia la voz del narrador el cuadro siguiente con tono bajo y pausado.

Abarca el recinto con tu mirada al tiempo que anuncias el escándalo por venir.

Procura que se escuche la determinación en las palabras de Pedro. Lo que dice es sumamente serio.

---

tres años, tenemos la oportunidad de escuchar y sentir este relato de la Pasión en la versión del evangelista san Mateo. Esta primera escena nos introduce como lectores en una atmósfera llena de nostalgias, emociones, sentimientos y presentimientos.

Como escenario de la escena tenemos dos espacios, aparentemente opuestos. La primera acción, la de Judas, se desarrolla en el *templo*, lugar sagrado para el judaísmo. Ahí están los sumos sacerdotes, los hombres al servicio del culto sagrado. Ahí deberían realizarse acciones sagradas. Pero acontece lo contrario; en el templo se

fragua la *entrega*. Es una acción deshonesta que traiciona la amistad y vende al amigo por treinta monedas de plata, el precio de un esclavo que ha sido muerto (Éxodo 21:32).

El otro espacio es la casa, un lugar ordinario. Es el lugar de la familia y de los amigos, sin jerarquías ni separaciones rituales. Todos en la misma mesa, compartiendo el alimento y la bebida. Es ahí donde Jesús quiere tener una cena pascual en la fiesta de los panes *ázimos* (sin levadura). Era el *pan* de los viajeros y los peregrinos el que no se endurecía con el paso del tiempo. La

levadura de los fariseos les había endurecido el corazón (ver Lucas 12:1), pero Jesús desea que el corazón de sus discípulos fuera de carne; es decir, solidario con los demás seres vivos.

En esta cena hay pan y vino, alimento y bebida, que simbolizan la comunión de la tierra y el mar. En esta nueva creación no hay separación sino conjunción de lo sagrado y lo profano, del cielo y la tierra, del agua y el pan. Esta comunión cósmica es la que debe imperar en la nueva comunidad de los discípulos, sin distinciones ni jerarquías. Pero es también la cena de la memoria de

Aunque la escena ocurre al aire libre, las palabras de Jesús deben escucharse graves y pausadas.

El reproche de Jesús no debe sonar exasperado o ni exaltado, sino más bien como de decepción.

Aquí conviene acelerar la velocidad como para hacer notar la violencia en la aprehensión del Señor.

Entonces Jesús fue con ellos a un lugar llamado **Getsemaní**,
y dijo a los **discípulos**:
"**Quédense** aquí mientras yo voy a orar **más allá**".
Se llevó consigo a **Pedro** y a los dos **hijos de Zebedeo**
y comenzó a sentir **tristeza** y **angustia**. Entonces les dijo:
"Mi alma está llena de una **tristeza mortal**.
Quédense aquí y velen **conmigo**".
Avanzó unos pasos más,
se postró rostro en tierra y **comenzó a orar**, diciendo:
"**Padre** mío, si es **posible**, que **pase** de mí este **cáliz**;
pero que no se haga como **yo quiero**, sino como **quieres tú**".

Volvió entonces a donde estaban los **discípulos**
y los encontró **dormidos**.
Dijo a **Pedro**:
"¿No han podido velar conmigo **ni una hora**?
Velen y oren, para no caer en la **tentación**,
porque el **espíritu** está **pronto**, pero la **carne** es **débil**".
Y alejándose **de nuevo**, se puso a **orar**, diciendo:
"**Padre** mío, si este **cáliz** no puede pasar sin que yo lo **beba**,
hágase tu voluntad".
Después **volvió** y **encontró** a sus discípulos **otra vez** dormidos,
porque tenían los ojos **cargados** de sueño.
Los dejó y se fue a orar de nuevo por **tercera vez**,
repitiendo las **mismas palabras**.
Después de esto, **volvió** a donde estaban los **discípulos** y les dijo:
"**Duerman** ya y **descansen**. He aquí que **llega la hora**
y el **Hijo del hombre** va a ser **entregado** en manos
de los **pecadores**.
¡**Levántense**! ¡**Vamos**! Ya está **aquí** el que me va a **entregar**".

Todavía estaba hablando Jesús, cuando llegó **Judas**,
uno de los **Doce**,
seguido de una chusma **numerosa** con **espadas** y **palos**,
enviada por los **sumos sacerdotes** y los **ancianos** del pueblo.

la libertad. Y en ese ejercicio de libertad, como Adán y Eva en el Paraíso o el pueblo de Israel en el desierto, Judas ha decidido entregar al amigo.

La cena comienza con algunos de los elementos propios de una cena pascual israelita. Ahí está el *pan* ázimo y la copa de *vino*. Falta el cordero como estaba estipulado por la Torah, pero no era necesario, pues ahí estaba Jesús, el Siervo-Cordero de la Nueva Pascua. Tampoco se mencionan en la cena las hierbas amargas que representaban la amargura de la esclavitud en Egipto

(Éxodo 12:8), pues en la Nueva Pascua ya no hay amargura sino el gozo de la libertad.

Las *manos* de Jesús son mencionadas de manera intencional. Con las manos se puede golpear, abofetear o amenazar, pero Jesús las usa para partir el pan (com-partir) y darlo a sus discípulos. Son manos que no están cerradas (en forma de puño), sino abiertas para bendecir, partir y compartir.

Terminada la cena en la *casa*, se trasladan al *monte* de los Olivos y el lenguaje cambia de lo hogareño (pan, vino, uva) al de los ranchos (pastor, ovejas, gallo). El gallo cantaba al despuntar el alba, lanzando su

sonoro llamado para que el pastor saliera a guiar sus ovejas a los montes. Pero Jesús le anuncia a Pedro que un gallo ¡desorientado! cantará tres veces de noche. Ese gallo es Pedro, quien también está desorientado, arrojado e impetuoso en su declaración de fidelidad, pero débil y voluble en los momentos difíciles. Pedro y el gallo "cantan" de noche, en el tiempo de las tinieblas, donde las ovejas se dispersan en la oscuridad y el pastor queda herido por la traición. Es la hora de divagación, es la hora del abismo. La creación entera, la tierra y el mar,

El que lo iba a entregar les había dado **esta señal**:
"**Aquel** a quien yo le dé un **beso, ése** es. **Aprehéndanlo**".
Al **instante** se acercó a Jesús y le dijo:
"¡Buenas noches, **Maestro!**". Y lo **besó**.
Jesús le dijo: "Amigo, ¿es **esto** a lo que has venido?"
Entonces **se acercaron** a Jesús, **le echaron** mano y **lo apresaron**.

Uno de los que estaban con Jesús **sacó la espada**,
    hirió a un **criado** del sumo sacerdote y **le cortó** una **oreja**.
Le dijo entonces Jesús:
"**Vuelve** la espada a su lugar, pues **quien** usa la **espada**,
    a espada **morirá**.
¿No **crees** que si yo se lo **pidiera** a mi **Padre**,
    él pondría **ahora mismo** a mi disposición
    más de **doce legiones** de ángeles?
Pero, ¿**cómo** se cumplirían entonces las **Escrituras**,
    que dicen que **así** debe suceder?"
Enseguida dijo Jesús a aquella **chusma**:
"¡Han salido ustedes a **apresarme** como a un **bandido**,
    con **espadas** y **palos**?
Todos los días yo **enseñaba**, sentado en el **templo**,
    y no me **aprehendieron**.
Pero **todo esto** ha sucedido
    para que **se cumplieran** las predicciones de los **profetas**".
Entonces **todos los discípulos** lo **abandonaron** y **huyeron**.

Los que **aprehendieron** a Jesús
    lo **llevaron** a la **casa** del sumo sacerdote **Caifás**,
    donde los **escribas** y los **ancianos** estaban **reunidos**.
Pedro los fue siguiendo de **lejos**
    hasta el **palacio** del **sumo sacerdote**.
Entró y se **sentó** con los **criados** para ver en **qué paraba aquello**.

Los sumos sacerdotes y **todo el sanedrín**
    andaban buscando un **falso testimonio** contra Jesús,
    con ánimo de **darle muerte**; pero no lo **encontraron**,
    aunque se **presentaron** muchos **testigos falsos**.

La violencia es mayor, pero la voz de Jesús debe sonar elevada y serena.

Alarga la última línea del párrafo y haz contacto visual con la congregación. Haz una pausa de dos tiempos antes de retomar el relato de lo sucedido en el sanedrín.

han quedado en densa oscuridad y espesa niebla (Isaías 5:30).

Nuevamente Jesús cambia de locación. Del Monte de los Olivos se traslada a Getsemaní, un lugar cuya etimología hebrea (*gat-shemen*) alude a la prensa con la que se machacaban las aceitunas para obtener el aceite de olivo. Jesús se apropia de un espacio ordinario y lo convierte en un lugar profundamente simbólico. En el Antiguo Testamento la prensa era un símbolo muy potente del juicio de Dios, tanto para las naciones extranjeras (Isaías 63:2) como para el pueblo de Israel (Joel 3:13). En ambos casos,

dicha máquina que saca el jugo a la aceituna o a la uva denota sufrimiento y angustia.

Jesús se identifica con esa prensa en su sentir interior. Tristeza y angustia son sentimientos que no puede ni quiere ocultar a sus discípulos. No hay nada deshonroso en abrir su corazón y compartir sus emociones más profundas. Al contrario, Jesús necesita de sus mejores amigos en esos momentos de angustia. Por eso elige a Pedro (roca), y los hijos de Zebedeo o Boanerges (hijos del trueno); necesita de la fortaleza de una *roca* (Salmo 18:2) y de una voz de *trueno* que lo sostenga (Salmo 81:7). Pero

ellos duermen en el momento en que más se les necesita.

Jesús, en cambio, no puede dormir; pide no beber del *cáliz*. Para el Antiguo Testamento el cáliz era un signo de la ira de Yahvé (Isaías 51:22), por eso se resiste a probarlo. La copa de salvación de la cena pascual con sus discípulos se ha convertido en un cáliz de sufrimiento.

El cambio de escena es dramático: de la tranquilidad e intimidad de Jesús con sus amigos a lo caótico y apresurado de una muchedumbre frenética. Esa chusma trae en sus manos *espadas y palos*. ¡Vaya contraste!

Aminora la velocidad. Las distintas hacen el juego dramático, pero deben atenerse a los signos de puntuación.

Al fin llegaron dos, que dijeron:
"**Éste** dijo: 'Puedo **derribar** el templo de Dios
   y reconstruirlo en **tres días**'".
Entonces el **sumo sacerdote** se levantó y le dijo:
"**¿**No respondes **nada** a lo que **éstos** atestiguan en **contra tuya?**"
Como Jesús **callaba**, el **sumo sacerdote** le dijo:
"Te **conjuro** por el Dios **vivo**
   que nos digas si **tú** eres el **Mesías**, el Hijo de Dios".
Jesús le respondió: "**Tú** lo has dicho.
Además, yo les **declaro**
   que **pronto** verán al **Hijo del hombre**,
     sentado a la derecha de Dios,
  venir sobre las nubes del cielo".

Aquí, la voz del sumo sacerdote debe sonar elevada mientras hace contacto visual con la asamblea. Se trata de un juicio en regla, no de un linchamiento entre gritos y empellones.

Entonces, el sumo sacerdote **rasgó** sus vestiduras y **exclamó**:
"**¡**Ha **blasfemado!** ¿Qué **necesidad** tenemos **ya** de **testigos?**
Ustedes mismos han oído la blasfemia. ¿**Qué les parece?**"
Ellos respondieron: "Es reo de **muerte**".
Luego comenzaron a **escupirle** en la **cara** y a darle **bofetadas**.
Otros lo **golpeaban**, diciendo:
"Adivina **quién** es el que te ha **pegado**".

Las voces de las criadas son asertivas; la de Pedro cada vez menos sosegada.

Entretanto, **Pedro** estaba **fuera**, sentado en el **patio**.
Una **criada** se le **acercó** y le **dijo**:
"**Tú también** estabas con **Jesús**, el galileo".
Pero él lo **negó** ante **todos**, diciendo:
"**No sé** de qué me estás hablando".
Ya se iba hacia el **zaguán**,
   cuando lo vio **otra criada** y dijo a los que estaban ahí:
"**También ése** andaba con **Jesús**, el nazareno".
Él de nuevo lo **negó** con **juramento**:
"**No conozco** a ese hombre".
Poco después se acercaron a **Pedro**
   los que estaban ahí y le dijeron:
"No cabe duda de que **tú también** eres de ellos,
   pues **hasta** tu **modo de habla**r te delata".

Cuando Jesús entró a Jerusalén la gente lo recibió con ramos y mantos en *mano*; unos días después, todo ha cambiado.

Las *espadas* representan el *metal*, el material confeccionado en arma para herir; es el arma del soldado. El *palo* es más un utensilio de *madera* de trabajo, como la vara del pastor y el arado del campesino. La espada es confeccionada con aleación, fundición y herrería; el palo es materia prima sin manipulación. Esos dos utensilios representan la confabulación de las fuerzas del mal contra el Mesías: soldados y civiles; violencia institucionalizada y violencia espontánea.

De la chusma enardecida y los soldados adiestrados se esperaría una reacción adversa, algo impensable de un amigo. Jesús no llama a Judas por diplomacia, sino porque en verdad así lo consideraba. Y Judas lo entrega con el gesto más íntimo de dos personas que se aman: el beso. Así como el rey David había sido traicionado con un beso (2 Samuel 14:33), así Jesús es traicionado con el beso de un amigo. El que había compartido todo por tres años con Jesús, ahora lo traicionaba (Salmo 41:10).

La narración de la Pasión según san Mateo es rica en dramatismo. Como en todo

buen drama, nos lleva de escenas caóticas a la tranquilidad de la casa. Un mero trámite, la sentencia estaba decretada desde antes. Pero ¿cuál era el delito de Jesús? El sumo sacerdote lo acusa de blasfemo. Excepto un caso muy concreto donde se apedreó a un blasfemo egipcio (Levítico 24), la Ley no consideraba a la blasfemia un delito que mereciera la muerte. Pero el sumo sacerdote y su sanedrín interpretan las leyes a su manera, desvirtuándolas.

Reo de muerte es la sentencia, sin importar el debido proceso ni la interpretación alevosa de la ley. Aquellos hombres eran los

Este parágrafo tiene dos momentos. El segundo debe pasar a menor velocidad.

Entonces él comenzó a echar **maldiciones**
    y a jurar que **no conocía** a aquel hombre.
Y en aquel momento **cantó el gallo**.
Entonces **se acordó** Pedro de que **Jesús** había dicho:
"**Antes** de que **cante** el gallo, me habrás negado **tres veces**".
Y **saliendo** de ahí se soltó a llorar **amargamente**.

Llegada la **mañana**,
    todos los **sumos sacerdotes** y los **ancianos** del pueblo
    celebraron consejo **contra Jesús** para **darle muerte**.
Después de **atarlo**, lo llevaron ante el procurador, **Poncio Pilato**,
    y se lo **entregaron**.

Este cuadro es muy dramático. Las palanras de Judas muestran su genuino arrepentimiento y deben sonar sinceras.

Entonces **Judas**, el que lo había **entregado**,
    viendo que Jesús había sido **condenado a muerte**,
    devolvió **arrepentido** las **treinta monedas** de plata
    a los **sumos sacerdotes** y a los **ancianos**, diciendo:
"**Pequé**, entregando la sangre de un **inocente**".
Ellos dijeron:
    "¡Y a nosotros **qué** nos importa? Allá **tú**".
Entonces Judas **arrojó** las monedas de plata en el templo,
    se **fue** y se **ahorcó**.

Los **sumos sacerdotes** tomaron las **monedas de plata**, y dijeron:
"No es **lícito juntarlas** con el dinero de las **limosnas**,
    porque son **precio de sangre**".
Después de deliberar, **compraron** con ellas el **campo del alfarero**,
    para **sepultar** ahí a los **extranjeros**.
Por eso aquel campo se llama **hasta el día de hoy**
        "**Campo de sangre**".
Así **se cumplió** lo que dijo el profeta **Jeremías**:
*Tomaron las **treinta monedas** de plata en que fue **tasado**
    aquel a quien **pusieron precio** algunos hijos de **Israel**,
    y las dieron por el **campo del alfarero**,
        según lo que me ordenó el **Señor**.*

líderes religiosos, los especialistas en la Escritura, los teólogos oficiales. Se sentían con derecho a torcer el sentido original de las normas, aunque eso significara la muerte de un inocente. La peor perversión que hay es la de quien utiliza el nombre de Dios o su Escritura para sentirse con derecho de juzgar, agredir o asesinar.

El evangelista nos da otro respiro en una trama que avanza vertiginosamente. Mientras Jesús continúa *dentro* de la casa del sumo sacerdote, Pedro se mantiene pasivo *fuera*. Pero pronto su pasividad será interrumpida por una mujer cuyo nombre

desconocemos. Esa mujer anónima, sin proponérselo, hará que Pedro salga de su letargo para tomar postura frente a Jesús, aunque, en ese momento, haya sido de negación. Ella y la otra "criada" hacen lo que muchas mujeres en su anonimato: son mujeres protagonistas que contribuyen al plan de Dios.

La primera negación de Pedro es en realidad una negación de sí mismo: "no sé de qué estás hablando". Pedro niega su identidad galilea, la tierra de sus padres y de su familia, donde vivía su esposa y sus hijos. El verbo usado por Pedro (saber – *oida*) im-

plica que nunca ha visto a esos galileos con los que lo querían relacionar. La segunda negación es con relación a su Maestro: "No conozco a ese hombre". Al negar al Maestro, Pedro termina por negar a sus hermanos de comunidad cuando le espetan: "[T]ú también eres de ellos". Pedro ha caído a lo más profundo de su dignidad personal, negando sus raíces, su guía y sus compañeros. Pedro es un necio, un tonto que no ha comprendido que con esas tres negaciones se pierde a sí mismo. Afortunadamente, el gallo que fue dotado de inteligencia en la creación (Job 38:36) estaba

Arranca una secuencia de cuadros nuevos. El diálogo está presente, pero son más las líneas descriptivas. Avanza sin precipitaciones ni salidas de tono.

El consejo de la mujer de Pilato ha de sonar como un mensaje poderoso.

Jesús compareció ante el procurador, **Poncio Pilato,**
     quien le preguntó:
"¿Eres **tú** el rey de los **judíos?**"
Jesús respondió: "**Tú** lo has dicho".
Pero **nada** respondió a las **acusaciones** que le hacían
     los **sumos sacerdotes** y los **ancianos.**
Entonces le dijo **Pilato:**
"¿No oyes **todo** lo que dicen **contra ti?**"
Pero él **nada** respondió,
     hasta el punto de que el **procurador** se quedó **muy extrañado.**
Con ocasión de la fiesta de la **Pascua,**
     el procurador solía **conceder** a la multitud
     la **libertad** del preso que **quisieran.**
Tenían entonces un **preso famoso,** llamado **Barrabás.**
Dijo, pues, Pilato a los **ahí reunidos:**
"¿A **quién** quieren que le deje en **libertad:**
     a **Barrabás** o a **Jesús,** que se dice el **Mesías?**"
Pilato sabía que se lo habían entregado **por envidia.**

Estando él sentado en el tribunal, **su mujer** mandó decirle:
"**No te metas** con ese hombre justo,
     porque **hoy** he sufrido mucho en sueños **por su causa**".

Mientras tanto, los **sumos sacerdotes** y los **ancianos**
     convencieron a la **muchedumbre**
     de que pidieran la **libertad** de **Barrabás** y la **muerte** de **Jesús.**
Así, cuando el procurador les **preguntó:**
"¿A **cuál** de los dos quieren que les **suelte?**"
Ellos respondieron: "A **Barrabás**".
Pilato les dijo:
"¿Y qué voy a hacer con **Jesús,** que se dice el **Mesías?**"
Respondieron todos: "**Crucifícalo**".
Pilato preguntó: Pero, ¿qué **mal** ha hecho?"
Mas ellos seguían **gritando cada vez** con más fuerza:
     "**¡Crucifícalo!**"

ahí para recordárselo. Pedro, y todos los que alguna vez tenemos dudas, necesita de un gallo que le muestre el camino para regresar a la dignidad.

Después del episodio de las tres negaciones de Pedro, continúa el relato con la escena de las tres entregas de Judas. El relato de la Pasión comienza con la confabulación de Judas con los sacerdotes para *entregar* a Jesús (Mateo 26:15). Esa *entrega* se efectuó con un beso (Mateo 26:48–49). Y finalmente Jesús es *entregado* a Pilato para ser sentenciado a muerte. Por esta razón en esta escena de la Pasión el verbo *entregar*

(*paradídomi*) se repite en tres ocasiones. En la versión griega del Antiguo Testamento, este verbo es utilizado casi siempre en relación con la entrega de alguien a los enemigos. La paradoja es evidente: Judas ha entregado tres veces a Jesús, que lo consideraba su amigo.

Sobresale el lenguaje comercial que se utiliza en la entrega de Judas: entrega, monedas, precio, comprar, tasar. Se le pone precio a la vida de una persona; es tratada como una mercancía por el sistema económico deshumanizado. Cuando la ganancia económica se vuelve lo más importante,

la vida humana es considerada una simple mercancía.

Del templo pasamos al interior del palacio provisional de Pilatos en Jerusalén, probablemente un edificio alto junto al templo que era conocido como la Fortaleza Antonia. Ese lugar simbólico de autoridad es el escenario para el encuentro entre hombres que quieren imponer su autoridad. Pilatos es el procurador, quien representa la imposición imperial. No obstante todo su poder *político*, no logra sacar una sola palabra de Jesús; su poder no es absoluto. También están ahí los sacerdotes y ancianos judíos,

Dale un tono severo y sentencioso a las palabras de Pilato.

Entonces **Pilato**,
viendo que **nada** conseguía y que **crecía** el **tumulto**
pidió agua y **se lavó las manos** ante el pueblo, diciendo:
"Yo no me hago **responsable** de la **muerte** de este hombre **justo**.
Allá ustedes".
Todo el pueblo respondió:
"¡Que su **sangre caiga** sobre **nosotros** y sobre **nuestros hijos**!"
Entonces Pilato **puso en libertad** a Barrabás.
En cambio a Jesús lo hizo **azotar** y lo **entregó**
para que lo **crucificaran**.

La soldadesca inicia el sobajamiento violento del Rey. La rudeza muéstrala también en tu voz, haciéndola tajante, sin alargar frases o palabras.

Los **soldados** del procurador **llevaron** a Jesús al **pretorio**
y **reunieron** alrededor de él a **todo el batallón**.
Lo **desnudaron** y le echaron encima un **manto de púrpura**,
trenzaron una **corona de espinas** y se la pusieron **en la cabeza**;
le pusieron una **caña** en su mano derecha,
y **arrodillándose** ante él, **se burlaban** diciendo:
"¡Viva el **rey** de los **judíos**!",
y le **escupían**.
Luego, **quitándole** la caña, **golpeaban** con ella en la **cabeza**.
Después de que **se burlaron** de él, le **quitaron** el manto,
le **pusieron sus ropas** y lo llevaron a **crucificar**.

La crucifixión es algo a contemplar. No avances rápido. Puntúa cada acción y tú mismo observa lo que vas proclamando.

Al salir, encontraron a un hombre de **Cirene**, llamado **Simón**,
y **lo obligaron** a llevar la **cruz**.
Al llegar a un lugar llamado **Gólgota**,
es decir, "**Lugar de la Calavera**",
le dieron a **beber** a Jesús **vino** mezclado con **hiel**;
él lo **probó**, pero **no lo quiso beber**.
Los que lo crucificaron **se repartieron** sus vestidos,
echando suertes,
y se quedaron sentados **para custodiarlo**.
Sobre su cabeza pusieron **por escrito** la **causa de su condena**:
'**Éste** es Jesús, el **rey** de los **judíos**'.
Juntamente con él, crucificaron a **dos ladrones**,
uno a su **derecha** y el **otro** a su **izquierda**.

con el poder *religioso*, pero tampoco logran imponer su fuerza y no obtienen respuesta alguna de Jesús. Incluso hay un preso que, a través de la violencia, tiene una posición de poder *social*. Es estimado por el pueblo, pero tampoco logra nada.

En contraste con esos *hombres* que se creen poderosos, entra en la escena una *mujer* anónima. En una sociedad patriarcal, esa mujer no debía tener poder, ni siquiera debía hablar. Pero es la única que logra ver en Jesús a un hombre justo. Aunque carecía de poder político, religioso o social, es quien habla con mayor sabiduría. Ella es el verda-

dero poder de Dios que habla por los y las humildes de la tierra.

Hemos salido del palacio para la confrontación entre Pilatos y el pueblo. Tiene una decisión que tomar: libertad o muerte del hombre justo. Para apaciguar su conciencia, se lava las manos con *agua*, uno de los elementos más simbólicos de las acciones purificadoras en la humanidad. No hubo jurado ni defensores, faltó la deliberación. Fue una decisión arbitraria de un hombre military que terminó por liberar al delincuente y asesinar al inocente. El derecho fue

trasgredido y ni toda el agua del mundo puede ocultarlo.

Y si Pilatos recurrió al *agua*, el pueblo pronuncia la *sangre*: "Que su *sangre* caiga sobre nosotros". El relato de Caín y Abel se repite con este fratricidio. Los hermanos de raza de Jesús piden su crucifixión. Nos recuerda la pregunta de Yahvé a Caín después de éste asesinar a su hermano: "¿Qué has hecho? Se oye la *sangre* de tu hermano clamar a mí desde el suelo" (Génesis 4:10). Los hermanos de José, hijos de Jacob, no quisieron derramar la *sangre* de su hermano (Génesis 37:22), pero ahora el Hijo de Dios

En este cuadro, el talante de burla mordaz debe estar presente en estas palabras.

Los que pasaban por ahí,
     lo insultaban moviendo la cabeza y **gritándole**:
"**Tú**, que destruyes el templo y en tres días **lo reedificas**,
     sálvate a ti mismo; si eres el Hijo de Dios, **baja** de la cruz".
También se burlaban de él los **sumos sacerdotes**,
     los **escribas** y los **ancianos**, diciendo:
"Ha salvado a otros y no puede salvarse **a sí mismo**.
Si es el rey de Israel, que **baje de la cruz y creeremos** en él.
Ha puesto su **confianza** en **Dios**,
     que Dios lo salve **ahora** si es que **de verdad** lo ama,
          pues él ha dicho: '**Soy el Hijo de Dios**'".
Hasta los ladrones que estaban crucificados a su lado
     lo injuriaban.

Desde el **mediodía** hasta las **tres de la tarde**,
     se oscureció **toda** aquella tierra.
Y alrededor de las **tres**, Jesús exclamó **con fuerte voz**:
"*Elí, Elí, ¿lemá sabactaní?*",
     que quiere decir: "**Dios mío, Dios mío,**
          ¿por qué me has abandonado?"
Algunos de los presentes, al oírlo, decían: "Está llamando a **Elías**".

Estas palabras de Jesús deben ser fuertes en volumen, pero pausadas.

Enseguida uno de ellos fue corriendo a tomar una **esponja**,
     la **empapó** en vinagre y sujetándola a una caña,
          le **ofreció de beber**.
Pero **otros** le dijeron:
"**Déjalo. Veamos** a ver si viene Elías a **salvarlo**".
Entonces Jesús, dando de nuevo un **fuerte** grito, **expiró**.

[Aquí todos se arrodillan y guardan silencio por unos instantes.]

Conviene al lector ser muy claro en la indicación, además de dar la posibilidad de permanecer en pie o sentados para personas con alguna capacidad diferente.

derramará la *sangre* por la obstinación de unos cuantos.

Sangre y agua, unidos por el sacrificio del Hijo de Dios. Es la plenitud de un ritual por el pecado que se hacía en el Antiguo Testamento con un pájaro (Levítico 14:52). Fue el mismo sacrificio con que inició la vida de Jesús en su niñez (Lucas 2:24), pero que ahora se repite para toda la casa común, para la creación entera.

Ahora salimos del pretorio. Nos situamos en un camino hacia las afueras de la ciudad. Está por cumplirse la profecía de Jesús sobre Jerusalén que mata a sus pro-

fetas (Mateo 23:37). Por las calles había un hombre, quizá simpatizante del judaísmo, que había venido del norte de África (Hechos 2:10). Quizá sólo estaba ahí por curiosidad o por morbo; igual fue obligado a llevar la cruz de Jesús. El sistema imperial ejerce tanto poder sobre sus súbditos, que es capaz de hacer cómplices de una muerte a cualquier persona.

A su izquierda y a su derecha hay dos ladrones. La trama nos hace recordar otras dos escenas. La primera es la de Moisés levantando los brazos para interceder por su pueblo, mientras los sacerdotes Aarón y Jur

le sostenían los brazos a si izquierda y derecha (Éxodo 17:12). La otra escena es la del sacerdote Esdras parado sobre un estrado de madera, con levitas a su derecha y a su izquierda para ayudarle a leer la Ley al pueblo (Nehemías 8:4). Y ahí estaba Jesús, no con sacerdotes o levitas a su lado, sino con dos subversivos (*lestai*). Esa es la nueva forma de la salvación que muchos de sus contemporáneos, y otros tantos de la actualidad, no pueden comprender.

El relato mateano nos lleva a la cúspide, geográfica y narrativa, del Calvario. Las últimas palabras pronunciadas de Jesús

La frase del centurión debe sonar extasiada. Después de esta confesión, la narración vuelve a la serenidad.

Entonces el **velo** del templo **se rasgó** en dos partes,
        de **arriba a abajo**,
        la **tierra tembló** y las **rocas se partieron**.
Se abrieron los **sepulcros**
        y resucitaron **muchos justos** que habían **muerto**,
        y **después** de la resurrección de **Jesús**,
        entraron en la ciudad santa y se aparecieron a **mucha gente**.
Por su parte, el **oficial** y los que estaban con él
        custodiando a Jesús,
        al ver el **terremoto** y las cosas que ocurrían,
        se llenaron de un **gran temor** y dijeron:
"Verdaderamente **éste** era Hijo de Dios".

Estaban **también** allí,
        mirando desde lejos, **muchas de las mujeres**
        que habían **seguido** a Jesús desde Galilea **para servirlo**.
Entre ellas estaban **María Magdalena**,
        María, la madre de **Santiago** y de **José**,
        y la madre de los **hijos de Zebedeo**.

Al atardecer, vino un **hombre rico** de **Arimatea**, llamado **José**,
        que se había hecho **también** discípulo de Jesús.
Se presentó a **Pilato** y le pidió el **cuerpo de Jesús**,
        y Pilato **dio orden** de que se lo **entregaran**.
José **tomó** el cuerpo, **lo envolvió** en una sábana limpia
        y **lo depositó** en un sepulcro **nuevo**,
        que había hecho excavar en la roca para **sí mismo**.
Hizo rodar una **gran piedra** hasta la entrada del sepulcro
        y **se retiró**.
Estaban ahí **María Magdalena** y la **otra María**,
        sentadas frente al **sepulcro**.

fueron un verso del Salmo 22. El cansancio debía ser extremo; aun así sacó fuerzas de flaqueza para gritara su Padre Dios, como el orante del Salmo 17:1: "Escucha, Yahvé, mi causa, hazme caso cuando grito, presta oído a mi plegaria". El sentimiento de abandono es el extremo de Jerusalén que se siente abandonada después de su destrucción por los babilonios: "Yahvé me ha abandonado, el Señor me ha olvidado" (Isaías 49:14).

Jerusalén llora por la muerte del más justo de sus hijos. Por eso su muerte tienen repercusiones cósmicas. El velo que sepa-

raba el lugar sagrado (Santo de los Santos) del lugar profano se ha desgarrado, como cuando se desgarraron los cielos en el bautismo (Mateo 3:16). Lo que separaba lo humano de lo divino no existe más. Con el sacrificio de Jesús, la comunión (shalom) de toda la creación se ha reestablecido. El gran terremoto de la madre tierra es como una sacudida a la ideología que dividía todo en buenos y malos; puros e impuros; sagrados y profanos. Hasta los muertos han resucitado, derribando la barrera que dividía el mundo de los muertos y de los vivos. Para

el Dios de Jesús todos están vivos, todo es sagrado.

Nuevamente san Mateo nos cambia de ubicación. Nos baja de la cruz para mostrarnos, tras bambalinas, a las mujeres que miran desde lejos. Pedro, Judas y los demás discípulos hombres habían abandonado a Jesús, pero ellas, las discípulas, seguían ahí fieles hasta el final. Un hombre de Arimatea fue quien se hizo cargo del cuerpo de Jesús. Arimatea era el nombre griego de una pequeña población hebrea llamada Ramá. De ahí era originario Samuel, el último de los jueces, quien ungió el cuerpo del

Una pausa debe introducir la última escena
de la Pasión, acontecida un día después.

Las palabras de Pilatos son una orden militar,
y así deben sonar.

Al **otro día**, el siguiente de la **preparación** de la **Pascua**,
   los **sumos sacerdotes** y los **fariseos**
      se reunieron **ante Pilato** y le dijeron:
"**Señor**, nos hemos **acordado** de que ese **impostor**,
   estando **aún en vida**, dijo:
      'A los tres días **resucitaré**'.
Manda, pues, **asegurar** el sepulcro hasta el **tercer día**;
   no sea que vengan sus discípulos, **lo roben** y digan al pueblo:
      '**Resucitó** de entre los muertos',
   porque esta **última impostura** sería **peor** que la **primera**".
Pilato les dijo: "**Tomen** un pelotón de **soldados**,
   seguren el sepulcro como **ustedes quieran**".
Ellos fueron y **aseguraron** el sepulcro,
   poniendo un **sello** sobre la puerta y dejaron **ahí** la guardia.

Forma breve: Mateo 27:11–54

primer rey de Israel. Ahora le toca a este
José de Ramá ungir el cuerpo de Jesús, el
rey pleno de Israel. Envuelve el cuerpo en
una sábana y lo coloca en una cueva exca-
vada en la piedra. El sepulcro silencioso y
frío es el mejor símbolo del inicio de esta
Semana Santa, que pide de los creyentes
una espera silenciosa y cautelosa, y una reflexión meditativa.

6 DE ABRIL DE 2023

JUEVES SANTO, MISA VESPERTINA DE LA CENA DEL SEÑOR

I LECTURA   Éxodo 12:1–8, 11–14

Lectura del libro del Éxodo

En **aquellos** días, el Señor les dijo a **Moisés** y a **Aarón**
     en tierra de **Egipto:**
"**Este mes** será para ustedes el **primero** de **todos** los meses
     y el **principio** del año.
Díganle a **toda** la comunidad de Israel:
'El día **diez** de este mes, tomará cada uno un cordero por
       familia, uno por **casa.**
Si la familia es **demasiado pequeña** para comérselo,
     que se junte **con los vecinos**
     y elija un cordero adecuado **al número** de personas
     y a la cantidad que **cada cual** pueda comer.
Será un animal **sin defecto,** macho, de un año, cordero o cabrito.

Lo guardarán hasta el día **catorce** del mes,
     cuando **toda la comunidad** de los hijos de Israel
       lo inmolará **al atardecer.**
Tomarán la sangre y rociarán **las dos jambas**
     y el **dintel de la puerta** de la casa
     donde vayan a comer el **cordero.**
Esa noche comerán la **carne,** asada a fuego;
     comerán **panes sin levadura** y **hierbas amargas.**
Comerán **así:**
     con la **cintura ceñida,** las **sandalias** en los **pies,**
     un **bastón** en la **mano** y a **toda prisa,**
     porque es la **Pascua,** es decir, el **paso del Señor.**

La declaración es solemne, pues se está proclamando el fundamento de la principal fiesta hebrea. Procura otorgar un tono adecuado.

Las palabras sobre el ritual de la aspersión de sangre deben leerse de manera más pausada.

I LECTURA La primera luna llena de la primavera daba la oportunidad a los pastores del Medio Oriente para sacar los rebaños de ovejas a pastar después de las lluvias y el frío del invierno. En hebreo, la palabra *mes* (*hodesh*) designa originalmente la luna nueva. La celebración de Pascua nació entonces como una celebración de la luna, relacionada con la fertilidad y la regeneración.

En esa celebración, el pueblo de Israel debía renovar su fe en el Dios liberador y reafirmar su deseo de nacer como un nuevo pueblo. Para ello se valieron de símbolos de la creación. Los símbolos más importantes fueron el cordero y la sangre. El cordero representa la esperanza de una nueva generación, mientras que la sangre mantiene con vida a esa generación. El cordero se come, pero la sangre no se bebe. Será hasta la última cena de Jesús cuando se sugiera que es necesario comer carne y beber sangre —del Cordero Pascual— lo que simbolizará una nueva alianza.

II LECTURA San Pablo era consciente que las palabras que transmite no son de él, sino que las memorizó de su primera catequesis y representan una de las confesiones de fe más antiguas en el cristianismo naciente. El cuerpo, para un israelita de cultura hebrea como san Pablo, era la forma concreta de relacionarse con la creación entera. El cuerpo ("carne" en hebreo) pone en comunión a los seres vivos y no vivos, por eso no sorprende que sea representado por el pan, el alimento de los pobres que une a las familias y las comunidades, convirtiéndolos en compañeros (*com-pan*) en el gesto del *com-partir.*

Por su parte, la *sangre* es la que permite la comunión de la creación con el Creador.

110

Intenta respetar el contraste entre la acción de juicio a Egipto (tono y palabras fuertes) y la acción de salvación para los hebreos (tono y palabras serenos).

Yo pasaré esa noche por la tierra de **Egipto**
  y **heriré** a **todos los primogénitos** del país de Egipto,
  desde los hombres **hasta** los ganados.
Castigaré a **todos los dioses** de Egipto, **yo,** el Señor.
La **sangre** les servirá de **señal** en las casas donde **habitan ustedes.**
Cuando yo vea la sangre, **pasaré de largo**
  y **no habrá** entre ustedes **plaga exterminadora,**
  cuando **hiera yo** la tierra de **Egipto.**

Ese día será para ustedes un **memorial**
  y lo celebrarán como **fiesta** en **honor del Señor.**
De generación en generación **celebrarán** esta festividad,
    como **institución perpetua**'".

Para meditar

SALMO RESPONSORIAL Salmo 115:12–13, 15–16, 17–18
R. El cáliz de la bendición es comunión con la sangre de Cristo.

¿Cómo pagaré al Señor
  todo el bien que me ha hecho?
Alzaré la copa de la salvación,
invocando su nombre. **R.**

Mucho le cuesta al Señor
  la muerte de sus fieles.
Señor, yo soy tu siervo,
siervo tuyo, hijo de tu esclava;
rompiste mis cadenas. **R.**

Te ofreceré un sacrificio de alabanza,
  invocando tu nombre, Señor.
Cumpliré al Señor mis votos,
  en presencia de todo el pueblo. **R.**

II LECTURA 1 Corintios 11:23–26

Lectura de la primera carta del apóstol san Pablo a los corintios

Hermanos:
Yo **recibí** del Señor **lo mismo** que les he **trasmitido:**
  que el **Señor Jesús,** la noche en que iba a ser **entregado,**
  tomó pan en sus manos,
  y pronunciando la **acción de gracias,** lo **partió** y **dijo:**
"Esto es mi **cuerpo,** que se entrega por **ustedes.**
Hagan **esto** en **memoria mía**".

Esta proclamación es de las pocas en la liturgia en que un lector puede pronunciar las mismas palabras de Jesús. Debe hacerlo con todo respeto y cuidado .

En la sangre se encuentra la vida de todo lo creado: "Porque la vida de la carne está en la sangre" (Levítico 17:11). Sin sangre no hay vida, y la sangre derramada clama justicia al Creador. Por eso el cáliz de vino simboliza la sangre, ya que sin vino no hay fiesta, como en la boda de Caná. La carne y la sangre —pan y vino— de la Última Cena de Jesús escenifican un nuevo compañerismo y una nueva relación con Dios.

EVANGELIO Esta cena tiene sabor a despedida. Es la *hora*, la misma que se inició con el primer signo de

Jesús en la boda de Caná (Juan 2:4). El ministerio de Jesús, en el cuarto evangelio, comenzó con una celebración multitudinaria y concluyó con una pequeña cena íntima de amistad. Esta cena es la preparación de la gran Pascua cristiana, por eso se pide estar debidamente preparados, como en la pascua judía (Éxodo 12:11). Pero ya no se debe tener bastón en las *manos* y sandalias en los *pies* como en esa pascua. Ahora Jesús pide manos abiertas y pies descalzos.
  Hay que tener pies y manos dispuestos para recibir, lo cual implica desprendimiento. Jesús tiene sólo una toalla en las manos,

pero en esa toalla sabe que están "todas las cosas". Así como el alimento más sencillo, el pan, está simbolizado todo su *cuerpo*, así en una toalla insignificante están representadas todas las cosas que valen la pena. Con sus manos, Jesús lava los pies de sus amigos, recordando lo estipulado por Moisés para poder entrar a la Tienda del Encuentro (ver Éxodo 30:21).
  Esa acción de lavarse los pies y las manos era propia de los sacerdotes en el templo. En las casas, era la esclava o la esposa quien debía realizar esa acción (ver 1 Samuel 25:41). En la vida de Jesús, algunas

Estas palabras son tesoro de todos los cristianos. Haz contacto visual con la asamblea para que se sienta involucrada en ellas.

Lo **mismo** hizo con el cáliz **después** de cenar, diciendo:
"Este **cáliz** es la **nueva alianza** que se sella con mi **sangre**.
Hagan **esto** en **memoria mía** siempre que **beban** de él".

Por eso,
   cada vez que ustedes comen de **este pan** y beben de **este cáliz**,
   proclaman la muerte del Señor, **hasta que vuelva**.

EVANGELIO   Juan 13:1–15

Lectura del santo Evangelio según san Juan

Este texto del Cuarto evangelio preludia el ritual que caracteriza esta celebración vespertina: el lavatorio de los pies. Pronuncia cada elemento del rito con claridad.

Antes de la fiesta de la **Pascua**,
   sabiendo Jesús que había **llegado** la hora
   de pasar de este mundo al **Padre**
   y habiendo amado a los **suyos**, que estaban en el **mundo**,
   los amó **hasta el extremo**.

En el transcurso de la **cena**,
   cuando ya el **diablo** había puesto en el corazón
      de **Judas Iscariote**, hijo de **Simón**,
   la idea de **entregarlo**,
Jesús, **consciente** de que el Padre había puesto en sus manos
      todas las cosas
   y **sabiendo** que había **salido** de Dios y a Dios **volvía**,
   se levantó de la mesa, **se quitó** el manto
   y tomando una **toalla**, se la **ciñó**;
   luego **echó agua** en una **jofaina**
   y se puso a **lavarles los pies** a los **discípulos**
   y a **secárselos** con la **toalla** que se había **ceñido**.

Las palabras de Pedro deben reflejar asombro y perplejidad.

Cuando llegó a **Simón Pedro**, éste le dijo:
"**Señor**, ¿me vas a lavar tú **a mí** los pies?"
Jesús le replicó:
"Lo que estoy haciendo tú no lo entiendes **ahora**,
   pero lo comprenderás **más tarde**".

mujeres también lavaron sus pies. Pero Jesús invierte esos roles y asume él, un varón, la iniciativa de lavar los pies a los demás. Con ese último gesto no sólo da un ejemplo de humildad al realizar una acción de esclavas, sino también hace una invitación a considerar el servicio a los demás por encima de roles establecidos de género, raza o clase.

   Pedro, por su parte, pide que le sean lavadas las manos y la cabeza. Pero Jesús ya les había aclarado que quien tuviera un *corazón* limpio no necesita lavarse las manos (ver Mateo 15:20). Lo importante es

el cambio de corazón, pues el amor procede de un corazón limpio (ver 1 Tito 1:5). Judas tenía un corazón lastimado y por eso traicionó al amigo. En cambio, Jesús quiere sanar los corazones de sus discípulos a través de un gesto de amor para que ellos puedan hacer lo mismo.

El intercambio entre Pedro y Jesús es vivaz y hay que hacer que se note. El señorío de Jesús debe ser preponderante.

Pedro le dijo: "Tú **no** me lavarás los pies **jamás**.

Jesús le contestó: "Si no te lavo, **no tendrás parte** conmigo".

Entonces le dijo Simón Pedro:

"En **ese caso**, Señor, **no sólo** los pies,
    sino **también** las **manos** y la **cabeza**".

Jesús le dijo:

"El que se ha **bañado** no **necesita** lavarse más que los **pies**,
    porque **todo él** está limpio.

Y **ustedes** están **limpios**, aunque no **todos**".

Como **sabía** quién lo iba a entregar, **por eso** dijo:

'**No todos** están **limpios**'.

Cuando **acabó** de lavarles los **pies**,
    se puso **otra vez** el manto, **volvió** a la mesa y les **dijo**:

"¿**Comprenden** lo que acabo de hacer con **ustedes**?

Ustedes me llaman **Maestro** y **Señor**, y dicen bien, porque **lo soy**.

Pues si **yo**, que soy el **Maestro** y el Señor, **les he lavado los pies**,
    también ustedes deben lavarse los pies **los unos a los otros**.

Les he dado **ejemplo**,
    para que lo que yo he hecho **con ustedes**,
    también ustedes lo **hagan**".

Marca las dos menciones del mandato del Señor; nota que son la punta del relato. Ve bajando la velocidad, pero eleva el tono hacia las dos líneas finales.

VIERNES SANTO
DE LA PASIÓN DEL SEÑOR

Esta celebración litúrgica invita a los silencios solemnes. Por eso las pausas entre los párrafos de estas lecturas tienen un matiz especial.

El poema cambia de lenguaje al cambiar a la primera persona (nosotros), lo que implica un tono de intimidad.

I LECTURA   Isaías 52:13—53:12

Lectura del libro del profeta Isaías

He aquí que mi siervo **prosperará**,
   será **engrandecido** y **exaltado**,
   será puesto en **alto**.
Muchos se horrorizaron al verlo,
   porque estaba **desfigurado** su semblante,
   que no tenía ya aspecto de **hombre**;
   pero **muchos** pueblos se llenaron de **asombro**.
Ante **él** los **reyes** cerrarán la **boca**,
   porque **verán** lo que **nunca** se les había contado
   y **comprenderán** lo que **nunca** se habían imaginado.

¿**Quién** habrá de **creer** lo que hemos anunciado?
¿A **quién** se le revelará el **poder** del Señor?
Creció en su **presencia** como planta **débil**,
   como una **raíz** en el **desierto**.
No tenía **gracia** ni **belleza**.
No vimos en él **ningún** aspecto atrayente;
   despreciado y **rechazado** por los hombres,
   varón de **dolores**, habituado al **sufrimiento**;
   como uno del cual **se aparta** la mirada,
   despreciado y **desestimado**.

Él soportó nuestros **sufrimientos**
   y aguantó nuestros **dolores**;
   nosotros lo tuvimos por **leproso**,
   herido por Dios y **humillado**,

I LECTURA La liturgia sobria, penitencial y sobrecogedora del Viernes Santo es el mejor contexto celebrativo para el cuarto de los llamados "Cánticos del Siervo" del profeta Isaías. El poema comienza creando una relación de intimidad entre Dios y el siervo, al designarlo "mi" siervo. En la Biblia, únicamente de Abrahán (Génesis 26:24), Moisés (Números 12:7) y David (2 Samuel 7:8) se dice una expresión así. Por eso el Siervo profetizado por Isaías denota una relación muy cercana con Yahvé; es el consentido del Señor.

Antes de narrar la misión de sufrimiento del Siervo, se anticipa su victoria con vocabulario de exaltación. Sólo después se procede a una nueva terminología que enfatiza el "semblante" desconfigurado, hasta el extremo de no tener "apariencia" de hombre. La palabra traducida del hebreo (*mar'eh*) es la misma que en Génesis 2:9 se usa para resaltar la buena apariencia del árbol de la vida. El contraste es evidente: la bella apariencia del árbol apetitoso contra la horrenda apariencia del Siervo llevado a la muerte.

El poema concluye como comenzó, con la *exaltació*n del Siervo sufriente. En su actitud expiatoria-sacerdotal ha conseguido la justificación de todos y, con ello, de él mismo. La insistencia en su actitud ante el sufrimiento (paz, mudez, contemplación) lleva a una conclusión importante: no es el sufrimiento en sí lo que justifica, sino la actitud ante él. En la liturgia, Jesús será presentado como este Siervo que asume su sufrimiento y se otorga un sentido expiatorio por la creación entera.

traspasado por **nuestras** rebeliones,
    triturado por **nuestros** crímenes.
Él soportó el **castigo** que nos trae la **paz**.
Por sus **llagas** hemos sido **curados**.

Todos andábamos **errantes** como ovejas,
    cada uno siguiendo su camino,
    y el **Señor** cargó sobre él **todos** nuestros crímenes.
Cuando lo **maltrataban**, se **humillaba** y **no** abría la **boca**,
    como un **cordero** llevado a degollar;
    como **oveja** ante el esquilador,
    enmudecía y **no** abría la **boca**.

Inicuamente y **contra toda justicia** se lo llevaron.
¿**Quién** se preocupó de su **suerte**?
Lo **arrancaron** de la tierra de los **vivos**,
    lo hirieron de **muerte** por los **pecados** de mi **pueblo**,
    le dieron **sepultura** con los **malhechores** a la hora de su **muerte**,
    aunque **no** había cometido **crímenes**, ni hubo **engaño**
        en su **boca**.

El **Señor** quiso triturarlo con el **sufrimiento**.
Cuando entregue **su vida** como expiación,
    verá a sus **descendientes**, prolongará sus **años**
    y por medio de **él** prosperarán los **designios** del **Señor**.
Por las **fatigas** de su **alma**, verá la **luz** y se **saciará**;
    con sus **sufrimientos** justificará mi siervo a **muchos**,
    cargando con los **crímenes** de ellos.

Por eso le daré una parte entre los **grandes**,
    y con los **fuertes** repartirá **despojos**,
    ya que **indefenso** se entregó a la **muerte**
    y fue contado entre los **malhechores**,
    cuando tomó sobre sí las **culpas de todos**
    e **intercedió** por los **pecadores**.

En dos ocasiones se repite la mudez (no abrir la boca). Una breve pausa puede ayudar a escenificar este gesto del siervo.

En esta última parte del poema se presenta el triunfo final del Siervo, por lo que cabe subir un poco el volumen de la voz.

II LECTURA El sacerdocio de Cristo es descrito con términos teológicos que trascienden lo terreno para abarcar la creación completa. Cristo es presentado como un sacerdote que ha entrado al *cielo*, convirtiéndose de esta manera en un sacerdote cósmico para *todos* los que lo buscan; es decir, cualquier ser vivo que obedezca su lugar en la creación.

EVANGELIO Cada año, en el Viernes Santo se proclama la Pasión según san Juan. Para el cuarto evangelista, la hora final comienza en el torrente *Cedrón*, lugar simbólico que en el Antiguo Testamento servía a los reyes para destruir las imágenes idolátricas de Asherá (ver 1 Reyes 15:13; 2 Reyes 23:6), la diosa de la (falsa) felicidad. Y dentro del Cedrón, nos sitúa en un *huerto*, en clara alusión el huerto del Edén, donde la serpiente engaña a los primeros humanos con una promesa de felicidad "divina" (Génesis 3:5).

En el momento culminante de la vida de Jesús, se reavían las *tentaciones* con las que inició su ministerio: se va por el camino fácil de una "felicidad" inmediata o asume su misión como liberador de la creación. Es el momento de la decisión, o huye de las consecuencias de su opción de vida o la asume con el dolor que eso conlleva.

Buscar, perder, encontrar… lenguaje litúrgico que nos remite a Moisés que, *buscando* su rebaño *encontró* la manifestación de Dios en un fuego sin consumirse. Las antorchas en la noche recordarían a Jesús aquella escena, que lo animan a responder sin vacilación: *Yo soy*, la misma respuesta de Yahvé a Moisés (Éxodo 3:14).

Del momento definitorio de Jesús pasamos al momento de la decisión del *discípulo*, representado en Pedro. Las tres

Para meditar

SALMO RESPONSORIAL   Salmo 30:2 y 6, 12–13, 15–16, 17 y 25

R. Padre, a tus manos encomiendo mi espíritu.

A ti, Señor, me acojo:
    no quede yo nunca defraudado;
    tú que eres justo, ponme a salvo.
En tus manos encomiendo mi espíritu:
    tú, el Dios leal, me librarás. **R.**

Soy la burla de todos mis enemigos,
    la irrisión de mis vecinos,
    el espanto de mis conocidos;
    me ven por la calle y escapan de mí.
Me han olvidado como a un muerto,
    me han desechado como a un
        cacharro inútil. **R.**

Pero yo confío en ti,
    Señor, te digo: "Tú eres mi Dios".
En tu mano están mis azares;
    líbrame de los enemigos que me
        persiguen. **R.**

Haz brillar tu rostro sobre tu siervo,
    sálvame por tu misericordia.
Sean fuertes y valientes de corazón,
    los que esperan en el Señor. **R.**

II LECTURA   Hebreos 4:14–16; 5:7–9

Lectura de la carta a los hebreos

Hermanos:
Jesús, el **Hijo de Dios**, es nuestro **sumo sacerdote**,
    que ha entrado en el **cielo**.
Mantengamos **firme** la profesión de **nuestra fe**.
En **efecto**,
    no tenemos un **sumo sacerdote**
    que no sea capaz de **compadecerse** de nuestros **sufrimientos**,
    puesto que **él mismo** ha pasado
    por las **mismas pruebas** que nosotros, **excepto el pecado**.
Acerquémonos, por tanto,
    con **plena confianza** al trono de la **gracia**,
    para recibir **misericordia**,
    hallar la **gracia** y obtener **ayuda** en el momento **oportuno**.

Precisamente por eso, **Cristo**, durante su vida **mortal**,
    ofreció **oraciones** y **súplicas**, con fuertes **voces** y **lágrimas**,
    a **aquel** que podía librarlo de la **muerte**,
        y fue **escuchado** por su **piedad**.

Esta epístola guarda una solemnidad litúrgica, pero también la familiaridad de una homilía. Que tu lectura sea solemne pero no pomposa.

primeras menciones del discípulo son acerca de "otro". No tiene nombre, pero aprovecha su ventaja como conocido del sumo sacerdote para *entrar* al palacio y estar cerca de Jesús. En contraste, Pedro, que nunca es llamado discípulo, se queda *fuera*. Las decisiones están tomándose.

La oportunidad de Pedro se presenta cuando le preguntan de manera directa si es discípulo de Jesús, a lo que él responde que no. Ahora el contraste es con el Maestro. Jesús había reiterado a pregunta expresa: "Soy yo". En cambio, Pedro responde vacilante a la primera interrogación: "No lo soy".

Y en medio de ambos, una *puerta*, el símbolo de la decisión final. En la geografía israelita, la puerta de las ciudades era donde se decidía la justicia para los agraviados. Pedro se queda sentado junto a la puerta, como Abram en Mambré (ver Génesis 18:1), el sacerdote Elí en el santuario (ver 1 Samuel 1:9) o Mardoquedo en el palacio (Ester 5:13). Pedro, a diferencia de ellos, nunca tomó la decisión de entrar para acompañar al maestro.

El *cuerpo* de Jesús comienza a ser objeto de las vejaciones del poder militar al servicio del imperio dominante. Después de las calumnias que dañan el alma, se intenta quebrantar a la persona incómoda infringiéndole un dolor físico. Pero nada de lo que causa dolor al cuerpo queda sin repercutir en un sufrimiento espiritual. Cuerpo, alma y espíritu son realidades de un mismo ser que siente, percibe, se mociona, piensa y medita sin separaciones.

Por eso la bofetada en la mejilla no es un mero dolor físico sino un intento de silenciar las palabras punzantes que salen de su

A pesar de que era el **Hijo**, aprendió a **obedecer** padeciendo,
    y llegado a su **perfección**, se convirtió en la **causa**
        de la **salvación eterna**
    para **todos** los que lo **obedecen**.

EVANGELIO   Juan 18:1—19:42

Pasión de nuestro Señor Jesucristo según san Juan

En **aquel** tiempo,
Jesús fue con sus **discípulos** al otro lado del torrente **Cedrón**,
        donde había un **huerto**,
    y entraron allí **él** y sus **discípulos**.
Judas, el **traidor**, conocía **también** el sitio,
    porque **Jesús** se reunía **a menudo** allí con sus **discípulos**.

Entonces **Judas** tomó un batallón de **soldados**
    y **guardias** de los **sumos sacerdotes** y de los **fariseos**
    y entró en el huerto con **linternas**, **antorchas** y **armas**.

Jesús, sabiendo **todo** lo que iba a suceder, se **adelantó** y les **dijo**:
"¿A **quién** buscan?"
Le contestaron: "A **Jesús, el nazareno**".
Les dijo Jesús: "**Yo soy**".
Estaba **también** con ellos **Judas**, el **traidor**.
Al decirles "**Yo soy**", retrocedieron y **cayeron a tierra**.
Jesús les **volvió** a preguntar: "¿A **quién** buscan?"
Ellos dijeron: "A **Jesús, el nazareno**".
Jesús contestó:
"Les he dicho que **soy yo**.
    Si me buscan **a mí**, dejen que **éstos** se vayan".
Así **se cumplió** lo que Jesús había **dicho**:
    'No he perdido a **ninguno** de los que me diste'.

Entonces **Simón Pedro**, que llevaba una **espada**,
    la sacó e **hirió** a un **criado** del sumo sacerdote
        y **le cortó la oreja** derecha.

Vanza pausada pero reverentemente en estas líneas finales. En la fraase final contacta visualmente con la congregación.

Las rúbricas litúrgicas recomiendan que esta proclamación de la Pasión sea hecha por tres lectores. Es muy aconsejable leer antes la Pasión completa para aprender y poder luego imprimir el dramatismo propio del acontecimiento.

Las dos ocasiones en que Jesús responde "Yo soy" deben ser recitadas con toda claridad y con voz fuerte.

---

boca, como la del rey Sedecías al profeta Miqueas (ver 1 Reyes 22:24). Atarle las manos, más allá de lastimarle las muñecas, es una acción simbólica que pretende apaciguar aquellas manos que tanto bendijeron, sanaron y perdonaron.

El cuerpo de Jesús es el grito vivo y presente del que no tiene nada que esconder, en contraste con Adán y Eva escondidos ante el pecado. La sola presencia de ese cuerpo, sin proferir palabra en esta escena —recordemos al Siervo de Yahvé— no es pasividad sino una presencia que cuestiona

e incomoda hasta el extremo de ser considerado reo de muerte.

En este diálogo entre Pilato y Jesús hay dos personas enfrentadas, hay dos formas de entender el poder. Para Pilato el poder es una manera de dominar en el *mundo*. Para Jesús el poder es un reino de servicio al mundo. Pilato mira en el mundo y en los seres humanos los recursos para el poder imperial de Roma. Jesús contempla en los humanos y en toda la creación las bondades con las que hay que estar en comunión. Esa es la más grande *verdad* que no pueden

comprender los que miran en la naturaleza los recursos para ser explotados.

Es la Pascua, la fiesta judía en que el mar, el cielo, el fuego, el viento y las tribus esclavas se armonizaron para una gran noche de liberación. Por eso es tan irónico que en esa noche el pueblo judío —habitantes de Judea— prefiera la liberación del bandido y la sentencia del justo. Barrabás, "hijo de Abbá" en arameo, es liberado en lugar del verdadero Hijo del Dios Abbá.

Tras denigrar el cuerpo de Jesús, Pilato intenta minimizar la situación a través del

Este criado se llamaba **Malco**.
Dijo **entonces** Jesús a Pedro:
"**Mete** la espada en la **vaina**.
¿No voy a beber el **cáliz** que me ha dado mi **Padre**?"

El **batallón**, su **comandante** y los **criados** de los judíos
    apresaron a Jesús,
    lo **ataron** y lo llevaron **primero** ante **Anás**,
    porque era suegro de **Caifás**, sumo sacerdote **aquel año**.
Caifás era el que había dado a los judíos **este consejo**:
'Conviene que muera **un solo hombre** por el pueblo'.

Simón Pedro y **otro** discípulo **iban siguiendo** a Jesús.
Este discípulo era **conocido** del sumo sacerdote
    y **entró** con Jesús en el **palacio** del sumo sacerdote,
    mientras Pedro **se quedaba fuera**, junto a la puerta.
Salió el otro discípulo, el **conocido** del sumo sacerdote,
    habló con la portera e **hizo entrar** a Pedro.
La portera dijo **entonces** a Pedro:
"¿No eres **tú también** uno de los discípulos de **ese** hombre?"
Él le dijo: "**No lo soy**".
Los **criados** y los **guardias** habían encendido un **brasero**,
    porque hacía **frío**, y se **calentaban**.
También **Pedro** estaba con ellos de pie, **calentándose**.

El **sumo sacerdote** interrogó a **Jesús**
    acerca de sus **discípulos** y de su **doctrina**.
Jesús le contestó:
"Yo he hablado **abiertamente** al mundo
    y he enseñado **continuamente** en la sinagoga y en el templo,
        donde se reúnen **todos** los judíos,
    y no he dicho **nada** a escondidas.
¿**Por qué** me interrogas **a mí**?
Interroga a los que me han **oído**, sobre lo que les he hablado.
Ellos saben lo que he dicho".

Apenas dijo esto, uno de los guardias
    le dio una **bofetada** a Jesús, diciéndole:

En medio del bullicio del patio exterior, las palabras de Jesús en el interior del palacio deben sonar serenas y apacibles.

Esta escena es dialogal y muy dinámica. No pierdas la fluidez del relato.

anonimato. A pesar de que sabía cuál era su *nombre*, lo presenta simplemente como "ese hombre". Sin proponérselo, estaba presentando al hombre (Adán) que carga con la culpa de todos los hombres. Tiene razón Pilato en no encontrar culpa en él, pero no puede ver que con él lleva la culpa de la humanidad.

En cambio, Pilato quiere exculparse, pero su decisión final de asesinar a un hombre inocente para congraciarse con los líderes políticos y religiosos es una culpa grave. No hay manera de quedar impune por más que se lave las manos.

Luego de intentar deshonrar el cuerpo, el ánimo y la fama de Jesús, Pilato y las autoridades judías buscan perpetuar tal *deshonra*. Las acciones y las palabras pueden caer en el olvido, pero lo que se pone por escrito tienen la intención de perdurar en el tiempo. El "delito" de Jesús ha queda inscrito en la cruz como una ironía burlona, sin saber que aquellas palabras son verdaderas para los creyentes.

La siguiente acción simbólica es despojarlo de su *vestidura*. Pocas cosas eran tan vergonzosas para un israelita como el ser despojado de sus vestiduras, hasta el

extremo de ser considera un castigo terrible (ver Isaías 20:4). Pero, de nuevo, lo que terminaron por hacer fue llevar a plenitud el episodio en el que a José, hijo de Jacob, le quitaron su túnica sin costura (Génesis 37:23). Al igual que José, son los propios hermanos de raza de Jesús los que lo desnudan y lo entregan a los extranjeros enemigos, ya sean egipcios o romanos.

Y ahí, frente al Hombre (Adán) crucificado, estaba la Mujer (Eva). Jesús y María concurren en la cruz, que con su forma ejemplifica como un vértice donde confluyen lo vertical, lo de abajo y lo de arriba,

"**¿Así** contestas al **sumo sacerdote**?"
Jesús le respondió:
"Si he faltado al hablar, **demuestra** en qué he fallado;
    pero si he hablado como **se debe**, **¿por qué** me pegas?"
Entonces **Anás** lo envió atado a **Caifás**, el sumo sacerdote.

Simón Pedro estaba de pie, **calentándose**, y le dijeron:
"¿No eres **tú también** uno de sus discípulos?"
Él lo negó diciendo: "**No lo soy**".
Uno de los **criados** del sumo sacerdote,
    pariente de aquel a quien Pedro le había **cortado** la **oreja**, le dijo:
    "¿Qué no te vi yo **con él** en el **huerto**?"
Pedro **volvió a negarlo** y enseguida **cantó un gallo**.

Llevaron a Jesús de casa de Caifás **al pretorio**.
Era **muy de mañana** y ellos **no entraron** en el palacio
    para no incurrir en **impureza**
    y poder así **comer** la cena de Pascua.

Salió entonces **Pilato** a donde estaban ellos y les dijo:
"**¿De qué** acusan a ese hombre?"
Le contestaron: "Si **éste** no fuera un **malhechor**,
    no te lo hubiéramos **traído**".
Pilato les dijo: " Pues **llévenselo** y júzguenlo **según su ley**".
Los **judíos** le respondieron:
"No estamos **autorizados** para dar muerte a **nadie**".
Así **se cumplió** lo que había dicho **Jesús**,
    indicando **de qué muerte** iba a morir.

Entró **otra vez** Pilato en el pretorio, **llamó** a Jesús y le **dijo**:
"¿Eres **tú** el **rey** de los **judíos**?"
Jesús le contestó: "¿Eso lo preguntas **por tu cuenta**
    o te lo han dicho **otros**?"
Pilato le respondió: "**¿Acaso** soy yo judío?
Tu **pueblo** y los **sumos sacerdotes** te han entregado **a mí**.
¿**Qué** es lo que has hecho?"
Jesús le contestó:
"Mi Reino **no es** de este mundo.

Pilato era un mando militar. Sus palabras deben sonar impositivas.

En las palabras de Pilato ya se debería notar un tinte de enfado y molestia.

y lo horizontal, un lado y otro. La creación de nuevo en armonía total.

Los minutos finales de Jesús dan cumplimiento a lo profetizado en el Antiguo Testamento. La sed del crucificado se intenta sofocar con vinagre, conforme al Salmo 69:21: "Han apagado mi sed con vinagre". Aceraron a su boca un hisopo, el instrumento con el que los sacerdotes hacían la aspersión del agua y la sangre de los sacrificios. Pero Jesús es al mismo tiempo sacerdote, víctima y altar del sacrificio.

No fue necesario quebrarle las piernas, recordando la forma en que debía ser pre-parado el cordero pascual (ver Éxodo 12:46). Ningún *hueso* debía ser quebrado, conservando en pleno la integridad que otros quisieron quebrantar al denigrar su cuerpo, su alma y su memoria. Conservar sus huesos intactos es una expresión de su dignidad como humano y como Dios que nadie le pudo arrebatar.

De su *costado* salió sangre y agua, que la Tradición ha interpretado como representaciones de los dos sacramentos de iniciación, bautismo y eucaristía, que dan nacimiento a la Iglesia. Simbólicamente, Jesús está actualizando el nacimiento de Eva

(Iglesia) del costado de Adán (Jesús) durante su dormición La muerte-glorificación de Jesús remite intertextualmente al inicio de todo: la creación. La presencia de Nicodemo (ver Juan 3) alude a la noche, el tiempo de la *oscuridad*, que existía antes del acto creador de Dios (ver Génesis 1:2). El cuerpo es envuelto en lienzos con perfumes, como el día de su nacimiento cuando María dio a *luz* y lo envolvió en pañales. La muerte es en realidad un nuevo nacimiento.

Comentario especial merece la mención del *huerto*, reminiscencia teológica del jardín del Edén. Ahí Jesús es enterrado —

Al contrario de Pilato, las palabras de Jesús resuenan llenas de tranquilidad. Muestra ese dominio en la proclamación.

Si mi Reino **fuera** de este mundo,
    mis **servidores** habrían **luchado**
        para que **no cayera** yo en manos de los **judíos**.
        Pero mi Reino **no es** de aquí".
Pilato le dijo: "¿Conque **tú eres rey**?"
Jesús le contestó:
"**Tú** lo has dicho. **Soy rey**.
Yo nací y **vine al mundo** para ser **testigo** de la **verdad**.
Todo el que es de la verdad, **escucha** mi voz".
Pilato le dijo: "¿Y **qué es** la verdad?"

Dicho **esto**, salió **otra vez** a donde estaban los **judíos** y les dijo:
"No encuentro en él **ninguna culpa**.
Entre ustedes es **costumbre** que por Pascua
        ponga en **libertad** a un **preso**.
¿Quieren que les **suelte** al **rey** de los **judíos**?"
Pero todos ellos gritaron: "¡**No, a ése no**! ¡A **Barrabás**!"
(El tal **Barrabás** era un **bandido**.)

Las frases cortas de los judíos son tajantes y decididas.

Entonces Pilato **tomó** a Jesús y **lo mandó azotar**.
Los **soldados** trenzaron una **corona de espinas**,
    se la pusieron en la **cabeza**,
    le echaron encima un **manto** color **púrpura**,
    y **acercándose** a él, le decían: "¡**Viva** el **rey** de los **judíos**!",
        y le daban **bofetadas**.

Pilato salió **otra vez** afuera y les dijo:
"**Aquí** lo traigo para que sepan que **no encuentro** en él
        ninguna culpa".
Salió, pues, Jesús llevando la **corona de espinas**
        y el **manto** color **púrpura**.
Pilato les dijo: "**Aquí está el hombre**".
Cuando lo vieron los **sumos sacerdotes**
        y sus servidores, **gritaron**:
"¡**Crucifícalo, crucifícalo**!"
Pilato les dijo: "**Llévenselo** ustedes y **crucifíquenlo**,
    porque **yo no encuentro** culpa en él".

La narración va tomando rumbos más dramáticos. Lo mismo debe suceder con la proclamación.

puesto en la tierra—, en sentido inverso a Adán, que fue creado de la tierra. De la tierra salió el primer hombre, a la tierra volvió el segundo Hombre. La comunión cósmica ha llegado a su culmen; humanidad y creación entera duermen en la tranquilidad del *shalom* mesiánico.

Los **judíos** le contestaron: "Nosotros tenemos **una ley**
      y según esa ley **tiene que morir**,
      porque se ha declarado **Hijo de Dios**".

Cuando Pilato oyó **estas palabras**, se asustó **aún más**,
      y entrando **otra vez** en el **pretorio**, dijo a Jesús:
"¿De **dónde** eres tú?"
Pero Jesús no le respondió.
Pilato le dijo entonces: "**¿A mí** no me hablas?
¿No sabes que tengo **autoridad** para **soltarte**
      y **autoridad** para **crucificarte**?"
Jesús le contestó: "No tendrías **ninguna autoridad** sobre mí,
      si no te la hubieran dado **de lo alto**.
Por eso, el que me ha **entregado** a ti tiene un **pecado mayor**".

Desde **ese** momento, Pilato **trataba** de soltarlo,
      pero los judíos **gritaban**:
"**¡Si sueltas a **ése**, no eres **amigo** del **César**!;
      porque **todo** el que **pretende** ser **rey**, es **enemigo** del **César**".
Al oír **estas palabras**, Pilato **sacó** a Jesús y lo **sentó** en el **tribunal**,
      en el sitio que llaman "**el Enlosado**" (en hebreo **Gábbata**).
Era el día de la **preparación** de la **Pascua**, hacia el **mediodía**.
Y dijo Pilato a los judíos: "**Aquí** tienen a su **rey**".
Ellos gritaron: "**¡Fuera, fuera! ¡Crucifícalo!**"
Pilato les dijo: "¿A su **rey** voy a **crucificar**?"
Contestaron los **sumos sacerdotes**:
"**No** tenemos más **rey** que el **César**".
Entonces se lo **entregó** para que lo **crucificaran**.

Tomaron a Jesús y él, **cargando** la cruz,
      se dirigió hacia el sitio llamado "**la Calavera**"
      (que en **hebreo** se dice **Gólgota**), donde lo **crucificaron**,
      y con él a **otros dos**, uno de cada lado, y en **medio** a Jesús.
Pilato **mandó escribir** un letrero y ponerlo **encima** de la cruz;
      en él estaba escrito: '**Jesús** el **nazareno**, el **rey** de los **judíos**'.

Una muy breve pausa después de la pregunta de Pilato podría reflejar bien la respuesta silenciosa de Jesús.

Imprime un tono diferente a las informaciones del narrador que son como adiciones.

El grito de los judíos ya no es racional. Por eso su pronunciación puede sonar un tanto arrebatada.

Lo escrito en la cruz debe ser leído en un tono más alto, queriendo señalar que todos lo han leído/escuchado.

Esta frase de Pilato dese sonar tajante.

Leyeron el letrero **muchos** judíos
   porque estaba **cerca** el lugar donde crucificaron a **Jesús**
   y estaba escrito en **hebreo, latín y griego**.
Entonces los **sumos sacerdotes** de los judíos le dijeron a **Pilato**:
"**No** escribas: 'El **rey** de los **judíos**', sino: '**Éste** ha dicho: Soy **rey**
   de los **judíos**'".
Pilato les contestó: "Lo escrito, **escrito está**".

Cuando crucificaron a Jesús, los soldados **cogieron** su **ropa**
   e hicieron **cuatro partes**,
   una para **cada** soldado, y **apartaron** la **túnica**.
Era una túnica **sin costura**,
   tejida toda de una **sola** pieza de arriba a abajo.
Por eso se dijeron:
"No la **rasguemos**, sino **echemos suerte** para ver a **quién** le toca".
Así **se cumplió** lo que dice la **Escritura**:
*Se **repartieron** mi **ropa** y **echaron** a **suerte** mi **túnica**.*
Y **eso** hicieron los **soldados**.

Una pequeña pausa antes de la frase tomada de la Escritura puede ayudar a expresar que es una cita literal.

Junto a la cruz de Jesús estaba su **madre**,
   la **hermana** de su **madre**, **María** la de **Cleofás**,
   y **María Magdalena**.
Al ver a su **madre** y junto a ella al discípulo que **tanto quería**,
   Jesús dijo a su **madre**:
"**Mujer**, ahí está tu **hijo**".
Luego dijo al **discípulo**: "Ahí está tu **madre**".
Y **desde entonces** el discípulo se la llevó a vivir **con él**.

Las palabras de Jesús ya deben reflejar el cansancio y el dolor de la cruz.

Después de esto, **sabiendo** Jesús que **todo** había llegado
   a su **término**,
   para que **se cumpliera** la Escritura, dijo: *"Tengo sed"*.
Había allí un **jarro** lleno de **vinagre**.
Los **soldados** sujetaron una **esponja** empapada en **vinagre**
   a una **caña** de **hisopo**
   y se la **acercaron** a la **boca**.
Jesús **probó** el vinagre y dijo: "**Todo está cumplido**",
   e, inclinando la cabeza, **entregó el espíritu**.

La última frase de Jesús, a pesar de su agotamiento, deben sonar fuertes.

El narrador debe dar esta instrucción de manera clara y arrodillar él mismo.

[Aquí se arrodillan todos y se hace una breve pausa.]

Entonces, los **judíos**,
    como era el día de **preparación** de la **Pascua**,
    para que los **cuerpos** de los **ajusticiados**
    no se quedaran en la cruz el **sábado**,
    era un día **muy solemne**,
    pidieron a Pilato que les **quebraran** las piernas
      y los **quitaran** de la cruz.
Fueron los soldados, le **quebraron** las piernas a **uno** y luego al **otro**
    de los que habían sido **crucificados con** él.
Pero al llegar a **Jesús**, viendo que **ya había muerto**,
    no le quebraron las piernas,
    sino que uno de los soldados le **traspasó el costado**
      con una **lanza**
    e **inmediatamente** salió **sangre** y **agua**.

El que vio da **testimonio** de esto y su testimonio es **verdadero**
    y él sabe que dice la **verdad**, para que también ustedes **crean**.
Esto sucedió para que **se cumpliera** lo que dice la **Escritura**:
No le quebrarán ningún hueso;
    y en **otro lugar** la Escritura dice: *Mirarán al que traspasaron.*

Después de esto, **José de Arimatea**, que era **discípulo** de Jesús,
    pero **oculto** por miedo a los judíos,
    pidió a Pilato que lo dejara **llevarse** el cuerpo de Jesús.
Y Pilato lo **autorizó**.
Él fue entonces y **se llevó** el cuerpo.

Llegó también **Nicodemo**, el que había ido a verlo **de noche**,
    y trajo unas **cien libras** de una mezcla de **mirra** y **áloe**.

Tomaron el cuerpo de Jesús
    y lo **envolvieron** en lienzos con esos aromas,
    según **se acostumbra enterrar** entre los judíos.
Había un **huerto** en el sitio donde lo **crucificaron**,
    y en el huerto, un **sepulcro nuevo**,
    donde **nadie** había sido enterrado **todavía**.
Y como para los **judíos** era el día de la **preparación** de la **Pascua**
    y el sepulcro estaba **cerca**, allí pusieron a **Jesús**.

Esta última sección de la Pasión corresponde enteramente al narrador. Sin embargo, las dos citas de las Escrituras deben leerse con sus debidas pausas.

El final de la Pasión debe terminar con sobriedad, conforme al espíritu de la celebración.

VIGILIA PASCUAL

I LECTURA   Génesis 1:1—2:2

Lectura del libro de Génesis

Este primer relato de la creación tiene la solemnidad de una liturgia sacerdotal. Procura proclamar con este mismo sentido.

En el principio **creó** Dios el **cielo** y la **tierra**.
La tierra era **soledad** y **caos**;
    y las tinieblas **cubrían** la faz del abismo.
El espíritu de Dios **se movía** sobre la superficie de las **aguas**.

Dijo Dios: "Que **exista** la luz", y la luz **existió**.
Vio Dios que la luz **era buena**, y **separó** la luz de las **tinieblas**.
Llamó a la luz "**día**" y a las tinieblas, "**noche**".
Fue la tarde y la mañana del **primer día**.

Dijo Dios: "Que haya una **bóveda** entre las **aguas**,
    que **separe** unas aguas de **otras**".
E hizo Dios una **bóveda**
    y **separó** con ella las aguas de **arriba**, de las aguas de **abajo**.
Y **así** fue.
Llamó Dios a la bóveda "**cielo**".
Fue la tarde y la mañana del **segundo día**.

Sería conveniente hacer un muy breve silencio de dos tiempos al terminar cada día de la creación.

Dijo Dios:
    "Que **se junten** las aguas de **debajo** del cielo en un **solo** lugar
    y que aparezca el **suelo seco**". Y **así** fue.
Llamó Dios "tierra" al suelo seco y "mar" a la masa de las aguas.
Y vio Dios que era **bueno**.

Dijo Dios: "**Verdee** la tierra con plantas que den semilla
    y **árboles** que den fruto y semilla,
        según su **especie**, sobre la tierra". Y **así** fue.

Con la celebración de la Vigilia Pascual llega a culmen la Semana Santa, la Cuaresma y todo el año litúrgico. Siguiendo la tradición de las primeras comunidades cristianas que se reunían y proclamaban la Palabra de Dios en vigilia hasta la medianoche (ver Hechos 20:7), la Iglesia pide celebrar esta vigilia pascual aprovechando el simbolismo de la oscuridad de la noche. En medio de la *oscuridad*, una *luz* brilla tenue, pero suficiente para iluminar todo alrededor. Es la misma luz que en la creación iluminó las tinieblas, que en la salida de Egipto alumbró el camino de pueblo por el desierto y que en la muerte del Mesías brilló después de tres días de abismos.

La luz de la Vigilia Pascual resplandece en la noche con los cirios de los *bautizados* que, después de un camino catecumenal, reciben la iluminación del sacramento que los inicia en la vida de fe y comunidad. Junto con ellos, los ya bautizados vuelven a encender sus cirios, recordando, ratificando y celebrando su propio bautismo. Así, el *fuego* nuevo, la iluminación del templo, el cirio pascual y los cirios bautismales rememoran toda una historia de salvación que se ha desarrollado en el pasado, sigue actuando en el presente y nos muestra el horizonte de un futuro esperanzador. En medio de las noches oscuras de nuestra vida y nuestro mundo, ensombrecido por la explotación, la contaminación y el descuido, la luz clara de esta noche nos impulsa a seguir esperando y salir a propagar que una renovación de la creación es posible y deseable.

I LECTURA La Biblia no comienza con el ser humano sino con la

Es la primera vez en el relato que se menciona la bondad de la creación. Pronúncialo con complacencia.

Brotó de la tierra **hierba verde**, que producía **semilla**,
    según su **especie**,
    y árboles que daban **fruto** y llevaban **semilla**, según su especie.
Y vio Dios que era **bueno**. Fue la tarde y la mañana del **tercer día**.

Dijo Dios: "Que haya **lumbreras** en la bóveda del cielo,
    que separen el **día** de la **noche**,
    señalen las **estaciones**, los **días** y los **años**,
    y **luzcan** en la bóveda del cielo para **iluminar** la tierra".
Y **así** fue.
Hizo Dios las **dos grandes** lumbreras:
    la lumbrera **mayor** para regir el **día**
    y la **menor**, para regir la **noche**;
    y **también** hizo las **estrellas**.
Dios puso las **lumbreras** en la bóveda del cielo
    para **iluminar** la tierra,
    para **regir** el día y la noche, y **separar** la luz de las tinieblas.
Y vio Dios que era **bueno**.
Fue la tarde y la mañana del **cuarto día**.

Ahora se menciona por primera vez a los seres vivos. Mayor viveza en estas palabras puede ayudar a resaltar este cambio.

Dijo Dios: "**Agítense** las aguas con un **hervidero** de
    seres vivientes
    y **revoloteen** sobre la tierra las **aves**, bajo la bóveda del cielo".
Creó Dios los **grandes animales marinos**
    y los **vivientes** que en el agua se **deslizan** y la **pueblan**,
    según su **especie**.
Creó **también** el mundo de las **aves**, según sus **especies**.
Vio Dios que era **bueno** y los **bendijo**, diciendo:
"Sean **fecundos** y **multiplíquense**; llenen las **aguas** del mar;
    que las aves **se multipliquen** en la tierra".
Fue la tarde y la mañana del **quinto día**.

Dijo Dios: "**Produzca** la tierra vivientes, según sus **especies**:
    animales **domésticos**, **reptiles** y **fieras**, según sus **especies**".
Y **así** fue.
Hizo Dios las **fieras**, los animales **domésticos** y los **reptiles**,
    cada uno según su especie.

mención de la tierra y el cielo. Desde el primer verso de la Palabra de Dios, se da una lección que los humanos hemos olvidado en los siglos recientes: no somos el centro de la creación sino parte de ella. La primera creación de Dios es la *luz*. Es una creación para iluminar todo lo creado: el cielo, la tierra, el mar, las plantas, los animales, los humanos. Dios crea primero la luz porque de ella participarán todas las creaturas. Gracias a esta luz, el sol ilumina, las estrellas brillan, el mar ruge, las plantas se reproducen, los animales viven y los seres

humanos pueden pensar y sentir. Hay algo de la luz divina en cada uno de los seres vivos creados.

Con la luz creada, Dios puede *separar* las aguas de arriba de las aguas de abajo. Más que crear de la nada, la obra de Dios es descrita poéticamente en términos de separación. Más que excluyente, es una separación orgánica: cada elemento de la creación tiene su lugar y su función en armonía (*shalom*) con todo lo demás. Esto es lo que el ser humano olvida con facilidad, tal como lo olvidó el personaje de Job que

se considera el centro del universo y es instruido por Yahvé que le recuerda la sabiduría que hay en todo lo creado, incluso cuando nuestro limitado conocimiento no lo comprenda.

A los seres vivientes (tierra), animales marinos (mar) y aves (cielo) Dios les da la orden de ser fecundos y multiplicarse (*rabáh*), exactamente la misma orden que se repetirá después para los primeros seres humanos. Este relato de la creación es una lección que, junto con el Salmo 104, invita a contemplar el rol que desempeñamos los

Llegamos a la creación del ser humano. Ahora la proclamación llega a su culmen de emoción.

Y vio Dios que era **bueno**.

Dijo Dios: "Hagamos al **hombre** a **nuestra imagen** y **semejanza**;
que domine a los **peces** del mar, a las **aves** del cielo,
a los **animales domésticos**
y a **todo animal** que se arrastra sobre la tierra".

Y creó Dios al **hombre** a su **imagen**;
a imagen **suya** lo creó;
hombre y **mujer** los **creó**.

Y los **bendijo** Dios y les **dijo**:
"Sean **fecundos** y **multiplíquense**, llenen la tierra y sométanla;
dominen a los **peces** del mar, a las **aves** del cielo
y a **todo ser viviente** que se mueve sobre la tierra".

Y **dijo** Dios:
"**He aquí** que les entrego **todas** las plantas de semilla
que hay sobre la **faz** de la **tierra**,
y **todos** los árboles que producen **fruto** y **semilla**,
para que les sirvan de **alimento**.
Y a **todas** las fieras de la tierra, a **todas** las aves del cielo,
a **todos** los reptiles de la tierra, a **todos** los seres que respiran,
también les doy por alimento las **verdes plantas**". Y **así** fue.
Vio Dios **todo** lo que había hecho y lo encontró **muy bueno**.
Fue la tarde y la mañana del sexto día.

Así quedaron concluidos el cielo y la tierra con todos sus
ornamentos, y terminada su obra, descansó Dios
el séptimo día de todo cuanto había hecho.

Forma breve: Génesis 1:1, 26–31a

Para el descanso de Dios se puede usar un tono más pasivo.

humanos en el contexto de toda la creación. Nuestro lugar parece insignificante, pero, siendo *imagen* y *semejanza* de Dios, estamos llamados a ser una pequeña luz flameante en la inmensa oscuridad.

Y después de la creación... el descanso. No es un descanso pasivo, sino un descanso (*shabat*) contemplativo y restaurador. El descanso es un tiempo oportuno (*kairós*) que dota de sentido y esperanza el fluir del tiempo ordinario (*kronos*). Del descanso se nutre de la contemplación en silencio de las maravillas de la creación y, a través de ellas, de su Autor, para poder vivir en continua admiración.

El día de descanso, el séptimo, es la oferta para que el ser humano, los animales, las plantas, la tierra, los mares y los cielos se renueven. También el Mesías, Jesús, ofrecerá a sus discípulos un tiempo y un espacio propicios para descansar y retomar bríos después de su ardua labor evangelizadora (Marcos 6:31). El descanso permite a la creación entera la necesaria pausa para su transformación y regeneración.

Al comienzo de esta Vigilia Pascual, en la oscuridad y quietud de la más santa de todas las noches, contemplamos y celebramos los misterios redentores que nos alcanzan en el tiempo y espacio en que nos movemos, vivimos y nos relacionamos, para regenerarnos. A la luz del cirio pascual, escucharemos contemplativamente la palabra del Señor que nos salva, en la medida en la que nos mueve al encuentro de la muerte y la resurrección de Cristo.

Para meditar

SALMO RESPONSORIAL   Salmo 103:1–2a, 5–6, 10, y 12, 13–14, 24, y 35c
R. Envía tu Espíritu, Señor, y repuebla la faz de la tierra.

Bendice, alma mía, al Señor,
   ¡Dios mío, qué grande eres!
Te vistes de belleza y majestad,
   la luz te envuelve como un manto. **R.**

Asentaste la tierra sobre sus cimientos,
   y no vacilará jamás;
   la cubriste con el manto del océano,
   y las aguas se posaron sobre
     las montañas. **R.**

De los manantiales sacas los ríos,
   para que fluyan entre los montes,
   junto a ellos habitan las aves del cielo,
   y entre las frondas se oye su canto. **R.**

Desde tu morada riegas los montes,
   y la tierra se sacia de tu acción fecunda;
   haces brotar hierba para los ganados,
   y forraje para los que sirven al hombre. **R.**

Cuántas son tus obras, Señor,
   y todas las hiciste con sabiduría,
   la tierra está llena de tus criaturas.
¡Bendice, alma mía, al Señor! **R.**

Alternativo: Salmo 32:4–5, 6–7, 12–13, 20, y 22

II LECTURA   Génesis 22:1–18

Lectura del libro del Génesis

En **aquel** tiempo, Dios le puso una **prueba** a Abraham y le dijo:
"**¡Abraham, Abraham!**"
Él respondió: "**Aquí estoy**".
Y **Dios** le dijo:
"**Toma** a tu hijo único, **Isaac**, a quien **tanto** amas;
   vete a la región de **Moria**
   y ofrécemelo **en sacrificio**, en el monte que **yo te indicaré**".

Abraham **madrugó, aparejó** su burro,
   tomó consigo a dos de sus criados y a **su hijo Isaac**;
   cortó leña para el sacrificio
   y **se encaminó** al lugar que Dios le había **indicado.**
Al **tercer día** divisó a lo lejos el lugar.
Les dijo entonces a sus **criados**:
"**Quédense** aquí con el burro;
   yo iré con el muchacho **hasta allá**,
   para **adorar** a Dios y **después** regresaremos".

La narración es dramática desde el principio. Cada cualidad de su hijo (único, al que amas) debe ser proclamada con mayor ahínco.

II LECTURA El siguiente episodio de la gran historia de salvación que esta noche se proclama tiene como escenario geográfico un *monte*. Para los hebreos, el monte era el punto terrenal más cercano al cielo y, por tanto, al ámbito de Dios. No fue coincidencia que el arca de Noé varara en un monte como señal de la armonía recuperada entre el Creador y su creación (ver Génesis 8:4).

Ahora el dramatismo radica en que un monte parece poner enemistad entre la humanidad representada por Abraham (el padre de un gran pueblo) y su Dios que le pide sacrificar a su único hijo, el que parecía cumplir la promesa de la descendencia numerosa (ver Génesis 13:16). En el monte Moria confluyen de nuevo los elementos de la creación: el ángel del cielo, la leña de los árboles, el burro, el fuego, el altar de piedra, los criados. ¿Será que esta vez en lugar de culminar con la vida del ser humano terminará con la vida de uno de ellos?

El clímax del relato llega cuando un *cordero* toma el lugar del niño. Al inicio de la historia de la salvación, la oblación de un cordero, el de Abel (ver Génesis 4:4), provocó el fratricidio al provocar la ira de su hermano Caín. Ahora el sacrificio de otro cordero motiva la reconciliación filial entre Abraham y su hijo Isaac. Un cordero trajo la armonía creacional amenazada por la muerte de un inocente. También en la Pascua israelita será un cordero el símbolo de la salvación de los primogénitos de las tribus hebreas.

Y, desde entonces, el monte Moria será un símbolo referencial para el pueblo israelita, el monte de la confianza y la obediencia a

En las preguntas del niño Isaac debe reflejarse un talante de inocencia y perplejidad.

Abraham **tomó** la leña para el **sacrificio**,
    se la **cargó** a su hijo **Isaac**
    y **tomó** en su mano el **fuego** y el **cuchillo**.
Los dos caminaban **juntos.**
Isaac dijo a su padre Abraham: "**¡Padre!**"
Él respondió: "**¿Qué quieres, hijo?**"
El muchacho contestó:
"Ya tenemos **fuego y leña**, pero,
    ¿dónde está el **cordero** para el **sacrificio?**"
Abraham le contestó:
"**Dios** nos dará el cordero para el sacrificio, **hijo mío**".
Y **siguieron** caminando **juntos.**

Cuando **llegaron** al sitio que Dios le había **señalado**,
    Abraham levantó un **altar** y acomodó la **leña.**
Luego **ató** a su hijo Isaac, **lo puso sobre el altar**, encima de la leña,
    y **tomó** el cuchillo para **degollarlo.**

Pero el **ángel** del Señor lo **llamó** desde el cielo y le **dijo:**
"**¡Abraham, Abraham!**" Él contestó: "**Aquí estoy**".
El ángel le dijo: "**No** descargues la mano contra tu **hijo,**
    ni le hagas **daño.**
Ya veo que temes a Dios, porque no le has **negado** a tu hijo **único**".
Abraham **levantó** los ojos y **vio** un **carnero,**
    enredado por los **cuernos** en la **maleza.**
Atrapó el carnero y **lo ofreció** en sacrificio, en **lugar** de su **hijo.**
Abraham puso por **nombre** a aquel sitio "**el Señor provee**",
    por lo que **aun el día de hoy** se dice:
    "el **monte** donde el **Señor provee**".

El ángel del Señor **volvió** a llamar a Abraham
    desde el cielo y **le dijo:**
"Juro **por mí mismo,** dice el Señor,
    que por haber hecho **esto**
    y no haberme negado a **tu hijo único,**
    yo te **bendeciré**
    y **multiplicaré** tu descendencia como las **estrellas** del cielo
    y las **arenas** del mar.

Las palabras del ángel pudieran leerse más de prisa, con la premura de quien desea detener una desgracia.

la palabra de Dios. Para la tradición teológica sacerdotal, en ese mismo monte se construiría el templo de Jerusalén (ver 2 Crónicas 3:1). En un monte sucederán las intervenciones divinas más importantes en la historia del pueblo de Israel y de la Iglesia: tanto la entrega de la Ley a Moisés como la crucifixión, resurrección y ascensión de Jesús.

Fuego y leña fueron los elementos de la creación que el ángel le pidió a Abrahán. Fuego y leña acompañaron al "hijo" que fue sustituido por el "carnero" en aquel sacrificio. Justamente con fuego y leña comienzan los ritos solemnes de nuestra Vigilia Pascual. Pero ahora, el *hijo único*, el *Cordero de Dios*, se nos transfigura en un Cirio fabricado con cera de las abejas, no ya para un sacrificio cruento, sino para darnos su luz y guiarnos más allá de las tinieblas de la muerte.

Sabemos bien que también Jesús murió sobre el *leño* de la cruz, pero su sacrificio singular no agotó allí su vitalidad; su sangre derramada fecundó las entrañas de la tierra y se nos transformó en resurrección. Como en el monte Moria, "Dios provee" a sus fieles con la esperanza de la vida nueva en su Hijo amado.

III LECTURA El lenguaje de la creación se hace presente de nueva cuenta en esta lectura, la única de las siete del Antiguo Testamento que no debe omitirse en nuestra liturgia. Las doce menciones del *mar* (*yam*) nos da un indicio de su protagonismo en el relato. Desde el inicio del primer relato de la creación, se mencionó cómo el espíritu-viento (*ruaj*) revoloteaba sobre la superficie del mar (Génesis

La promesa de Yahvé a Abraham debió infundir gran confianza. Que la proclamación refleje esto mismo.

Tus descendientes **conquistarán** las ciudades enemigas.
En tu **descendencia** serán **bendecidos**
     todos los pueblos de la tierra,
     porque **obedeciste** a mis **palabras**".

Forma breve: Génesis 22:1–2, 9a–13, 15–18

Para meditar

SALMO RESPONSORIAL   Salmo 15:5 y 8, 9–10, 11
R. Protégeme, Dios mío, que me refugio en ti.

El Señor es el lote de mi heredad y mi copa,
     mi suerte está en tu mano.
Tengo siempre presente al Señor,
     con él a mi derecha no vacilaré. **R.**

Por eso se me alegra el corazón,
     se gozan mis entrañas,
     y mi carne descansa serena.
Porque no me entregarás a la muerte
     ni dejarás a tu fiel conocer
          la corrupción. **R.**

Me enseñarás el sendero de la vida,
     me saciarás de gozo en tu presencia,
     de alegría perpetua a tu derecha. **R.**

III LECTURA   Éxodo 14:15—15:1

Lectura del libro del Éxodo

En **aquellos** días, dijo el Señor a **Moisés**:
"¿Por qué **sigues** clamando **a mí**?
Diles a los **israelitas** que se pongan **en marcha**.
Y tú, **alza** tu bastón, **extiende** tu mano sobre el mar y **divídelo**,
     para que los israelitas **entren** en el mar **sin mojarse**.
Yo voy a **endurecer** el corazón de los egipcios
          para que los **persigan**,
     y **me cubriré** de gloria
     a **expensas** del faraón y de **todo** su ejército,
          de sus **carros** y **jinetes**.

Los discursos donde es Yahvé quien habla, como este, deben estar impregnados de un tono solemne.

Dale un tono duro al propósito que se expresa en estas líneas.

1:1–2). Ahora, el mismo espíritu-viento sopla sobre el mar para dividirlo en dos y, de esa manera, dejar pasar a ese pueblo al que Dios está re-creando.

Así como Dios había *separado* las aguas de arriba de las aguas de abajo en la primera creación, así Dios divide, por medio de Moisés, a las aguas de la izquierda de las aguas de la derecha. Enseguida queda separada la tierra del mar, como en la primera creación (ver Génesis 1:10). La creación del pueblo de Dios tiene lugar en esa separación que pone orden y armonía en todos los elementos creados.

Para los egipcios, la nueva creación es *tiniebla*, mientras que para los israelitas es *claridad*, y evoca la separación de la luz y la oscuridad en Génesis 1:4. Los israelitas entraron de *noche* a la tierra seca en medio del mar, pero el milagro de su liberación sucedió al *amanecer*, como se describe cada día de la creación: "Y atardeció y amaneció" (ver Génesis 1:5). También la nueva Pascua, la de la resurrección de Cristo, tendrá el mismo simbolismo de pasar de la oscuridad de la noche a la luz del día.

Finalmente, los *seres vivos*, representados por la caballería (animales) y por los jinetes (humanos) se hacen presentes. Confabulados contra las tribus hebreas, han traicionado su misión primigenia de dar fruto y multiplicarse, de dar vida y cuidarla. Los israelitas avanzan a pie, pero se dirigen hacia una nueva tierra en la cual podrán sembrar y producir fruto, además de cuidar y pastorear rebaños que se multiplicarán.

Se retoma la narración despúes del
discurso divino. La sobriedad regresa
a la proclamación.

Cuando me haya **cubierto de gloria**
a **expensas** del faraón, de sus **carros** y **jinetes**,
los egipcios sabrán que **yo soy el Señor**".

El **ángel** del Señor, que iba **al frente** de las huestes de **Israel**,
se colocó tras ellas.
Y la **columna de nubes** que iba **adelante**,
también se desplazó y se puso a sus **espaldas**,
entre el campamento de los **israelitas**
y el campamento de los **egipcios**.
La nube era **tinieblas para unos** y **claridad para otros**,
y **así** los ejércitos **no** trabaron contacto durante **toda** la noche.

Moisés **extendió** la mano sobre el **mar**,
y el Señor **hizo soplar** durante **toda** la noche
un **fuerte viento** del este,
que **secó** el mar, y **dividió** las aguas.
Los israelitas **entraron** en el mar y **no se mojaban**,
mientras las aguas formaban una **muralla**
a su **derecha** y a su **izquierda**.
Los egipcios **se lanzaron** en su persecución
y **toda** la caballería del faraón, sus **carros** y **jinetes**,
entraron **tras ellos** en el mar.

Una entonación algo apresurada puede
ayudar a dramatizar lo angustiante de
la persecución.

Hacia el **amanecer**,
el **Señor** miró desde la columna de **fuego** y **humo**
al ejército de los **egipcios**
y sembró entre ellos el **pánico**.
Trabó las **ruedas** de sus **carros**,
de suerte que no avanzaban **sino pesadamente**.
Dijeron **entonces** los egipcios:
"**Huyamos** de Israel, porque el Señor **lucha**
en su favor **contra** Egipto".

Entonces el Señor le dijo a **Moisés**:
"**Extiende** tu mano sobre el **mar**,
para que vuelvan las aguas **sobre los egipcios**,
sus **carros** y sus **jinetes**".

La orden de Dios en la primera creación de fructificar y multiplicarse es revertida por los egipcios, pero ratificada por los israelitas. Y en ningún lugar la vida se abre paso como en el agua. Así como en el principio Dios creó todo de las aguas (ver Génesis 1:2), vemos ahora la creación del pueblo liberado que surge de las aguas de aquel mar dividido.

En la liturgia de esta noche, contemplamos la virtud del agua que da muerte pero que da vida también. La aspersión del agua recuerda a cada creyente su compromiso bautismal de renunciar y morir al pecado y su compromiso de vivir para Cristo. Ese compromiso trae consigo también la responsabilidad de cuidar privilegiadamente el agua, y con ella la entera creación, o sea, la casa común, porque estamos destinados para la vida, porque somos pueblo de Dios.

IV LECTURA Desde la primera frase de esta lectura emerge el lenguaje creacional. Todos los sentimientos que Yahvé expresa por su pueblo-esposa se basan en un hecho fundamental: él es su *Creador*, literalmente, su Hacedor. Desprendido de esta característica básica, es que Dios se puede comprometer en matrimonio con su pueblo creado. Esta relación esponsal alude a la relación de intimidad que tenía Dios con Adán-Eva en el paraíso cuando los visitaba y ellos estaban desnudos sin ningún tipo de vergüenza.

El "Dios de toda la *tierra*" ocultó un instante su rostro a los habitantes de esa tierra cuando los expulsó del Edén por su falta, pero su amor eterno lo hizo retomar la relación matrimonial. Es entonces que el poeta

Y **extendió** Moisés su mano **sobre el mar**,
  y **al amanecer**, las aguas **volvieron** a su sitio,
  de suerte que **al huir**, los egipcios se **encontraron** con ellas,
  y el Señor **los derribó** en medio del mar.
Volvieron las aguas y **cubrieron** los carros,
  a los **jinete**s y a **todo el ejército** del faraón,
  que se había **metido** en el mar para **perseguir** a **Israel**.
Ni uno solo se salvó.

Pero los **hijos de Israel** caminaban **por lo seco** en medio del mar.
Las aguas les hacían **muralla** a **derecha** e **izquierda**.
Aquel día salvó el Señor a Israel de las **manos** de **Egipto**.
Israel vio a los egipcios, **muertos en la orilla** del mar.
Israel vio la **mano fuerte del Señor** sobre los egipcios,
  y el pueblo **temió** al Señor y **creyó** en el **Señor** y en **Moisés**,
    su **siervo**.
Entonces **Moisés** y los hijos de Israel
  cantaron este cántico **al Señor**:

[El lector no dice "Palabra de Dios" y el salmista de inmediato canta el salmo responsorial.]

SALMO RESPONSORIAL   Éxodo 15:1–2, 3–4, 5–6, 17–18
R. Cantaré al Señor, sublime es su victoria.

Cantaré al Señor, sublime es su victoria:
  caballos y jinetes arrojó en el mar.
Mi fortaleza y mi canto es el Señor,
  Él es mi salvación;
  él es mi Dios, y yo lo alabaré,
  es el Dios de mis padres,
  y yo lo ensalzaré. **R.**

El Señor es un guerrero, su nombre
  es el Señor.
Los carros del faraón los lanzó al mar
  y a sus guerreros;
  ahogó en el mar Rojo a sus mejores
    capitanes. **R.**

Las olas los cubrieron,
  bajaron hasta el fondo como piedras.
Tu diestra, Señor, es fuerte y terrible,
  tu diestra, Señor, tritura el enemigo. **R.**

Los introduces y los plantas en el monte de
    tu heredad,
  lugar del que hiciste tu trono, Señor;
  santuario, Señor, que fundaron
    tus manos.
El Señor reina por siempre jamás. **R.**

Esta breve frase debe leerse con toda calma.

Recuerda que la omisión de "Palabra de Dios" al concluir esta lectura se debe a que el siguiente "salmo" es continuación del Éxodo.

Para meditar

---

recuerda otro episodio creacional: el diluvio. El Dios de la tierra cubre su creación (la tierra) con las aguas torrenciales, hasta el extremo que las montañas, esos símbolos geográficos de cercanía entre el cielo y la tierra, parecen haber desaparecido. Pero fue sólo un instante de enojo en la relación de los esposos, pues su amor pronto lo olvidó y regresó la intimidad.

Con esta confianza de amor creacional de fidelidad, la esposa creada puede vestirse con sus mejores joyas para la celebración de la boda: piedras, puertas (madera) y mu-rallas (tierra). El pueblo-esposa de Yahvé se reconcilia en una alianza de paz con su Hacedor en una gran ceremonia donde confluyen invitados todos los elementos de la creación.

La alianza matrimonial sirvió a los escritores sagrados de la Biblia para ejemplificar la relación de Dios con su pueblo. El profeta Oseas fue el primero que representó a Yahvé como un marido dispuesto a perdonar a su esposa infiel (Oseas 3:1). Otros profetas como Jeremías e Isaías siguieron esta intuición, pero cambiando el tema de la infidelidad por el del amor predilecto. También Jesús tomará la comparación de la boda para hablar del Reino de Dios y san Juan, el vidente del Apocalipsis, culmina su visión con la boda del Cordero con la Jerusalén que baja del cielo. Esta noche de Pascua, en que se une el cielo con la tierra, es también nuestra oportunidad para renovar nuestra alianza nupcial con el Cordero victorioso.

Con esta lectura comienza el género poético, donde la emotividad debe ser parte de una buena proclamación.

El profeta cambia de la tercera a la primera persona, hablando en nombre de Dios. Una pequeña pausa puede ayudar a transmitir este cambio.

IV LECTURA   Isaías 54:5–14

Lectura del libro del profeta Isaías

"El que **te creó**, te tomará **por esposa**;
  su nombre es '**Señor de los ejércitos**'.
Tu **redentor** es el **Santo** de Israel;
  será llamado '**Dios** de **toda** la tierra'.
Como a una **mujer abandonada** y **abatida**
  te **vuelve** a llamar el **Señor**.
¿**Acaso** repudia uno a la esposa de la **juventud?**,
  dice tu Dios.

Por un instante te abandoné,
  pero con **inmensa misericordia** te volveré a tomar.
En un **arrebato** de ira
    te oculté un instante **mi rostro**,
  pero con **amor eterno** me he **apiadado** de ti,
    dice el Señor, **tu redentor**.

Me pasa **ahora** como en los d**ías de Noé**:
  entonces **juré** que las **aguas del diluvio**
  no volverían a cubrir la tierra;
  ahora juro **no enojarme** ya contra ti
  ni volver a amenazarte.
Podrán **desaparecer** los **montes**
  y **hundirse** las **colinas**,
  pero **mi amor** por ti **no desaparecerá**
  y mi **alianza de paz** quedará **firme para siempre**.
Lo dice el **Señor**, el que **se apiada** de ti.

V LECTURA El poeta-profeta, sin abandonar la teología de la creación, pasa del lenguaje esponsal con el que describe la alianza al lenguaje del alimento. En la primera creación, la orden de Dios había sido la de dar fruto, tanto para la tierra (ver Génesis 1:11) como para los humanos. Desde entonces, *comer* y *beber* se convirtieron en acciones de ritualidad sagrada para los seres vivos. Cada vez que un árbol da fruto, un animal devora a su presa o un ser humano comparte el pan, se continúa con la vida que Dios creó. La espe-

cificación de las bebidas mencionadas son un intento de ejemplificar todos los ámbitos de la creación: agua de los pozos de la *tierra* y de los estanques de la *lluvia* (cielo), vino de las uvas de los campos (*plantas*) y leche de los rebaños de cabras (*animales*).

La alianza perpetua que Dios estableció con David y con el pueblo sólo es la concreción histórica de una alianza que Dios ha hecho desde la creación en la armonía de todos los ámbitos de la creación. Si en todo lo creado hay una complementariedad, así debe ser entre Israel y todos los demás

pueblos. Y quien hace posible esta concordia es el Dios providente que da alimento y bebida a cada creatura.

La invitación del profeta a comer trigo y beber vino, leída en el contexto litúrgico de la Vigilia Pascual nos lleva al banquete del sacramento eucarístico. Jesús es el Mesías que convida a sus discípulos a comer el pan de los fuertes, el pan nutritivo que es su Cuerpo, y a beber el vino de su Sangre del cáliz de la alianza nueva. Nos llama a la comunión con él y con los demás comensales. Es una invitación tendida de manera parti-

La transición para hablar directamente a la amada (Tú) denota mayor intimidad, que puede ser replicado en la lectura.

Tú, la **afligida**, la **zarandeada** por la tempestad,
la **no consolada**:
He aquí que **yo mismo** coloco **tus piedras** sobre **piedras finas**,
tus **cimientos** sobre **zafiros**;
te pondré **almenas de rubí**
y **puertas de esmeralda**
y **murallas** de **piedras preciosas**.

Todos tus hijos serán **discípulos del Señor**,
y será **grande** su **prosperidad**.
Serás **consolidada** en la **justicia**.
Destierra la angustia,
pues ya **nada** tienes que temer;
olvida tu miedo,
porque ya no se acercará **a ti**".

Para meditar

SALMO RESPONSORIAL   Salmo 29:2, y 4, 5–6, 11, y 12a, y 13b

R. Te ensalzaré, Señor, porque me has librado.

Te ensalzaré, Señor, porque me has librado
y no has dejado que mis enemigos se rían
de mí.
Señor, sacaste mi vida del abismo,
me hiciste revivir cuando bajaba a
la fosa. **R.**

Tañan para el Señor, fieles suyos,
den gracias a su nombre santo;
su cólera dura un instante,
su bondad de por vida;
al atardecer nos visita el llanto;
por la mañana, el júbilo. **R.**

Escucha, Señor, y ten piedad de mí,
Señor, socórreme.
Cambiaste mi luto en danzas
Señor, Dios mío, te daré gracias
por siempre. **R.**

cular a los que serán bautizados esta noche, pues su iniciación en los sacramentos cristianos no culmina sino tras la Confirmación y la Eucaristía. Vigorizados con la abundancia de las gracias sacramentales podrán cumplir con la voluntad de Dios, uno y trino, colaborando en la construcción de su Reino.

El poema termina con otro llamado implícito en la primera creación: *dar vida*. La terminología teológica, tomado en su primera acepción del ambiente agrícola (semilla, sembrar, germinar), tienen en su sentido más profundo una clara alusión a la propagación de la vida del género humano: fecundar (*yalad*) y engendrar (*tsamaj*). Dios fecunda la tierra, su esposa, para engendrar vida, en una tipología clara de la resurrección.

VI LECTURA   En un contexto donde el pueblo de Israel se encuentra exiliado en una tierra extranjera, la pregunta sobre la razón de su desgracia emerge. La respuesta es bastante clara: abandonaron la fuente de la sabiduría. Es entonces que este poema sapiencial recurre a la teología creacional como la más grande fuente de sabiduría donde pueden encontrarse las respuestas fundamentales de la vida.

El poema se divide en dos partes. En la primera, el autor contempla a la sabiduría que actúa en la creación antes de ser revelada a los humanos. La tierra, los astros y los animales son iluminados por la sabiduría divina. La segunda parte del poema comienza con la frase "ella apareció en el mundo y convivió con los hombres". En el contexto del libro de Baruc, la aparición de la sabiduría entre los humanos se mira en la revelación puntual de la Ley por medio de Moisés

V LECTURA   Isaías 55:1–11

Lectura del libro del profeta Isaías

Esto dice el Señor:
"**Todos ustedes**, los que tienen **sed**, vengan por **agua**;
　y los que **no** tienen dinero,
　vengan, tomen **trigo** y **coman**;
　tomen **vino** y **leche** sin pagar.
¿**Por qué** gastar el dinero en lo que **no** es **pan**
　y el **salario**, en lo que no **alimenta**?

Escúchenme atentos y **comerán** bien,
　saborearán platillos **sustanciosos**.
Préstenme atención, **vengan** a mí,
　escúchenme y **vivirán**.

Sellaré con ustedes una **alianza perpetua**,
　cumpliré las promesas que hice a **David**.
Como a **él** lo puse por **testigo** ante los **pueblos**,
　como **príncipe** y **soberano** de las naciones,
　así tú reunirás a un pueblo **desconocido**,
　y las naciones que **no te conocían acudirán** a ti,
　por **amor** del Señor, tu **Dios**,
　por el **Santo de Israel**, que te ha **honrado**.

Busquen al Señor mientras lo pueden **encontrar**,
　invóquenlo mientras está **cerca**;
　que el **malvado** abandone su **camino**,
　y el **criminal**, sus **planes**;
　que **regrese** al Señor, y **él tendrá piedad**;
　a **nuestro** Dios, que es **rico** en **perdón**.

La pregunta debe interpelar a la asamblea con cierta provocación, para después solicitar su atención a amabilidad.

La exhortación para buscar al Señor debe ser entonada con toda claridad y firmeza.

a su pueblo en el Sinaí; nosotros podemos reconocer la afinidad de esa frase con la que leemos en el evangelio de san Juan sobre la encarnación de la Palabra de Dios (Juan 1:14). El compromiso de la alianza del Sinaí consistió en obedecer la Ley y dejarse guiar por sus mandatos, pues ellos facilitaban la convivencia humana y la soberanía de Israel entre las naciones de la tierra. En esto estriba la inteligencia de la vida.

　Con un lenguaje poético, se ofrece una versión paralela a la creación narrada en el Génesis. El primer elemento de la creación es la *luz*, que permite poder contemplar el resto de la creación. Para los sabios de Israel, la luz es además una analogía de la inteligencia que lleva a la sabiduría. Al igual que otros textos bíblicos como los capítulos finales de Job, los seres humanos no siempre tienen la humildad de comprender que la sabiduría consiste en reconocer su puesto dentro de la creación. Fue el engreimiento de Israel, al creerse el centro de lo creado, lo que los llevó a perder la tierra. La resurrección, como restauración de todo lo creado, es la mejor oportunidad para reconocer nuestro lugar en la creación.

VII LECTURA En esta última lectura del Antiguo Testamento el lenguaje cambia del ámbito sapiencial a la teología sacerdotal. Sin dejar la denuncia profética, Dios reprocha a su pueblo el haber manchado (*tamé*) la tierra con sus conductas y obras. El verbo utilizado en hebreo tiene una primera acepción de "ensuciar" y sólo en un segundo momento remite a un sentido de profanación cultual. Así, las malas acciones del pueblo de Dios han ensuciado la tierra (*adamáh*) de la que han sido formados, según el primer relato de la creación.

Mis pensamientos no son los pensamientos **de ustedes**,
  sus caminos no son **mis caminos**.
Porque **así** como aventajan los **cielos** a la **tierra**,
  así aventajan **mis caminos** a los de **ustedes**
  y **mis pensamientos** a **sus pensamientos**.

Como bajan del cielo la **lluvia** y la **nieve**
  y no vuelven **allá**, sino **después** de empapar la tierra,
  de **fecundarla** y hacerla **germinar**,
  a fin de que dé **semilla** para **sembrar** y **pan** para **comer**,
  así será la **palabra** que sale de **mi boca**:
  no volverá a mí **sin resultado**,
  sino que **hará mi voluntad**
  y **cumplirá su misión**".

La conclusión poética de esta lectura solicita un tono un poco más alto que lo precedente.

Para meditar

SALMO RESPONSORIAL Isaías 12:2–3, 4bcd, 5–6
R. Sacarán agua con de las fuentes de la salvación.

El Señor es mi Dios y Salvador:
  confiaré y no temeré,
  porque mi fuerza y mi poder es el Señor,
  él fue mi salvación.
Y sacarán aguas con gozo
  de las fuentes de la salvación. **R.**

Den gracias al Señor
  invoquen su nombre,
  cuenten a los pueblos sus hazañas,
  proclamen que su nombre es excelso. **R.**

Tañan para el Señor, que hizo proezas,
  anúncienlas a toda la tierra;
  griten jubilosos, habitantes de Sión:
  "Qué grande es en medio de ti
  el Santo de Israel". **R.**

En esta consideración teológica, *profanar* la tierra equivale a un atentado contra nuestra propia naturaleza; y de ahí la gravedad de la falta. La consecuencia de estas acciones malvadas es correlativa a la falta: "ha tenido que salir de su tierra". En el contexto del Antiguo Testamento, "salir de la tierra" era un mandato de Dios para Abram (Génesis 12:1), Jacob (Génesis 31:13) o las tribus hebreas. Pero siempre tenía la intención de salir de una tierra extranjera para ir a la Tierra Prometida. Ahora el sentido es inverso;

el pueblo israelita ha salido de la Tierra Prometida para ir a las tierras extranjeras.

Hoy en día la tierra se sigue ensuciando por acciones depredadoras y contaminantes de los seres humanos. Para los creyentes, este daño a la casa común debe ser visto como ofensa a Dios y una profanación de su nombre. Como sucedió al pueblo de Israel, también corremos el riesgo de salir de esta tierra en una probable extinción. Ayer como hoy, la necesidad de un Mesías Resucitado que restaure las relaciones de la casa común sigue siendo necesaria y apremiante.

EPÍSTOLA San Pablo, buen conocedor de las Escrituras, hace eco de los relatos de la creación del Antiguo Testamento para exponer su teología sobre la resurrección de Cristo y la de todos los creyentes. Por el pecado, Adán y Eva murieron y, con ellos, todo el género humano. Cuando Adán fue sepultado en la tierra, en cierta manera, todos los seres vivos regresamos al seno de la madre tierra. Ahora Cristo resucitado ofrece el remedio: por medio del bautismo somos resucitados a la vida nueva que ya nada podrá arrebatar.

VI LECTURA　Baruc 3:9–15, 32—4:4

Lectura del libro del profeta Baruc

Escucha, Israel, los mandatos de **vida**,
　　presta oído para que adquieras **prudencia**.
¿**A qué** se debe, Israel, que estés **aún** en **país enemigo**,
　　que **envejezcas** en tierra **extranjera**,
　　que te hayas **contaminado** por el **trato con los muertos**,
　　que te veas **contado** entre los que **descienden** al **abismo**?

Es que **abandonaste** la **fuente** de la **sabiduría**.
Si hubieras **seguido** los **senderos** de **Dios**,
　　habitarías en paz **eternamente**.

Aprende **dónde** están la **prudencia**,
　　la **inteligencia** y la **energía**,
　　así aprenderás **dónde** se encuentra el **secreto** de vivir **larga vida**,
　　y **dónde** la **luz** de los ojos y la **paz**.
¿**Quién** es el que halló el lugar de la **sabiduría**
　　y tuvo acceso a sus **tesoros**?
El que todo lo **sabe**, la **conoce**;
　　con su **inteligencia** la ha **escudriñado**.
El que **cimentó** la tierra para **todos** los tiempos,
　　y la pobló de **animales cuadrúpedos**;
　　el que envía la **luz**, y ella va,
　　la **llama**, y **temblorosa** le **obedece**;
　　llama a los **astros**, que brillan **jubilosos**
　　　en sus **puestos de guardia**,
　　y ellos le **responden**: "Aquí estamos",
　　y refulgen **gozosos** para **aquel** que los hizo.
Él es **nuestro Dios**
　　y no hay **otro** como él;
　　él ha **escudriñado** los caminos de la **sabiduría**
　　y se la dio a su hijo **Jacob**,
　　a **Israel**, su **predilecto**.

La pregunta es extensa, por lo que debes procurar darle la entonación hasta el término de la interrogación.

Toda esta sección de Romanos está redactada con un contraste bastante claro y pedagógico entre la muerte y la vida. La misma creación está fundamentada en este ciclo sabio: de la muerte surge la vida, como el pasto que reverdece del abono de las hojas muertas o la luna que brilla tras "morir" el sol. Sólo la soberbia y la ambición del ser humano ha podido trastocar este ciclo, propiciando la aniquilación y muerte de otros organismos vivos y, así, trastocando los ciclos de la vida.

En esta noche de nuestra Vigilia Pascual se le impone a nuestro espíritu el imperativo de recuperar la dialéctica incesante entre la muerte y la vida. Allí, donde nuestros pecados nos sepultan y asfixian, dejemos que el anuncio de la victoria de Cristo nos haga resurgir a una vida prolífica para el Dios nuestro Señor.

EVANGELIO　En la resurrección de Cristo, narrada por san Mateo, los ecos de la primera creación se conjuntan en una escena llena de armonía y simbolismo. En el interior del sepulcro, en las profundidades de la tierra, como Adán antes de ser formado, descansa el cuerpo de Jesús. La mención del primer día de la semana preludia que está a punto de comenzar una nueva creación. Es entonces que explota el amor renovado de Dios por su creación con temblores (tierra) y relámpagos (cielos).

Junto a estas evocaciones de la primera creación, el cuadro del anuncio de la resurrección de Cristo implica rasgos de otra creación de Dios, la de la primera alianza, la

Este es el clímax de esta poesía sagrada. Un leve aumento de entonación es deseable.

Después de esto, **ella apareció** en el **mundo**
    y **convivió** con los **hombres**.

La **sabiduría** es el libro de los **mandatos de Dios**,
    la ley de **validez eterna**;
    los que la **guardan, vivirán**,
    los que la **abandonan, morirán**.

Vuélvete a ella, **Jacob**, y **abrázala**;
    camina hacia la **claridad** de su **luz**;
    no entregues a otros tu **gloria**,
    ni tu dignidad a un pueblo **extranjero**.

Al pronunciar esta bienaventuranza, contacta a la entera asamblea con la mirada.

Bienaventurados **nosotros**, Israel,
    porque lo que **agrada** al **Señor**
    nos ha sido **revelado**.

Para meditar

SALMO RESPONSORIAL Salmo 18:8, 9, 10, 11

R. Señor, tú tienes palabras de vida eterna.

La ley del Señor es perfecta
    es descanso del alma;
    el precepto del Señor es fiel
    e instruye al ignorante. **R.**

Los mandatos del Señor son rectos
    y alegran el corazón;
        la norma del Señor es límpida
        y da luz a los ojos. **R.**

La voluntad del Señor es pura
    y eternamente estable;
    los mandamientos del Señor son
        verdaderos
    y enteramente justos. **R.**

Más preciosos que el oro,
    más que el oro fino;
    más dulces que la miel
    de un panal que destila. **R.**

VII LECTURA   Ezequiel 36:16–28

Lectura del libro del profeta Ezequiel

En **aquel** tiempo,
    me fue dirigida la **palabra del Señor** en **estos términos**:
"**Hijo de hombre**, cuando los de la casa de **Israel**
        habitaban en su tierra,

Marca la diferencia al iniciar el discurso directo. Frasea con claridad, porque esta parte puede ser confusa para los oyentes.

creación del pueblo de Israel. El pueblo de Dios nació en la gran manifestación de Dios a Moisés en el monte Sinaí. Al igual que el rostro resplandeciente de Moisés (ver Éxodo 34:29), el ángel anuncia a las mujeres la noticia de la gran victoria de Cristo, que es de enorme trascendencia para todos y todas.

La expresión del ángel, repetida por Cristo, de no tener miedo cobra sentido a la luz de las Escrituras. El temblor solía ser un presagio del juicio divino, mientras que los relámpagos anticipaban la catástrofe del di-

luvio. Con la resurrección, ya no hay que tener a las manifestaciones de la creación, pues la paz que se había perdido ha retornado en unas nuevas relaciones. Es momento de dirigirse a Galilea, donde todo comenzó. La resurrección es la invitación permanente a comenzar de nuevo, a recorrer la vida con una nueva conciencia de nuestro lugar en la creación y del cuidado y servicio que le debemos.

La resurrección de Cristo, actualizada en cada bautizado en esta solemne Vigilia Pascual, no es un final sino un comienzo

irrepetible. No cabe visualizar la actualización como un comienzo de un círculo donde la vida se repite una y otra vez en cansina monotonía. Por el contrario, cada actualización de la pascua es un comienzo que impulsa y regenera a mejorar y hacer las cosas diferentes, moldearlas en la fragua de la vida nueva que es el Evangelio de Jesucristo.

Esta frase debe ser pronunciada de forma.

la **mancharon** con su **conducta** y con sus **obras**;
como **inmundicia** fue su **proceder** ante mis ojos.
Entonces **descargué** mi **furor** contra ellos,
por la **sangre** que habían **derramado** en el **país**
y por haberlo **profanado** con sus **idolatrías**.
Los **dispersé** entre las **naciones**
y anduvieron **errantes** por **todas** las tierras.
Los **juzgué** según su **conducta**, según sus **acciones** los **sentencié**.
Y en las **naciones** a las que **se fueron**,
desacreditaron mi **santo nombre**,
haciendo que de ellos **se dijera**:
'**Éste** es el pueblo del Señor, y ha **tenido que salir** de su **tierra**'.

Si es posible dar un tono de burla a este enunciado, ayudaría mucho a la apreciación del texto.

Pero, **por mi santo nombre**,
que la casa de Israel **profanó** entre las **naciones** a donde **llegó**,
me he **compadecido**.
Por eso, dile a la casa de **Israel**:
'**Esto** dice el Señor: no lo hago **por ustedes**, casa de Israel.
Yo mismo mostraré la santidad de mi nombre **excelso**,
que ustedes **profanaron** entre las naciones.
Entonces ellas **reconocerán** que **yo soy el Señor**,
cuando, **por medio de ustedes** les haga ver mi **santidad**.

Los **sacaré** a ustedes de entre las **naciones**,
los **reuniré** de **todos** los países y los **llevaré** a su **tierra**.
Los **rociaré** con **agua pura** y quedarán **purificados**;
los **purificaré** de **todas** sus inmundicias e idolatrías.

Les **daré** un **corazón nuevo** y les **infundiré** un **espíritu nuevo**;
arrancaré de ustedes el **corazón de piedra**
y les **daré** un **corazón de carne**.
Les **infundiré mi espíritu**
y los **haré vivir** según mis **preceptos**
y **guardar** y **cumplir** mis **mandamientos**.

La última frase debe cerrar con emotiva entonación.

Habitarán en la tierra que di a **sus padres**;
ustedes serán mi **pueblo** y **yo** seré su **Dios**'".

Para meditar

SALMO RESPONSORIAL   Salmo 41:3, 5def; Salmo 42:3, 4

R. Como busca la cierva corrientes de agua, así mi alma te busca a ti, Dios mío.

Mi alma tiene sed de Dios, del Dios vivo:
    ¿cuándo entraré a ver el rostro de Dios?

Cómo marchaba a la cabeza del grupo,
    hacia la casa de Dios,
    entre cantos de júbilo y alabanza,
    en el bullicio de la fiesta. **R.**

Envía tu luz y tu verdad;
    que ellas me guíen
    y me conduzcan hasta tu monte santo,
    hasta tu morada. **R.**

Que yo me acerque al altar de Dios,
    al Dios de mi alegría;
    que te dé gracias al son de la cítara,
    Dios, Dios mío. **R.**

O bien, cuando no hay bautismos:

Para meditar

SALMO RESPONSORIAL   Salmo 50:12–13, 14–15, 18–19

R. Oh Dios, crea en mí un corazón puro.

Oh Dios, crea en mí un corazón puro,
    renuévame por dentro con espíritu firme;
    no me arrojes lejos de tu rostro,
    no me quites tu santo espíritu. **R.**

Devuélveme la alegría de tu salvación,
    afiánzame con espíritu generoso.
Enseñaré a los malvados tus caminos,
    los pecadores volverán a ti. **R.**

Los sacrificios no te satisfacen,
    si te ofreciera un holocausto,
no lo querrías.
Mi sacrificio es un espíritu quebrantado,
    un corazón quebrantado y humillado tú
    no lo desprecias. **R.**

EPÍSTOLA   Romanos 6:3–11

Lectura de la carta del apóstol san Pablo a los romanos

Hermanos:
Todos los que hemos sido **incorporados** a Cristo **Jesús**
    por medio del **bautismo**,
    hemos sido **incorporados** a él en su **muerte**.
En efecto,
    por el **bautismo** fuimos **sepultados** con él en su **muerte**,
    para que, así como Cristo **resucitó** de entre los **muertos**
    por la **gloria** del **Padre**,
    así también nosotros llevemos una **vida nueva**.

Esta es la tesis principal de esta parta de la carta. Dale su espacio a cada palabra para que la idea se escuche clara.

Aquí está la conclusión para la vida de creyentes. Nuevamente la pronunciación pausada es conveniente.

Porque, si hemos estado **íntimamente** unidos a **él**
　　por una **muerte semejante** a la **suya**,
　　también lo estaremos en su **resurrección**.
Sabemos que nuestro viejo yo fue **crucificado con Cristo**,
　　para que el **cuerpo del pecado** quedara **destruido**,
　　a fin de que **ya no sirvamos** al pecado,
　　pues el que ha **muerto** queda **libre** del **pecado**.

Por lo tanto, si hemos **muerto con Cristo**,
　　estamos **seguros** de que **también viviremos** con él;
　　pues **sabemos** que Cristo,
　　una vez **resucitado** de entre los muertos, **ya no morirá nunca**.
La muerte **ya no tiene dominio** sobre él,
　　porque al morir, **murió al pecado** de una vez **para siempre**;
　　y al resucitar, **vive ahora** para **Dios**.
Lo mismo **ustedes**, considérense **muertos al pecado**
　　y **vivos para Dios** en Cristo Jesús, **Señor nuestro**.

Aminora la velocidad en las dos líneas finales, y contacta a la asamblea con la mirada al decir "Lo mismo ustedes...".

Para meditar

SALMO RESPONSORIAL   Salmo 117:1–2, 16–17, 22–23
R. Aleluya, aleluya, aleluya.

Den gracias al Señor porque es bueno,
　　porque es eterna su misericordia.
Diga la casa de Israel:
　　eterna es su misericordia. **R.**

La diestra del Señor es poderosa,
　　la diestra del Señor es excelsa.
No he de morir,
　　viviré para contar las hazañas
　　del Señor. **R.**

La piedra que desecharon los arquitectos,
　　es ahora la piedra angular.
Es el Señor quien lo ha hecho,
　　es un milagro patente. **R.**

EVANGELIO   Mateo 28:1–10

Lectura del santo Evangelio según san Mateo

Transcurrido el **sábado**, al amanecer del **primer día** de la semana,
    María Magdalena y la **otra María** fueron a ver el **sepulcro**.
De pronto se produjo un **gran temblor**,
    porque el **ángel** del Señor **bajó del cielo**
    y **acercándose** al sepulcro,
    hizo rodar la piedra que lo tapaba y **se sentó** encima de ella.
Su **rostro** brillaba como el **relámpago**
    y sus **vestiduras** eran **blancas** como la **nieve**.
Los guardias, **atemorizados** ante él, se pusieron a **temblar**
    y se quedaron **como muertos**.
El ángel **se dirigió** a las mujeres y les **dijo**:
    "**No teman**. Ya sé que buscan a **Jesús**, el **crucificado**.
No está aquí;
    ha **resucitado**, como lo había **dicho**.
Vengan a ver el lugar donde lo habían **puesto**.
Y **ahora**, vayan de **prisa** a decir a sus **discípulos**:
'Ha **resucitado** de entre los **muertos**
    e **irá** delante de ustedes a **Galilea; allá** lo **verán**'.
Eso es **todo**".

Ellas **se alejaron** a **toda prisa** del **sepulcro**,
    y **llenas de temor** y de **gran alegría**,
    corrieron a dar la **noticia** a los **discípulos**.
Pero de repente **Jesús** les **salió** al encuentro y las **saludó**.
Ellas se le **acercaron**, le **abrazaron** los pies y lo **adoraron**.
Entonces les dijo Jesús: "**No tengan miedo**.
Vayan a decir a mis **hermanos** que se dirijan a **Galilea**.
Allá me **verán**".

Retornamos al género narrativo, donde el dramatismo es parte esencial de la proclamación.

El discurso del ángel debe transmitir una gran paz y confianza.

Ahora es Jesús quien da la confianza. La frase debe leerse como una emotiva conclusión de la Liturgia de la Palabra.

DOMINGO DE PASCUA

I LECTURA   Hechos 10:34a, 37–43

Lectura del libro de los Hechos de los Apóstoles

Dale peso a esta breve historia de Jesús y proclama con frescura y entusiasmo renovado.

En **aquellos** días, **Pedro** tomó la palabra y **dijo**:
"**Ya saben** ustedes lo sucedido en **toda Judea**,
   que tuvo principio en **Galilea**,
   después del **bautismo** predicado por **Juan**:
   cómo Dios **ungió** con el **poder** del **Espíritu Santo**
    a **Jesús de Nazaret**
   y cómo **éste** pasó haciendo el **bien**,
   sanando a **todos** los **oprimidos** por el diablo,
   porque Dios **estaba con él**.

Alarga la frase de la muerte y resurrección de Jesús y luego retoma el ritmo acostumbrado.

Nosotros somos **testigos** de cuanto él hizo en **Judea**
    y en **Jerusalén**.
Lo **mataron** colgándolo de la **cruz**,
   pero Dios **lo resucitó al tercer día** y concedió verlo,
   no a **todo** el pueblo,
   sino **únicamente** a los **testigos** que él,
   de **antemano**, había **escogido**:
   a **nosotros**, que hemos **comido** y **bebido** con él
   después de que **resucitó** de entre los **muertos**.

Eleva un poco el tono de voz y recorre con la mirada a la asamblea, como incluyéndola en el "nosotros".

Él **nos mandó predicar** al pueblo
   y **dar testimonio** de que Dios lo ha **constituido**
   juez de **vivos** y **muertos**.
El **testimonio** de los **profetas** es **unánime**:
   que cuantos **creen** en él
   reciben, por su medio, el **perdón de los pecados**".

I LECTURA Esta parte del libro de los Hechos cuenta la prédica de Pedro cuando visita la casa del centurión Cornelio. Habiendo recibido Cornelio al Espíritu Santo sin la intervención de Pedro, éste entiende y habla "en verdad"; es decir, sin secretos, sin esconder nada. Él mismo dice haber comprendido en esos momentos que Dios no tiene preferencias por nadie, es decir, literalmente, que no hace diferencias entre las personas.

No tener preferencias es una temática que se encuentra en el Antiguo Testamento, por ejemplo, en Deuteronomio 10:17: "Que el Señor Dios… no es parcial ni acepta soborno". Pedro alude a una enseñanza anticotesamentaria, esta vez no dirigida al pueblo elegido sino a los paganos. Lo que hasta ese momento era válido para el pueblo de Israel, ahora es válido para todo el mundo. Era un kerigma ya conocido, pero se necesitaba precisar. Los hebreos lo experimentaron primero; ahora plugo a Dios que esta misma experiencia y conocimiento la poseyeran los paganos. También los temerosos de Dios. Uno de estos es Cornelio. De otra manera, Cornelio no habría invitado a Pedro.

Además, el testimonio evangélico era tan fuerte, que sólo faltaba la invitación final para acceder a la fe. Pasa a hablar inmediatamente de la predicación de Jesús, nombrando las regiones geográficas de Judea y Galilea donde Jesús había predicado. Sigue con el acontecimiento que llama "lo que ha sucedido", de lo cual supone que ellos conocen. Habla Pedro de la actividad milagrosa de Jesús en favor de los enfermoso y poseídos. Lo que indicaba que "Dios estaba con él". Los apóstoles han sido testigos y lo saben. En pocas palabras, cuenta la actuación brutal de los judíos en la muerte de Jesús. Esto

Para meditar

SALMO RESPONSORIAL   Salmo 117:1–2, 16–17, 22–23

R. Éste es el día en que actuó el Señor: sea nuestra alegría y nuestro gozo.
O bien: **Aleluya.**

Den gracias al Señor porque es bueno,
   porque es eterna su misericordia.
Diga la casa de Israel:
   eterna es su misericordia. **R.**

La diestra del Señor es poderosa,
   la diestra del Señor es excelsa.
No he de morir, viviré
   para contar las hazañas del Señor. **R.**

La piedra que desecharon los arquitectos,
   es ahora la piedra angular.
Es el Señor quien lo ha hecho,
   ha sido un milagro patente. **R.**

II LECTURA   Colosenses 3:1–4

Lectura de la carta del apóstol san Pablo a los colosenses

Hermanos:
Puesto que **ustedes** han **resucitado** con **Cristo**,
   busquen los bienes de arriba,
     donde está **Cristo**, sentado a la **derecha** de **Dios**.
Pongan **todo** el corazón en los **bienes** del cielo,
   no en los de la **tierra**,
     porque han **muerto** y su **vida** está **escondida**
        con **Cristo** en **Dios**.
Cuando se manifieste **Cristo**, **vida** de **ustedes**,
   entonces **también ustedes** se manifestarán **gloriosos**,
   juntamente con él.

O bien:

Dirige el "Hermanos" a los neófitos o recién bautizados con calidez. Identifica los verbos que llevan el peso de este exhorto y enfatízalos.

---

lleva a lo sucedido después de la anterior acción: Dios ha resucitado a este crucificado.

Después de hablar Pedro sobre el testimonio del Jesús terreno, pasa a hablar del testimonio de estos mismos testigos acerca del Jesús resucitado. Este pequeño relato es claro y contundente.

Al final describe la obligación que tienen los apóstoles de parte de Dios: anunciar su resurrección, después de haber hablado que ellos habían comido y bebido con el resucitado. La consecuencia es que todo hombre, por lo mismo ellos, tiene acceso a la salvación.

II LECTURA *Colosenses.* La novedad de la resurrección del Señor no es un evento meramente privado, como si sólo le hubiese afectado a él y punto; no. La pascua de Jesús es tan singular que representa la palabra definitiva de Dios para la humanidad entera y para toda su creación. Esto lo fueron asimilando las primeras generaciones de cristianos conforme ahondaban en el sentido de su propia identidad en el mundo, alimentada, necesariamente, de su fe en el Resucitado.

Nuestra lectura se concentra en la consecuencia evidente que implica el bautismo cristiano: morir a los afanes por una vida exitosa conforme a los criterios del mundo y vivir unidos a Cristo. De ninguna manera se trata de fugarse del mundo, sino de conducirse en él como lo que son: personas resucitadas. Las miras del creyente han de ser celestes, pues Cristo está allá, "sentado a la derecha de Dios". Esta representación mesiánica habla del señorío de Cristo sobre todas las cosas. A la esfera celeste pertenece también el creyente que, en el bautismo, ha muerto y resucitado. La vida nueva, por tanto, tiene por vocación definitiva el cielo.

Dale un tono de consenso y no de interrogatorio a la pregunta inicial.

Eleva tu rostro del leccionario y mira al fondo del recinto mientras proclamas la primera frase con entusiasmo.

Deja que aflore el desconcierto de los protagonistas del relato, pero no con nerviosismo, sino con la sorpresa de lo que va sucediendo.

II LECTURA   1 Corintios 5:6b–8

Lectura de la primera carta del apóstol san Pablo a los corintios

Hermanos:
¿No saben ustedes
que un **poco** de levadura hace fermentar **toda** la masa?
Tiren la antigua levadura,
para que sean **ustedes** una **masa nueva**,
ya que son **pan sin levadura**,
pues **Cristo**, nuestro **cordero pascual**, ha sido **inmolado**.

Celebremos, pues, la **fiesta de la Pascua**,
no con la **antigua levadura**, que es de **vicio** y **maldad**,
sino con el **pan sin levadura**, que es de **sinceridad** y **verdad**.

EVANGELIO   Juan 20:1–9

Lectura del santo Evangelio según san Juan

El **primer día** después del **sábado**, estando todavía **oscuro**,
fue **María Magdalena** al sepulcro
y vio **removida** la piedra que lo cerraba.
Echó a **correr**,
llegó a la casa donde estaban **Simón Pedro** y el **otro discípulo**,
a quien Jesús **amaba**, y les dijo:
"Se han **llevado** del sepulcro al **Señor**
y **no sabemos** dónde lo habrán puesto".

Salieron Pedro y el otro discípulo camino del **sepulcro**.
Los dos iban **corriendo juntos**,
pero el otro discípulo corrió **más aprisa** que Pedro
y llegó **primero** al sepulcro,
e **inclinándose**,
miró los **lienzos** puestos en el **suelo**,
pero **no entró**.

La vida nueva del cristiano posee, por lo dicho, un ingrediente de futuro, que ahora está como oculto: la gloria misma de Cristo. Esto es lo pendiente, pero que será manifestado cuando Cristo mismo se manifieste. La vida gloriosa y resucitada del creyente no depende de su voluntad sino de la de Cristo.

La palabra del Señor nos solicita avivar la conciencia de lo que ya somos y de lo que vamos a ser: partícipes de la gloria de Cristo, y por lo mismo, nos exige conducirnos con esa misma coherencia en el mundo. La vida de fe nos pide esto durante estos gloriosos días.

II LECTURA *Corintios.* Pablo toma elementos de la celebración pascual para hacerle ver a la comunidad cristiana de Corinto que su nueva identidad, por haber abrazado la fe en Cristo, no debe tolerar a un incestuoso en su seno. Este contexto no aparece en nuestra lectura litúrgica que enfatiza la novedad de la Pascua del Señor, no la fiesta judía que marcaba el comienzo de un año, como deja entrever el rito doméstico de la levadura. Los israelitas debían prepararse expulsando de su casa la levadura vieja y cualquier resto de pan o de masa fermentada. Desde el día de la Pascua y por una semana entera se comería pan ázimo o nuevo, de masa sin fermentar, en recuerdo del maná del desierto con el que Dios había provisto a los padres en su andar hacia la tierra de la promesa.

La Pascua señala un antes y un después. La muerte sacrificial de Cristo es el parteaguas. El antes equivale a vivir sin Cristo, lo que Pablo equipara a la "levadura de malicia y perversidad". Detrás está la idea de que el pecado de uno puede infectar a la comunidad entera. El pecado es incompatible con la novedad de ser personas nuevas.

Si la acción de Simón es rápida, reduce la velocidad al describir lo que hace el otro discípulo. Déjate tocar por la novedad del Ausente, y concluye como pasmado ante lo insólito.

En eso llegó también **Simón Pedro**,
    que lo venía **siguiendo**,
    y **entró** en el sepulcro.
Contempló los lienzos puestos en el suelo
    y el **sudario**,
    que había estado sobre la **cabeza** de Jesús,
    puesto no con los **lienzos** en el **suelo**,
    sino **doblado** en sitio aparte.
Entonces entró **también** el otro discípulo,
    el que había llegado **primero** al sepulcro,
    y **vio y creyó**,
    porque hasta entonces
    no habían entendido las Escrituras,
    según las cuales **Jesús debía resucitar** de entre los muertos.

O bien: Mateo 28:1–10. En las misas vespertinas: Lc 24:13–35.

EVANGELIO Los evangelistas nos transmiten algo de lo que podríamos decir pasó en el tiempo. Con todo, cada uno de ellos ante el mayor misterio como es la resurrección, se reduce a recalcar aspectos que aluden a las promesas del Señor y a palabras de la Escritura.

Nuestro evangelista escoge el encuentro de Jesús resucitado con tres personajes para ofrecernos el sentido de su resurrección. El primero es María de Magdala. Ella va al sepulcro del Señor muy de mañana el día primero de la semana. Tal vez haya una alusión al primer día de la creación, en que Dios creó la luz. Ahora en el primer día de la semana, después del sábado y la muerte de Jesús, el Señor ha dado a su Hijo la resurrección; es decir, la luz a los gentiles. Con la resurrección, Dios nos ofrece la luz verdadera, la única que ilumina todo nuestro camino.

El segundo personaje es Pedro. Al ver que el sepulcro estaba vacío, regresó de ahí con la confirmación de lo que había oído: el sepulcro estaba vacío, vacío como su fe.

El tercer personaje es el discípulo a quien amaba el Señor, creyó. No necesitó ver al Señor. Jesús resucitado afirmará con una frase lapidaria: "Felices los que crean sin haber visto". Este discípulo que acompañó a Pedro no necesitó ver con los ojos carnales a Jesús, le bastó un signo para creer en la resurrección del Señor. Con esto nos está indicando a todos nosotros cuál es el camino para reconocer al Señor resucitado. Este camino es el que la Iglesia muestra al que quiere reconocer al Señor resucitado.

II DOMINGO DE PASCUA
(DE LA DIVINA MISERICORDIA)

Hay dos secciones en esta lectura. Distínguelas mediante las pausas, tonos y velocidad adecuados.

Puntualiza cada acción que caracteriza a la comunidad de fe. Apóyate en la puntuación.

I LECTURA   Hechos 2:42–47

Lectura del libro de los Hechos de los Apóstoles

En los **primeros días** de la Iglesia,
    todos los hermanos acudían **asiduamente** a escuchar
        las **enseñanzas** de los **apóstoles**,
    vivían en **comunión fraterna**
    y se **congregaban** para orar **en común**
    y celebrar la **fracción del pan**.
Toda la gente estaba **llena** de **asombro** y de **temor**,
    al ver los **milagros** y **prodigios** que los **apóstoles**
        hacían en **Jerusalén**.

Todos los creyentes vivían **unidos** y lo tenían todo **en común**.
Los que eran **dueños** de **bienes** o **propiedades** los **vendían**,
    y el producto era distribuido **entre todos**,
    según las **necesidades** de **cada uno**.
Diariamente se reunían en el **templo**,
    y en las **casas** partían el **pan**
    y comían **juntos**, con **alegría** y **sencillez de corazón**.
Alababan a Dios y **toda** la gente los **estimaba**.
Y el Señor aumentaba **cada día**
    el **número** de los que habían de **salvarse**.

 I LECTURA San Lucas ofrece pequeñas descripciones donde ofrece pinceladas de la pequeña comunidad cristiana después de la resurrección del Señor. Desde luego, habla de los inicios de la comunidad de fieles que habían seguido a Jesús; la mayoría de ellos tal vez lo habrían visto y oído.

Pinta tres rasgos fundamentales del grupo primitivo de los cristianos. Primero, se alimentaban de la escucha atenta de la enseñanza de los apóstoles. Obviamente los que accedían primero al grupo y los que ya de alguna forma habían oído a Jesús, nece-sitarían escuchar lo que Jesús había hecho y dicho. Al respecto, los testigos privilegiados eran el grupo de los Doce.

La segunda característica era una secuencia de la primera: "lo tenían todo en común". Es decir, lo externo, el tener los medios de vivir en común, manifestaba la veracidad de lo anterior: la práctica de la caridad efectiva, lo que llevaba a que nadie tuviera necesidad. Este signo lo podían haber tenido también otros grupos judíos del tiempo, como sabemos por noticias sobre asociaciones semejantes que exis-tían, por ejemplo, el grupo de Qumrán y otros grupos esenios.

Finalmente, tenían la oración, resaltando la celebración de la Eucaristía, que aquí se llama "la fracción del pan". No sabemos cómo eran esas primeras celebraciones eucarísticas, pero en ellas ya estaba lo fundamental: hacer efectiva la presencia del Señor sacramentalmente en la comunidad.

Estas características mostraban la realidad de la nueva comunidad que Jesús vino a fundar. Aunque ulteriormente se quedará muchas veces en puro deseo, el proyecto quedará para hacer recordar a todos los

Para meditar

SALMO RESPONSORIAL Salmo 117:2–4, 13–15, 22–24

R. Den gracias al Señor porque es bueno, porque es eterna su misericordia.

Diga la casa de Israel: eterna es su
    misericordia. Diga la casa de Aarón:
    eterna es su misericordia. Digan los fieles
    del Señor: eterna es su misericordia. **R.**

Empujaban y empujaban para derribarme,
    pero el Señor me ayudó; el Señor es mi
    fuerza y mi energía, él es mi salvación.
    Escuchen: hay cantos de victoria en las
    tiendas de los justos. **R.**

La piedra que desecharon los arquitectos es
    ahora la piedra angular. Es el Señor quien
    lo ha hecho, ha sido un milagro patente.
    Éste es el día en que actuó el Señor: sea
    nuestra alegría y nuestro gozo. **R.**

II LECTURA   1 Pedro 1:3–9

Lectura de la primera carta del apóstol san Pedro

Bendito sea Dios, **Padre** de nuestro Señor **Jesucristo**,
    por su **gran misericordia**,
    porque al **resucitar** a Jesucristo de entre los **muertos**,
    nos concedió **renacer** a la **esperanza** de una **vida nueva**,
    que no puede **corromperse** ni **mancharse**
    y que él nos tiene **reservada** como **herencia** en el cielo.
Porque **ustedes** tienen fe en Dios, **él** los **protege** con su **poder**,
    para que **alcancen** la **salvación** que les tiene **preparada**
    y que él **revelará** al **final** de los **tiempos**.

Por esta razón, **alégrense**,
    aun cuando **ahora**
    tengan que sufrir **un poco** por adversidades de **todas** clases,
    a fin de que su fe, **sometida a la prueba**,
    sea hallada **digna** de **alabanza, gloria** y **honor**,
    el día de la **manifestación de Cristo**.
Porque la fe de **ustedes** es **más preciosa** que el **oro**,
    y el oro **se acrisola** por el **fuego**.

Esta alabanza es exultante; pronúnciala sin exaltación pero con ímpetu. Haz contacto visual con el grupo de neófitos arropado por la asamblea.

Haz contacto visual con la congregación y no elongues la pausa del punto para que se note la continuidad con el parágrafo siguiente.

---

cristianos que tienen una misión en el mundo la cual consiste en darse. En esto consiste el amor, en dar lo mejor de uno en beneficio de los demás. Exactamente como lo hizo Jesús. Mientras no entremos por este camino de la Iglesia primitiva, no haremos creíble el Evangelio entre los hombres.

II LECTURA La Primera carta de Pedro está considerada entre los escritos "católicos" del Nuevo Testamento; la denominación se debe a que la carta no está dirigida a una comunidad específica, como podemos leer en las conocidas epís-

tolas paulinas, sino que visualiza una audiencia tan indeterminada como amplia que vive "en la diáspora" (ver 1:1). Tal generalidad, hace que el escrito se pueda acomodar a cualquier audiencia cristiana de Asia Menor de finales del siglo I, lo que lo hace ganar en "catolicidad"; es decir, que prácticamente cualquier grupo de fieles puede verse aludido en este escrito, del que hoy leemos las líneas que siguen al encabezado y que conforman una bendición que se prolonga hasta el verso 12.

Los tres parágrafos de nuestra lectura tratan de la fe en Dios que es como el motor

de vida de los cristianos, pero que ahora se mira amenazada y perseguida, de modo similar a como aparece en el Apocalipsis de san Juan, por ejemplo. Cuando hay bonanza y las cosas van bien, no resulta tan difícil creer en Dios; pero si la desdicha cae encima, el creyente se pregunta si su suerte le importa a Dios.

El punto toral de la fe cristiana es la resurrección de Cristo. El que acepta esta verdad que le ha sido anunciada, abre espacio a la esperanza de compartir esa misma vida incorruptible de Cristo. Esto es la fe, que es la certeza de que Dios nos ha antici-

Llénate de confianza y proyecta tu voz con la mayor seguridad que puedas.

A Cristo Jesús **ustedes** no lo han **visto** y, **sin embargo**, lo **aman**;
    al **creer** en él ahora, **sin verlo**,
    se **llenan** de una **alegría radiante** e **indescriptible**,
    seguros de alcanzar la **salvación** de sus almas,
    que es la **meta** de la **fe**.

EVANGELIO   Juan 20:19–31

Lectura del santo Evangelio según san Juan

Subraya las frases que hablan de "paz" y de "miedo". Dale a tu rostro un aire de sensata alegría por la pascua del Señor.

Al **anochecer** del día de la **resurrección**,
    estando **cerradas** las puertas de la casa
    donde se hallaban los **discípulos**,
    por **miedo** a los judíos,
    se presentó **Jesús** en medio de ellos y les **dijo**:
    "La **paz** esté con **ustedes**".
Dicho esto, les **mostró** las **manos** y el **costado**.
Cuando los discípulos **vieron** al Señor, se **llenaron** de **alegría**.

De nuevo les dijo Jesús: "La **paz** esté con **ustedes**.
Como el **Padre** me ha **enviado**, así **también** los envío **yo**".
Después de decir esto, **sopló** sobre ellos y les **dijo**:
"**Reciban** al **Espíritu Santo**.
A los que les **perdonen** los pecados, les **quedarán perdonados**;
    y a los que **no** se los **perdonen**, les **quedarán sin perdonar**".

Surge aquí algo novedoso y como aleatorio, pero en realidad se teje con lo previo. Deja una pausa de dos tiempos antes de este párrafo.

Tomás, uno de los **Doce**, a quien llamaban el **Gemelo**,
    no estaba con ellos cuando vino **Jesús**,
    y los **otros discípulos** le decían:
    "Hemos **visto** al Señor".
Pero **él** les contestó:
"Si **no veo** en sus manos la **señal** de los **clavos**
    y si **no meto** mi dedo en los **agujeros** de los **clavos**
    y **no meto** mi mano en su costado, **no creeré**".

---

pado nuestro propio destino con la resurrección del Señor Jesús. Este destino definitivo no cabe perderlo de vista, menos aun si la persecución se abate sobre los creyentes, de otro modo perderíamos la gracia de la salvación, la peor de las calamidades.

En la adversidad, la fe nos convence de que Dios nos protege celosamente porque nos ama. Esta verdad debe anclarse profundamente en la conciencia de cada cual, para que produzca la alegría de la que habla el autor, pues no es otra que la certeza de la salvación. El que está cierto del amparo divino vive alegre en medio de las desgra-

cias. Más todavía, los embates que asedian a los fieles refinan su fe, de manera se vuelve más valiosa y fortalecida.

El Señor nos otorga este tiempo pascual para nutrir y robustecer nuestra fe. No nos abatamos ante las dificultades de la vida, cualesquiera que sean, más bien afiancemos nuestra esperanza en ese encuentro definitivo que nos aguarda, pero que ya anticipamos en el encuentro genuino con los hermanos y en los sacramentos de nuestra Iglesia.

EVANGELIO En el evangelio según san Juan, Jesús no se aparece a sus discípulos, sino que se presenta y se coloca en medio de ellos, indicando su puesto central en la comunidad. Es el cumplimiento de lo que les había prometido en su discurso de adiós en la última cena. Esta presencia de Jesús anticipa su venida al final de los tiempos. Les da la paz.

La paz es el conjunto de bienes más eximios que puede desear el ser humano. Esos bienes ayudarán a éste a llevar una vida humana y, sobre todo, lo insertarán en el grupo de los que pertenecen al Mesías.

Se avecina el momento cumbre. No precipites la lectura y deja que cada frase se vuelque en el oído de la asamblea. Frasea cuiudadosamente este diálogo enternecedor.

Ocho días después, estaban **reunidos** los discípulos
     a puerta **cerrada**
  y **Tomás** estaba con ellos.
Jesús se presentó de **nuevo** en **medio** de ellos y les dijo:
  "La **paz** esté con **ustedes**".
Luego le dijo a Tomás: "**Aquí** están mis manos; **acerca** tu dedo.
Trae acá tu mano, **métela** en mi costado
  y no sigas **dudando**, sino **cree**".
Tomás le respondió: "¡**Señor mío** y **Dios mío**!"
Jesús añadió: "**Tú** crees porque me has **visto**;
  dichosos los que creen **sin haber visto**".

Deja que se prolonguen las últimas palabras de Jesús delante del grupo. Alarga esta pausa y apuntala la oración final del párrafo haciendo contacto con el "ustedes" de los oyentes.

Otras muchas señales **milagrosas** hizo Jesús
     en **presencia** de sus **discípulos**,
  pero **no** están escritas **en este libro**.
Se escribieron **éstas** para que **ustedes crean**
     que **Jesús** es el **Mesías**,
  el **Hijo de Dios**,
  y para que, **creyendo**,
  tengan vida en su **nombre**.

En el pensamiento hebreo, las cosas, los bienes vienen del sujeto. Así pues, Dios da los bienes, sobre todo, la paz, que supone la justicia. A Dios no le podemos dar nada, en el sentido de añadirle algo, sino al revés, él es el que nos da. Al darnos, se manifiesta como el que da. Una buena definición de Dios podría ser, Dios es el que da.

El Evangelio de Jesús no es otra cosa que la buena noticia que nos trajo el Maestro: la de hacer el bien a los demás, de dar, de amar tal como él lo hizo. Por esto, al presentarse resucitado a sus discípulos y darles el saludo de paz, les muestra las manos y el costado. Es decir, les hace ver las señales de un amor que se ha extendido hasta la muerte, para sentirla desde dentro, vencerla y entregar a sus discípulos el sentido del amor que vence a la muerte. El discípulo amado por el Señor asistió a este espectáculo cruento de la muerte de Jesús y vio cómo el Maestro entregó su vida por nosotros, por amor. De ahí que, al ver las señales de su resurrección en las vendas que yacían en el sepulcro, creyó. Ahora lo cuenta en su evangelio, para que nosotros participemos de esa alegría del Señor resucitado.

Los discípulos encerrados ante el miedo a la muerte son invitados a seguir al Señor y a participar de su resurrección, recibiendo el Espíritu Santo que les dará un nuevo sentido de la vida para que puedan dar también ellos testimonio de lo que es el amor cristiano. Hoy como ayer, el Señor nos invita a introducirnos poco a poco en ese misterio de la vida eterna, siguiendo el camino que nos dejó Jesús: amar al próximo, que se concreta en dar a los demás, lo que nos llevará a donarnos nosotros mismos como lo hizo el Señor.

III DOMINGO DE PASCUA

Dale tu voz a Pedro y proyecta el mensaje del Señor a todos los escuchas. Identifica los momentos de esta historia resumida de Jesús y procura distinguirlos.

Arranca un macizo argumentativo. Procura distinguir las frases de las Escrituras de las demás.

I LECTURA   Hechos 2:14, 22–33

Lectura del libro de los Hechos de los Apóstoles

El día de **Pentecostés**,
 se presentó **Pedro**, junto con los **Once**, ante la **multitud**,
 y **levantando la voz**, dijo: "Israelitas, **escúchenme**.
Jesús de Nazaret fue un hombre **acreditado** por Dios ante **ustedes**,
 mediante los **milagros, prodigios** y **señales**
 que Dios **realizó** por medio de **él**
 y que ustedes **bien** conocen.
Conforme al plan **previsto** y sancionado por **Dios**,
 Jesús fue **entregado**,
 y ustedes **utilizaron** a los paganos para **clavarlo** en la **cruz**.

Pero Dios lo **resucitó**, rompiendo las **ataduras** de la **muerte**,
 ya que **no era posible** que la muerte **lo retuviera**
  bajo su **dominio**.
En efecto, David dice, **refiriéndose** a él:
*Yo veía **constantemente** al Señor **delante** de mí,*
 *puesto que él está a **mi lado** para que yo **no tropiece**.*
*Por eso **se alegra** mi corazón y mi lengua **se alboroza**,*
 *por eso **también** mi cuerpo **vivirá** en la **esperanza**,*
 *porque **tú**, Señor, **no me abandonarás** a la muerte,*
 ***ni dejarás** que tu santo sufra la corrupción.*
*Me has enseñado el **sendero de la vida***
 *y **me saciarás de gozo** en tu presencia.*

I LECTURA La primera lectura nos trae un trocito del discurso de san Pedro en la fiesta de Pentecostés. Pedro, en compañía de los Once, explica lo que está pasando ese día con la efusión del Espíritu, iluminando un poco del misterio de Cristo.

El Apóstol ofrece un resumen de la vida de Jesús: parte de elementos sensibles para exponer, al final, el misterio del Señor. No era fácil evocar por esos días lo que acababa de pasar y hablar en Jerusalén de la muerte injusta del Mesías. Pero no podía hablar el Apóstol de la resurrección del Señor sin aludir, aunque fuera sucintamente, a su muerte.

Primero, Pedro muestra cómo Dios había acreditado a Jesús con toda clase de milagros y señales maravillosas, de los que son testigos quienes lo escuchaban o habían oído hablar de ellos. En estos momentos, ya preparado el auditorio, Pedro pronuncia vigorosamente la gran acusación: "Ustedes utilizaron a los paganos para clavarlo en la cruz" (v. 23). Atenúa, con todo, su culpabilidad: "ustedes utilizaron a los paganos para clavarlo en la cruz". Como dijimos, apenas es mencionada la muerte de Cristo. Enseguida,

Pedro afirma la resurrección. Porque Dios ha previsto la muerte de su enviado, no lo abandonó, sino que lo libró de las redes de la muerte. Resucitando a Jesús, Dios puso fin a los dolores del engendramiento de la muerte "ya que no era posible que la muerte lo retuviera bajo su dominio" (v. 24). Viene enseguida el canto de triunfo del resucitado. Cita parte del Salmo 16:8-11. Así Cristo celebra su resurrección retomando y dando a las palabras del canto de David una nueva dimensión: "No me abandonarás a la muerte, ni dejarás que tu santo sufra la corrupción" (v. 27). Asegura Pedro que David, el autor de

Dirígete a la asamblea como consensuando con ella lo dicho de David.

Hermanos,
que me sea permitido hablarles **con toda claridad**:
el patriarca David **murió** y lo **enterraron**,
y su sepulcro **se conserva** entre nosotros **hasta el día de hoy**.
Pero, como era **profeta**,
y **sabía** que Dios le había **prometido** con **juramento**
que un **descendiente suyo** ocuparía su **trono**,
con **visión profética** habló de la **resurrección de Cristo**,
el cual **no fue abandonado** a la muerte **ni sufrió la corrupción**.

Pues bien, a este Jesús Dios **lo resucitó**,
y de ello **todos** nosotros somos **testigos**.
Llevado a los cielos por el **poder de Dios**,
recibió del Padre el **Espíritu Santo** prometido a él
y lo ha **comunicado**,
como **ustedes** lo están **viendo** y **oyendo**".

Este parágrafo conclusivo debe hacerse vigoroso. Es una especie de testimonial que une a todos los creyentes en su propia experiencia.

Para meditar

SALMO RESPONSORIAL   Salmo 15:1–2a y 5, 7–8, 9–10, 11

R. Señor, me enseñarás el sendero de la vida.

Protégeme, Dios mío, que me refugio en ti; yo digo al Señor: "Tú eres mi bien". El Señor es el lote de mi heredad y mi copa, mi suerte está en tu mano. **R.**

Bendeciré al Señor que me aconseja; hasta de noche me instruye internamente. Tengo siempre presente al Señor, con él a mi derecha no vacilaré. **R.**

Por eso se me alegra el corazón, se gozan mis entrañas, y mi carne descansa serena: porque no me entregarás a la muerte, ni dejarás a tu fiel conocer la corrupción. **R.**

Me enseñarás el sendero de la vida, me saciarás de gozo en tu presencia, de alegría perpetua a tu derecha. **R.**

las frases anteriores no podía aplicárselas a él mismo, dado que su sepulcro está entre nosotros. Por lo mismo no podía referir a él esta esperanza de resurrección. Pedro les da una nueva dimensión a estas palabras: "No fue abandonado a la muerte ni sufrió la corrupción" (v. 27). Concluye Pedro: "A este Jesús, Dios lo resucitó y de ello todos nosotros somos testigos" (v. 33).

A la luz de los salmos, Pedro hace ver a su auditorio cómo en la resurrección se cumplen las Escrituras. Las palabras de los salmos eran y siguen siendo los cantos que traspiran y explican los dolores expiatorios

del Jesús que está resucitado, a la diestra del Padre.

II LECTURA Al continuar la lectura de la Primera carta de Pedro llegamos a una sección donde se expone la vida nueva de los bautizados o renacidos (*neófitos* o retoños) en Cristo Jesús. El baño de la regeneración que han recibido no es un simple rito que, una vez realizado, deja de influir en la vida del fiel. Por el contrario, el bautismo significa el renacer a una vida diferente de aquélla que llevaban antes de su conversión. Recordemos que los destina-

tarios de esta carta son cristianos que viven fuera de Palestina y que no son judíos; ellos, junto con otros grupos cristianos de esa región, están siendo perseguidos por su nueva condición, pues han dejado atrás el paganismo. Esto seguramente les acarreó señalamientos sociales con sus secuelas económicas y políticas. Ante esa situación, la voz apostólica les ha recordado en qué estriba la fe en Cristo Jesús y ahora amplía la exhortación a llevar una vida consecuente con la nueva condición que han abrazado, la de santidad, porque el Dios que los ha llamado es santo (ver 1:14–16).

II LECTURA   1 Pedro 1:17–21

Lectura de la primera carta del apóstol san Pedro

Hermanos:
Puesto que **ustedes** llaman **Padre** a Dios,
    que juzga **imparcialmente** la conducta de **cada uno**
        según sus **obras**,
    vivan **siempre** con temor **filial** durante su **peregrinar**
        por la **tierra**.

Bien saben ustedes que de su **estéril** manera de vivir,
    heredada de sus padres,
    los ha **rescatado** Dios,
    no con bienes **efímeros**, como el **oro** y la **plata**,
    sino con la **sangre preciosa** de Cristo,
    el cordero sin **defecto** ni **mancha**,
    al cual Dios había **elegido** desde **antes** de la **creación** del
        mundo,
    y por amor a **ustedes**,
    lo ha manifestado en **estos** tiempos, que son los **últimos**.
Por Cristo, **ustedes** creen en Dios,
    quien lo **resucitó** de entre los **muertos** y lo **llenó** de **gloria**,
    a fin de que la **fe** de **ustedes**
    sea también **esperanza** en Dios.

Siéntete como un catequista en medio de su grupo de alumnos; habla con llaneza y sin rebuscamientos. No pierdas tu personalidad en esta proclamación.

Eleva un tanto tu voz, inflamada por la fe que compartes con la asamblea. Alarga la última frase del párrafo.

El autor coloca a los oyentes ante la autoridad imparcial de Dios, que sopesa lo que cada hombre hace; son las obras las que pesan en la balanza final. Sabemos que la vida del creyente no alcanza su fin en esta tierra, pues tiene una meta trascendente. Así pues, la vida cristiana es un peregrinar que ha de hacerse con respeto filial, pues esto corresponde a la santidad del que los llamó a la salvación en el bautismo, y no vivir en el libertinaje de los apetitos carnales, ni atenazados por el miedo. El temor filial del que habla el autor es el respeto que un hijo tiene con quien lo engendró. No busca infundir terror en los fieles sino confianza reverente en Dios que es su Padre.

Hay otro motivo para confiar en el amor de Dios Padre por los cristianos atribulados: los ha rescatado al precio de la sangre del Mesías, Cristo. Es el precio más alto que pueda pagarse para librarse de una desgracia. En este punto se reconoce con claridad toda la imaginería del éxodo bíblico que está detrás de esta exposición: el ceñirse para el camino y la sobriedad (1:13), el peregrinar en santidad (1:16 –17), el cordero inmolado (1:19), y el vivir como en sombras aguardando la luz de la gloria (1:13).

La espiritualidad del cristiano debe estar impregnada de una confianza filial fundamental: el amor de inquebrantable Dios. En los momentos de mayor tribulación, uno tiene que hacer memoria de lo que Dios ha obrado en nuestro favor. Esa memoria es la que reavivamos en nuestras celebraciones litúrgicas, pero también es la que plasmamos en todo lo que hacemos. Nuestras obras deben ser santas, de personas redimidas al precio invaluable de la sangre del Señor. Es ella la que nos garantiza la gloria celeste que aquí pregustamos.

EVANGELIO   Lucas 24:13–35

Lectura del santo Evangelio según san Lucas

El **mismo** día de la **resurrección**,
   iban **dos** de los discípulos hacia un pueblo llamado **Emaús**,
   situado a unos **once** kilómetros de Jerusalén,
   y comentaban **todo** lo que había sucedido.

Mientras **conversaban** y **discutían**,
   Jesús se les acercó y comenzó a caminar **con ellos**;
   pero los **ojos** de los dos discípulos estaban **velados**
   y **no** lo reconocieron.
Él les preguntó:
"¿De **qué cosas** vienen hablando, **tan** llenos de **tristeza?**"

Uno de ellos, llamado **Cleofás**, le respondió:
"¿Eres tú el **único** forastero
   que **no** sabe lo que ha sucedido **estos días** en Jerusalén?"
Él les preguntó: "¿**Qué cosa?**"
Ellos le respondieron: "Lo de **Jesús** el **nazareno**,
   que era un **profeta poderoso** en **obras** y **palabras**,
   ante **Dios** y ante **todo** el pueblo.
Cómo los **sumos sacerdotes** y **nuestros jefes**
   lo **entregaron** para que lo condenaran a **muerte**,
   y lo **crucificaron**.
Nosotros **esperábamos** que él sería el **libertador** de Israel,
   y **sin embargo**, han pasado **ya tres días**
      desde que **estas cosas** sucedieron.
Es cierto que **algunas mujeres** de nuestro grupo
      nos han **desconcertado**,
   pues fueron de **madrugada** al sepulcro, **no encontraron** el cuerpo
   y llegaron contando que se les habían **aparecido** unos **ángeles**,
   que les dijeron que estaba **vivo**.

El camino une a todos los peregrinos. Siente a Jesús resucitado acompañando todos tus pasos y los de la asamblea. Con regocijo y con serenidad avanza por este relato maravilloso.

Baja la velocidad al referir el camino de Jesús en labios del propio Resucitado.

EVANGELIO La aparición de Jesús a los discípulos de Emaús es uno de los relatos de apariciones más bellos que poseemos de la resurrección del Señor. Nuestra lectura se compone de dos partes: la aparición del Señor a los dos discípulos y la reunión con los demás compañeros en el cenáculo. En todos los relatos de las apariciones del Señor, hay tres temas: señal, aparición y explicación de las Escrituras. Todo esto indica que cada evangelista trabaja sobre un material, común en lo fundamental y variado en su representación.

En la parte primera, dos peregrinos vuelven a sus casas, después de la muerte de Jesús. Se les junta otro viajero, para ellos desconocido, no para el lector. No era esto raro entonces juntarse por el camino con otros que iban en la misma dirección. Aquel desconocido se introduce en la conversación y pregunta por el contenido de la plática que llevaban los dos compañeros. Estos se admiran de que el recién allegado no sepa lo de Jesús. Provoca, pues, que se le haya un resumen de lo acontecido esos días. Enseguida, el desconocido les da una catequesis sobre el sentido de la muerte y resurrección de Jesús. Nosotros los lectores no tenemos acceso a esa interpretación de Jesús.

La llegada a Emaús es descrita con tonos vivos: hace aquel peregrino desconocido un intento de continuar su viaje. Los dos discípulos viajeros amablemente le piden que se quede con ellos porque está por caer el día. Es la típica cortesía oriental. La frase "Cuando estaban en la mesa, [Jesús] tomó un pan, pronunció la bendición, lo partió y se lo dio" (v. 30) con pequeñas variaciones se lee en los relatos de la alimentación a la multitud y de la cena. Con esta analogía de los primeros cristianos

Debe notarse la decepción en el tono. Luego, como reprochando, dale brillo a la interrogación Jesús, pero sin tono de regaño.

Algunos de nuestros compañeros fueron al **sepulcro**
    y hallaron **todo** como habían dicho las **mujeres**,
        pero a él **no lo vieron**".

Entonces Jesús les dijo:
"¡Qué **insensatos** son ustedes
    y **qué duros** de corazón para creer **todo** lo anunciado
        por los **profetas**!
¿**Acaso** no era **necesario** que el **Mesías** padeciera **todo esto**
        y **así** entrara en su **gloria**?"
Y **comenzando** por Moisés y **siguiendo** con **todos** los **profetas**,
    les explicó **todos** los pasajes de la **Escritura** que se referían a **él**.

Ya **cerca** del pueblo a donde se **dirigían**,
    él hizo como que iba **más lejos**;
    pero ellos le **insistieron**, diciendo:
"Quédate con **nosotros**, porque **ya** es **tarde**
        y **pronto** va a **oscurecer**".
Y entró para **quedarse** con ellos.
Cuando estaban a la **mesa**,
    tomó un **pan**, pronunció la **bendición**, lo **partió** y se lo **dio**.

Procura darle intimidad a este punto culminante. Déjate llenar por la gracia de la fe y expresa esto con verdadero y reverente entusiasmo.

Entonces se les **abrieron** los ojos y **lo reconocieron**,
    pero él se les **desapareció**.
Y ellos se decían el **uno** al **otro**:
"¡**Con razón** nuestro corazón **ardía**,
    mientras nos hablaba **por el camino**
    y nos **explicaba** las Escrituras!"

Se levantaron **inmediatamente** y **regresaron** a Jerusalén,
    donde encontraron **reunidos** a los **Once** con sus **compañeros**,
    los cuales **les dijeron**:
"De veras ha **resucitado** el Señor y se le ha **aparecido** a Simón".
Entonces ellos contaron lo que les había pasado **por el camino**
    y cómo lo habían **reconocido** al **partir el pan**.

vamos comprendiendo que la multiplicación de los panes era una figura de la eucaristía. Lo anterior no quiere decir que el Señor no haya realizado en Emaús la Eucaristía.

En este día de Pascua asistimos, de la mano de san Lucas, a contemplar cómo el Señor está con sus discípulos en su caminar cotidiano. Las Escrituras nos sirven de guía en situaciones oscuras y desesperadas, cuando las leemos con la luz de Cristo. Entonces se esclarece el horizonte y podemos reconocer la presencia divina que nos da vida nueva y nos convoca a reunirnos en la comunidad de fe.

IV DOMINGO DE PASCUA

I LECTURA   Hechos 2:14a, 36–41

Lectura del libro de los Hechos de los Apóstoles

Es una ocasión singular. Nota que las frases iniciales son provocativas. Urgen a reaccionar. Procura darle ese apremio.

El día de **Pentecostés**,
  se presentó **Pedro** junto con los **Once** ante la **multitud**
  y **levantando la voz**, dijo:
"Sepa **todo** Israel con **absoluta certeza**,
  que **Dios** ha constituido **Señor** y **Mesías** al mismo **Jesús**,
  a quien ustedes han **crucificado**".

Estas palabras les llegaron al **corazón**
  y preguntaron a **Pedro** y a los **demás apóstoles**:
"¿**Qué** tenemos que hacer, **hermanos**?"

La reacción de los escuchas es sincera. De aquí depende el exhorto de Pedro. Dale cierta vehemencia a esta secuencia.

Pedro les contestó: "**Arrepiétanse**
  y **bautícense** en el nombre de **Jesucristo**
  para el **perdón** de sus **pecados**
  y **recibirán** el Espíritu Santo.
Porque las **promesas** de Dios **valen** para **ustedes** y para **sus hijos**
  y **también** para **todos** los paganos
  que el Señor, **Dios nuestro**, quiera llamar,
  aunque estén **lejos**".

Eleva un tanto el tono de esta parte que cierra con mucho optimismo.

Con **éstas** y otras **muchas** razones,
  los **instaba** y **exhortaba**, diciéndoles:
"**Pónganse** a salvo de este mundo **corrompido**".
Los que **aceptaron** sus palabras se **bautizaron**,
  y **aquel día** se les agregaron unas **tres mil** personas.

I LECTURA San Lucas describe los primeros pasos de la comunidad cristiana selectivamente. Escoge aquellos acontecimientos principales que indican el rumbo por donde caminará el primer grupo cristiano. Desde luego las comunidades cristianas posteriores, las de todos los siglos, tomarán rasgos muy propios y singulares, pero siempre deberán tener las características primigenias dibujadas por Lucas.

Después de lo sucedido en la fiesta de Pentecostés, coloca a Pedro explicando lo sucedido en tal fiesta. La liturgia de hoy sólo nos da las últimas palabras. Luego de presentar el fenómeno de la pluralidad de lenguas como escatológico, toca el aspecto cristológico explicando el significado de la vida, muerte y resurrección de Jesús, afirmando que "Dios ha constituido Señor y Mesías al mismo Jesús, a quienes ustedes han crucificado".

Jesús, el Mesías, ha cumplido las Escrituras y las esperanzas del pueblo escogido. Es el esperado Mesías. Por medio de su muerte ha manifestado su mesianidad y señorío. Jesús ha sido entronizado Mesías y Señor. Ha adquirido este título de Señor sobre todo por su resurrección.

La reacción de los oyentes es positiva. El primer síntoma de la buena recepción de la palabra de Pedro es la compunción: "¿Qué debemos hacer, hermanos?". La fe debe traducirse en vida. Pedro les da un itinerario que jalona el camino de la salvación: el arrepentimiento, el bautismo y la recepción del Espíritu Santo. Esto traerá un cambio a una nueva vida. Todos son llamados a ello, los judíos y los paganos.

Nos invita a todos, a los que estaban entonces presentes y ahora a nosotros,

Para meditar

SALMO RESPONSORIAL   Salmo 22:1–3a, 3b–4, 5, 6

R. El Señor es mi pastor, nada me falta.

El Señor es mi pastor, nada me falta: en verdes praderas me hace recostar, me conduce hacia fuentes tranquilas y repara mis fuerzas. **R.**

Me guía por el sendero justo por el honor de su nombre. Aunque camine por cañadas oscuras, nada temo, porque tú vas conmigo: tu vara y tu cayado me sosiegan. **R.**

Preparas una mesa ante mí enfrente de mis enemigos; me unges la cabeza con perfume, y mi copa rebosa. **R.**

Tu bondad y tu misericordia me acompañan todos los días de mi vida, y habitaré en la casa del Señor por años sin término. **R.**

II LECTURA   1 Pedro 2:20b–25

Lectura de la primera carta del apóstol san Pedro

Hermanos:
Soportar con **paciencia**
    los **sufrimientos** que les vienen a **ustedes** por hacer el **bien**,
    es cosa **agradable** a los ojos de **Dios**,
    pues a **esto** han sido llamados,
    ya que **también Cristo** sufrió por **ustedes**
    y les dejó **así** un **ejemplo** para que **sigan** sus huellas.

Él **no cometió** pecado **ni hubo** engaño en su **boca**;
    insultado, **no devolvió** los insultos;
    maltratado, **no profería** amenazas,
    sino que **encomendaba** su causa al **único** que juzga con **justicia**;
    cargado con nuestros pecados, **subió** al madero de la cruz,
    para que, **muertos** al pecado, **vivamos** para la **justicia**.

Por sus llagas **ustedes** han sido **curados**,
    porque **ustedes** eran como ovejas **descarriadas**,
    pero **ahora** han vuelto al **pastor** y **guardián** de sus **vidas**.

Necesitamos perseverar en la fe y alentarnos unos a otros. Este espíritu debe alentar tu proclamación de hoy.

Con auténtica convicción pronuncia estas líneas llenas de ferviente compasión.

En tono bajo, acércate al final, pero en la frase última cobija a la audiencia con tu mirada.

---

a entrar dentro de esa comunidad de salvación. En los versos siguientes Lucas dibujará un cuadro de la vida cristiana que, a pesar de su brevedad, refleja muy bien las características fundaméntales de la Iglesia primitiva. Esta vida cristiana, con sus características fundamentales, es el fruto de la acción del Espíritu Santo.

II LECTURA   Las líneas de la lectura pertenecen al exhorto que la voz apostólica dirige a los domésticos, siervos o esclavos cristianos que sirven en casas de amos no cristianos, injustos y crueles. Los esclavos eran objetos, no sujetos, y a lo sumo se les daba comida y un techo. No tenían derecho ni a bienes ni a su propio cuerpo. De hecho, hombres y mujeres esclavos eran abusados laboral y sexualmente, y podían incluso ser castigados y hasta muertos, a capricho de su amo. Claro, también había amos buenos y compasivos.

En esta sección de la carta, la voz apostólica echa mano de los códigos domésticos usuales que eran instrucciones sobre roles y funciones de los integrantes de una casa para hacerla funcional y productiva en aquellas sociedades.

En estos tiempos en que los derechos humanos han avanzado en la conciencia ciudadana global, la ética cristiana subraya adoptar una actitud de denuncia de cualquier abuso a la dignidad humana, dentro o fuera de casa, pero también la procuración de justicia para resarcir el daño infligido a las víctimas. Esta es una vía de santificación también, pues Dios quiere que todos y cada uno de sus hijos e hijas tengan vida plena.

EVANGELIO   El autor emplea un recurso literario usado poco por Jesús: el enigma. El enigma acucia al enten-

EVANGELIO   Juan 10:1–10

Lectura del santo Evangelio según san Juan

En **aquel** tiempo, Jesús dijo a los **fariseos**:
"Yo les **aseguro** que el que **no entra**
    por la **puerta** del redil de las **ovejas**,
    sino que salta **por otro lado**, es un **ladrón**, un **bandido**;
    pero el que **entra** por la puerta, **ése** es el **pastor** de las **ovejas**.
A **ése** le abre el que **cuida** la puerta, y las ovejas **reconocen** su **voz**;
    él llama a **cada una** por su nombre y **las conduce** afuera.
Y cuando ha sacado a **todas** sus ovejas, camina **delante** de ellas,
    y ellas **lo siguen**, porque **conocen su voz**.
Pero a un extraño **no** lo seguirán, sino que **huirán** de él,
    porque **no conocen** la voz de los **extraños**".

Jesús les puso **esta comparación**,
    pero ellos **no entendieron** lo que les **quería decir**.
Por eso **añadió**:
"Les **aseguro** que yo soy la **puerta** de las **ovejas**.
Todos los que han venido **antes** que yo, son **ladrones** y **bandidos**;
    pero mis ovejas **no** los han **escuchado**.

Yo soy la puerta; quien entre por mí se **salvará**,
    podrá **entrar** y **salir** y **encontrará** pastos.
El **ladrón** sólo viene a **robar**, a **matar** y a **destruir**.
Yo he venido para que tengan **vida**
    y la tengan en **abundancia**".

Procura separar las secciones del discurso y marca los contrastes que marca el propio texto. Nota los opuestos en cada segmento y acentúalos.

Este nuevo desarrollo se marca con la primera persona de singular. Esto debe marcar tu propia persona de pastor, y desde allí proyectar tu voz.

Ve cerrando pero no aminores el tono. El discurso es denuncia y anuncio también.

---

dimiento, lo empuja a indagar, a descubrir un sentido.

    Los cercos eran algo natural en los pueblitos, como Nazaret, donde las casas eran pequeñas y no tenían espacio para alojar los pocos animalitos que poseía una familia. Entonces dejaban por las noches los animalitos, pocos, en estos cercados, donde cabían muchos y un guardia estaba al cargo de ellos. Sólo había una puerta. Este es el cuadro pintado por Jesús, que le servirá para explicar quién es él y cuál es su función.

    Así pues, Jesús se presenta como pastor y puerta. Debajo de la imagen esta la unicidad. No había dos pastores ni dos puertas. La puerta es Jesús. Para entrar al cerco, la mediación única es la puerta. Ésta ofrece la diferencia entre el pastor y el ladrón. Hay una diferencia entre antes y ahora. Antes vinieron unos que pretendieron conducir al pueblo de Dios, los falsos jefes y Mesías. Eran bandidos. Sin la revelación, sin la Buena Nueva no se puede conducir al pueblo de Dios.

    Las ovejas podrán entrar en este cerco únicamente a través de la puerta que es la salvación hecha palabra en Jesús. Además, serán llevadas las ovejas (entiéndase, por Jesús) a los buenos pastos.

    El que se busca a sí mismo, no puede pasar por la puerta. Es un ladrón. Nos busca, pero para que le sirvamos, para quitarnos lo nuestro, no sólo nuestros bienes perecederos sino ese bien tan personal que es la personalidad, la libertad. En cambio, el Señor nos busca para salvarnos, para darnos. No necesita él de nuestros bienes; quiere que nos llevemos los de él.

V DOMINGO DE PASCUA

El episodio es muy animado. Déjate llevar por la acción conforme la vas describiendo.

El problema que surgió da ocasión para consensuar la solución. Importa mucho que los requisitos para el liderazgo en la comunidad de fe queden fijos en el imaginario de los fieles.

Los nombres de los elegidos por la asamblea deben ser pronunciados con familiaridad, porque pertenecen a nuestra familia de fe.

I LECTURA   Hechos 6:1–7

Lectura del libro de los Hechos de los Apóstoles

En **aquellos** días, como **aumentaba** mucho
    el **número** de los discípulos,
    hubo **ciertas quejas** de los judíos **griegos** contra los **hebreos**,
    de que **no se atendía bien** a sus **viudas**
    en el servicio de **caridad** de **todos** los días.

Los **Doce** convocaron entonces a la **multitud** de los discípulos
    y les **dijeron**:
"No es **justo** que, **dejando** el ministerio de la **palabra de Dios**,
    nos dediquemos a **administrar** los **bienes**.
Escojan entre **ustedes** a **siete hombres** de **buena reputación**,
    llenos del Espíritu Santo y de **sabiduría**,
    a los cuales **encargaremos este servicio**.
Nosotros nos dedicaremos a la **oración**
    y al **servicio** de la **palabra**".

Todos estuvieron de acuerdo y **eligieron** a Esteban,
    hombre **lleno de fe** y del Espíritu Santo,
    a **Felipe, Prócoro, Nicanor, Timón, Pármenas**
    y **Nicolás**, prosélito de Antioquía.
Se los presentaron a los **apóstoles**
    y **éstos**, después de haber orado, les **impusieron las manos**.

 San Lucas da un paso más en su descripción del desarrollo de la Iglesia primitiva. Los que escuchaban la predicación de los apóstoles empezaron a creer en Jesús el Mesías y en la forma concreta en que sus discípulos vivían, que no era sino un intento de hacer concreta la manera como había vivido Jesús con sus discípulos. Sin embargo, las circunstancias empezaron a cambiar y la comunidad tuvo que adaptarse a ellas, sin dejar de lado el espíritu de comunidad forjada por el Maestro.

En este capítulo Lucas empieza a hablar de una nueva realidad. La atmósfera era un poco diferente. Aparece un problema que antes no existía. Ahora hay una comunidad, compuesta fundamentalmente por judíos procedentes de Judá o Galilea y judíos nacidos en el extranjero, llamados judíos helenistas. Estos judíos helenistas quizás hayan habitado en Jerusalén. Tenían una mentalidad más abierta por su contacto más estrecho con los paganos. Representaban un problema práctico: la convivencia. Sí, porque al convivir, empezaban a aparecer

maneras de obrar algo diferentes. Apareció el problema del servicio a las viudas.

El servicio a las viudas era una realización concreta de la comunidad de bienes, de la que habló antes Lucas. Esa forma práctica de ejercer el amor al prójimo estaba en manos de cristianos judíos nativos de habla aramea. Estos, como dicen los judíos helenistas, se preocupaban más de las viudas de ascendencia judía aramea que de las viudas del grupo helenista.

El problema se presentó a los apóstoles, quienes obraron colegialmente. Dan una solución que tuvo en cuenta el proble-

Mientras tanto, la **palabra de Dios** iba **cundiendo**.
En **Jerusalén** se multiplicaba **grandemente**
    el **número** de los discípulos.
Incluso un grupo **numeroso** de sacerdotes había **aceptado** la **fe**.

Para meditar

SALMO RESPONSORIAL   Salmo 32:1–2, 4–5, 18–19
R. Que tu misericordia, Señor, venga sobre nosotros, como lo esperamos de ti.

Aclamen, justos, al Señor, que merece la alabanza de los buenos; den gracias al Señor con la cítara, toquen en su honor el harpa de diez cuerdas. **R.**

La palabra del Señor es sincera y todas sus acciones son leales; él ama la justicia y el derecho, y su misericordia llena la tierra. **R.**

Los ojos del Señor están puestos en sus fieles, en los que esperan en su misericordia, para librar sus vidas de la muerte y reanimarlos en tiempo de hambre. **R.**

II LECTURA   1 Pedro 2:4–9

Lectura de la primera carta del apóstol san Pedro

Pedro, casi suplicante, invita a participar en lo más precioso del culto cristiano. Aprópiate del espíritu de esta lectura y transmítelo a la asamblea. Recuerda a los neófitos e inspírate en ellos.

Hermanos:
Acérquense al Señor **Jesús**,
    la piedra **viva**, **rechazada** por los **hombres**,
    pero **escogida** y **preciosa** a los ojos de **Dios**;
    porque **ustedes también** son **piedras vivas**,
    que van **entrando** en la **edificación** del templo **espiritual**,
    para **formar** un sacerdocio **santo**,
    destinado a ofrecer sacrificios **espirituales**,
    agradables a Dios, por medio de **Jesucristo**.
Tengan presente que **está escrito**:
He aquí que pongo en *Sión* una *piedra angular*,
    escogida y *preciosa*;
    el que crea en ella **no** *quedará* **defraudado**.

---

ma, creando un grupo que se encargara equilibradamente del cuidado de las viudas. Los apóstoles dan una solución a la comunidad. Ésta participa y elige a los candidatos. Los apóstoles les confirieron la autoridad a esos elegidos por la comunidad, imponiéndoles las manos, que era la forma judía de conferir un oficio. Así se irá estructurando poco a poco la Iglesia.

II LECTURA En esta parte de la carta, el autor recién ha exhortado a los cristianos a alejarse de todo tipo de maldad y, por el contrario, degustar las bondades del Señor y acercarse a Cristo Jesús. En este punto adopta la imagen de la piedra viva, preciosa, seleccionada por Dios para hacerla fundamento de la novedad mesiánica, pero que a los ojos de los hombres no es sino un pedrusco despreciable. Los oyentes, piedras vivas también, pueden identificarse claramente con esta descripción porque están experimentando el desprecio de sus propios coterráneos incrédulos. Así acude al discurso la figura del templo espiritual en el que participan.

El autor amplía la figura de la construcción espiritual fijándose en la función principal del templo: los sacrificios. El autor se refiere al Salmo 118 para notar que, con el sacrificio de Jesús, Dios ha puesto la piedra fundamental en Sión, para edificar un templo espiritual. Un sacrificio grato no sólo requiere de una víctima intachable, sino también de una edificación, de un altar y de un sacerdocio santos. Los bautizados son piedras vivas que conforman un templo y un sacerdocio espirituales porque están unidos a Cristo Jesús, piedra viva por excelencia y, por tanto, superior al propio templo de Jerusalén; esta identidad sacerdotal es

Dichosos, pues, **ustedes**, los que han **creído**.
En cambio, para aquellos que se **negaron** a creer,
    vale lo que dice la **Escritura**:
*La **piedra** que **rechazaron** los **constructores**
    ha **llegado** a ser la **piedra angular**,
    y **también tropiezo** y roca de **escándalo**.*
Tropiezan en ella los que **no creen** en la **palabra**,
    y en **esto** se cumple un **designio de Dios**.

Ustedes, por el contrario, son *estirpe elegida*,
    *sacerdocio **real**, nación **consagrada a Dios***
    y ***pueblo** de su **propiedad***,
    para que **proclamen** las obras **maravillosas**
    de **aquél** que los **llamó** de las tinieblas a **su luz admirable**.

Mira a la asamblea al pronunciar cada uno de los atributos que la redención le otorga. Luego eleva para invitar a la acción.

EVANGELIO   Juan 14:1–12

Lectura del santo Evangelio según san Juan

En **aquel** tiempo, **Jesús** dijo a sus discípulos:
    "**No pierdan** la paz.
Si **creen** en **Dios**,
    crean **también** en **mí**.
En la **casa** de mi **Padre** hay **muchas habitaciones**.
Si no fuera **así**,
    yo se lo habría **dicho** a **ustedes**,
    porque voy a **prepararles** un **lugar**.
Cuando me **vaya** y les **prepare** un **sitio**,
    volveré y los **llevaré** conmigo,
    para que donde **yo** esté,
    estén **también ustedes**.
Y **ya saben** el camino para **llegar** al **lugar** a donde **voy**".

Como Jesús, infunde confianza y seguridad en todo momento. Afianza tu voz y tu gesto para comunicar una certeza inamovible en el futuro.

Es el Resucitado quien habla. El gozo contenido en estas palabras alienta la esperanza de la vida cristiana.

---

común a todo bautizado que ofrenda su propia vida, santa, unido a Cristo Jesús.

El autor explota también el otro aspecto de la piedra, piedra de tropiezo (ver Isaías 28); para los incrédulos, Cristo es motivo de escándalo, no de fe. Los que se niegan a creer en esa palabra de las Escrituras están destinados a tropezar y caer.

Al final de nuestra lectura se amplía la descripción de la comunidad cristiana tomando los rasgos del pueblo de la alianza mencionados en el libro del Éxodo 19. Este pueblo de la alianza nueva relumbra con las notas más preciadas que lo distinguen entre las demás naciones. Su excelencia comunitaria tiene por meta no un narcisismo o vanagloria fútil, sino el anunciar visualmente los portentos de Dios en favor de la humanidad entera; a esto viene la imagen de la luz que resalta que esto es algo visible, más que audible.

La Iglesia, pueblo de la alianza nueva, es un organismo vivo, configurado por todos los fieles unidos a Cristo que tiene por objeto santificar toda la realidad humana. Empeñémonos en obrar el bien y la justicia para que la santidad de Dios relumbre a los ojos de los incrédulos y experimenten lo bueno que es el Señor.

EVANGELIO La inseguridad siempre ha existido en cualquier ser humano. Desde luego han existido tiempos en que hay más inseguridad externa y épocas en que el ambiente es más seguro. En esto no debe dejarse de lado la apreciación de cada persona.

Los discípulos del Señor tenían sus preocupaciones, sobre todo, cuando el ambiente en que se encontraban en esta pascua en que Jesús había aludido a su muerte duran-

El discurso va acercándose a un punto climático más. Pronuncia estas frases con serena tranquilidad, pero sin arrastrarlas.

Entonces **Tomás** le dijo:
  "Señor, **no sabemos** a dónde vas,
    ¿**cómo** podemos **saber** el camino?"
Jesús le respondió:
  "**Yo** soy el **camino**, la **verdad** y la **vida**.
Nadie va al Padre si no es **por mí**.
Si **ustedes** me conocen a **mí**, conocen **también** a mi **Padre**.
Ya **desde ahora** lo **conocen** y lo han **visto**".

Le dijo **Felipe**:
  "Señor, **muéstranos** al Padre y **eso** nos **basta**".
Jesús le replicó:
"Felipe, **tanto tiempo** hace que estoy **con ustedes**,
    ¿y **todavía** no me **conoces**?
Quien me ha **visto** a **mí**, ha **visto** al **Padre**.
¿Entonces **por qué** dices:
    'Muéstranos al **Padre**'?
¿O **no crees** que **yo** estoy en el **Padre** y que el **Padre** está en **mí**?
Las **palabras** que **yo** les digo,
    no las digo por mi **propia** cuenta.
Es el **Padre**, que **permanece** en mí, **quien hace** las obras.
Créanme: yo estoy en el **Padre** y el **Padre** está en **mí**.
Si no me dan **fe a mí**, créanlo por las **obras**.
Yo les **aseguro**:
    el que **crea** en mí, **hará** las obras que **hago yo**
    y las hará **aún mayores**,
    porque **yo me voy** al **Padre**".

Sin imposición pero con total convicción, contacta a la asamblea al pronunciar estas certezas de la fe cristiana.

te la cena. En el fondo, cada uno se preguntaba: y después de Jesús ¿qué?

Jesús les da seguridad. Les dice que se va a prepararles una casa a cada uno de ellos, se entiende que él o su casa estaría en el centro. Entienden que les quiere decir que estará con ellos presente, después de su ida, de su muerte. Por esto les dice que no se turben. Entre la turbación y la fe, hay una distancia que puede ser infinita. Ellos deben estar anclados en la fe en él. Así como la muerte del Señor es un regreso al Padre, así la muerte de los discípulos es también un regreso al Padre.

Como es costumbre en Juan, Jesús prosigue en el mismo sentido, aunque con otras palabras: "Y ya saben el camino para llegar al lugar a donde voy". Esto da pie a la pregunta de Tomás. Esto da ocasión a que Jesús aclare que el camino no es la observación de los mandamientos sino Jesús mismo. Jesús es la revelación del Padre y quien quiera llegar al Padre, deberá hacerlo por medio de Jesús. A Tomás, como a los otros discípulos, les queda oscura esta ida al Padre. Por esto, Jesús explica el camino y la meta: "Yo soy el camino". Tomás no debe pensar en un país o región extranjera. Jesús

es la única meta. Los discípulos no conocen la vía, porque no han conocido bien el camino. Este camino es Jesús. Jesús es la verdad. Para el semita, la verdad es algo concreto, práctico, algo firme sobre lo cual fincar la vida propia. Para los judíos, la verdad era la fidelidad del Señor Dios a sus promesas, a su alianza. Era la norma que les aseguraba la vida. Jesús es esta promesa definitiva. Jesús es el camino hacia el Padre. Y no hay ni puede haber otro. Por otra parte, así designaban la manera de vivir cristiana, el camino.

VI DOMINGO DE PASCUA

El relato subraya la expansión de la Palabra y la cooperación apostólica de las iglesias. Proclama con gozo misionero esta lectura y pide al Espíritu Santo que mueva a todos al anuncio de la Buena Nueva de Cristo Jesús.

Resalta la comunión en el Espíritu Santo. Subraya las dos últimas líneas y concluye haciendo contacto visual con los neófitos en la asamblea.

I LECTURA   Hechos 8:5–8, 14–17

Lectura del libro de los Hechos de los Apóstoles

En **aquellos** días,
   Felipe bajó a la ciudad de **Samaria** y **predicaba** allí a **Cristo**.
La **multitud** escuchaba con **atención** lo que decía **Felipe**,
   porque habían **oído hablar** de los **milagros** que hacía
      y los estaban **viendo**:
   de **muchos** poseídos **salían** los espíritus **inmundos**,
      lanzando **gritos**,
   y muchos **paralíticos** y **lisiados** quedaban **curados**.
Esto despertó **gran alegría** en aquella ciudad.

Cuando los **apóstoles** que estaban en **Jerusalén**
   se **enteraron** de que **Samaria** había **recibido** la **palabra de Dios**,
   enviaron allá a **Pedro** y a **Juan**.
Éstos, al llegar, **oraron** por los que se habían **convertido**,
   para que **recibieran** al Espíritu Santo,
   porque **aún** no lo habían **recibido**
   y solamente habían sido **bautizados**
   en el **nombre** del Señor **Jesús**.
Entonces **Pedro** y **Juan** **impusieron** las **manos** sobre ellos,
   y ellos **recibieron** al Espíritu Santo.

I LECTURA San Lucas pasa ahora a contarnos la difusión del Evangelio fuera de los muros de Jerusalén. El lugar escogido es Samaria. Los samaritanos oyeron la palabra de Dios por medio del diácono Felipe. Aparte del servicio de las mesas, los diáconos habían recibido también la misión de dedicar la Palabra. Esta produce el cambio de corazón, al acepar a Jesús como Mesías, como el esperado por todo Israel para que recibir la capacidad de cumplir la Ley y así vivir en hermandad. Ya los profetas habían comprendido que el hombre no podía llegar a cumplir plena-

mente la Ley ni a vivir de acuerdo con ella, sin una especial intervención de Dios. Esa intervención era esperada por el Mesías, el consagrado por Dios para esto.

Felipe predica la Palabra y ésta es acompañada de exorcismos y curaciones, que eran señales tangibles de que el Mesías había llegado y que la reconciliación plena del hombre con Dios era una posibilidad. Los samaritanos se muestran favorables al Evangelio. La muchedumbre está atenta no a Felipe sino a la Palabra. Ven que esa Palaba es viva y eficaz. La aceptan y muchos samaritanos se hacen bautizar por Felipe.

Dándose cuenta la comunidad de Jerusalén de la evangelización exitosa de Felipe en Samaria, decide enviar a Pedro y Juan a que otorguen la planitud de la aceptación de la Palabra, propiciando la venida del Espíritu Santo sobre los recién bautizados. Esto señala también la unión estrecha entre los samaritanos y la Iglesia madre de Jerusalén, a la que pertenecen los testigos que han visto al Espíritu en la cruz, pues de la contemplación del amor de Dios sobre la cruz, se contempla al Espíritu. Ese será el camino futuro para la difusión del mensaje de Jesús.

Para meditar

SALMO RESPONSORIAL Salmo 65:1–3a, 4–5, 6–7a, 16 y 20

R. Aclamen al Señor, tierra entera.

Aclamen al Señor tierra entera; toquen en honor de su nombre, canten himnos a su gloria. Digan a Dios: "Qué temibles son tus obras". **R.**

Que se postre ante ti la tierra entera, que toquen en tu honor, que toquen para tu nombre. Vengan a ver las obras de Dios, sus temibles proezas en favor de los hombres. **R.**

Transformó el mar en tierra firme, a pie atravesaron el río. Alegrémonos con Dios, que con su poder gobierna eternamente. **R.**

Fieles de Dios, vengan a escuchar; les contaré lo que ha hecho conmigo. Bendito sea Dios que no rechazó mi súplica, ni me retiró su favor. **R.**

II LECTURA   1 Pedro 3:15–18

Lectura de la primera carta del apóstol san Pedro

Hermanos:
Veneren en sus corazones a **Cristo**, el **Señor**,
     dispuestos **siempre** a dar, al que las **pidiere**,
     las razones de la **esperanza** de **ustedes**.
Pero **háganlo** con **sencillez** y **respeto**
     y estando en **paz** con su **conciencia**.
Así quedarán **avergonzados** los que **denigran**
     la conducta **cristiana** de **ustedes**,
     pues **mejor** es **padecer** haciendo el **bien**,
     si **tal** es la **voluntad de Dios**,
     que **padecer** haciendo el **mal**.
Porque **también Cristo** murió, **una sola vez** y para **siempre**,
     por los **pecados** de los **hombres**:
     él, el **justo**, por **nosotros**, los **injustos**, para **llevarnos** a **Dios**;
     murió en su **cuerpo** y **resucitó glorificado**.

Es una bellísima exhortación a vivir con sentido cristiano. Nota las frases que enlazan el argumento para darles el realce necesario.

Baja la velocidad conforme te acercas al final de la lectura.

 El pasaje de nuestra lectura es eminentemente exhortativo. El autor ha procurado infundir en sus oyentes la virtud de la paciencia cristiana ante los sufrimientos que su condición de seguidores de Cristo les acarrea; guarda la esperanza de que las obras buenas y la actitud alegre para hacer el bien, imitando la figura del Siervo sufriente, doblegarán la agresividad de quienes los maltratan y desprecian. Así pues, en esta parte escuchamos la interiorización necesaria para mantenerse fieles al modelo de Cristo.

Venerar a Cristo en el corazón indica, por un lado, la necesaria actitud de considerarlo modelo de la conducta personal sin que ello implique que no se le venere públicamente. El autor, sin embargo, se fija más en lo externo cuando habla de dar razón de la esperanza cristiana a quien la pida. La esperanza que anima a los cristianos es la de la resurrección de los muertos, que en Cristo tiene su primicia. Esa esperanza echa raíces en la tradición apostólica de la pasión, muerte y resurrección del Señor —el núcleo del Evangelio—, y que vale expresar cuando sea necesario. Al escéptico se le convence con humildad y temor, con "sencillez y respeto" como traduce nuestra lectura.

El creyente ha de llevar una vida coherente con su ideal cristiano interior y mantener una conciencia limpia, para evitar motivos de maledicencia a sus adversarios. Las buenas obras del cristiano son su mejor argumento, y en caso de que nada consigan sino maltratos, es preferible soportarlos injustamente, por obrar bien, a padecerlos por motivo justificado, o sea por haber hecho algo que merecía condenación. Esta es la manera cristiana de proceder, pues imita al Señor Jesús.

EVANGELIO   Juan 14:15–21

Lectura del santo Evangelio según san Juan

En **aquel** tiempo, **Jesús** dijo a sus **discípulos**:
"Si me aman, **cumplirán** mis **mandamientos**;
   yo le **rogaré** al Padre
   y **él** les enviará **otro Consolador** que esté **siempre** con **ustedes**,
   el Espíritu de **verdad**.
El **mundo** no puede **recibirlo**, porque **no lo ve ni lo conoce**;
   ustedes, en cambio, **sí** lo conocen,
   porque habita **entre ustedes** y estará **en ustedes**.

No los dejaré **desamparados**, sino que **volveré** a **ustedes**.
Dentro de **poco**, el mundo **no me verá más**,
   pero ustedes **sí** me verán,
   porque yo **permanezco** vivo y **ustedes también** vivirán.
En **aquel** día **entenderán** que **yo** estoy en mi **Padre**,
   ustedes en **mí** y **yo** en **ustedes**.

El que **acepta** mis **mandamientos** y los **cumple, ése** me **ama**.
Al que me **ama** a **mí**, lo **amará** mi **Padre**,
   yo también lo amaré y me **manifestaré** a él".

Identifica lo propio de cada parágrafo y subraya con tu entonación las frases positivas. Nota el crescendo de intimidad con Cristo resucitado en lo que se va anunciando.

Contacta visualmente con los neófitos al término de esta línea. Luego, baja un poco el tono de voz; hazla cálida, pero manténla firme.

EVANGELIO Antes de morir, durante la Última Cena, Jesús promete a sus discípulos orar al Padre por ellos. Esa oración es entendida como el espacio interior del que sale toda oración cristiana: el Espíritu que Jesús promete estará en el interior del discípulo. Las palabras de Jesús inician con la exigencia de que el discípulo lo ame.

En el Sinaí, Dios exigió de su pueblo un amor exclusivo. No amarían a ningún otro Dios. Como consecuencia de este amor, estaba el don del amor por pare de Dios. Así aquí Jesús. A su exigencia de amor exclusión de parte del hombre, Jesús ofrece un amor sin límite al hombre. Establece con el hombre una nueva alianza. Jesús pide a Dios para sus discípulos otro ayudante.

Cuando Jesús pide al Padre, lo hace en forma dialogal. Dialoga con el Padre, con el cual está constantemente unido y es esencialmente igual. Jesús, ante su próxima ausencia, pide otro Paráclito, nombre que Juan reserva para el Espíritu Santo. El acento está puesto más en la función que en la persona. El Paráclito, es el abogado, el ayudante, el que da testimonio en favor de la justicia ante el tremendo hecho que se desarrollará al día siguiente y que después seguirá en esta misma función ante la persecución de los discípulos. Más allá de esa ayuda, el Paráclito dará a los discípulos la plena inteligencia de la revelación hecha por Jesús. Además, llama Jesús al Espíritu, Espíritu de verdad porque les hará conocer a los discípulos la verdad y les dará la capacidad de poder vivir en conformidad con ésta.

ASCENSIÓN DEL SEÑOR

Hay un cambio de nivel narrativo entre el primero y el segundo parágrafos. Inicia el segundo elevando un poco el tono en la nota temporal, para remarcar el arranque de algo nuevo.

I LECTURA   Hechos 1:1–11

Lectura del libro de los Hechos de los Apóstoles

En mi **primer** libro, querido **Teófilo**,
    escribí acerca de **todo** lo que Jesús **hizo** y **enseñó**,
    hasta el día en que **ascendió** al **cielo**,
    después de dar sus **instrucciones**,
    por medio del **Espíritu Santo**, a los **apóstoles** que había **elegido**.
A **ellos** se les **apareció** después de la **pasión**,
    les dio **numerosas pruebas** de que estaba **vivo**
    y durante **cuarenta días** se dejó ver por ellos y les **habló**
        del **Reino de Dios**.

Un día, estando con ellos a la mesa, **les mandó**:
    "**No se alejen** de Jerusalén.
Aguarden **aquí** a que se **cumpla** la **promesa** de mi **Padre**,
    de la que ya les he **hablado**:
    Juan **bautizó** con **agua**;
    dentro de pocos días **ustedes** serán **bautizados**
        con el **Espíritu Santo**".

Los ahí **reunidos** le **preguntaban**:
    "Señor, ¿**ahora** sí vas a **restablecer** la **soberanía** de **Israel**?"

Las instrucciones son precisas. Pronúncialas distintamente para que la asamblea intuya lo que está por venir.

I LECTURA El tiempo de la Iglesia empieza con el retiro de Jesús al cielo, desde donde cuidara a su grey hasta que él regrese. El tiempo que pasara hasta el regreso del Señor para llevar consigo a su Iglesia, es un tiempo de espera y trabajo, en el que la Iglesia se encargará de llevar el Evangelio a todas las naciones. Nuestro tiempo es el tiempo de la siembra del Evangelio.

Empieza Lucas con un prólogo, como hizo para comenzar el evangelio. De esta forma nos quiere indicar que el tiempo de la Iglesia es una continuación del tiempo de la Buena Nueva anunciada por Jesús. Con esto quiere el evangelista afirmar la fiabilidad del hecho cristiano.

Lucas presenta la ascensión de Jesús al cielo, después de cuarenta días. Es el inicio de la misión apostólica. Durante cuarenta años el pueblo elegido peregrinó por el desierto después de haber sido liberado de Egipto. Así ahora, la nueva vida que proviene de la resurrección de Jesús necesita una asimilación por parte de los discípulos para que el gran don de Dios sea asimilado.

Para recoger la plenitud de ese don inmenso, los discípulos deben permanecer en Jerusalén. No deben alejarse, como los discípulos de Emaús de la ciudad santa. De Sion saldrá la Ley y de Jerusalén la palabra del Señor (Isaías 2:1, 3). Jesús les recomendó: "Quédense en la ciudad hasta que sean revestidos con la fuerza que viene desde el cielo" (Lucas 24:49).

Jesús les promete la venida del Espíritu Santo. El Espíritu los acompañará. Los bendijo Jesús y se apartó de su vista. Un ángel los trajo a la nueva realidad. La partida de Jesús no es una negación de la parusía, sino que abre a la Iglesia un tiempo que se extiende de la pascua de la resurrección,

Jesús corrige a los discípulos haciéndoles un encargo muy importante. Subraya el "ustedes" y los efectos del descenso del Espíritu Santo mirando a la feligresía.

Cierra elevando el tono, como si algo quedara por leer. Tras la pausa doble, pronuncia la fórmula litúrgica conclusiva.

Jesús les contestó:
"A **ustedes** no les toca **conocer** el **tiempo** y la **hora**
  que el **Padre** ha **determinado** con su **autoridad**;
  pero cuando el **Espíritu Santo** descienda sobre **ustedes**,
  los **llenará** de **fortaleza** y serán mis **testigos** en **Jerusalén**,
  en **toda** Judea, en Samaria y **hasta los últimos rincones**
    de la **tierra**".

Dicho **esto**, se fue **elevando** a la **vista** de ellos,
  hasta que una **nube** lo **ocultó** a sus **ojos**.
Mientras miraban **fijamente** al cielo, **viéndolo alejarse**,
  se les presentaron **dos hombres vestidos de blanco**,
    que les **dijeron**:
"Galileos, ¿**qué hacen allí parados**, mirando al **cielo**?
Ese mismo **Jesús** que los ha **dejado** para **subir** al **cielo**,
  volverá como lo han visto **alejarse**".

Para meditar

SALMO RESPONSORIAL Salmo 46:2–3, 6–7, 8–9
R. Dios asciende entre aclamaciones, el Señor, al son de trompetas.

Pueblos todos batan palmas, aclamen a Dios
  con gritos de júbilo; porque el Señor es
  sublime y terrible, emperador de toda
  la tierra. **R.**

Dios asciende entre aclamaciones, el Señor,
  al son de trompetas;
  toquen para Dios, toquen,
  toquen para nuestro Rey, toquen. **R.**

Porque Dios es el rey del mundo; toquen con
  maestría. Dios reina sobre las naciones,
  Dios se sienta en su trono sagrado. **R.**

hasta el regreso glorioso del Señor, con lo que se cerrará la historia. La liturgia nos hace vivir la esperanza que hemos recibido todos los cristianos: la esperanza de cara al futuro. Con esta esperanza, daremos seguridad a nuestro entorno.

II LECTURA Luego de las formalidades iniciales propias de las cartas, el autor compone una alabanza a Dios en la que despliega la obra de la salvación en Cristo Jesús en su dimensión cósmica, pero que alcanza a los propios oyentes con bendiciones innumerables. De la oración de

bendición o alabanza pasa el autor a la oración de petición, cuyas líneas escuchamos en la lectura de hoy.

En nuestro pasaje, el remitente elogia la fe y la caridad de los efesios, y eleva una súplica a Dios Padre para que derrame otros dones sobre ellos. Primeramente, pide el espíritu de sabiduría y revelación en el conocimiento divino. Es evidente que el conocimiento de Dios no es un dato que se adquiera de una vez por todas, sino un camino espiritual que ahonda en el creyente un deseo de buscarlo para unirse a él como una vía que transita por las experiencias de vida; en los

eventos de la vida se aprende a discernir la presencia paternal de Dios. Si el autor habla de revelación, es porque el conocimiento de Dios mira también a los acontecimientos de la historia e incluso a su dimensión cósmica, como más adelante deja ver.

La segunda petición lleva implicada la propia identidad cristiana de los escuchas, en tres momentos determinantes, su comienzo y final, la esperanza del llamado y la gloriosa herencia, pero también aquello que la sostiene, el poder extraordinario que genera vida nueva. El autor pide la luz del corazón para que los creyentes ahonden en

II LECTURA   Efesios 1:17–23

Lectura de la carta del apóstol san Pablo a los efesios

Hermanos:
Pido al **Dios** de nuestro Señor **Jesucristo**, el **Padre** de la gloria,
　que les **conceda** espíritu de **sabiduría**
　y de **reflexión** para **conocerlo**.

Le **pido** que les **ilumine** la **mente**
　para que **comprendan** cuál es la **esperanza**
　que les da su **llamamiento**,
　cuán **gloriosa** y **rica** es la **herencia**
　　que **Dios** da a los que son **suyos**
　y cuál la **extraordinaria grandeza**
　　de su **poder** para con **nosotros**,
　los que **confiamos** en él,
　por la **eficacia** de su **fuerza poderosa**.

Con **esta** fuerza **resucitó** a **Cristo** de entre los **muertos**
　y lo hizo sentar **a su derecha** en el cielo,
　por encima de **todos** los ángeles, **principados**,
　potestades, virtudes y **dominaciones**,
　y por encima de **cualquier** persona,
　no sólo del mundo **actual** sino **también** del **futuro**.

Todo lo puso bajo sus **pies**
　y a **él mismo** lo constituyó **cabeza suprema** de la **Iglesia**,
　　que es su **cuerpo**,
　y la **plenitud** del que lo consuma **todo en todo**.

Est una oración pública que busca eco en los oyentes. Alarga la mención de los dones solicitados por Pablo.

Afirma tu voz desde el vientre y dale potencia para resaltar los efectos de la exaltación de Jesús.

estas gracias. La vida cristiana, pues, no agota su horizonte de este mundo: posee una fuerza trascendente patente ya en la singular exaltación de Cristo, cuyo señorío se prolonga en la era venidera.

　Cierra la idea el escritor con una expresión inaudita, al apuntar que Cristo es la cabeza del cuerpo que es la Iglesia, "plenitud del que lo consuma todo en todo". La Iglesia es donde Cristo ejerce su autoridad gloriosa. Los fieles son integrados en esa plenitud cósmica y trascendente porque en ellos Dios mismo genera la nueva vitalidad trascendente.

Estos días pascuales nos deben llevar a la contemplación del misterio que Dios nos ha revelado en la resurrección y exaltación de Cristo. Pongamos en el corazón la gracia de nuestra elección y de nuestro destino, pero también el vigor incontenible que el Señor nos confiere en la oración y los sacramentos que celebramos en la comunidad de fe, nuestra Iglesia. Que nuestros pecados y limitaciones no nos hagan olvidar las gracias que el Señor nos otorga para ajustar nuestra voluntad a la suya.

EVANGELIO Jesús vuelve y hace venir a sus discípulos a donde había empezado a hablar de la Nueva Noticia, de la que era portador. Citó a sus discípulos en un monte de Galilea. ¿Cuál haya sido este monte? No lo sabemos. Ellos esperaban que en esa reunión el resucitado hablaría de algo importante. Porque lo habían visto vivo en Jerusalén, acudieron hacia ese monte. Por esto es extraña la afirmación de Mateo de que "algunos titubeaban".

　El primer discurso programático de Jesús tuvo lugar en un monte. Con esto Mateo quería decir que Jesús era el nuevo

EVANGELIO   Mateo 28:16–20

Lectura del santo Evangelio según san Mateo

En **aquel** tiempo,
    los **once discípulos** se fueron a **Galilea**
    y subieron al **monte** en el que Jesús los había **citado**.
Al ver a **Jesús**, se **postraron**, aunque **algunos titubeaban**.

Entonces, **Jesús** se **acercó** a ellos y les **dijo**:
"Me ha sido dado **todo poder** en el **cielo** y en la **tierra**.
Vayan, pues, y **enseñen** a **todas las naciones**,
    bautizándolas en el nombre del **Padre** y del **Hijo**
        y del **Espíritu Santo**,
    y **enseñándolas** a cumplir **todo** cuanto yo les he **mandado**;
    y **sepan** que yo **estaré** con ustedes **todos los días**,
        hasta el **fin** del **mundo**".

Dale cierto tono comprensivo a la mención de las dudas disciplinares. No precipites tu proclamación.

La autoridad de Jesús hace de los discípulos enviados. Mira a los neófitos y a la asamblea al mencionar los verbos de la encomienda del Resucitado.

Moisés. Éste había recibido la Ley en el monte Sinaí. El hecho que Jesús exprese su última y decisiva voluntad en un monte, lo pone en continuidad cultural con Israel. Además, sobre este monte da la última prueba de su resurrección y de su nueva presencia a sus discípulos. Sobre todo, les entrega su mandato. Aquí la Ley dada a Moisés se extiende y se pone bajo la luz del Evangelio de Jesús.

Lo más importante es el mandato de "Vayan, pues, y enseñen a todas las naciones, bautizándolas… enseñándolas… que yo estaré con ustedes todos los días hasta el fin del mundo" (28:29–20). No dijo más el Jesús mateano. Se entiende que subió al cielo con su Padre.

Este envío se fundamenta en la autoridad del resucitado. Los discípulos del Señor recibieron el mandato de hacer discípulos. Es decir, no sólo de hacer un anuncio, sino de construir una comunidad, una iglesia donde se reconozca al resucitado y se siga la manera de vivir y de ser del Maestro. La seguridad mayor no puede ser que la que el resucitado da a sus discípulos: estar acompañándolos siempre. En lo oscuro y en lo claro, en lo tormentoso y lo pacifico. Siem-pre. De ahí brota nuestra fe y la esperanza y, no lo olvidemos, nuestro compromiso.

Nuestra Iglesia es la continuación de Cristo. Se sirve el Señor de nosotros. Así encuentra en el tiempo a los que no pudo encontrar en su peregrinaje corto terrestre. Es una gracia, un regalo, que trae junto, una gran responsabilidad.

VII DOMINGO DE PASCUA

Este es un texto descriptivo del grupo. Imagina los rostros distintos en el grupo y recorre a la asamblea con tu mirada como reconociéndolos allí.

I LECTURA   Hechos 1:12–14

Lectura del libro de los Hechos de los Apóstoles

Después de la **ascensión de Jesús** a los cielos,
    los **apóstoles** regresaron a **Jerusalén**
    desde el **monte** de los **Olivos**,
    que **dista** de la ciudad lo que **se permite** caminar en **sábado**.
Cuando **llegaron** a la ciudad, **subieron** al **piso alto** de la casa
    donde se alojaban, **Pedro** y **Juan**, **Santiago** y **Andrés**,
    Felipe y **Tomás**, **Bartolomé** y **Mateo**, **Santiago**
      (el hijo de **Alfeo**),
    Simón el **cananeo** y **Judas**, el hijo de **Santiago**.
Todos ellos perseveraban **unánimes** en la **oración**,
    junto con **María**, la **madre** de **Jesús**,
    con los **parientes** de Jesús y **algunas mujeres**.

Para meditar

SALMO RESPONSORIAL   Salmo 26:1, 4, 7–8b

R. Espero gozar de la dicha del Señor en el país de la vida.

El Señor es mi luz y mi salvación, ¿a quién temeré? El Señor es la defensa de mi vida, ¿quién me hará temblar? **R.**

Una cosa pido al Señor, eso buscaré: habitar en la casa del Señor por los días de mi vida; gozar de la dulzura del Señor contemplando su templo. **R.**

Escúchame, Señor, que te llamo; ten piedad, respóndeme. Oigo en mi corazón: "Busquen mi rostro". **R.**

I LECTURA San Lucas empieza la segunda parte de su obra, afirmando que es una continuación de la primera, preparando la novedad que vendrá. Lo hace cual historiógrafo con tendencia apologética para ayudar a comprenderse al grupo cristiano y, al mismo tiempo, presentando a los no cristianos un movimiento apetecible.

Empieza la gestación de este colectivo nuclear de la Iglesia con el regreso a Jerusalén del grupo que había acompañado a Jesús hasta el monte de los Olivos. Dicho grupo será el punto de partida de la primera evangelización. Fueron a reunirse en la casa donde Jesús había celebrado la última pascua con sus discípulos. Da a entender Lucas que los Doce, ahora Once por la separación violenta de Judas, no irían al monte de los Olivos, sino que se quedarían donde habían cenado con Jesús por última vez.

Añade el autor que, en esa casa, que debería ser amplia, se reunieron el grupo mencionado y algunas mujeres cuyos nombres no menciona. Es muy significativo que añada: "Todos ellos perseveraban unánimes en la oración, junto con María, la madre de Jesús, con los parientes de Jesús y algunas mujeres". Esto significa para un lector oriental, la legitimidad. Es decir, en el Oriente la sangre, el parentesco era y es uno de los grandes signos que funda la legitimidad de un movimiento o de una institución.

La liturgia dominical, al celebrar la alegría de la resurrección, quiere recalcar que la Iglesia de todos los tiempos tiene su legalidad del grupo primitivo de seguidores de Jesús, donde Maria es la figura central. Maria siempre será un símbolo de la legitimidad de cualquier movimiento eclesial de la Iglesia de Jesús en todos los tiempos.

Proclama esta exhortación con la convicción de quien ya ha experimentado lo que dice. Honra tu identidad cristiana en todo momento.

II LECTURA   1 Pedro 4:13–16

Lectura de la primera carta del apóstol san Pedro

Queridos hermanos:
Alégrense de compartir **ahora** los padecimientos de **Cristo**,
    para que, cuando se **manifieste** su **gloria**,
    el **júbilo** de **ustedes** sea **desbordante**.
Si los **injurian** por el **nombre** de Cristo, ténganse por **dichosos**,
    porque la **fuerza** y la **gloria** del **Espíritu de Dios**
        descansa sobre ustedes.
Pero que **ninguno de ustedes** tenga que **sufrir** por **criminal**,
        ladrón, malhechor,
    o **simplemente** por **entrometido**.
En cambio, si sufre por ser **cristiano**,
    que le dé **gracias** a Dios por llevar **ese nombre**.

Ora con las palabras de Jesús. Mantén a los oídos de la asamblea la calidez y confianza que Jesús muestra con Dios.

EVANGELIO   Juan 17:1–11a

Lectura del santo Evangelio según san Juan

En **aquel** tiempo, Jesús **levantó** los ojos al cielo y **dijo:**
"Padre, **ha llegado la hora.**
Glorifica a tu **Hijo**, para que tu Hijo **también** te **glorifique**,
    y por el **poder** que le diste sobre **toda** la humanidad,
    dé la **vida eterna** a cuantos le has **confiado**.
La vida eterna **consiste** en que te **conozcan** a ti,
        único Dios **verdadero**,
    y a **Jesucristo**, a quien tú has **enviado**.

Yo te he **glorificado** sobre la tierra,
    llevando a cabo la obra que me **encomendaste**.
Ahora, Padre, **glorifícame** en ti con la **gloria** que tenía,
    antes de que el mundo **existiera**.

Eleva un poco la voz al pronunciar la solicitud de Jesús. No aminores la velocidad.

II LECTURA En la parte final de la Primera carta de Pedro escuchamos esta exhortación de la voz apostólica dirigida primeramente a los cristianos de la diáspora a sobrellevar con buen espíritu, más todavía, con alegría, las infamias y maledicencias de sus conciudadanos. Esos sufrimientos han de asumirlos como participación en los dolores redentores del Señor.

Por increíble que parezca, la vida cristiana puede provocar animadversión y hasta persecución de parte de quienes no comparten la fe en Cristo. Un cristiano ha de ser plenamente identificable por su modo de vivir y de relacionarse con su entorno; esto es lo que le da visibilidad a su comunión con el Señor, que es la raíz de su alegría profunda. Por supuesto que este gozo viene de una conciencia tranquila, sostenida por la guarda de los mandamientos divinos, pero nutrida por la imitación de Cristo, como ya lo dijo en varias partes del escrito; aquí el autor alude a una conducta irreprensible, que obra el bien y coronada de gozo cristiano. El gozo, sin embargo, no se debe a los pequeños éxitos o satisfacciones personales, ni a la algarabía del entretenimiento y ni siquiera a la esperanza de la herencia eter-na, sino al padecer o sufrir con Cristo. Hacerse compañero del Siervo Sufriente es fuente de la alegría de vivir. Esta causa de la alegría cristiana es una paradoja, sin duda, pero apunta a la unión profunda con el Crucificado que garantiza el Espíritu de Dios.

En la última semana de la cincuentena pascual, pidamos al Espíritu Santo que nos modele la mente y el corazón para hermanarnos con Cristo en su dolor redentor. Que las adversidades y contrariedades de la vida nos lleven a abandonarnos en las manos de Dios Padre y a extender nuestros brazos hacia nuestros hermanos más necesitados.

A partir de las primeras líneas, haz contacto visual iteradamente con la asamblea y con los neófitos.

He **manifestado** tu **nombre**
   a los hombres que **tú tomaste** del mundo y **me diste**.
Eran **tuyos** y **tú** me los **diste**.
Ellos han **cumplido** tu **palabra**
   y **ahora** conocen que **todo** lo que me has dado **viene de ti**,
   porque **yo** les he **comunicado** las palabras que **tú** me **diste**;
   ellos las han **recibido**
   y **ahora** reconocen que **yo salí de ti**
   y **creen** que **tú** me has **enviado**.

Te pido por **ellos**;
   no te pido por el **mundo**,
   sino por **éstos**, que **tú me diste**, porque son **tuyos**.
Todo lo mío es **tuyo** y **todo lo tuyo** es **mío**.
Yo he sido **glorificado** en ellos.
Ya no estaré **más** en el **mundo**,
   pues **voy a ti**; pero ellos **se quedan** en el **mundo**".

EVANGELIO Jesús va a hablar de la glorificación del Padre y del Hijo. En lo que escuchamos, resuena también la oración dominical del Padrenuestro. Empieza con el santificar el nombre y se centra en el líbranos del mal. Aquí también, en nuestro capítulo, se centra la oración de Jesús en estos dos puntos como tenazas que engloban un todo.

La hora llegó. Hacia esta hora tiende la obra de Jesús. precisamente en este momento, en la muerte de cruz, se cumple su misión. También ese momento se encara con nosotros. Es el punto de nuestra muerte y resurrección. Cada momento de vida es un acercamiento irremediable a este punto cero. Pero para nosotros se convierte en un punto omega, porque aquí mismo está la resurrección. Por esto esperamos con ansia, como Jesús, esta hora que se acerca. Esta obra de la muerte y resurrección es la glorificación que pide Jesús para sí. Su gloria va a adquirirse a través de la cruz.

Estamos en el centro de la oración de Jesús, la afirmación de que los discípulos lo reconocieron y aceptaron cual Palabra venida del Padre.. Resuena el prólogo del evangelio. La fe viene por la aceptación de la Palabra, que viene del Padre, con toda la extrañeza y rareza que pueden tener las relaciones divinas. Nosotros no somos los que vamos a medir la Palabra. No le vamos a poner condiciones o presupuestos. Sólo vamos a ser oídos para aceptarla como es y para dejarnos inundar de toda la infinita multiplicidad de sonidos y sentidos que habitan en ella. Así, nacidos de esta Palabra, somos objeto de la oración del Señor. Éste pide por nosotros, se preocupa por nuestra suerte; no por la del mundo que representa la mentira, el odio, el egoísmo, todo lo que va contra la Palabra.

PENTECOSTÉS, MISA DE LA VIGILIA

Este relato está marcado por varios momentos. Haz las pausas triples que los parágrafos demandan.

Sin exagerar, marca la presencia de Dios con cierto dramatismo.

I LECTURA   Génesis 11:1–9

Lectura del libro del Génesis

En **aquel** tiempo, **toda** la tierra tenía **una sola lengua**
　　y unas **mismas** palabras.
Al **emigrar** los hombres desde el **oriente**,
　　encontraron una **llanura** en la región de **Sinaar**
　　y **ahí** se **establecieron**.

Entonces se dijeron **unos a otros**:
"**Vamos** a fabricar **ladrillos** y a **cocerlos**".
Utilizaron, pues, **ladrillos** en vez de **piedra**,
　　y **asfalto** en vez de **mezcla**.
Luego dijeron:
"**Construyamos** una **ciudad**
　　y una **torre** que llegue **hasta el cielo** para hacernos **famosos**,
　　antes de **dispersarnos** por la **tierra**".

El Señor **bajó** a ver la **ciudad**
　　y la **torre** que los **hombres** estaban **construyendo** y se **dijo**:
"Son **un solo pueblo** y hablan **una sola lengua**.
Si ya empezaron **esta obra**,
　　en adelante **ningún** proyecto les parecerá **imposible**.
Vayamos, pues, y **confundamos** su lengua,
　　para que **no se entiendan** unos con otros".

I LECTURA *Génesis*. El relato de la Torre de Babel ha sido uno de los más socorridos en la humanidad. Desde luego los judíos y cristianos frecuentemente lo leen y meditan. Habla de problemas que interesan a todo ser humano. En concreto, el problema de la limitación humana.

El relato se divide en dos partes: una en la que hablan y actúan los hombres; otra en la que actúa el Señor.

Hubo al principio una leyenda popular que narraba la construcción de Babilonia y termina con la constatación: "También se le llamo Babel". Este nombre está en estrecha relación con el motivo de la confusión. Estaba originalmente disociado de la multiplicidad de las lenguas. Había confusión. Símbolo de esta confusión era la ruina del edificio enorme del que por mucho tiempo quedaron unas ruinas impresionantes. Luego o por algunos de los tantos invasores de la región o por la intemperie, terminó por derrumbarse este enorme edificio.

El sentido profundo de este relato, como lo oímos en la lectura, es mostrarnos la limitación fundamental del ser humano. Haga lo que haga, el ser humano nunca podrá tomar el lugar ni de Dios ni de sus acciones. Nadie puede hacerse grande a sí mismo. Además, el relato que escuchamos tiene un sentido plurivalente. Alude al deseo del ser humano de que todos los hombres estén unidos, que es algo por conquistar. La existencia de la ONU está indicando este deseo de la humanidad por la unidad y ayuda mutua. Esta unidad es algo que podemos conquistar. Los cristianos pensamos y creemos que el Espíritu Santo nos ayudará en este empeño.

I LECTURA *Éxodo*. Moisés había pedido permiso al Faraón para que

Nota la repetición de "dispersó" que encuadra el parágrafo. Elonga la palabra para que se capte bien el tema del relato.

Entonces el **Señor** los **dispersó** por **toda** la tierra
   y dejaron de **construir** su **ciudad**;
   por eso, la ciudad se llamó **Babel**,
porque ahí **confundió** el **Señor** la **lengua** de **todos** los **hombres**
   y desde ahí los **dispersó** por la **superficie** de la **tierra**.

Para meditar

SALMO RESPONSORIAL   Salmo 31:1–2, 5, 6, 7
R. (1a) Perdona, Señor, nuestros pecados.

Dichoso aquel que ha sido absuelto
   de su culpa y su pecado.
Dichoso aquel en el que Dios no encuentra
ni delito ni engaño. **R.**

Ante el Señor reconocí mi culpa,
   no oculté mi pecado.

Te confesé, Señor, mi gran delito
y tú me has perdonado. **R.**

Por eso, en el momento de la angustia,
   que todo fiel te invoque,
   y no lo alcanzarán las grandes aguas,
aunque éstas se desborden. **R.**

En la vigilia extendida se hacen las cuatro lecturas del Antiguo Testamento, en la abreviada solo una de ellas.

O bien:

I LECTURA   Éxodo 19:3–8a, 16–20b

Lectura del libro del Éxodo

En **aquellos** días, **Moisés** subió al monte **Sinaí**
   para **hablar** con **Dios**. El **Señor** lo **llamó**
   desde el **monte** y le **dijo**:
"**Esto** dirás a la casa de Jacob, **esto** anunciarás
   a los **hijos de Israel**:

'**Ustedes** han visto cómo **castigué** a los **egipcios**
   y **de qué manera** los he **levantado** a **ustedes** sobre
      alas de **águila**
   y los he **traído** a mí.

La descripción es imponente y tremenda, pero la ternura de Dios con su pueblo es evidente. Haz que se note este declarado contraste en la proclamación.

los hebreos fueran a una peregrinación al desierto. Por fin se encuentran ante el monte santo, el Sinaí, donde van a hacer una alianza con ese Dios que los había sacado de Egisto.

Moisés sube al monte donde Dios le comunica su plan de hacer de esos esclavos un pueblo suyo. Dios se elige un pueblo. Esta elección va a ser ocasión de muchos malentendidos a través de la historia. Pero al escoger Dios a ese pueblo, lo hace en función de que se convirtiera en un medio de salvación para todos los hombres. Dios ha bajado a la tierra, no se ha quedado como

espectador solitario en el cielo. Ya este acercamiento es una gracia. El haberlos llevado como un águila arriba de sus alas, muestra que el primer paso de gracia viene de Dios.

Israel ha pasado de la esclavitud a la libertad. Será un testigo de la bondad divina, del interés de Dios por todo ser humano. No acepta el Señor los repliegues identitarios (racismo, radicalismo nacionalista o religioso). Esta parte del Éxodo pone una pregunta a las distintas religiones acerca de su empeño en promover la convivencia entre los humanos y cooperar a la paz regional y

mundial. Da el Señor Dios, además, un mensaje claro: viene en ayuda de los más desprotegidos, los esclavos en Egipto, para liberarlos, para darles la libertad de ser ellos mismos, sin las cadenas de las dependencias. La fiesta del Pentecostés nos trae el mismo mensaje, recordándonos que el Espíritu vino para hacer que todos los pueblos se entiendan, hablen una sola lengua, la de la comprensión y fraternidad.

I LECTURA   *Ezequiel.* Ezequiel fue un sacerdote de la élite de la sociedad de Jerusalén, que junto con el rey

Subraya los "mi" de Dios. Haz contacto visual con la asamblea en el "ustedes" y alarga las formas verbales de esas frases.

Ahora bien, si **escuchan** mi **voz** y **guardan** mi **alianza**,
     serán mi **especial tesoro** entre **todos** los pueblos,
     aunque **toda** la tierra es **mía**.
Ustedes serán para mí un **reino de sacerdotes**
     y una **nación consagrada'**.
Éstas son las **palabras** que has de decir a los **hijos de Israel"**.

Moisés convocó **entonces** a los **ancianos** del pueblo
     y les expuso **todo** lo que el **Señor** le había **mandado**.
Todo el pueblo, a una, **respondió**:
"**Haremos** cuanto ha dicho el **Señor**".

Matiza tu voz con lo imponente de la manifestación divina. No alargues las frases; pronúncialas hasta con cierto nerviosismo.

Al rayar el **alba** del **tercer día**, hubo **truenos** y **relámpagos**;
     una **densa** nube **cubrió** el **monte**
     y se **escuchó** un **fragoroso** resonar de **trompetas**.
Esto hizo **temblar** al pueblo, que estaba en el **campamento**.
Moisés hizo **salir** al **pueblo** para ir al **encuentro** de **Dios**;
     pero la gente **se detuvo** al pie del **monte**.
Todo el monte Sinaí **humeaba**,
     porque el **Señor** había **descendido** sobre él en medio del **fuego**.
Salía **humo** como de un **horno**
     y **todo** el monte **retemblaba** con **violencia**.

Como si estuvieras allí, aviva tu tono de voz y como que separas las frases finales.

El **sonido** de las **trompetas** se hacía **cada vez más fuerte**.
Moisés hablaba y **Dios** le respondía con **truenos**.
El Señor **bajó** a la **cumbre** del **monte**
     y le dijo a **Moisés** que **subiera**.

Para meditar

SALMO RESPONSORIAL Daniel 3:52, 53, 54, 55, 56
R. (52b) Bendito seas, Señor, para siempre.

Bendito seas, Señor,
     Dios de nuestros padres.
Bendito sea tu nombre santo y glorioso. **R.**

Bendito seas en el templo santo y glorioso.
Bendito seas en el trono de tu reino. **R.**

Bendito eres tú, Señor,
     que penetras con tu mirada los abismos
     y te sientas en un trono rodeado
     de querubines.
Bendito seas, Señor, en la bóveda. **R.**

O bien:

Jeconías, fue exiliado a una región cercana a Babilonia. Ezequiel en el destierro fue llamado a profetizar. Sufrió las inclemencias del destierro y murió desterrado. ¿Quién mejor que él para sentir lo que era el exilio y, por lo mismo, lo que significaba la liberación anhelada?

El texto escogido del libro de este profeta habla de una visión terrible y esplendorosa, de la cual el Señor Dios le dará al profeta una explicación para que la anuncie a su pueblo. Como es natural, en las circunstancias del destierro, entre el pueblo existen voces distintas que dan una explicación de lo que les pasa.

Ezequiel vio un enorme valle donde había una cantidad innumerables de huesos secos. Ya no tenían pegados a ellos ni algo de carne. Dios le pregunta al profeta: "¿Podrán revivir esos huesos?". La respuesta era evidentemente negativa. Sólo Dios puede revivirlos. Con una expresión delicada de respeto, le responde el profeta. Sólo Dios los puede volver a la vida. Es cierto, Dios les regresará la vida, pero lo hará por medio del profeta. Éste, al mando divino, invocará al Espíritu, el cual hará que retomen la carne y luego se conformen en figuras humanas, pero sin vida. Dios le da la capacidad al profeta de que invoque al Espíritu, quien hará que todos esos muertos regresen a la vida. Después le comunicará el Señor Dios el objetivo final del Espíritu: hará volver a Israel del exilio y lo volverá a considerar su pueblo.

La liturgia, al proponer ese texto, alude a esa venida del Espíritu Santo que hace vivir a su Iglesia.

I LECTURA *Joel.* Joel fue un profeta que ejercitó su encomienda

Para meditar

SALMO RESPONSORIAL Salmo 18: 8, 9, 10, 11

R. (Jn 6, 68c) Tú tienes, Señor, palabras de vida eterna.

La ley del Señor es perfecta del todo
   y reconforta el alma;
   inmutables son las palabras del Señor
   y hacen sabio al sencillo. **R.**

En los mandamientos del Señor hay rectitud
   y alegría para el corazón;
   son luz los preceptos del Señor
   para alumbrar el camino. **R.**

La voluntad del Señor es santa
   y para siempre estable;
   los mandamientos del Señor
   son verdaderos
   y enteramente justos. **R.**

Más deseables que el oro
   y las piedras preciosas
   las normas del Señor,
   y más dulces que la miel
   de un panal que gotea. **R.**

O bien:

I LECTURA   Ezequiel 37:1–14

Lectura del libro del profeta Ezequiel

En **aquellos** días, la mano del **Señor** se posó **sobre mí**,
   y su **espíritu** me **trasladó**
   y me **colocó** en medio de un campo **lleno de huesos**.
Me hizo **dar vuelta** en torno a **ellos**.
Había una **cantidad innumerable** de **huesos**
      sobre la **superficie** del **campo**
   y estaban **completamente secos**.

Entonces el **Señor** me **preguntó**:
"**Hijo de hombre**, ¿**podrán** acaso **revivir estos huesos?**"
Yo respondí: "Señor, **tú** lo sabes".
Él me dijo: "**Habla** en mi nombre a **estos huesos** y **diles**:
'Huesos secos, **escuchen** la **palabra del Señor**.
Esto dice el **Señor Dios** a **estos huesos**:
He aquí que yo les **infundiré** el **espíritu** y **revivirán**.
Les **pondré** nervios, **haré** que les **brote carne**,
   la **cubriré** de piel, les **infundiré** el **espíritu** y **revivirán**.
Entonces reconocerán **ustedes** que **yo soy** el Señor'".

La experiencia del profeta es impactante. Imprime fuerza a las dos primeras líneas para que se vea como si fuera algo impuesto. Alarga los adjetivos de esta parte.

Debe notarse que es la palabra de Dios la que realiza el prodigio, aunque requiere del profeta. La obra que se propone no es trivial sino portentosa. Así pronúnciala, con asombro.

después del exilio. Le tocó vivir una época opaca. Persia dominaba por entonces en todo el Cercano Próximo y esto permitía una seguridad relativa.

El profeta retomó la imagen del "Día del Señor". Le dio a esta expresión un sello distinto. Ahora este nuncio tenía ante la vista a todos los pueblos, no sólo a Israel. Además, no estaba teñido el anuncio con amenazas de sufrimiento o castigo, sino que anunciaba una gran alegría.

El Señor prometía la efusión del Espíritu para todos los habitantes de la tierra. Habría una renovación interior. El hombre se

humillaría, tendría la irrupción de una intervención divina nueva. Esto sería obra del Espíritu de Dios. El mismo pueblo se convertirá en profeta. El deseo de Moisés de la expansión del Espíritu a todos los hombres (Números 11:29) se convertirá en realidad.

Todos los hombres son llamados a recibir este don. No habrá división de clases: vendrá sobre pobres, ricos, jóvenes y viejos. La liturgia de hoy escoge este bello oráculo para anunciarnos la venida del Espíritu Santo en Pentecostés, dándole a ese acontecimiento una dimensión interna y universal. Es un llamado a nosotros, los cristianos,

a experimentar la presencia del Espíritu en la vida cotidiana, en al mundo en su totalidad. No encerremos al Espíritu en los rezos ni en los templos. Dejémoslo soplar en toda la creación y, sobre todo, en la vida y actividad diarias. El Espíritu es libre como el viento, decía Jesús. No sabe el hombre de dónde viene ni a dónde va, pero lo experimenta. La Iglesia nos invita a participar de esta experiencia.

II LECTURA   A nuestros oídos, las palabras de Pablo cobran una relevancia particular, porque contienen

Acelera estos momentos, pero como si se cortaras cada frase, para dar la sensación de que ocurre algo que todo lo cimbra.

Yo **pronuncié** en nombre del Señor las **palabras**
   que **él** me había **ordenado**,
   y mientras hablaba, se oyó un **gran estrépito**,
   se produjo un **terremoto**
   y los **huesos** se **juntaron** unos con otros.
Y **vi** cómo les iban saliendo **nervios** y **carne**
   y cómo se **cubrían** de **piel**; pero **no** tenían **espíritu**.
Entonces me dijo el **Señor**:
"**Hijo de hombre**, habla en mi **nombre** al **espíritu** y **dile**:
'**Esto** dice el Señor: **Ven**, espíritu, desde los **cuatro vientos**
   y **sopla** sobre **estos muertos**, para que **vuelvan a la vida**'".

Yo **hablé** en nombre del **Señor**, como **él** me había **ordenado**.
Vino sobre ellos el espíritu, **revivieron** y **se pusieron de pie**.
Era una **multitud innumerable**.
El Señor me dijo: "**Hijo de hombre**:
Estos huesos son **toda** la casa de **Israel**, que ha **dicho**:
'**Nuestros huesos** están **secos**; pereció **nuestra esperanza**
   y estamos **destrozados**'.
Por eso, habla en **mi nombre** y **diles**:
'**Esto** dice el **Señor**: Pueblo mío, **yo mismo** abriré sus **sepulcros**,
   los **haré salir** de ellos
   y los **conduciré** de nuevo a la tierra de **Israel**.
Cuando **abra** sus sepulcros y los **saque** de ellos, **pueblo mío**,
   ustedes dirán que **yo soy** el Señor.
Entonces les **infundiré** mi **espíritu**,
   los **estableceré** en su **tierra**
   y **sabrán** que **yo**, el Señor, lo **dije** y lo **cumplí**'".

La explicación es consecuente con lo desctiro. Hazla con autoridad; como un guía que explica a sus alumnos.

tonos que fácilmente podemos identificar como ecológicos. Como nunca antes, y a partir de las catástrofes aceleradas por la explotación irracional de los recursos naturales del planeta, la humanidad ha venido cobrando conciencia de la estrecha relación entre todos los ecosistemas, así como del delicado equilibrio que los sostiene. La cosmovisión cristiana asume que también la creación sufrió la violencia del pecado humano original, pero que, igualmente, la obra redentora de Cristo Jesús le ha otorgado las arras del Espíritu, en vistas a la salvación plena.

Pablo hermana a la creación entera con el anhelo de la plena redención impulsado por el Espíritu divino en el creyente. Es la corporeidad nuestra lo que con mayor evidencia nos vincula a la creación, porque el cuerpo es algo material, palpable y evidente; lo mismo ocurre con nuestro espíritu. Nuestro espíritu también ha sido creado con nuestro cuerpo. Somos creaturas animadas, creación de Dios; por eso, nuestro vínculo con la naturaleza va más allá de lo físico. Nuestra fe nos reclama armonía, respeto y subsidiaridad respecto de los demás seres humanos y respecto de nuestro delicado

sustento, las demás creaturas en su integridad. Nuestra relación con la creación no debe ser de expoliación sino de guarda e integridad recíproca. De este modo de entendernos surge una ética o modo de comportarnos responsable y solidariamente, talcomo el papa Francisco nos lo ha recordado (Laudato si'), que nos lleve a valorar la bondad de la vida en su integridad global.

Al disponernos a celebrar la llegada del Espíritu Santo sobre la comunidad discipular, analicemos las vías que se nos abren para llevar una vida ecuánime con la naturaleza que nos rodea. Renunciemos a aquello que

Para meditar

SALMO RESPONSORIAL Salmo 106:2–3, 4–5, 6–7, 8–9
R. Demos gracias al Señor, porque su misericordia es eterna. Aleluya.

Que lo digan aquellos que el Señor
   rescató poder del enemigo,
   los que reunió de todos los países
   donde estaban dispersos
   y cautivos. **R.**

Caminaban sin rumbo
   por el yermo sin agua,
   sin hallar el camino de ciudad habitada;
   hambrientos y sedientos su vida
   se agotaba. **R.**

Pero al Señor clamaron en su angustia,
   él los libró de su desgracia
   y los llevó por el camino recto
   a ciudad habitada. **R.**

Den gracias al Señor por su bondad,
   pues en favor del hombre
   hace portentos.
Sació a los que tenían sed
   y dejó a los hambrientos satisfechos. **R.**

O bien:

I LECTURA   Joel 3:1–5

Lectura del libro del profeta Joel

Hay una gran esperanza en este oráculo. Impregna de certeza y convicción toda la proclamación.

Esto dice el **Señor Dios:**
"**Derramaré** mi espíritu sobre **todos;**
   profetizarán sus **hijos** y sus **hijas,**
   sus **ancianos** soñarán **sueños**
   y sus **jóvenes** verán **visiones.**
También sobre mis **siervos** y mis **siervas**
   derramaré mi **espíritu** en aquellos días.

Haré prodigios en el **cielo** y en la **tierra:**
   sangre, **fuego,** columnas de **humo.**
El **sol** se **oscurecerá,**
   la **luna** se pondrá **color** de **sangre,**
   antes de que **llegue** el **día grande** y **terrible** del Señor.

Termina contemplando a la asamblea, para hacele saber que a ella se dirige esta palabras.

Cuando **invoquen** el nombre del Señor **se salvarán,**
   porque **en el monte Sión** y en Jerusalén **quedará un grupo,**
   como lo ha **prometido** el **Señor**
   a los **sobrevivientes** que ha **elegido".**

daña y lastima a nuestra hermana tierra, y promovamos lo que nos restaure la dignidad de criaturas redimidas en Cristo Jesús.

EVANGELIO La fiesta de Pentecostés o de los Tabernáculos era una fiesta muy alegre. Se entiende, pues, que la gente ya había levantado cosecha, que había abundancia, comercio y un buen estado de ánimo.

Pronto a la fiesta se le historió. Se le escogió el significado de la travesía de los israelitas por el desierto cuando habían habitado en tiendas. En esta travesía se exal-

taba la providencia de Dios. Dios había cuidado a los hebreos de los peligros del desierto. En especial, se celebraba en la fiesta el don del agua, conseguido por intercesión de Moisés.

Hay tres partes en ese capítulo; la tercera cuenta de la actividad de Jesús en la mitad de la fiesta.

Corresponde al séptimo día de la fiesta. Por la mañana se tenía la procesión en la que se traía de Siloé el agua para derramarla sobre el altar, junto con la copa de vino de la libación. Esa agua, que anunciaba el agua

de los últimos tiempos, traía recuerdos y ansias mesiánicas.

Jesús da el sentido a la fiesta. Esta agua no es más que un símbolo de él. Él es la auténtica agua, como le había dicho a la samaritana. Él sí quita la sed. Al que beba de él, al que crea en él, le nacerá dentro un río. Una alusión clara a la Escritura. Tal vez está visualizando una serie de textos (Isaías 23:3; Ezequiel 47; Zacarías 14:8).

El evangelista da una explicación. Alude al Espíritu que recibirán sus discípulos después de la resurrección de Jesús. Es el Espíritu quien vivifica, quien llena el ansia de

Para meditar

SALMO RESPONSORIAL   Salmo 103:1–2a, 24, 35c, 27–28, 29bc–30

R. Envía tu Espíritu, Señor, y repuebla la faz de la tierra.
O bien: **Aleluya.**

Bendice, alma mía, al Señor: / ¡Dios mío, qué grande eres! / Te vistes de belleza y majestad, / la luz te envuelve como un manto. **R.**

Cuántas son tus obras, Señor, / y todas las hiciste con sabiduría; / la tierra está llena de tus criaturas. / ¡Bendice, alma mía, al Señor! **R.**

Todas ellas aguardan / a que les eches comida a su tiempo: / se la echas, y la atrapan; / abres tus manos, y se sacian de bienes. **R.**

Les retiras el aliento, y expiran / y vuelven a ser polvo; / envías tu aliento, y los creas, / y renuevas la faz de la tierra. **R.**

II LECTURA   Romanos 8:22–27

Lectura de la carta del apóstol san Pablo a los romanos

Hermanos:
Sabemos que la **creación entera** gime hasta el **presente**
    y **sufre dolores** de parto;
    y **no sólo** ella, sino **también nosotros**,
    los que poseemos las **primicias del Espíritu**,
    gemimos **interiormente**,
    anhelando que se realice **plenamente**
        nuestra condición de **hijos de Dios**,
    la **redención** de **nuestro cuerpo**.

Porque **ya** es **nuestra** la **salvación**,
    pero su **plenitud** es **todavía** objeto de **esperanza**.
Esperar lo que **ya** se posee **no** es tener **esperanza**,
    porque, ¿**cómo** se puede **esperar** lo que ya se **posee**?
En cambio, si **esperamos** algo que **todavía** no poseemos,
    tenemos que **esperarlo** con **paciencia**.

La tensión entre lo que anhelamos y lo que experimentamos es lo que debe prevalecer en el tono de esta lectura. Identifica las frases más representativas de esto y dales realce.

Felicidad, sobre todo, el que llena el deseo de Dios.

Jesús se convierte en el objeto del culto de esta fiesta. Esta agua misteriosa llenará al hombre. Por esto habla de río para dar el sentido de saciedad, de abundancia, algo que sólo el Mesías podría proporcionar.

Refuerza las menciones del Espíritu y los verbos que expresan su obra.

El **Espíritu** nos ayuda en **nuestra debilidad**,
  porque **nosotros** no sabemos **pedir** lo que nos **conviene**;
  pero el **Espíritu mismo** intercede por **nosotros**
  con **gemidos** que no pueden **expresarse** con **palabras**.
Y **Dios**, que conoce **profundamente** los **corazones**,
  sabe lo que el Espíritu **quiere decir**,
  porque el **Espíritu** ruega **conforme** a la voluntad de **Dios**,
  por los que le **pertenecen**.

EVANGELIO   Juan 7:37–39

Lectura del santo Evangelio según san Juan

El **último** día de la **fiesta**, que era el **más solemne**,
  exclamó Jesús en **voz alta**:
"El que tenga **sed**, que **venga a mí**; y **beba**, aquel que **cree en mí**.
Como dice la **Escritura**:
*Del **corazón** del que **cree** en mí **brotarán** ríos de **agua viva**"*.

Al decir **esto**, se refería al **Espíritu Santo**
  que habían de **recibir** los que **creyeran** en él,
  pues **aún** no había **venido** el **Espíritu**,
  porque **Jesús** no había sido **glorificado**.

Eleva la voz en la proclama de Jesús. Cambia el tono para la explicación del evangelista.

PENTECOSTÉS, MISA DEL DÍA

El relato es fundante para la Iglesia universal. Identifica bien los momentos distintos del episodio y dales un ritmo propio.

I LECTURA   Hechos 2:1–11

Lectura del libro de los Hechos de los Apóstoles

El día de Pentecostés, **todos** los discípulos
    estaban **reunidos** en un **mismo** lugar.
De repente se oyó un **gran ruido** que venía del **cielo**,
    como cuando sopla un **viento fuerte**,
    que **resonó** por **toda** la casa donde **se encontraban**.
Entonces aparecieron **lenguas de fuego**,
    que se distribuyeron y se posaron **sobre ellos**;
    se llenaron **todos** del **Espíritu Santo**
    y **empezaron** a hablar en **otros idiomas**,
    según el **Espíritu** los inducía a **expresarse**.

En **esos** días había en **Jerusalén** judíos **devotos**,
    venidos de **todas** partes del mundo.
Al oír el **ruido**, acudieron **en masa** y quedaron **desconcertados**,
    porque **cada uno** los oía **hablar** en su **propio idioma**.

Atónitos y **llenos de admiración**, preguntaban:
"¿No son galileos **todos estos** que están **hablando**?
¿**Cómo**, pues, los oímos hablar en **nuestra lengua nativa**?
Entre nosotros hay **medos, partos** y **elamitas**;
    otros vivimos en **Mesopotamia, Judea, Capadocia,**
    en el **Ponto** y en **Asia**, en **Frigia** y en **Panfilia**,
    en **Egipto** o en la zona de **Libia** que limita con **Cirene**.

Deja oir en tu voz ese tono de admiración que este párrfo comunica. Los nombres raros deben sonar así, poco familiares, pero no mal pronunciados.

I LECTURA El evento de Pentecostés tiene una importancia capital en Hechos, pues inicia la actividad atente del Espíritu en el acompañamiento a ese pequeño grupo de los primeros discípulos, indicando los primeros pasos que deben darse.

Fue un acontecimiento imprevisto. Los discípulos estaban reunidos tal vez para celebrar la fiesta de pentecostés que conmemoraba el don de la Ley en el Sinaí. De ahí la aparición de ruido, fuego, voz. La efusión del Espíritu combina la totalidad y la personalización: lenguas como de fuego que se posan sobre cada uno. La totalidad y singularidad son parte del hombre espiritual. La separación de las lenguas ofrece una identidad particular a cada discípulo. Este detalle está identificando a la Iglesia de todos los tiempos que debe poseer la singularidad, las cualidades de cada cristiano y la totalidad o el bien común.

Hay dos grupos. Dentro de la casa está el grupo de galileos; fuera, un grupo cosmopolita. Este mismo aspecto se nota en que los discípulos hablan en su propia lengua; pero Lucas hace notar que cada uno de los de fuera los oyen expresarse en su propia lengua. Un evento comunicativo, un efecto de la presencia del Espíritu que llevará a cabo una iglesia cuyos componentes tengan sus propios dones y virtudes y, al mismo tiempo, todo esto será para beneficio de todos. Esto lo recordará Pablo al explicar a los corintios lo que significa el don de las lenguas y de los otros carismas.

Habrá siempre en la Iglesia la tentación del aislamiento al querer conservar una manera de ser. Por otro lado, el Espíritu impulsará a los discípulos del Señor a comunicar sus dones a los demás y a aceptar los dones de otros como algo normal de la iglesia de Jesús.

Algunos somos visitantes, venidos de **Roma**, judíos y prosélitos;
    también hay **cretenses** y **árabes**.
Y **sin embargo**,
    cada quien los oye hablar de las **maravillas** de **Dios**
      en su **propia lengua**".

La última oración debe sonar como una entera novedad. Dale expresión de sorpresa a tus ojos al hacer contacto con la congregación.

Para meditar

SALMO RESPONSORIAL Salmo 103:1ab y 24ac, 29bc–30, 31 y 34

R. Envía tu Espíritu, Señor, y renueva la faz de la tierra.

Bendice, alma mía, al Señor, ¡Dios mío, qué grande eres! Cuántas son tus obras, Señor; la tierra está llena de tus criaturas. **R.**

Les retiras el aliento, y expiran, y vuelven a ser polvo; envías tu aliento, y los creas, y renuevas la faz de la tierra. **R.**

Gloria a Dios para siempre, goce el Señor con sus obras, que le sea agradable mi poema, y yo me alegraré con el Señor. **R.**

II LECTURA   1 Corintios 12:3b–7, 12–13

Lectura de la primera carta del apóstol san Pablo a los corintios

Hermanos:
Nadie puede llamar a Jesús "**Señor**",
    si no es **bajo** la **acción** del **Espíritu Santo**.

Hay diferentes **dones**, pero el **Espíritu** es el **mismo**.
Hay diferentes **servicios**, pero el **Señor** es el **mismo**.
Hay diferentes **actividades**, pero **Dios**,
    que hace **todo en todos**, es el **mismo**.
En **cada uno** se manifiesta el **Espíritu** para el **bien común**.

Porque **así** como el **cuerpo** es **uno** y tiene **muchos miembros**
    y **todos** ellos, a pesar de ser **muchos**, forman **un solo cuerpo**,
      así **también** es **Cristo**.
Porque **todos nosotros**, seamos **judíos** o **no judíos**,
    esclavos o **libres**, hemos sido **bautizados** en un **mismo** Espíritu
    para formar **un solo cuerpo**,
    y a **todos** se nos ha dado a **beber** del **mismo Espíritu**.

Nota cómo se desarrolla esta exposición. El principio debe sonar con cierta autoridad.

Matiza contrastando la variedad y la unidad en cada enunciado. Nota la conclusión momentánea del párrafo.

Retoma con brío renovado esta parte y afirma la fraseología de la unidad.

II LECTURA Corinto era una ciudad portuaria donde confluían gentes de las más diversas naciones y culturas. La comunidad cristiana que Pablo fundó allí se constituía de elementos heterogéneos en cuanto a su estrato social, procedencia cultural y orientación ideológica. Esta diversidad era de una riqueza y vitalidad notables, pero también podía volverse una amenaza para la vida cristiana de la congregación y hasta destruirla. De hecho, en esta carta, la preocupación fundamental del Apóstol es la de reconstituir los pilares de la fe cristiana, que no son otros que el bautismo y la celebración eucarística, pues de allí penden todas las demás expresiones de la vitalidad cristiana.

Las líneas de nuestra breve lectura dejan ver cómo la pluralidad de dones y carismas se genera desde el bautismo que es común a todos y que los ha convertido en miembros del cuerpo de Cristo; es decir, de una comunidad de fe y vida. La diversidad de carismas que el Espíritu suscita responde a la diversidad de necesidades presentes, de modo que no hay lugar a la arrogancia o jactancia de parte de nadie. Todos los dones son para edificación de la comunidad. Pablo subraya esto de dos maneras: el único señorío de Cristo sobre todos los bautizados y la acción pluriforme del Espíritu en la comunidad cristiana.

Pentecostés es la fiesta de la diversidad y la pluralidad en la comunidad cristiana. El Espíritu Santo nos llama a acabar con el individualismo arrogante y poner todos nuestros talentos al servicio de los demás. Cualquier cosa que nos separe, así la consideremos de mucho valor, pero que no contribuya a la unidad en la caridad, hemos de discernir cómo hacerla desaparecer de nuestro medio. Formemos todos un solo cuerpo para el servicio de unos a otros.

EVANGELIO   Juan 20:19–23

Lectura del santo Evangelio según san Juan

Al **anochecer** del día de la **resurrección**,
    estando **cerradas** las puertas de la **casa**
    donde se hallaban los **discípulos**,
    por **miedo** a los judíos,
    se presentó **Jesús** en **medio** de ellos y les **dijo**:
"La **paz** esté con **ustedes**".
Dicho esto, les mostró las **manos** y el **costado**.

Cuando los **discípulos** vieron al **Señor**, se llenaron de **alegría**.
De nuevo les dijo **Jesús**:
"La **paz** esté con **ustedes**.
Como el **Padre** me ha enviado, **así también** los envío **yo**".

Después de decir esto, **sopló** sobre ellos y les **dijo**:
"**Reciban** al Espíritu Santo.
A los que les **perdonen** los **pecados**, les **quedarán perdonados**;
    y a los que **no se los perdonen**, les **quedarán sin perdonar**".

Dispónte espiritualmente a esta proclamación. Siéntete pleno de la paz del Señor resucitado y de su Espíritu.

Adelanta en estas frases con verdadero entusiasmo pascual. El perdón es un don para todos.

EVANGELIO El mismo domingo de la resurrección, por la tarde, los discípulos se encontraban encerrados en una casa. Los domina el miedo. El miedo paraliza, impide la actividad. ¿Será semejante a la muerte? Un detalle que denota el miedo del grupo es que se encierra. Ellos no quieren saber nada de la sociedad.

Jesús vino. Había dicho que volvería (Juan 14:3) y ahora los saluda: "La paz esté con ustedes". Esta paz es un producto de la resurrección. Hay una insistencia en la identidad. Les muestra las manos y el costado. La reacción de los tristes es inmediata.

Viene la alegría. Jesús había hablado de esta alegría en su discurso de adiós (16:22). Decía que esta alegría nadie la podría quitar.

Acto seguido, les dio el Espíritu Santo. La misión, el encargo del Señor, es convertir al hombre, cambiarle el corazón. Aquello que había anunciado Ezequiel (Ezequiel 37:9). Sin la fuerza de Dios, del Espíritu, el hombre no podrá ser cambiado. El Espíritu realiza una nueva creación (Génesis 2:7; Sabiduría 15:11). Sólo así, había dicho Jesús a Nicodemo (Juan 3:5–6), podrá el hombre entrar al Reino de Dios. Ahora los discípulos reciben el Espíritu para dar al ser humano el

poder de que ya no pequen, una capacidad para vivir de acuerdo con la ley de Dios, que es la caridad.

Hoy celebramos la fiesta de Pentecostés. Esta fiesta recordaba la Ley. La Ley de Moisés nunca había sido cumplida. Ya Jeremías se hacía la pregunta en un terceto: "¿Puedes tú, pueblo mío, dejar de pecar?". El cristiano celebra que ahora, por el don del Espíritu, recibe con él la capacidad de cumplir la Ley en su plenitud, amando al prójimo a ejemplo y mandato de Jesús.

SANTÍSIMA TRINIDAD

Proclama solemnemente esta introducción: describe el encuentro sagrado entre Dios y Moisés.

I LECTURA   Éxodo 34:4b–6, 8–9

Lectura del libro del Éxodo

En **aquellos** días,
  Moisés subió de **madrugada** al monte **Sinaí**,
  llevando en la mano las **dos tablas de piedra**,
  como le había mandado el **Señor**.
El Señor **descendió** en una **nube** y se le hizo **presente**.

Se trata de la revelación del nombre de Dios, quién es Él y cuáles son sus cualidades. Que tu anuncio llegue a los corazones.

Moisés pronunció **entonces** el **nombre del Señor**,
  y el **Señor**, pasando delante de él, **proclamó:**
"**Yo soy** el Señor, el **Señor Dios**,
  compasivo y **clemente, paciente, misericordioso** y **fiel**".

La oración de Moisés reconoce la dureza de cabeza del pueblo. Proclámala con humildad, pero sin afectación.

Al instante, Moisés **se postró** en tierra y **lo adoró**, diciendo:
"Si **de veras** he hallado **gracia** a tus **ojos**,
  dígnate venir **ahora** con **nosotros**,
  aunque **este pueblo** sea de **cabeza dura**;
  perdona nuestras **iniquidades** y **pecados**,
  y **tómanos** como cosa **tuya**".

Para meditar

SALMO RESPONSORIAL   Daniel 3:52, 53, 54, 55, 56

R. Cantado y exaltado eternamente.

Bendito seas, Señor, Dios de nuestros
  padres, bendito sea tu santo y glorioso
  nombre. **R.**

Bendito seas en el templo de tu santa gloria. **R.**

Bendito seas en el trono de tu reino. **R.**

Bendito seas tú, que sondeas los abismos,
  que te sientas sobre querubines. **R.**

Bendito seas en el firmamento del cielo. **R.**

I LECTURA Este texto, hermoso y profundo, implica una revelación de Dios. Dios es amoroso, misericordioso y compasivo. Su ternura dura hasta mil generaciones, su enojo, en cambio, sólo alcanza a cuatro (Éxodo 34:7). La ecuación no puede ser más reveladora: Dios es padre que perdona cien y reprende cuatro.

El contexto de esta revelación de Dios es la infidelidad del pueblo. Eso resalta su gratuidad. No es la recompensa a la fidelidad del pueblo, sino un derroche de misericordia ahí donde no hay méritos que la expliquen. Al final, Moisés añade: tómanos como cosa tuya, como pueblo de tu propiedad. Esta es quizá la más profunda verdad del texto: somos propiedad de Dios y tenemos que esforzarnos por estar a la altura de su amor.

II LECTURA Escuchamos la conclusión de la Segunda carta a los Corintios. Una despedida breve, pero sustanciosa. La invitación, dirigida desde lo más hondo del corazón de Pablo, es a vivir una vida digna de hijas e hijos de Dios. La perfección a la que nos invita es una vida íntegra, de autenticidad y fidelidad completa en el seguimiento de Jesús.

La carta cierra con una bendición que contiene la más antigua fórmula trinitaria. La liturgia de la iglesia ha tomado este saludo de Pablo para el inicio de sus asambleas. El amor, la gracia y la comunión son tres características de Dios que se convierten en dones que se otorgan a los fieles.

La presencia de la Trinidad en cada persona y en la comunidad es una fuente de reconciliación que hace posibles relaciones interhumanas marcadas por la alegría y una unión de corazones que genera la paz.

Pablo se despide de los corintios con palabras de aliento. Haz contacto visual con la asamblea en la lectura, para que sientan estas palabras como dirigidas a ellos/as.

II LECTURA   2 Corintios 13:11–13

Lectura de la segunda carta del apóstol san Pablo a los corintios

Hermanos:
Estén **alegres**, trabajen por su **perfección**,
    anímense mutuamente, vivan en **paz** y **armonía**.
Y el **Dios** del amor y de la paz **estará con ustedes**.

Salúdense los unos a los otros con el **saludo de paz**.

Los saludan **todos** los fieles.

Esta doxología es usada como una de las fórmulas de saludo inicial de la Misa. Menciona con claridad a cada una de las tres personas divinas.

La **gracia** de nuestro Señor **Jesucristo**,
    el **amor** del **Padre** y la **comunión** del **Espíritu Santo**
    estén **siempre** con **ustedes**.

EVANGELIO   Juan 3:16–18

Lectura del santo Evangelio según san Juan

La frase inicial es el corazón de toda la lectura. Proclámala con claridad y firmeza. Es una síntesis del misterio de salvación.

La segunda frase explica la primera. Lee pausadamente y ve bajando el ritmo hasta concluir el pasaje.

"**Tanto amó** Dios al mundo, que le **entregó** a su **Hijo único**,
    para que **todo** el que **crea** en él no **perezca**,
    sino que tenga la **vida eterna**.
Porque Dios **no envió** a su **Hijo** para **condenar** al mundo,
    sino para que el mundo **se salvara por él**.
El que **cree** en él **no será condenado**;
    pero el que no cree **ya está condenado**,
    por **no haber creído** en el **Hijo único de Dios**".

EVANGELIO Juan 3:1–21 nos trae una conversación que Jesús mantuvo con un jefe del judaísmo oficial, Nicodemo. La escena ocurre de noche porque Nicodemo quiere conservar la visita en secreto. No debemos deducir que Nicodemo haya respondido a la invitación de Jesús a la fe, pero cuando aparezca de nuevo (Juan 7:50 y 19:39), lo hará como un discípulo convencido.

A la invitación de Jesús le sigue un malentendido que Jesús aclara: nacer de nuevo es nacer de lo alto, del Espíritu. Jesús inicia entonces un discurso sobre el misterio de la redención. Son revelaciones sobre su papel salvador para la humanidad. El centro del misterio de la salvación queda expresado aquí: la causa de la encarnación y la entrega de Jesús es el amor misericordioso del Padre. El amor del Padre y el envío de su Hijo al mundo forman el eje central del proyecto de salvación. Y este proyecto tiene una sola finalidad: que todos tengamos vida plena, vida feliz, en este mundo y en el otro.

Pero un amor total y gratuito exige también una entrega total. Si Dios nos ha amado hasta entregar a su Hijo por nosotros, quedamos comprometidos en el amor fraterno llevado hasta sus últimas consecuencias.

SANTÍSIMO CUERPO Y SANGRE DE CRISTO

I LECTURA   Deuteronomio 8:2–3, 14b–16a

Lectura del libro del Deuteronomio

Las palabras de Moisés deben resonar como dirigidas a la asamblea reunida. De tanto en tanto dirige los ojos a la comunidad como invitándolos a recordar la presencia de Dios en sus vidas.

En **aquel** tiempo, **habló Moisés** al **pueblo** y le **dijo:**
"**Recuerda** el **camino** que el Señor, **tu Dios,**
    te ha hecho **recorrer** estos **cuarenta años** por el **desierto,**
    para **afligirte,** para ponerte a **prueba**
    y **conocer** si ibas a guardar sus **mandamientos** o **no.**

Él **te afligió,** haciéndote pasar **hambre,**
    y después **te alimentó** con el **maná,**
    que **ni tú ni tus padres** conocían,
    para **enseñarte** que **no sólo** de pan **vive** el **hombre,**
    sino **también** de **toda** palabra que **sale** de la boca de **Dios.**

Los prodigios antiguos son ocasión para que los oyentes recuerden la providencia divina en sus vidas cotidianas. Proclama la última frase que habla del maná con aplomo. Estamos en la Fiesta de Corpus.

No sea que **te olvides** del Señor, **tu Dios,**
    que **te sacó** de **Egipto** y de la **esclavitud;**
    que te hizo **recorrer** aquel **desierto inmenso** y **terrible,**
    lleno de **serpientes** y **alacranes;**
    que en una **tierra árida** hizo **brotar** para **ti**
    agua de la **roca más dura,**
    y que **te alimentó** en el **desierto** con un **maná**
    que **no** conocían **tus padres".**

I LECTURA Deuteronomio 8 tiene como tema la posesión de la Tierra Prometida, en un marcado contraste con lo que el pueblo hebreo había vivido en los tiempos de la esclavitud en Egipto. En varias ocasiones se escucha la invitación a recordar la acción liberadora de Dios que sacó al pueblo de la servidumbre, y también recordar las señales de la presencia de Dios en la prolongada marcha del pueblo por el desierto. La memoria aparece como remedio en contra del olvido.

El desierto es un tiempo de prueba, ocasión para que el pueblo muestre su fide-lidad a Dios. Los sufrimientos del desierto —hambre, calor, carencias— fueron también oportunidad para que Israel experimentara el amor de Dios a través de los beneficios concedidos. Se trata de una peregrinación pedagógica en la que el padre amoroso camina junto al hijo inexperto, respeta su autonomía, pero lo cuida para que no se haga daño. En el desierto, Dios llevó a Israel a comprender que la fuente de la vida, el pan que alimenta al ser humano, es toda palabra salida de la boca de Dios. Jesús responderá a una de las tentaciones (Mateo 4:4) con esta frase y recordará a sus discí-pulos que su palabra, es verdadero pan de vida (6:33, 35).

La lectura termina invitando a no olvidar lo que Dios ha hecho por su pueblo. Israel no deberá olvidar sus raíces, el proceso de salvación por el que Dios los ha conducido hasta el momento actual. Si el pueblo pierde la memoria, pierde su identidad y su misión. Al mencionar al final el maná con que Dios alimentó al pueblo en el desierto, la lectura nos prepara al discurso sobre la Eucaristía que escucharemos en el evangelio.

Para meditar

SALMO RESPONSORIAL Salmo 147:12–13, 14–15, 19–20
R. Glorifica al Señor, Jerusalén.

Glorifica al Señor, Jerusalén; alaba a tu Dios, Sión, que ha reforzado los cerrojos de tus puertas y ha bendecido a tus hijos dentro de ti. **R.**

Ha puesto paz en tus fronteras, te sacia con flor de harina; él envía su mensaje a la tierra y su palabra corre veloz. **R.**

Anuncia su palabra a Jacob, sus decretos y mandatos a Israel; con ninguna nación obró así, ni les dio a conocer sus mandatos. **R.**

II LECTURA   1 Corintios 10:16–17

Lectura de la primera carta del apóstol san Pablo a los corintios

Hermanos:
El **cáliz de la bendición** con el que **damos gracias**,
 ¿**no nos une** a Cristo por medio de su **sangre**?
Y el **pan** que partimos, ¿**no nos une** a **Cristo** por medio
  de su **cuerpo**?
El **pan** es **uno**, y así **nosotros**, aunque somos **muchos**,
  formamos **un solo cuerpo**,
  porque **todos** comemos del **mismo** pan.

La dimensión social de la Eucaristía sobresale en este pasaje. Lee transmitiendo la conciencia de que la Eucaristía hace de nosotros un pueblo, una familia de hermanos y hermanas.

II LECTURA Pablo invita a mirar la historia de Israel en el desierto como una experiencia educativa. Los hebreos recibieron agua de la roca y pan bajado del cielo para alimentarse, pero traicionaron a Dios y no se mantuvieron firmes en la fidelidad.

Entre los corintios hay divisiones sobre si se debe o no comer la carne que ha sido sacrificada para los dioses de otros cultos. En todas las ciudades grecorromanas había templos en los que se ofrecían víctimas animales y la carne era después vendida en los mercados. Los judíos piadosos no la comían porque la consideraban contaminada de idolatría. ¿Tenían permitido los cristianos comerla? (1 Corintios 8). Más que una respuesta concreta, Pablo ofrece un criterio para discernir: la carne es sólo carne, los ídolos son falsos y no existen. Así que en principio no habría problema en que un cristiano la comiera. Pero si eso escandalizara a los débiles en la fe, el cristiano debería abstenerse por caridad.

En este doble marco se insertan los versículos de nuestra lectura. Pocas frases, pero de hondo significado. En la cena del Señor se establece una vinculación profunda entre Cristo, el comulgante y la comunidad a la que pertenece. Se trata de uno de los testimonios más antiguos sobre la Eucaristía y nos recuerda el sentido comunitario y social de este sacramento. Al comulgar entramos en comunión con Cristo y nos convertimos en un solo cuerpo, formamos un pueblo nuevo que participa de la misma vida de Jesús y de su destino glorioso. La fracción del pan crea una relación íntima de vida y de bienes entre todos los que comulgan. No debe celebrarse la Eucaristía y después odiar o discriminar al hermano.

EVANGELIO   Juan 6:51–58

Lectura del santo Evangelio según san Juan

En **aquel** tiempo, **Jesús** dijo a los **judíos**:
"**Yo soy** el pan vivo que ha **bajado** del cielo;
   el que **coma** de este pan **vivirá** para **siempre**.
Y el **pan** que **yo** les voy a dar
   es mi **carne** para que el **mundo** tenga **vida**".

Entonces los **judíos** se pusieron a **discutir** entre sí:
"¿**Cómo** puede **éste** darnos a **comer** su **carne**?"

Jesús les dijo:
"Yo les **aseguro**:
Si **no comen** la carne del **Hijo del hombre** y **no beben** su sangre,
   no podrán tener **vida** en **ustedes**.
El que **come** mi **carne** y **bebe** mi **sangre**,
   tiene **vida eterna** y yo lo **resucitaré** el **último día**.

Mi **carne** es **verdadera comida**
   y mi **sangre** es **verdadera bebida**.
El que **come** mi **carne** y **bebe** mi **sangre**,
   permanece en mí y yo en **él**.
Como el **Padre**, que me ha **enviado**,
   posee la **vida** y yo vivo **por él**,
   así también el que me come **vivirá por mí**.

Éste es el **pan** que ha **bajado** del **cielo**;
   no es como el **maná** que comieron **sus padres**, pues **murieron**.
El que **come** de este pan **vivirá** para **siempre**".

Es el final del discurso del Pan de Vida. El tono debe ser de enseñanza sapiencial, sin que suene a regaño.

La pregunta de los judíos prepara la continuación del discurso. Lee de manera que las ideas se vayan hilando con claridad.

La sección final, abiertamente eucarística, es el centro de la fiesta de hoy. Proclama la sección final con espíritu de fe y va desgranando las oraciones conservando un ritmo ágil, pero sin apresuramientos.

EVANGELIO   El discurso del pan de vida es un amplio desarrollo discursivo que sigue a la alimentación de la muchedumbre y la travesía del mar de Galilea, en el capítulo 6 del Evangelio de san Juan. En una primera parte del discurso, Jesús comenta el Salmo 78:24 y subraya que es el Padre y no Moisés el que hizo caer el pan del cielo. En el centro de todo el discurso está el símbolo del pan como fuente de vida. Todo el discurso está impregnado de la simbología del alimento (comer y beber, hambre y sed) y desemboca en el pasaje que hoy escuchamos, que pone como protagonista a Jesús, autodenominado "pan del cielo". Siempre que en el evangelio juánico Jesús dice la frase "Yo soy" revela un aspecto de su identidad y misión.

Jesús lleva a su cumplimiento último la figura de alimento que se anunciaba en el maná. Esta enseñanza de Jesús sorprende a los escuchas por extraña y escandalosa. Comer la carne era una expresión que recordaba textos de hostilidad destructiva (Isaías 9:19 o el Salmo 27:2) y beber sangre estaba prohibido por la ley de Moisés (Génesis 9:4; Levítico 17:14). No era, pues, un lenguaje fácil de entender. Pero en medio de ese escándalo Jesús estaba revelando el misterio de la Eucaristía.

Jesús afirma que quien participa de la Eucaristía "permanece en mí y yo en él". Habitar, permanecer, vivir en Cristo son modos de expresar la íntima unión que debe establecerse entre quien comulga y la persona y la misión de Jesús. Esto no se da de una manera simplemente mágica: implica el empeño de reproducir en nuestra vida los mismos sentimientos y la causa que movió a Jesús a entregar su vida.

18 DE JUNIO DE 2023

XI DOMINGO ORDINARIO

I LECTURA ÉXODO 19,2-6A

Lectura del libro del Éxodo

En aquellos días, el **pueblo de Israel** salió de Refidim,
llegó al desierto del Sinaí y acampó **frente al monte**.
Moisés subió al monte **para hablar** con Dios.
El Señor **lo llamó** desde el monte y le dijo:
   "Esto dirás a la casa de Jacob,
   esto **anunciarás** a los hijos de Israel:
   'Ustedes han visto cómo castigué a los egipcios
   y de qué manera **los he levantado** a ustedes
      sobre **alas de águila**
   y los he traído **a mí**.
Ahora bien,
   si escuchan **mi voz** y guardan **mi alianza**,
   serán mi **especial tesoro** entre todos los pueblos,
   aunque toda la tierra **es mía**.
Ustedes serán **para mí**
   un reino de sacerdotes
   y **una nación** consagrada' ".

I LECTURA Estamos en el centro mismo, el corazón del libro del Éxodo. Este segundo libro del Pentateuco alcanzará su cima en la manifestación de Dios en el monte Sinaí. Al llegar al monte santo, Israel va a encontrarse allí con Dios. Moisés está en contacto, sea con Dios la montaña, sea con el pueblo que ha quedado abajo. Este ir y venir de Moisés señala bien su papel de mediador que asegura el vínculo entre el Altísimo y los seres humanos.

El pasaje usa la metáfora del águila, que evoca el poder divino y la pequeñez humana; Dios es quien lo ha hecho todo. Ha llegado la hora de escuchar la voz de Dios y guardar su alianza. Dios hará de Israel su "especial tesoro", expresión que evoca aquello que uno se reserva con especial cariño. Serán también un "reino de sacerdotes y una nación consagrada". Dos expresiones que dejan claro que el sentido verdadero de la liberación de Egipto no ha sido solamente abolir la esclavitud y darles una tierra, sino sobre todo atraer al pueblo hacia Dios. Dios ha elegido a Israel y lo ha hecho un pueblo distinto de los otros, separado de los demás, no en el sentido externo, sino por su conciencia de pertenecer al Señor y esforzarse por vivir de acuerdo a los valores de la alianza.

La alianza que Dios ofrece a Israel exige disponibilidad libre de ambas partes y establece un reconocimiento mutuo de amistad con responsabilidades compartidas. Dios ha hecho y seguirá haciendo todo gratuitamente por su pueblo. Ahora quiere ofrecerle un camino de vida, su ley, que el pueblo deberá respetar y obedecer.

II LECTURA La carta a los Romanos es la más larga y profunda de

Para meditar

SALMO RESPONSORIAL   Salmo 100 (99): 2, 3, 5

R. (3c) Nosotros somos su pueblo y ovejas de su rebaño.

Aclamen al Señor, tierra entera,
　sirvan al Señor con alegría,
　entren en su presencia con vítores. **R.**

Sepan que el Señor es Dios:
　que él nos hizo y somos suyos,
　su pueblo y ovejas de su rebaño. **R.**

"El Señor es bueno,
　su misericordia es eterna,
　su fidelidad por todas las edades". **R.**

II LECTURA   Romanos 5:6–11

Lectura de la carta del apóstol san Pablo a los romanos

Hermanos:
Cuando todavía no teníamos **fuerzas para salir** del pecado,
　Cristo **murió por los pecadores** en el tiempo señalado.
Difícilmente habrá alguien que quiera **morir por un justo**,
　aunque puede haber **alguno** que esté **dispuesto a morir**
　por una persona **sumamente buena**.
Y la prueba de que **Dios nos ama** está
　en que **Cristo murió** por nosotros,
　cuando aún éramos **pecadores**.

Con mayor razón, ahora que **ya hemos sido justificados** por su
sangre, seremos **salvados por él del** castigo final.
Porque, si cuando **éramos enemigos** de Dios,
　fuimos reconciliados con él por la muerte de su Hijo,
　con mucho más razón, **estando ya** reconciliados,
　recibiremos la salvación participando de la **vida de su Hijo**.
Y no sólo esto, sino que también **nos gloriamos** en Dios,
　por medio de **nuestro Señor** Jesucristo,
　por quien hemos obtenido ahora **la reconciliación**.

Abarca con tu mirada a la asamblea; luego inicia la lectura.

Imprime fuerza en la primera línea. Este párrafo vincula y prepara. Sostén la atención de todos.

Haz una breve pausa y enfatiza la ilación y remarca el don sobreabundante de Dios como en un crescendo.

Pablo. Es una carta de madurez, escrita por el Apóstol cuando está llevando la colecta para la iglesia madre de Jerusalén, pero sospecha que puede caer en manos de sus enemigos, los que se oponen a la fe en Jesucristo, como de hecho termina sucediendo. En esta carta, Pablo presenta una síntesis bien elaborada de lo que ha venido predicando en todos sus viajes.

El pasaje que hoy escuchamos abre una sección larga que abarca los capítulos del 5 al 8 y que expone lo que significa vivir la nueva vida en Cristo y las consecuencias que ello trae. Pablo va a hablar del sano or-

gullo que debe llenar el corazón del creyente en Jesús por haber sido salvado por Dios, porque no es un orgullo basado en buenas obras que la persona haya realizado, sino en el amor gratuito y misericordioso de Dios que ha reconciliado a la humanidad consigo gracias a la entrega de Jesucristo y su misterio pascual.

Los judíos trataban de glorificar a Dios cumpliendo la Ley de Moisés, con todos sus ritos y costumbres, en el deseo de amarlo con todo el corazón. El discípulo de Jesús quiere también lo mismo, glorificar a Dios, pero el camino que ha escogido es la fe en

su hijo Jesucristo, porque Jesús murió por los que eran pecadores, cuando nadie merecía estar en buenas relaciones con Dios. Pero Jesús lo logró con su paso por esta vida haciendo el bien y sobre todo con su entrega en la cruz. El resultado de la muerte de Jesús no es solamente su resurrección y glorificación, sino el efecto que tiene en nosotros, pues la salvación nos llega a nosotros por medio de Él.

EVANGELIO Jesús comienza hoy el segundo de los cinco discursos que vertebran el Evangelio de Mateo,

La lectura es amplia pero interesante. Fíjate en los distintos momentos que la componen para que no se confunda el auditorio.

Los nombres son importantes. Todos deben reconocerlos, de modo que los vocalices con toda propiedad.

El mensaje es capital. Aquí se condensa el quehacer de los enviados. Puntualiza cada tarea.

EVANGELIO   Mateo 9:36—10:8

Lectura del santo Evangelio según san Mateo

En aquel tiempo,
al ver Jesús a las multitudes, **se compadecía** de ellas,
porque estaban extenuadas y desamparadas, **como ovejas
sin pastor**.
Entonces dijo a sus discípulos:
"La cosecha es mucha y los **trabajadores, pocos**.
Rueguen, por lo tanto,
al dueño de la mies **que envíe** trabajadores a sus campos".

Después, llamando a sus doce discípulos,
les dio **poder para expulsar** a los espíritus impuros
y curar **toda clase de** enfermedades y dolencias.

Éstos son los nombres de los doce apóstoles:
el primero de todos, Simón, **llamado Pedro**,
y su hermano Andrés;
Santiago y su hermano Juan, **hijos de Zebedeo**;
Felipe y Bartolomé; Tomás y Mateo, **el publicano**;
Santiago, hijo de Alfeo, y Tadeo;
Simón, el **cananeo**, y Judas Iscariote, que fue **el traidor**.

A estos doce los envió Jesús con estas instrucciones:
"**No vayan** a tierra de paganos **ni entren** en ciudades
de samaritanos.
Vayan más bien en busca de **las ovejas perdidas** de la casa
de Israel.
Vayan y **proclamen por el camino** que ya se acerca el Reino
de los cielos.
Curen a los leprosos y demás enfermos;
resuciten a los muertos y **echen fuera** a los demonios.
Gratuitamente han recibido este poder;
ejérzanlo, pues, **gratuitamente**".

el llamado discurso misionero. El proyecto de Jesús contrasta con la situación del pueblo: es un pueblo cansado y desorientado, que inspira compasión, que muestra de manera evidente la necesidad que hay de pastores que le anuncien el Reino y lo saquen de su situación lamentable.

Después de mencionar la compasión de Jesús por la gente, el Maestro va a elegir a los pregoneros de la Buena Noticia y va a entregarles una misión, la misma misión de Jesús: anunciar el Reino, enseñar y realizar prodigios. La elección de los Doce es una respuesta de Jesús a las necesidades

del pueblo. El número doce alude a las tribus de Israel. Por eso la misión comienza con el pueblo judío y solamente después se irá extendiendo a todos los pueblos. Mateo subraya la autorización que Jesús otorga a sus elegidos y la confianza que los Doce han de tener en Aquél que los envió. A través de ellos, Jesús seguirá presente en medio de la comunidad.

La estrategia es clara: primero deben dirigirse a los judíos, que son los herederos de la promesa. Pero ante el rechazo del anuncio de Jesús por parte del pueblo elegido serán los Doce los pilares del nuevo

Israel, con la misión de anunciar el Evangelio a todos los pueblos. El Reino de Dios se hace presente a través de estos testigos. El sentido amplio del texto no se limita a los obispos, sucesores de los apóstoles, sino que todos hemos sido enviados a dar testimonio del evangelio y a sanar el mundo aportando una nueva manera compasiva de vivir, en constante dependencia del Padre.

XII DOMINGO ORDINARIO

La confesión de Jeremías nos desnuda sus sentimientos más íntimos. Proclama cada frase con claridad.

Dale otro tono a la palabra de los amigos traidores, para que se distingan.

El centro del mensaje se encuentra en esta proclamación de confianza del profeta. Anúnciala alzando un poco el tono de la voz.

Cierra la proclamación cojn tono alegre, invitando a la asamblea a alabar al Señor.

I LECTURA   Jeremías 20:10–13

Lectura del libro del profeta Jeremías

En aquel tiempo, dijo Jeremías:
"Yo oía el **cuchicheo de la gente** que decía:
'Denunciemos a Jeremías,
   denunciemos al profeta del terror'.
Todos los que eran mis amigos **espiaban** mis pasos,
   esperaban que **tropezara** y me cayera, diciendo:
'Si se **tropieza** y se cae, lo venceremos
   y podremos vengarnos de él'.

Pero el Señor, guerrero poderoso, **está a mi lado;**
   por eso mis perseguidores **caerán** por tierra
   y **no podrán** conmigo;
   quedarán avergonzados de su **fracaso**
   y su **ignominia** será eterna e inolvidable.
Señor de los ejércitos, que **pones a prueba** al justo
   y **conoces** lo más profundo de los corazones,
   haz que **yo vea** tu venganza contra ellos,
   porque **a ti** he encomendado mi causa.

Canten y alaben al Señor,
   porque él **ha salvado** la vida de su pobre
   de la mano de los malvados".

I LECTURA El pasaje de la primera lectura de hoy retrata un momento de crisis que el profeta sufre en el ejercicio de su misión. A Jeremías le tocó vivir en una época llena de convulsiones. Después de profetizar durante los reinados de Josías y Joaquín (años 627–604 a. C.), le tocó vivir de cerca la amenaza del Imperio babilonio, el asedio y destrucción de Jerusalén y la deportación de las elites judías a Babilonia.

Tan grave es la catástrofe que se avecina, que Jeremías considera que ni siquiera vale la pena engendrar hijos, por la suerte que les espera. La vida del profeta se convirtió en testimonio de su mensaje: Dios le prohibió que tomara mujer y convirtió su celibato en una señal de lo terrible que era lo que iba a pasar.

Todos se voltearon contra el profeta y despreciaron su mensaje. Jeremías enfrentó el rechazo y la mala voluntad de aquellos a quienes dirige sus palabras. Por eso escuchamos hoy el reclamo de un hombre limpio de corazón que mira con dolor el fracaso de su propia obra. Dios se ha aprovechado de él, de su juventud y de su inexperiencia. Es la queja de un amor decepcionado.

Pero, a pesar de los sufrimientos, no puede dejar de llevar adelante la misión que se le ha encomendado. Está tan identificado con su ser de profeta que siente su misión cual fuego ardiente que le quema las entrañas. Después de escuchar el cuchicheo de sus enemigos, Jeremías confiesa que, aunque el precio que paga es alto, el Señor le tiene reservada la victoria. Aun en medio de circunstancias difíciles, Dios lleva a cabo su plan de salvación. Por eso estalla en una alabanza porque tiene confianza en la justicia divina.

191

Para meditar

SALMO RESPONSORIAL Salmo 69 (68):8–10, 14 y 17, 33–35

R. (14c) Que me escuche tu gran bondad, Señor.

Por ti he aguantado afrentas,
    la vergüenza cubrió mi rostro.
Soy un extraño para mis hermanos,
    un extranjero para los hijos de
    mi madre,
    porque me devora el celo de tu templo,
    y las afrentas con que te afrentan caen
    sobre mí. **R.**

Pero mi oración se dirige a ti,
    Dios mío, el día de tu favor;
    que me escuche tu gran bondad,
    que tu fidelidad me ayude:

respóndeme, Señor, con la bondad
    de tu gracia;
    por tu gran compasión, vuélvete
    hacia mí. **R.**

Mírenlo, los humildes, y alégrense,
    busquen al Señor, y revivirá vuestro
    corazón.
Que el Señor escucha a sus pobres,
    no desprecia a sus cautivos.
Alábenlo el cielo y la tierra,
    las aguas y cuanto bulle en ellas. **R.**

II LECTURA   Romanos 5:12–15

Lectura de la carta del apóstol san Pablo a los romanos

Hermanos:
Por **un solo hombre** entró el pecado en el mundo
    y por el pecado **entró la muerte**,
    así la muerte **pasó a todos** los hombres,
        porque todos pecaron.

Antes de la ley de Moisés **ya existía pecado** en el mundo
    y, si bien es cierto que el pecado no se castiga cuando
        no hay ley,
    sin embargo, **la muerte reinó** desde Adán hasta Moisés,
    aun sobre aquellos que no pecaron como pecó Adán,
    cuando desobedeció un mandato directo de Dios.
Por lo demás, Adán **era figura** de Cristo, el que había de venir.

Ahora bien, el don de Dios **supera con mucho** al delito.
Pues si por el delito de un solo hombre **todos fueron castigados**
        con la muerte,
    por el don de **un solo hombre**, Jesucristo,
    se ha desbordado sobre todos la abundancia de la vida
    y la gracia de Dios.

San Pablo pone en evidencia la naturaleza mortal del ser humano. Haz sentir en tu lectura que todos compartimos ese pecado de origen.

La historia humana, desde Adán hasta Moisés, es una historia de pecado. Adán representa al hombre viejo. Lee con aplomo la frase final, que anuncia a Cristo.

El último párrafo concluye la argumentación con el anuncio de la buena noticia. Jesucristo es el nuevo Adán. Termina la lectura remarcando con firmeza la frase final.

II LECTURA En Romanos 5:12—21, Pablo nos habla de la liberación del pecado y de la muerte gracias a la redención de Cristo. Lo hace estableciendo una comparación entre Adán y Cristo. Adán es el polo negativo. Es creatura de Dios, pero muestra una historia dominada por la desobediencia y el delito. La consecuencia de la obra de Adán es la muerte, ya desde nuestros primeros padres y para toda su descendencia. Aun después de la alianza, los hijos de Adán hemos continuado haciendo caso omiso de la voz de Dios en nuestra historia.

Este pasaje es la base de la doctrina sobre el pecado original, esa especie de falla de fábrica, de tendencia al mal que caracteriza la vida humana. El pecado de origen lastimó la naturaleza misma de la humanidad, por eso sus efectos se propagan como una especie de herencia negativa. Pero ante esta realidad, Pablo presenta a Jesucristo, el nuevo Adán, que es el polo positivo porque realiza en su persona una historia de misericordia y salvación caracterizada por la obediencia al Padre. Gracias a la entrega de su vida hemos recibido nosotros salvación y gracia. El pecado de Adán

ha sido superado por la entrega amorosa del Hijo de Dios.

Si las consecuencias del pecado nos afectaron a todos, con cuánta mayor razón la gracia de Cristo también lo hará. La acción de Cristo es de eficacia superior al dominio del mal, y su gracia supera del todo el daño del pecado en nosotros. Sólo que el pecado entra en nuestra vida sin permiso. La gracia, en cambio, requiere el uso de la libertad. Decía san Agustín: Dios, que te creó sin ti, no puede salvarte sin ti. La gracia apela a la responsabilidad humana.

EVANGELIO   Mateo 10:26–33

Lectura del santo Evangelio según san Mateo

En aquel tiempo, Jesús dijo a sus apóstoles:
"**No teman** a los hombres. No hay nada oculto que no llegue a
    descubrirse;
    no hay nada secreto que no llegue a **saberse**.
Lo que les digo de noche, repítanlo **en pleno día**,
    y lo que les digo al oído, pregónenlo **desde las azoteas**.

No tengan miedo a los que matan el cuerpo, pero no pueden
    matar el alma.
Teman, más bien, a quien puede arrojar al lugar de castigo el
    alma y el cuerpo.

¿No es verdad que **se venden** dos pajarillos por una moneda?
Sin embargo, ni uno solo de ellos cae por tierra **si no lo permite**
    el Padre.
En cuanto a ustedes, hasta los **cabellos de su cabeza**
    están contados.
Por lo tanto, **no tengan miedo**,
    porque ustedes valen mucho más que **todos los pájaros**
    del mundo.

A quien **me reconozca** delante de los hombres,
    yo también **lo reconoceré** ante mi Padre, que está en los cielos;
    pero al que **me niegue** delante de los hombres,
    yo también **lo negaré** ante mi Padre, que está en los cielos".

Son instrucciones variadas reunidas en un solo pasaje. Lee respetando los signos de puntuación, para evitar una lectura cansada.

La ternura de Dios por nosotros se aprecia en este párrafo. Mira a la comunidad cada vez que pronuncies "no tengan miedo".

El párrafo final está compuesto de dos pares de versos. Deja flotando en el ambiente la última frase.

EVANGELIO   Avanzamos en la lectura del discurso apostólico, cuyos principales fragmentos leeremos este domingo y el próximo. El pasaje es una colección de dichos de Jesús, reunidos por el evangelista en este discurso. Menciona dificultades que los apóstoles encontrarán en el desempeño de su trabajo y el cumplimiento de su misión. La invitación de Jesús es a que sus discípulos venzan el miedo. Las dificultades del camino sólo se superarán si se tiene fe y si esta fe vence al miedo. El texto nos presenta tres grandes razones por las cuales hay que vencer el miedo: 1) el Evangelio tiene una fuerza propia e invencible; 2) si obramos desde la perspectiva del Reino de Dios, ningún obstáculo se compara con la plenitud de vivir haciendo la voluntad del Padre; 3) Jesús nos promete la presencia continua de Dios como garantía absoluta de que no estaremos nunca solos.

Las imágenes son muy familiares: un hijo es para su padre mucho más importante que un par de pajarillos que se compran en los mercados. Una expresión nos asombra: hasta los cabellos de sus cabezas están contados. ¿quién puede contar los cabellos de una persona? La cercanía de Dios queda ejemplificada en esta comparación.

El testimonio del discípulo determinará si cumple o no su misión. En nuestro testimonio se juega el reconocimiento de parte de Jesús: si nos considerará de los suyos o si nos verá como extraños. De ahí la urgencia de que venzamos nuestros miedos y asumamos con valentía nuestra misión de seguir el Evangelio de Jesús y mostrar un modelo distinto de vida, sin dejarnos intimidar por los problemas que surjan.

XIII DOMINGO ORDINARIO

Es una narración entretenida. Cuenta la historia como si la estuvieras leyendo a tus hijos.

El agradecimiento de Eliseo hacia la sunamita generosa requiere la confianza del criado. La esterilidad será vencida por la gracia divina. Lee con entonación, pero sin afectaciones.

El profeta culmina con una promesa. Cierra la lectura con aplomo.

I LECTURA   2 Reyes 4:8–11, 14–16a

Lectura del segundo libro de los Reyes

Un día pasaba Eliseo por la ciudad de Sunem
   y una mujer distinguida lo invitó con insistencia **a comer** en
      su casa.
Desde entonces, siempre que Eliseo pasaba por ahí, iba a comer
   a su casa.
En una ocasión, ella le dijo a su marido:
"Yo sé que **este hombre**, que con tanta frecuencia nos visita,
   es un **hombre de Dios**.
Vamos a construirle en los altos una pequeña habitación.
Le pondremos allí una cama, una mesa, una silla y una lámpara,
   para que se quede allí, cuando venga a visitarnos".

Así se hizo y cuando Eliseo regresó a Sunem,
   subió a la habitación y se recostó en la cama.
Entonces le dijo a su criado: "**¿Qué podemos hacer** por
   esta mujer?"
El criado le dijo: "Mira, **no tiene hijos** y su marido ya es
   un anciano".
Entonces dijo Eliseo: "**Llámala**".
El criado **la llamó** y ella, al llegar, se detuvo en la puerta.
Eliseo le dijo:
"El año que viene, por estas mismas fechas, **tendrás un hijo** en
   tus brazos".

I LECTURA Los capítulos 2 al 10 del Segundo libro de los Reyes se conocen como el Ciclo de Eliseo. Inicia con el traspaso de la misión profética de Elías hacia Eliseo antes de que Elías sea arrebatado al cielo en un carro de fuego. La estrecha amistad entre Eliseo y una familia de Sunem vienen relatados en 4:8–37. La mujer de la casa es llamada por su gentilicio, la sunamita. Ella es la que lleva la iniciativa: invita a Eliseo a comer a su casa y se convierte en su frecuente anfitriona, convence al marido de construirle al profeta un cuarto y llama a éste santo, "hombre de Dios". La sunamita es de buena familia y su hospitalidad hacia el profeta no es mercantilista sino gratuita y generosa.

Aparece aquí una constante bíblica: el problema de la esterilidad. La sunamita es una extranjera sin hijos. Su esterilidad es causa de vergüenza. No tener hijos es, en la mentalidad de las culturas antiguas, tener el futuro frustrado, vivir sin esperanza. La intervención de Eliseo es señal de la bendición de Dios: la sunamita tendrá un hijo a pesar de su esterilidad y de la ancianidad de su marido. Más adelante, en 4:18–37, Eliseo resucitará al hijo, ya un muchacho, y lo devolverá sano y salvo en manos de esa mujer generosa y hospitalaria.

Este relato enlaza con una antigua tradición bíblica: el ejercicio de la hospitalidad. En nuestro tiempo, los movimientos migratorios hacen de la hospitalidad más que una virtud individual. Es una manera de solidarizarse con los más desamparados, aquellos que, por haber perdido bienes y esperanza, abandonan su tierra en busca de un futuro mejor.

II LECTURA Pablo se toma en serio lo que él entiende por pecado:

SALMO RESPONSORIAL   Salmo 89 (88):2–3, 16–17, 18–19
R. (2a) Cantaré eternamente las misericordias del Señor.

Cantaré eternamente las misericordias
   del Señor,
   anunciaré tu fidelidad por todas
   las edades.
Porque dije: "Tu misericordia es un edificio
   eterno,
   más que el cielo has afianzado tu
   fidelidad". **R.**

Dichoso el pueblo que sabe aclamarte:
   caminará, oh Señor, a la luz de tu rostro;
   tu nombre es su gozo cada día,
   tu justicia es su orgullo. **R.**

Porque tú eres su honor y su fuerza,
   y con tu favor realzas nuestro poder.
   Porque el Señor es nuestro escudo,
   y el Santo de Israel nuestro rey. **R.**

II LECTURA   Romanos 6:3–4, 8–11

Lectura de la carta del apóstol san Pablo a los romanos

Hermanos:
Todos los que hemos sido incorporados a Cristo Jesús
   por medio del bautismo, **hemos sido incorporados a él**,
     en su muerte.
En efecto, por el bautismo **fuimos sepultados** con él en
   su muerte,
   para que, así como Cristo resucitó de entre los muertos por la
     gloria del Padre,
   así también nosotros llevemos **una vida nueva**.

Por lo tanto, si hemos muerto con Cristo,
   estamos seguros de que también viviremos con él;
   pues sabemos que Cristo,
   una vez resucitado de entre los muertos, **ya nunca morirá**.
La muerte ya no tiene dominio sobre él,
   porque al morir, murió al pecado **de una vez para siempre**;
   y al resucitar, vive **ahora para Dios**.
Lo mismo ustedes,
   considérense muertos al pecado y **vivos para Dios**
     en Cristo Jesús, Señor nuestro.

El bautismo es un sacramento de muerte y resurrección. Nos injerta en Cristo. Subraya las expresiones que revelan esta verdad.

Cristo ha vencido a la muerte y nos ha regalado una vida nueva. Lee con especial énfasis la frase final, que nos compromete a un testimonio de vida.

se trata de un poder real que invade con su maldad a la persona, corrompiendo sus relaciones a todos los niveles: la relación con Dios, con los demás y con la creación. No se trata, pues, de los pecados aislados de una persona, sino de una fuerza enemiga de Dios a la que el ser humano está sometido. El pecado esclaviza a la persona, porque perturba su capacidad de discernir qué es lo que Dios quiere y de ponerlo en práctica.

Pero a la vida sometida al pecado se opone otra manera de vivir, la heredada de la gracia, la vida en Cristo. La eficacia salvadora de Cristo es infinitamente superior al daño que el pecado ha ocasionado en la persona humana. Aun así, se necesita un acto libre de aceptación. La gracia debe ser asumida con libertad por quienes deciden incorporarse al nuevo Adán, Jesucristo.

Esta incorporación queda simbolizada por el bautismo, a través del cual nuestro hombre viejo queda sumergido en la muerte de Cristo para que, quien venció el pecado de una vez por todas, nos resucite con él. Quien se bautiza se incorpora a Cristo para morir al pecado y resucitar para Dios. Por eso, Pablo va a terminar, en 6:12–14, en una exhortación: "No permitan que le pecado les domine... Ofrezcan sus vidas a Dios".

El bautismo no es un rito mágico: está ligado a una decisión de fe. Su realidad es tan honda, que Pablo tiene que inventar un nuevo lenguaje para expresarla. Por eso inventa palabras de difícil traducción: el bautizado es un *con-crucificado*, un *corresucitado*, un *coheredero*, un *con-glorificado*. Es alguien que vive con Cristo y en Cristo.

EVANGELIO | Los versículos 37–39 son un poderoso llamado de Jesús a su seguimiento. Los discípulos deberán

EVANGELIO   Mateo 10:37–42

Lectura del santo Evangelio según san Mateo

En aquel tiempo, Jesús dijo a sus apóstoles:
El que ama a su padre o a su madre **más que a mí**,
      no es digno de mí;
el que ama a su hijo o a su hija **más que a mí**,
      no es digno de mí;
y el que no **toma su cruz** y me sigue,
      no es digno de mí.

El que salve su vida la **perderá** y el que la pierda por mí,
      la **salvará.**

Quien los recibe a ustedes **me recibe** a mí;
y quien **me recibe** a mí,
      recibe al que me ha enviado.

El que **recibe** a un profeta por ser profeta,
      recibirá recompensa de profeta;
el que **recibe** a un justo por ser justo,
      recibirá recompensa de justo.

Quien **diere**, aunque no sea más que un vaso de agua fría
      a uno de estos pequeños,
      por ser discípulo mío,
      yo les aseguro que **no perderá** su recompensa".

De nuevo Mateo reúne en un discurso frases pronunciadas por Jesús en momentos distintos. Lee cada frase completa con ilación, para que se comprenda su significado.

Esta frase concentra el mensaje de todo el pasaje. Léela con contundencia.

Dirige la mirada a la asamblea. Concluye la lectura alentando el ritmo.

seguir a su Maestro de forma incondicional. Optar por Jesús exige un nivel de fidelidad y de entrega, que puede incluso llegar a provocar divisiones en la propia familia. El discípulo deberá estar dispuesto a elegir a Jesús por encima de los lazos de la sangre. Esta exigencia es dura si consideramos que la identidad fundamental de un individuo estaba ligada a los lazos familiares. El seguimiento de Jesús afecta todas las relaciones del discípulo, incluyendo las familiares.

Para referirse al sufrimiento que se deriva del seguimiento de Jesús, el texto propone la imagen de tomar la cruz. Es una referencia a los sufrimientos del mismo Cristo soportados por su fidelidad al Padre. No cualquier sufrimiento puede ser calificado de cruz. Evitemos usar esta imagen para justificar y sacralizar sufrimientos, producto de relaciones injustas e inhumanas.

Un segundo bloque abarca los versículos 40–42. Es una palabra de aliento a los mensajeros del evangelio (profetas y justos) y una exhortación a ser hospitalaria con ellos. Jesús avala así el trabajo misionero de sus enviados y recomienda a la comunidad practicar con ellos la hospitalidad. Este rasgo une la primera lectura con el evangelio.

Esta identificación de Jesús con sus discípulos es fuerte: la aceptación o el rechazo de los enviados es aceptación o rechazo de Aquel que los envía. Pero esta palabra de Jesús puede leerse también desde el otro ángulo: la enorme responsabilidad que el enviado tiene de reproducir, en su vida y en su predicación, al mismo Jesús.

XIV DOMINGO ORDINARIO

Se trata de un anuncio jubiloso. Que tu voz y tu presencia expresen y transmitan a todos esa alegría.

I LECTURA   Zacarías 9:9–10

Lectura del libro del profeta Zacarías

Esto dice el **Señor**:
"**Alégrate** sobremanera, hija de **Sión**;
    da gritos de **júbilo**, hija de **Jerusalén**;
    mira a **tu rey** que viene a ti,
    justo y **victorioso**,
    humilde y **montado** en un **burrito**.

Los cristianos hemos visto en este rey pacífico a Jesús. Lee teniendo esto en mente.

Él hará **desaparecer** de la tierra de Efraín los **carros de guerra**
    y de **Jerusalén**, los **caballos de combate**.
Romperá el arco del **guerrero**
    y **anunciará** la **paz** a las **naciones**.
Su **poder** se extenderá de **mar** a **mar**
    y desde el **gran río** hasta los **últimos rincones** de la **tierra**".

Para meditar

SALMO RESPONSORIAL   Salmo 144:1–2, 8–9, 10–11, 13cd–14

R. Te ensalzaré, Dios mío, mi rey, bendeciré tu nombre por siempre jamás.

Te ensalzaré, Dios mío, mi rey, bendeciré tu nombre por siempre jamás. Día tras día te bendeciré y alabaré tu nombre por siempre jamás. **R.**

El Señor es clemente y misericordioso, lento a la cólera y rico en piedad; el Señor es bueno con todos, es cariñoso con todas sus criaturas. **R.**

Que todas las criaturas te den gracias, Señor. Que te bendigan tus fieles, que proclamen la gloria de tu reino, que hablen de tus hazañas. **R.**

El Señor es fiel a sus palabras, bondadoso en todas sus acciones. El Señor sostiene a los que van a caer, endereza a los que ya se doblan. **R.**

I LECTURA Los capítulos 9 al 14 del libro de Zacarías, conocidos como el Segundo Zacarías, contienen algunos pasajes oscuros. Afortunadamente, los versículos de esta lectura litúrgica no son de los más difíciles. El mensaje es para aquellos que viven atemorizados por las agresiones del mal: no deben desesperarse, pues encontrarán consuelo en el poder de Dios que se revelará a través del Mesías, presentado como rey, pastor, siervo o señor.

El Mesías es presentado como rey pacífico. Llega sentado sobre un burrito como señal de que la paz mesiánica no se conquista a través de medios e instrumentos de violencia, ni con armas, carros o caballos, vehículos de guerra. Ni siquiera a través de alianzas humanas con otros reinos. La liberación del pueblo llegará a través de este nuevo rey que es justo y humilde y que apunta a una realidad totalmente nueva: un reinado diferente, de justicia y de paz. Será el mismo Señor el que quiebre la fuerza de los pueblos enemigos y no será a través de la violencia. Al final, Israel podrá ver triunfalmente restaurada su unidad.

Quien conoce los evangelios descubre una referencia a la entrada de Jesús a la ciudad de Jerusalén, que culminará con su muerte violenta. Mateo 21:5 y Juan 12:15 presentan esa entrada de Jesús sobre un burrito, como el cumplimiento de esta profecía de Zacarías.

A pesar de los siglos, la propuesta cristiana sigue estando en consonancia con la profecía de Zacarías. El discípulo de Jesús es un constructor de paz. Y sabe que el ejercicio del poder y del liderazgo pasa por un servicio sencillo y humilde a la causa de la justicia y de la paz.

II LECTURA   Romanos 8:9, 11–13

Lectura de la carta del apóstol san Pablo a los romanos

Hermanos:
Ustedes no viven conforme al **desorden egoísta** del **hombre**,
    sino conforme al **Espíritu**, puesto que el Espíritu de **Dios** habita
    verdaderamente en **ustedes**.
Quien **no** tiene el **Espíritu de Cristo**, no es **de Cristo**.
Si el Espíritu del **Padre**,
    que resucitó a **Jesús** de entre los muertos, **habita** en **ustedes**,
    entonces el **Padre**, que **resucitó** a Jesús de entre los **muertos**,
    también les dará vida a sus **cuerpos mortales**,
    por obra de su **Espíritu**, que habita en **ustedes**.

Por lo tanto, **hermanos**,
    no estamos sujetos al **desorden egoísta** del **hombre**,
    para hacer de **ese** desorden nuestra **regla de conducta**.
Pues si **ustedes** viven de **ese** modo, **ciertamente** serán **destruidos**.
Por el **contrario**, si con la **ayuda** del Espíritu **destruyen**
        sus **malas acciones**,
    entonces **vivirán**.

EVANGELIO   Mateo 11:25–30

Lectura del santo Evangelio según san Mateo

En **aquel** tiempo, **Jesús** exclamó:
"¡Te doy gracias, Padre, **Señor** del cielo y de la tierra,
    porque has **escondido estas cosas** a los **sabios** y **entendidos**,
        y las has **revelado** a la gente **sencilla**!
Gracias, Padre, porque **así** te ha parecido **bien**.

Después de la palabra hermanos, dirige tu mirada a la asamblea y continúa la lectura. Siéntete incluido entre los destinatarios.

Quien habla es un pastor, no un juez. La frase conclusiva es un consejo sapiencial, no un regaño. Deja que resuene en la asamblea la invitación final del Apóstol en la última frase.

Esta oración es hermosa y tradicional; oración filial. Proclámala con vigor y confianza.

II LECTURA El tema central de 8:1–17 es la oposición entre la vida según la carne y la vida según el espíritu. Carne y espíritu no son, en la mentalidad semítica, dos componentes de la persona sino dos orientaciones distintas de toda la persona completa. Se trata de una condición de vida dominada por deseos desordenados (vida según la carne), confrontada con otra condición de vida, la de aquellos que pertenecen a Cristo y viven en él y cuya herencia inmediata es la de ser hijas e hijos de Dios (vida según el espíritu).

La confrontación es, pues, entre una vida sustentada y animada por el espíritu de Cristo, contra una vida guiada por las apetencias de la carne; es decir, del hombre viejo que en nosotros subsiste. La persona bautizada está llamada a vivir según el Espíritu. Por eso los frutos de su vida han de ser de justicia y de paz. Aunque esto es un don gratuito, requiere el empeño humano. Pablo se ha referido a este drama desde su propia experiencia, cuando en Romanos 7:14–25 nos transmite la permanente tensión entre su condición pecadora y mortal, como descendiente de Adán, y su condición

de persona nueva, redimida por Cristo, nuevo Adán.

Pablo concluye con una exhortación: el cristiano ya no está bajo el dominio de la carne sino del Espíritu y eso nos obliga a vivir una vida nueva, que cumple la voluntad del Padre. No hay que olvidar, sin embargo, que es posible ser esclavizados de nuevo por el pecado. Hay que renovar continuamente la fe y no desmayar en estar alertas para desterrar de nuestra conducta las malas acciones. Para ello contamos con el auxilio del Espíritu.

El **Padre** ha puesto **todas** las cosas en **mis manos**.
Nadie conoce al **Hijo** sino el **Padre**;
    nadie conoce al **Padre** sino el **Hijo**
    y **aquel** a quien el **Hijo** se lo quiera **revelar**.

Vengan a mí, **todos** los que están **fatigados**
    y **agobiados** por la carga
    y yo los aliviaré'.
Tomen mi yugo sobre **ustedes** y **aprendan** de mí,
    que soy **manso** y **humilde de corazón**,
    y encontrarán **descanso**,
    porque **mi yugo** es **suave** y **mi carga, ligera**".

Entra al último párrafo con emoción controlada. El Maestro ofrece su corazón como morada de descanso. Haz contacto visual con la asamblea.

EVANGELIO Los capítulos 11 y 12 de Mateo nos presentan las reacciones de diversas personas frente a Jesús, varias de ellas de rechazo. Mateo nos va a relatar primero la hostilidad contra Juan el Bautista como preámbulo (11:2–19) y le seguirá el rechazo de las ciudades en las que Jesús había realizado más milagros, sin que se hubieran convertido (11:20–24). La hostilidad que ya Jesús había anunciado a sus discípulos en el discurso que leímos los tres domingos pasados, la experimentará ahora él en primera persona.

En contraste con los reproches dirigidos contra las ciudades galileas que han visto milagros sin convertirse, escuchamos a Jesús alabando a su Padre por manifestarse a los pobres y sencillos. Los sabios de este mundo no son capaces ni de comprender ni de aceptar a Jesús. Viven demasiado preocupados en sí mismos y en su sabiduría humana. Dios, en cambio, ha elegido revelarse a aquellos que el mundo piensa que no entenderían: los pobres de la tierra, los que no han tenido la oportunidad de visitar las escuelas de los sabios y los letrados. Los pobres y sencillos aparecen como los más aptos para recibir el don divino de la fe.

El pasaje termina con la invitación a que todos los que se esfuerzan en trabajos corporales o espirituales se le acerquen, todos los agobiados por el cumplimiento arduo de preceptos. La imagen del yugo hace referencia a la Ley de Moisés, los mandamientos de Dios. El yugo de Jesús implica una nueva perspectiva, una nueva actitud: se trata de ser, pensar y amar como sentía, pensaba y amaba el Maestro. El discípulo o discípula no deja nunca de aprender de Jesús, es un aprendiz de por vida.

XV DOMINGO ORDINARIO

Es un solo párrafo. Haz una pausa después de la primera frase y controla tu respiración para recitar sin cortes innecesarios las cuatro primeras líneas.

Baja la velocidad en la parte final y léela con claridad y firmeza.

Para meditar

I LECTURA   Isaías 55:10–11

Lectura del libro del profeta Isaías

Esto dice el **Señor:**
"Como **bajan** del cielo la **lluvia** y la **nieve**
  y no **vuelven** allá, sino **después** de **empapar** la tierra,
  de **fecundarla** y hacerla **germinar**,
  a fin de que dé **semilla** para **sembrar** y **pan** para **comer**,
  así será la **palabra** que **sale** de mi boca:
  no volverá a mí sin **resultado**,
  sino que **hará** mi **voluntad**
  y **cumplirá** su **misión**".

SALMO RESPONSORIAL   Salmo 64:10abcd, 10e–11, 12–13, 14
R. La semilla cayó en tierra buena y dio fruto.

Tú cuidas de la tierra, la riegas y la enriqueces sin medida; la acequia de Dios va llena de agua, preparas los trigales. **R.**

Tú preparas la tierra de esta forma: riegas los surcos, igualas los terrones, tu llovizna los deja mullidos, bendices sus brotes. **R.**

Coronas el año con tus bienes, tus carriles rezuman abundancia; rezuman los pastos del páramo, y las colinas se orlan de alegría. **R.**

Las praderas se cubren de rebaños, y los valles se visten de mieses que aclaman y cantan. **R.**

I LECTURA Los capítulos 40 al 55 de Isaías son obra de un profeta al que le tocó acompañar al pueblo de Israel en el destierro de Babilonia. La deportación a Babilonia es recordada por el pueblo judío como una de sus grandes catástrofes. Fue un tiempo de orfandad en el que experimentaron múltiples pérdidas: se quedaron sin ciudad santa, sin templo ni sacerdocio y las elites fueron expatriadas hacia la capital del Imperio babilónico. En medio de este desastre surge la voz llena de esperanza del Segundo Isaías, que anuncia al pueblo que su sufrimiento terminará y que la intervención de Dios los liberará de la postración que experimentan.

La sección 55:6–13 es el broche de oro que el profeta del exilio quiere ponerle a su predicación. En sus primeros oráculos (40:1–11) el profeta había anunciado que su misión sería la de consolar al pueblo en medio de sus aflicciones. Ahora quiere cerrar su mensaje con una invitación: busquen a Dios, invóquenlo, porque es compasivo y misericordioso. La experiencia del destierro es dramática. Pero la historia esconde en sus entrañas un secreto: Dios nunca abandona a su pueblo y se deja encontrar por aquellos que lo buscan con sincero corazón. La manera de proceder de Dios dista mucho de ser igual a la manera humana.

Desde el inicio de su predicación había subrayado el profeta que la Palabra de Dios es eterna y permanece para siempre (40:8). Ahora, en el cierre, afirma que esta palabra divina es eficaz y fecunda, como la lluvia que hace germinar semilla en la tierra. La imagen de la lluvia y la nieve juegan un papel relevante porque solamente a través de estos fenómenos del clima se garantiza el nacimiento de nuevas plantas y la posibilidad de una buena cosecha. Así como las

II LECTURA   Romanos 8:18–23

Lectura de la carta del apóstol san Pablo a los romanos

Hermanos:
Considero que los **sufrimientos** de **esta vida**
    no se pueden **comparar** con la **gloria**
        que **un día** se manifestará en **nosotros**;
    porque **toda** la creación **espera**, con **seguridad** e **impaciencia**,
    la **revelación** de esa **gloria** de los **hijos de Dios**.

La creación está **ahora sometida** al **desorden**,
    no por su **querer**, sino por **voluntad** de **aquel** que la **sometió**.
Pero dándole al **mismo tiempo** esta **esperanza**:
    que también **ella misma** va a ser **liberada**
    de la **esclavitud** de la **corrupción**,
    para **compartir** la gloriosa **libertad** de los **hijos de Dios**.

Sabemos, **en efecto**,
    que la **creación entera gime** hasta el **presente**
        y **sufre dolores** de parto;
    y **no sólo** ella, sino **también nosotros**,
        los que **poseemos** las primicias del **Espíritu**,
    gemimos **interiormente**,
    anhelando que se realice **plenamente** nuestra condición
        de **hijos de Dios**,
    la **redención** de **nuestro cuerpo**.

EVANGELIO   Mateo 13:1–23

Lectura del santo Evangelio según san Mateo

Un día salió **Jesús** de la casa donde **se hospedaba**
    y **se sentó** a la orilla del **mar**.

La lectura es una reflexión testimonial del Apóstol. Lee con serenidad y confianza.

La lectura tiene connotaciones ecológicas. La corrupción ha dañado el planeta. La buena noticia es que la naturaleza también participa de la salvación. Lee con convencimiento.

La naturaleza gime porque espera ser liberada. Nosotros, con la fuerza del Espíritu, esperamos la redención. Ella nos compromete al cuidado de la creación. Cierra el pasaje leyendo claamente y sin monotonía.

El primer párrafo dispone el ambiente para el resto. Jesús es maestro de sabiduría y atrae a quienes la buscan.

aguas riegan la tierra y la fecundan para hacerla fructificar, así la Palabra de Dios, cuando es aceptada en los corazones, nunca deja de cumplir su obra en nosotros ni regresa a Dios sin haber logrado su cometido. Pero esta misma imagen de lluvia y nieve indica la necesidad de respetar un ritmo que no es nuestro, sino de Dios. Por eso la imagen abarca el presente (semilla para sembrar) y el futuro (pan para comer). La dinámica de Dios nos invita también a nosotros a ser fruto y semilla.

II LECTURA Romanos 8 ha alimentado durante siglos la fe de las comunidades. En la sección 8:18–30 (de la que está arrancada nuestra lectura) Pablo lanza la mirada hacia la gloria que espera a quienes viven según el Espíritu de Jesús. El cristiano está llamado a reproducir en sí mismo la imagen del Hijo de Dios. Ya desde aquí en la tierra, al vivir según el Evangelio, nos convertimos en anuncio de la condición gloriosa que alcanzaremos. Por eso Pablo va a llamar a Jesús el "primogénito entre muchos hermanos": al vivir como él tene- mos la oportunidad de alcanzar también nosotros su plenitud.

Hay dos gemidos que muestran que, aunque estamos ya redimidos por Cristo, no hemos llegado todavía a la plenitud de nuestra condición. Gemimos porque, aunque tenemos ya el Espíritu Santo, vivimos todavía en este mundo y el poder del pecado todavía opera en nosotros. Por eso, cuando experimentamos nuestra debilidad, cuando no estamos a la altura de la condición y misión que hemos recibido, entonces gemimos en nuestro interior anhelando que nuestra

Respeta el ritmo de la parábola y cada una de sus partes. Lee pausadamente.

Se reunió en torno suyo **tanta gente,**
que él se vio **obligado** a subir a una **barca,** donde **se sentó,**
mientras la **gente permanecía** en la **orilla.**
Entonces Jesús les habló de **muchas cosas** en **parábolas** y les dijo:

"**Una vez** salió un **sembrador** a **sembrar,**
y al ir arrojando la **semilla,**
unos granos cayeron a lo largo del **camino;**
vinieron los **pájaros** y se los **comieron.**
Otros granos cayeron en **terreno pedregoso,** que tenía **poca** tierra;
ahí **germinaron pronto,** porque la tierra no era **gruesa;**
pero cuando **subió el sol,** los **brotes** se **marchitaron,**
y como no tenían **raíces,** se **secaron.**
Otros cayeron entre **espinos,** y cuando los **espinos crecieron,**
sofocaron las **plantitas.**
Otros granos cayeron en **tierra buena** y dieron **fruto:**
unos, **ciento por uno;** otros, **sesenta;** y otros, **treinta.**
El que tenga oídos, que **oiga**".

Los discípulos tienen una instrucción personal de Jesús. Las parábolas son para retar a los oyentes. Lee con firmeza la profecía de Isaías.

Después se le **acercaron** sus **discípulos** y le **preguntaron:**
"**¿Por qué** les hablas en **parábolas?**"
Él les **respondió:**
"**A ustedes** se les ha **concedido**
conocer los **misterios del Reino** de los cielos,
pero a **ellos no.**
Al que **tiene,** se le **dará más** y nadará en la **abundancia;**
pero al que **tiene poco,** aun **eso poco** se le **quitará.**
Por eso les hablo en **parábolas,**
porque **viendo no ven** y **oyendo no oyen** ni **entienden.**

En ellos se cumple **aquella profecía de Isaías** que dice:
Oirán una y otra vez y no entenderán;
mirarán y volverán a mirar, pero no verán;
porque este pueblo ha endurecido su corazón,
ha cerrado sus ojos y tapado sus oídos,
con el fin de no ver con los ojos,
ni oír con los oídos, ni comprender con el corazón.
Porque no quieren convertirse ni que yo los salve.

condición de hijos de Dios resplandezca de manera total.

Hay otro gemido: Pablo nos advierte que no solamente el ser humano ha quedado afectado por el pecado, sino que hasta la creación sufre las consecuencias. Estas palabras tienen un eco especial en estos tiempos en que el ser humano ha desplegado su fuerza depredadora sobre la naturaleza y ha puesto en riesgo su misma existencia como especie, explotando más allá de todo límite los recursos del planeta.

Pablo habla de una solidaridad entre el ser humano y el mundo en el que ha sido colocado. Es una manera de referirse a uno de los elementos que nos enseña la ecología integral de la que se ha hecho abanderado mundial el papa Francisco: todo tiene que ver con todo, todos los seres de la naturaleza estamos interconectados y dependemos los unos de los otros.

Se trata de una esperanza cósmica, que sobrepasa al ser humano y lo hermana con todas las creaturas. Somos hermanos de todos los demás seres creados y compartimos la misma suerte. Sólo si partimos de esta premisa y si creemos en esta fraternidad planetaria, podremos enfrentar el grave deterioro ecológico al que hemos llegado.

EVANGELIO El arte de contar parábolas fue una de las características de Jesús como maestro. Estas narraciones cautivan al oyente, le lanzan interrogantes y desafíos, lo acercan al misterio de Dios y demandan del oyente una transformación profunda en su vida. Jesús ha preferido enseñar a la intemperie, encontrar a las personas en su propia realidad, en sus caminos cotidianos. La imagen de Jesús desde la barca ofrece el marco para todo el

Pasamos a la explicación de la parábola. Resalta en tu proclamación las distintas clases de tierra.

Pero **dichosos, ustedes**, porque **sus ojos ven** y **sus oídos oyen**.
Yo les **aseguro** que **muchos profetas** y **muchos justos**
    desearon ver lo que **ustedes** ven y no lo **vieron**
    y **oír** lo que **ustedes** oyen y no lo **oyeron**.

Escuchen, pues, **ustedes** lo que **significa** la parábola
    del **sembrador**.

A **todo** hombre que **oye** la palabra del **Reino** y **no** la **entiende**,
    le llega el **diablo** y le **arrebata** lo **sembrado** en su **corazón**.
Esto es lo que **significan** los **granos que cayeron**
    a lo largo del **camino**.

Lo sembrado sobre **terrero pedregoso** significa
    al que **oye la palabra** y la acepta **inmediatamente** con **alegría**;
    pero, como es **inconstante**, no la deja **echar raíces**,
    y **apenas** le viene una **tribulación** o una **persecución**
        por **causa** de la palabra, **sucumbe**.

Lo sembrado entre los **espinos** representa a **aquel**
    que **oye la palabra**,
    pero las **preocupaciones** de la vida y la **seducción**
        de las **riquezas** la **sofocan**
    y queda **sin fruto**.

Subraya en el último párrafo que no todos los árboles dan la misma cantidad de frutos. Cada uno de los oyentes debe sentirse invitado a dar su máximo.

En cambio, lo sembrado en **tierra buena**
    representa a quienes **oyen la palabra**,
    la **entienden** y dan **fruto**:
    unos, el **ciento por uno**; otros, el **sesenta**; y otros, el **treinta**".

Forma breve: Mateo 13:1–9

discurso: un maestro que enseña y una multitud de discípulos que escucha.

El discurso se abre con la primera parábola, la del sembrador. El texto del evangelio tiene tres partes: la parábola, una instrucción sobre el sentido de las parábolas y la explicación de la parábola. El centro de interés de la parábola es la cosecha que produce la semilla que cae en buena tierra. Si la producción de siete frutos por semilla era considerada en esa época una buena cosecha, llama la atención la abundancia exagerada que describe el final de la parábola: cien, sesenta y treinta frutos por semi-

lla. Jesús nos invita a poner la mirada en la cosecha final y a no desanimarnos: a pesar del fracaso aparente, nada puede impedir la llegada del Reino.

Los versículos 10–17 aclaran cuál es la función de las parábolas. Son armas de doble filo, son una invitación para aceptar a Jesús y seguirlo, pero para otros son una ocasión de rechazo. Los discípulos representan a quienes reciben la invitación de Jesús, por eso comprenden y profundizan en el sentido de las parábolas. Son la familia de Jesús, los sencillos de los que habla el evangelio, quienes han descubierto los misterios

del Reino. Pero hay otros a quienes las parábolas no harán más que reafirmarlos en su posición negativa; rechazan a Jesús y no entienden nada porque sus ojos y sus oídos están cerrados, tal como anunció Isaías.

Finalmente, Mateo nos trae una explicación de la parábola del sembrador que responde a los problemas de la época en que escribe. Lo que resulta es una exhortación dirigida a los cristianos para que la aceptación del evangelio no sea ahogada por las dificultades y es también una palabra de ánimo para los evangelizadores.

XVI DOMINGO ORDINARIO

I LECTURA   Sabiduría 12:13, 16–19

Lectura del libro de la Sabiduría

La lectura es una oración. Hay que proclamarla respetando su sentido de plegaria.

No hay más Dios que **tú**, Señor, que **cuidas** de **todas** las cosas.
No hay **nadie** a quien tengas que **rendirle cuentas**
    de la **justicia** de tus **sentencias**.
Tu **poder** es el **fundamento** de tu **justicia**,
    y por ser el **Señor de todos**,
    eres **misericordioso** con **todos**.

Tú **muestras tu fuerza**
    a los que **dudan** de tu **poder soberano**
    y **castigas** a quienes, **conociéndolo**, te **desafían**.
Siendo **tú** el **dueño** de la **fuerza**,
    juzgas con **misericordia** y nos **gobiernas** con **delicadeza**,
    porque **tienes** el **poder** y lo **usas** cuando **quieres**.

La promesa del párrafo final es consoladora. Dios nos concede tiempo para el arrepentimiento. Baja la velocidad hasta concluir.

Con **todo esto** has **enseñado** a tu **pueblo**
    que el **justo** debe ser **humano**,
    y has **llenado** a tus **hijos** de una **dulce esperanza**,
    ya que al **pecador** le das **tiempo** para que se **arrepienta**.

 I LECTURA El libro de la Sabiduría fue escrito a finales del siglo II o durante el siglo I a. C. Escrito en griego, este libro formaba parte de la Biblia que leían los judíos que no hablaban hebreo, llamada Biblia de los Setenta (LXX o Septuaginta). Esta razón hizo que, después de la destrucción de Jerusalén a manos de los romanos, cuando tuvo que fijarse la lista oficial de libros sagrados, Sabiduría quedó fuera de la Biblia judía. Es de los llamados libros deuterocanónicos: está en la Biblia católica y ortodoxa, pero no en la Biblia de las iglesias que provienen de la reforma protes-tante. Es un libro ejemplo de verdadera inculturación, es un testimonio de la fe y la tradición judía, que entra en diálogo con la cultura griega de Alejandría.

En los capítulos 10–19, se recorre la historia de Israel para mostrar cómo todos los acontecimientos han estado guiados por la sabiduría divina. Después que en el capítulo 10 repasa la historia antigua, desde Adán hasta José, se reflexiona sobre los acontecimientos del Éxodo, haciendo de Israel el símbolo del pueblo de los justos, mientras que Egipto se convierte en la representación del endurecimiento de los malvados.

La experiencia que el pueblo de Dios tuvo durante el éxodo es singular. Hasta los castigos divinos contra Egipto se convierten en bendición para Israel. Dios es tan misericordioso, que su justicia no ha de ser nunca comparada con la venganza. La justicia de Dios encuentra su plenitud en ofrecer al pecador oportunidad de arrepentirse de sus malos caminos. Y esta oportunidad que ofreció Dios a los egipcios, la ofrece también a todos los pueblos. Cuando Israel llegó a la Tierra Prometida, conoció a los

Para meditar

SALMO RESPONSORIAL   Salmo 85:5–6, 9–10, 15–16a

R. Tú, Señor, eres bueno y clemente.

Tú, Señor, eres bueno y clemente, rico en misericordia con los que te invocan. Señor, escucha mi oración, atiende a la voz de mi súplica. **R.**

Todos los pueblos vendrán a postrarse en tu presencia, Señor, bendecirán tu nombre:

"Grande eres tú y haces maravillas; tú eres el único Dios". **R.**

Pero tú, Señor, Dios clemente y misericordioso, lento a la cólera, rico en piedad y leal, mírame, ten compasión de mí. **R.**

II LECTURA   Romanos 8:26–27

Lectura de la carta del apóstol san Pablo a los romanos

Hermanos:
El **Espíritu** nos **ayuda** en **nuestra debilidad**,
  porque nosotros **no sabemos pedir** lo que nos **conviene**;
  pero el **Espíritu mismo intercede** por **nosotros**
  con **gemidos** que no pueden **expresarse** con **palabras**.
Y **Dios**, que conoce **profundamente** los **corazones**,
  sabe lo que el Espíritu **quiere decir**,
  porque el **Espíritu ruega** conforme a la **voluntad de Dios**,
    por los que le **pertenecen**.

Los dos párrafos de la lectura están íntimamente unidos. Lee pausadamente y respetando la puntuación.

EVANGELIO   Mateo 13:24–43

Lectura del santo Evangelio según san Mateo

En **aquel** tiempo, **Jesús** propuso **esta parábola** a la **muchedumbre**:
"El **Reino de los cielos** se parece a un **hombre**
  que **sembró buena semilla** en su **campo**;
  pero mientras los **trabajadores dormían**,
  llegó un enemigo del dueño,
  sembró cizaña entre el **trigo** y se **marchó**.
Cuando **crecieron** las **plantas** y se empezaba a **formar** la **espiga**,
  apareció **también** la **cizaña**.

Leemos hoy un conjunto de parábolas, Lee cada una con un énfasis distinto, para evitar una lectura cansada.

---

cananeos que eran idólatras y cometían infanticidios. Pero aun a estos pueblos idólatras Dios no los destruyó; los corrigió con indulgencia, dándoles oportunidad de convertirse.

Hay una lección que Israel debe aprender: si el poder de Dios, que puede destruir a sus enemigos, se manifiesta siempre como oportunidad de misericordia, con cuánta más razón el creyente ha de ser indulgente y dispuesto siempre al perdón. Dios da siempre tiempo al pecador para que se arrepienta. ¿Por qué habríamos nosotros

de ser jueces inmisericordes con nuestros hermanos?

II LECTURA La semana pasada iniciamos la lectura de Romanos 8 y leíamos que, aunque estamos ya redimidos por Cristo, no hemos llegado todavía a la plenitud de nuestra condición. Ya estamos salvados, es cierto, pero el poder del pecado todavía opera en nosotros. Por eso, cuando experimentamos nuestra debilidad, cuando no estamos a la altura de la condición y misión que hemos recibido, entonces gemimos en nuestro interior anhelando que

nuestra condición de hijos de Dios resplandezca de manera total.

El pasaje de hoy es breve pero sustancioso y complementa la lectura de la semana pasada. A los dos gemidos —el nuestro, porque no somos todavía lo que estamos llamados a ser y el de la naturaleza, porque ella también anhela ser liberada de la esclavitud y del descuido en que la mantenemos— se suma ahora un tercer gemido: el del Espíritu Santo, que intercede por nosotros ante el Padre, tal como lo hace también Jesucristo resucitado, el Hijo de Dios (8:34).

Entonces los **trabajadores** fueron a decirle al **amo**:
'**Señor**, ¿qué no sembraste **buena semilla** en tu campo?
¿De dónde, **pues**, salió esta **cizaña**?'
El amo les respondió: 'De **seguro** lo hizo un **enemigo mío**'.
Ellos le dijeron: '¿**Quieres** que vayamos a **arrancarla**?'
Pero él les **contestó**:
'**No**. No sea que al **arrancar** la **cizaña**, arranquen **también** el **trigo**.
Dejen que **crezcan juntos** hasta el tiempo de la **cosecha**
    y, cuando **llegue** la cosecha, **diré** a los **segadores**:
Arranquen primero la **cizaña** y átenla en gavillas para **quemarla**;
    y **luego almacenen** el **trigo** en mi **granero**'".

Haz una pausa brevísima y continúa con la siguiente parábola.

Luego les propuso esta **otra parábola**:
"El **Reino de los cielos** es semejante a la **semilla de mostaza**
    que un hombre **siembra** en un **huerto**.
Ciertamente es la **más pequeña** de **todas** las semillas,
    pero cuando **crece**, llega a ser **más grande** que las **hortalizas**
    y **se convierte** en un **arbusto**,
    de manera que los **pájaros vienen** y **hacen su nido** en las **ramas**".

La imagen de la masa fermentada es hogareña. Lee con familiaridad y subraya la frase última.

Les dijo **también otra** parábola:
"El **Reino de los cielos** se parece a un **poco de levadura**
    que tomó una **mujer**
    y la **mezcló** con tres medidas de **harina**,
    y **toda** la masa acabó por **fermentar**".

Las Escrituras testimonian a Jesús. Que se note en tu lectura este cumplimiento.

Jesús decía a la muchedumbre **todas estas cosas** con **parábolas**,
    y **sin** parábolas **nada** les decía,
    para que se **cumpliera** lo que dijo el **profeta**:
Abriré mi boca y les hablaré con *parábolas*;
    anunciaré lo que estaba **oculto** desde la creación del **mundo**.

Luego despidió a la **multitud** y se fue a su **casa**.
Entonces se le **acercaron** sus **discípulos** y le dijeron:
"**Explícanos** la **parábola** de la **cizaña** sembrada en el **campo**".

Se parte de un reconocimiento importante: nosotros no sabemos pedir lo que conviene. Pedimos, sí, lo que queremos, pero nuestras aspiraciones personales no siempre coinciden con la voluntad salvífica de Dios. Pedimos muchas veces guiados por nuestros intereses particulares, a veces mezquinos.

Pero entonces, el Espíritu viene en ayuda de nuestra debilidad. La oración del cristiano es oración de hijos: hemos recibido el Espíritu de Dios por el cual podemos llamar a Dios Abbá (Padre), nos recordaba unos versículos antes el Apóstol (8:15). Pues

bien, Jesús mismo nos dio en el huerto de los Olivos el testimonio de una oración guiada por el Espíritu: que no se haga mi voluntad sino la tuya.

La oración es tanto más auténtica cuanto el cristiano se deja guiar por el Espíritu de Dios. Abiertos siempre a la voluntad del Padre asumiremos nuestras debilidades sin desanimarnos. Siendo frágiles y limitados, nuestra oración se hace pequeña. Es el Espíritu quien tiene la capacidad de articular y formular con certeza delante de Dios nuestros deseos y necesidades. Esta es una obra maravillosa del Espíritu

Santo en nosotros: por eso reconocemos que es nuestro intérprete e intercesor delante de Dios, él nos hace sintonizar con su voluntad santa.

EVANGELIO Escuchamos hoy tres parábolas: una larga, que viene acompañada de su explicación, y otras dos pequeñas. Con estas tres parábolas comienzan las llamadas parábolas del reino, porque son las primeras que comienzan con una frase que se convertirá en una característica del lenguaje de Jesús: "el Reino de los cielos se parece a…".

La explicación puede ser monótona. Evítalo matizando tu voz y manejando distintas velocidades.

Jesús les contestó:

"El **sembrador** de la **buena semilla** es el **Hijo del hombre**,
    el **campo** es el **mundo**,
    la **buena semilla** son los **ciudadanos** del **Reino**,
    la **cizaña** son los **partidarios** del **maligno**,
    el **enemigo** que la **siembra** es el **diablo**,
    el tiempo de la **cosecha** es el **fin del mundo**,
    y los **segadores** son los **ángeles**.

El párrafo final resume el significado, Hay que cuidar que no quede rezagada la frase que se refiere a los justos.

Y **así** como **recogen** la **cizaña** y la **queman** en el **fuego**,
    así sucederá en el **fin del mundo**:
    el **Hijo del hombre** enviará a sus **ángeles**
    para que **arranquen** de su **Reino**
    a **todos** los que inducen a **otros** al **pecado**
    y a **todos** los **malvados**,
    y los **arrojen** en el **horno encendido**.
Allí será el **llanto** y la **desesperación**.
Entonces los **justos brillarán** como el **sol** en el **Reino** de su
    Padre.
El que tenga **oídos**, que **oiga**".

Forma breve: Mateo 13:24–30

Dirige tu mirada a la asamblea cuando leas la frase final y deja que resuene.

Las parábolas del grano de mostaza y la levadura que fermenta la masa tienen algo en común: el contraste entre un crecimiento sorprendente (el arbusto de la mostaza y la harina ya fermentada) con un comienzo pequeño y modesto (una semilla muy pequeña y un puñado de levadura). Así es el Reino de Dios. Es la dinámica del Reino: insignificante en apariencia, apunta a la plenitud final, a lo insospechado, porque Dios es su causa. El Reino es ahora incipiente, germinal, pero su fuerza ha entrado ya en la historia de forma irreversible.

La parábola del trigo y la cizaña tiene, en cambio, como punto central del relato, la siembra de la mala semilla en medio de la buena. Mateo alude a lo que está viviendo su comunidad en el año 80: los discípulos de Jesús pueden encontrar elementos negativos tanto fuera como dentro de la comunidad cristiana. Conviven en el campo plantas buenas y malas. El tiempo de la cosecha será el de la separación. Hay que tener paciencia y tolerancia.

Los trabajadores notan la presencia de cizaña en medio del trigo y se extrañan de encontrar hierba mala. Un enemigo lo ha

hecho, responde el amo. La conversación entre el amo y los trabajadores revela la inquieta ansiedad de estos frente a la paciencia del dueño. Hay que aprender a coexistir, porque intentar extirpar la cizaña dañaría el trigo. Será hasta llegada la cosecha que el amo separará el trigo para almacenarlo y la cizaña para quemarla. Notamos enseguida el eco de la primera lectura: Dios siempre ofrece oportunidades de conversión. Él es, como enseña la ley de Moisés, lento para enojarse y generoso para perdonar.

XVII DOMINGO ORDINARIO

Dios se revela a través de los sueños. Lee el relato pausadamente.

Salomón va a presentar humildemente ante Dios su plegaria. Que se escuche la reverencia en tu proclamación.

La línea final corona toda la oración. Léela con aplomo y seguridad.

I LECTURA   1 Reyes 3:5–13

Lectura del primer libro de los Reyes

En **aquellos** días, el **Señor** se le **apareció** al rey **Salomón**
    en **sueños** y le **dijo:**
"Salomón, **pídeme** lo que **quieras**, y yo **te lo daré**".

Salomón le respondió:
"**Señor**, tú trataste con **misericordia** a tu siervo **David**, mi **padre**,
    porque **se portó** contigo con **lealtad**,
    con **justicia** y **rectitud de corazón**.
Más aún, también **ahora** lo **sigues** tratando con **misericordia**,
    porque has hecho que un **hijo suyo** lo **suceda** en el **trono**.
Sí, tú quisiste, **Señor** y **Dios mío**, que **yo**, tu **siervo**,
    sucediera en el **trono** a mi padre, **David**.
Pero yo no soy **más** que un **muchacho** y **no sé** cómo actuar.
Soy tu **siervo** y me encuentro **perdido**
    en medio de este **pueblo tuyo**,
    tan numeroso, que es **imposible** contarlo.
Por eso te **pido** que me concedas **sabiduría de corazón**,
    para que **sepa gobernar** a tu **pueblo**
    y **distinguir** entre el **bien** y el **mal**.
Pues sin ella, **¿quién** será **capaz** de **gobernar**
    a este **pueblo tuyo tan grande?**"

Al **Señor** le agradó que **Salomón** le hubiera pedido **sabiduría**
    y le **dijo:**

I LECTURA | Salomón hereda de David un reino expandido y en prosperidad. Aunque aparece como un hombre que ama a Dios y sigue sus mandatos, 3:1–4 desliza una crítica sutil contra el nuevo rey: ofrecía sacrificios en los altares locales y se había casado con una extranjera para fortalecer la alianza entre los dos reinos. Que Salomón se case con extranjeras será una de las razones que justificarán su fracaso en mantener la unidad del reino a su muerte.

1 Reyes 3:4–15 narra un sueño de Salomón. Dios utilizaba tres medios para comunicarse: sueños, visiones y la iluminación interna. Es un modo de expresar la trascendencia de Dios. En el sueño Dios ofrece a Salomón cumplirle un deseo. Salomón pide un corazón capaz de escuchar a su pueblo y de ejercitar el discernimiento para escoger acertadamente entre el bien y el mal. Es una oración que pide sabiduría en el arte de gobernar. A Dios le agradó que Salomón pidiera sabiduría para poder conducir al pueblo que se le había encomendado. Y recibe además otros bienes que darán esplendor a su reinado.

La petición del Salomón es estimulante: un corazón que escuche, como escuchan los sabios, para hacer justicia al pueblo. Era lo que entonces necesitaba el pueblo y el reino. Después de las guerras de David, era necesaria una etapa de sabiduría para atender a los pequeños, a los huérfanos y a las viudas.

El sabio está abierto a la voz de Dios y a su voluntad. La escuela de la sabiduría es un corazón que escucha a Dios y a su pueblo, que quiere aprender a impartir justicia a los que han sido desposeídos de casi todo. Ojalá los gobernantes de hoy escucharan más a su pueblo.

El discurso divino reconoce la sabiduría de Salomón. Da especial énfasis a la promesa de un corazón sabio y prudente.

"Por haberme pedido **esto**, y no una **larga vida**, ni **riquezas**,
    ni la **muerte** de tus **enemigos**, sino **sabiduría** para **gobernar**,
    yo te concedo lo que me has **pedido**.
Te doy un **corazón sabio** y **prudente**,
    como no lo ha habido antes, **ni lo habrá** después de ti.
Te voy a conceder, **además**, lo que no me has **pedido**:
    tanta gloria y **riqueza**, que **no habrá rey** que se pueda
    comparar **contigo**".

Para meditar

SALMO RESPONSORIAL   Salmo 118:57 y 72, 76–77, 127–128, 129–130
R. Cuánto amo tu voluntad, Señor.

Mi porción es el Señor, he resuelto guardar tus palabras. Más estimo yo los preceptos de tu boca, que miles de monedas de oro y plata. **R.**

Que tu voluntad me consuele, según la promesa hecha a tu siervo; cuando me alcance tu compasión, viviré, y mis delicias serán tu voluntad. **R.**

Yo amo tus mandatos, más que el oro purísimo; por eso aprecio tus decretos, y detesto el camino de la mentira. **R.**

Tus preceptos son admirables, por eso los guarda mi alma; la explicación de tus palabras ilumina, da inteligencia a los ignorantes. **R.**

II LECTURA   Romanos 8:28–30

Lectura de la carta del apóstol san Pablo a los romanos

Hermanos:
Ya sabemos que **todo** contribuye para **bien**
    de los que **aman** a **Dios**,
    de **aquellos** que han sido **llamados** por él,
        según su **designio salvador**.

En efecto, a quienes conoce **de antemano**,
    los **predestina** para que reproduzcan **en sí mismos**
        la **imagen** de su propio **Hijo**,
    a fin de que él sea el **primogénito** entre **muchos hermanos**.
A quienes **predestina**, los **llama**;
    a quienes **llama**, los **justifica**;
    y a quienes **justifica**, los **glorifica**.

Hay mucha esperanza en este párrafo inicial. Que la asamblea comprenda que todo lo que ocurre puede ser para bien del creyente.

Entramos a la sección final. Estamos hechos para parecernos a Jesús. Lee con especial aplomo los últimos tres renglones.

II LECTURA Pablo sale al paso de quienes desconfían de Dios porque no interviene puntualmente y según los deseos de los hombres. Responde así a la impaciencia con la esperanza. Y la esperanza tiene como colaboradoras inmediatas algunas grandes virtudes: constancia, paciencia, perseverancia, longanimidad y duro aguante en medio de las persecuciones y dificultades. Perseverancia en el bien comenzado: constancia en lo adverso; longanimidad que corrige la impaciencia; paciencia que corrige la precipitación. Dios realizará plenamente, en la consumación,

el proyecto preparado para quienes quieran abrirse a su obra.

La teología de Pablo es cristocéntrica: todo viene a través del Hijo, todo llega a Dios a través de su Hijo. Es el Mediador en el doble movimiento descendente y ascendente. Y nuestra tarea es reproducir en nosotros a Jesús. Aquí radica la razón más profunda de la transformación del mundo y de la esperanza de los discípulos: el mismo destino de Jesús espera a los que le siguen. Pablo recoge en este pasaje los pasos a seguir desde el proyecto inicial hasta la consecución de la gloria: a quienes desde el

principio destinó, también los llamó; a quienes llamó, los puso en camino de salvación; y a quienes puso en camino de salvación, les comunicó la gloria.

Estas palabras son consoladoras. Los oyentes han de saber que Dios, que los invitó a entrar en comunión con su Hijo, los destina a la gloria. A pesar de las dificultades de la historia, el destino final es firme y seguro. Jesús sigue siendo el modelo ejemplar más acabado de ser humano: en su dignidad, su tarea y su destino.

Leemos hoy tres breves parábolas. Enfatiza la frase "el reino de los cielos se parece…" Da especial relevancia al final inesperado de las dos primeras parábolas. Lee pausadamente pero con viveza.

EVANGELIO   Mateo 13:44–52

Lectura del santo Evangelio según san Mateo

En **aquel** tiempo, **Jesús** dijo a sus **discípulos:**
   "El **Reino de los cielos** se parece a un **tesoro** en un **campo**.
El que lo **encuentra** lo **vuelve a esconder**
   y, **lleno de alegría**, va y **vende** cuanto tiene
   y **compra** aquel campo.

El **Reino de los cielos** se parece **también** a un **comerciante**
      en **perlas finas**
   que, al **encontrar** una perla **muy valiosa**, va y **vende** cuanto
      tiene y la **compra**.

También se parece el **Reino de los cielos** a la **red**
      que los **pescadores** echan en el **mar**
   y recoge **toda clase** de peces.
Cuando se **llena** la **red,**
   los **pescadores** la **sacan** a la playa y **se sientan**
      a **escoger** los **pescados**;
      ponen los **buenos** en **canastos** y tiran los **malos**.
Lo mismo sucederá al **final** de los **tiempos:**
   vendrán los ángeles, **separarán** a los **malos** de los **buenos**
   y los **arrojarán** al **horno encendido**.
Allí será el **llanto** y la **desesperación**.

¡Han **entendido todo esto?**"
Ellos le contestaron: "**Sí**".
Entonces él les dijo:
"Por eso, **todo escriba** instruido en las cosas del **Reino**
      de los cielos
   es **semejante** al **padre de familia**,
   que va **sacando** de su tesoro **cosas nuevas y cosas antiguas**".

Forma breve: Mateo 13:44–46

La última parábola se parece a la del trigo y la cizaña. Se escogen los pescados al final de la jornada.

La pregunta de Jesús abre una nueva metáfora: el sabio según el evangelio conserva pero también crea. Lee pausadamente el párrafo, que muchos descuidan en su proclamación.

EVANGELIO Escuchamos dos parábolas breves y muy parecidas. Se las conoce como las parábolas del tesoro y la perla. El protagonista de la primera es un hombre con suerte. Mientras camina por el campo, encuentra un tesoro y va y lo esconde. Lleno de alegría decide comprar el campo. Vende todo lo que tiene y lo compra. La moraleja es sencilla: el Reino de Dios es un tesoro que exige una decisión rápida, radical y ponerlo todo en venta. Las exigencias del Reino no admiten recortes ni demoras. Pero también ofrecen un don desbordante: un inmenso tesoro. El Evangelio es exigente, pero es un don gratuito y desbordante.

El protagonista de la segunda parábola es distinto. Es un comerciante concienzudo que va en busca de perlas de gran valor. No la encuentra por casualidad, va tras ella con ahínco. No salta de alegría cuando la encuentra, pero vende todo lo que tiene para comprarla. Así son los discípulos: unos entran en contacto con la comunidad de forma casual y descubren en ella un tesoro. Otros llegan a la comunidad tras años de inquietud y búsqueda intensa. Por eso en la primera parábola el Reino se parece al tesoro, mientras que en la segunda el término de comparación no es la perla, sino al comerciante.

Una tercera comparación se añade con la parábola de la red lanzada al mar, con el mismo mensaje de la parábola del trigo y la cizaña. La lectura termina comparando al predicador del Evangelio con un padre de familia que saca de su baúl cosas antiguas y nuevas: una invitación a los discípulos y a los predicadores del evangelio a ser creativos, a renovar su lenguaje, a no repetir meramente lo aprendido.

TRANSFIGURACIÓN DEL SEÑOR

I LECTURA   Daniel 7:9–10, 13–14

Lectura del libro del profeta Daniel

Yo, Daniel, tuve **una visión** nocturna:
    vi que colocaban unos tronos y un anciano se sentó.
Su vestido era **blanco** como la nieve,
    y sus cabellos, **blancos** como lana.
Su trono, **llamas de fuego**, con ruedas encendidas.
Un **río de fuego** brotaba delante de él.
Miles y miles lo servían, millones y millones estaban a
        sus órdenes.
Comenzó el juicio y **se abrieron** los libros.

Yo seguí contemplando en **mi visión nocturna**
    y **vi a alguien** semejante a un hijo de hombre,
    que **venía** entre las nubes del cielo.
Avanzó hacia el anciano de muchos siglos
    y fue introducido a su presencia.
Entonces **recibió** la soberanía, la gloria y el reino.
Y **todos** los pueblos y naciones de todas las lenguas lo servían.
Su poder **nunca se acabará**, porque es un poder eterno,
    y su reino **jamás** será destruido.

I LECTURA El profeta Daniel tuvo una deslumbrante visión de cuatro bestias. Desde luego, esa visión la tuvo en un sueño, y tiene un carácter simbólico. Ve un trono donde se encuentra Dios. El profeta va a asistir a una escena de juicio. Dios va a ser el juez. Juzgará, se entiende, a los grandes imperios que, se habían sucedido a lo largo de la historia. Estos de alguna manera habían tenido que ver con el pueblo de Dios. Daniel se detiene de manera especial en describir al último imperio, de modo que el lector lo pueda identificar.

El tema de la visión es el poder del gobernante. Va dando el autor en su descripción de la sucesiva caída de los imperios, su juicio. Claramente el texto habla de la amenaza terrible del último rey, Antíoco IV Epífanes, quien pretendía ir directamente contra Dios, al mandar que se pusiera en el templo de Jerusalén una imagen de un dios griego.

La visión se concentra en el final: en la aparición de un ser humano, que viene de parte de Dios. Viene de lo alto, de la región divina. Este Hijo del Hombre recibió todo el poder para aniquilar a los que pretendían oponerse a Dios ejecutando el poder absoluto. Es claro que el texto se refiere a esa política religiosa de adoración a un ídolo y no a Dios, pero en el fondo, el texto habla contra todo poder que se sirve a sí mismo y no a los demás. Todo gobierno es para servir al hombre y nunca debe atreverse a pretender para sí la absolutez, al dominio sobre el ser humano.

Todo poder es para servir a los demás, como ese Hijo del Hombre con el que Jesús se identificó y lo mostró con su vida de servicio a los demás; este servicio lo condujo hasta morir por todos.

SALMO RESPONSORIAL   Salmo 97 (96):1–2, 5–6, 9
R. (1a y 9a) El Señor reina, altísimo sobre toda la tierra.

El Señor reina, la tierra goza,
   se alegran las islas innumerables.
   Tiniebla y nube lo rodea,
   justicia y derecho sostienen su trono. R.

Los montes se derriten como cera
   ante el dueño de toda la tierra;

los cielos pregonan su justicia,
   y todos los pueblos contemplan
   su gloria. R.

Porque tú eres, Señor,
   Altísimo sobre toda la tierra,
   encumbrado sobre todos los dioses. R.

II LECTURA   2 Pedro 1:16–19

Lectura de la segunda carta del apóstol san Pedro

Hermanos:
Cuando les anunciamos **la venida gloriosa** y llena de poder
   de nuestro Señor Jesucristo,
   no lo hicimos fundados en fábulas hechas con astucia,
   sino **por haberlo visto** con nuestros propios ojos en toda
      su grandeza.
En efecto, Dios **lo llenó** de gloria y honor,
   cuando la sublime voz del Padre **resonó sobre él**, diciendo:
"Este es mi Hijo amado, **en quien yo** me complazco".
Y **nosotros escuchamos** esta voz, venida del cielo,
   mientras **estábamos con** el Señor en el monte santo.

Tenemos también la **firmísima palabra** de los profetas,
   a la que con toda razón
   ustedes consideran como una **lámpara que ilumina** en
      la oscuridad,
   hasta que despunte el día
   y **el lucero de la mañana** amanezca en los corazones
      de ustedes.

Como si se tratara de una viva memoria, procura darle viveza a este párrafo.

II LECTURA La obra de Dios realizada en Cristo es un acto soberano del amor de Dios por la humanidad pecadora. La muerte redentora de Cristo es también un acto de su amor absoluto por nosotros y está sellado de una vez por todas. El amor de Cristo, del que habla nuestra lectura litúrgica, no es algo periférico o exterior a quien lo escucha y acepta en el Evangelio, porque solicita una respuesta de vida, de manera que su vida entera se ve impregnada por la muerte y resurrección de su Señor. De esta convicción surgen las palabras de nuestra lectura

bíblica que muestra una escalada retórica en su disposición de los elementos; primero siete y luego ocho, para hacer ver que, ante la imposibilidad de mencionar todos y cada uno de ellos, la totalidad queda cubierta.

Pablo plantea una pregunta que responde luego. La pregunta contiene un septenario de amenazas y peligros que atentan contra la fe, que se ve violentada psicológica, social y físicamente. Son esas dificultades las que podrían llevar a creer al que las experimenta que Cristo le ha retirado su amor y favor, o que lo ha dejado a sus recursos precarios. Pero el apóstol, que sabe en

carne propia lo que esas amenazas significan, rotundamente afirma que la alianza de amor con Cristo es lo que garantiza la victoria del cristiano.

En efecto, los cuatro pares de elementos que enseguida menciona son de una categoría que, en la cosmovisión de la época, pertenece a las fuerzas espirituales o potencias intermedias que habitan en el aire, y que dominaban la vida y suerte de los hombres. Todas esas potencias han sido vencidas por el amor de Cristo, y de su victoria participan ya los creyentes.

EVANGELIO   Mateo 17:1–9

Lectura del santo Evangelio según san Mateo

En aquel tiempo,
Jesús **tomó consigo** a Pedro, a Santiago y a Juan, el hermano
    de éste,
  y los hizo subir **a solas con él** a un monte elevado.
Ahí se transfiguró **en su presencia**:
    su rostro se puso resplandeciente **como el sol**
    y sus vestiduras se volvieron blancas **como la nieve**.
De pronto aparecieron ante ellos Moisés y Elías, **conversando
    con** Jesús.

Entonces Pedro le dijo a Jesús: "Señor, ¡qué bueno sería
    quedarnos aquí!
Si quieres, **haremos aquí** tres chozas,
    una para ti, otra para Moisés y otra para Elías".

Cuando aún estaba hablando, una nube luminosa **los cubrió**
    y de ella salió **una voz** que decía:
"**Este** es mi Hijo muy amado,
    en quien tengo puestas mis complacencias, escúchenlo".
Al oír esto, los discípulos cayeron rostro en tierra, llenos de un
    gran temor.
Jesús **se acercó** a ellos, los tocó y les dijo:
"Levántense y no teman".
Alzando entonces los ojos, **ya no vieron a nadie** más que a Jesús.

Mientras bajaban del monte, Jesús **les ordenó**:
"No le cuenten **a nadie** lo que han visto,
    hasta que el Hijo del hombre **haya resucitado de** entre
      los muertos".

El relato es una magnífica visión del Cristo, aunque brevísima. Fíjate en esas dos líneas fulgurantes de su majestad, y alárgalas. Luego aviva el diálogo.

A las palabras de Pedro ponles particular entusiasmo. Es la forma de participar de esa gloria que han contemplado.

La visión se completa con las palabras celestes. Enfatízalas con toda claridad. Como preparación a esta lectura, tómalas para vocalizarlas como si fueran un mantra o lema que puedes repetir para concentración espiritual.

Es fundamental esta orden de Jesús. Pronúnciala con toda naturalidad.

EVANGELIO El pasaje de la transfiguración es imponente. Por su misma presentación nos lleva a la escena del encuentro de Dios con Moisés en el Sinaí. En la escena, los dos personajes que están al lado de Jesús, Moisés y Elías le dan su sentido. Son los dos únicos personajes que hablaron con Dios en el Sinaí. La Escritura, representada por estos significativos personajes (el Pentateuco y los Profetas), nos están diciendo que sólo a través de la Escritura puede entenderse la personalidad de Jesús.

El evangelista habla de una subida y una bajada del monte y coloca su centro en el versículo 5, donde se oye la voz de Dios; para Mateo la audición es lo fundamental, no la visión.

El Padre celestial quiere revelar a los tres discípulos escogidos la resurrección del Señor que vendrá después. Esta visión es un atisbo de Jesús transformado por la resurrección. Por esto sólo puede entenderse desde la perspectiva de la pascua en su comprensión completa. Esta abarca el itinerario de la pasión: el Hijo del Hombre, glorificado en el monte, es el termino al que llegará después de su pasión.

Ahora también la voz divina da a los discípulos escogidos una orden: "Este es mi Hijo muy amado, en quien tengo puestas mis complacencias, escúchenlo". Un Jesús, pues, que no necesita las chozas en el monte, donde habitaba la divinidad (Templos de Jerusalén y Samaria), sino se alzan en cualquier parte para que todo discípulo, todo ser humano y, en concreto, nosotros los que participamos de la Eucaristía, escuchemos a este Jesús que sin dejar su divinidad, se nos a acercado tomando nuestra humanidad.

XIX DOMINGO ORDINARIO

Las palabras del Señor deben sonar firmes e inspirar confianza.

I LECTURA   1 Reyes 19:9a, 11–13a

Lectura del primer libro de los Reyes

Al llegar al **monte de Dios**, el **Horeb**,
    el profeta **Elías** entró en una **cueva** y **permaneció allí**.
El **Señor** le dijo: "**Sal** de la **cueva** y **quédate** en el **monte**
    para ver al **Señor**, porque el Señor va a **pasar**".

Así lo hizo **Elías**, y al acercarse el **Señor**,
    vino **primero** un **viento** huracanado,
    que **partía las montañas** y **resquebrajaba las rocas**;
    pero el Señor **no estaba** en el viento.
Se produjo **después** un **terremoto**;
    pero el Señor **no estaba** en el terremoto.
Luego vino un **fuego**; pero el Señor **no estaba** en el fuego.
Después del **fuego** se escuchó el **murmullo** de una **brisa suave**.
Al oírlo, **Elías** se **cubrió** el **rostro** con el **manto**
    y **salió** a la **entrada** de la **cueva**.

Acomoda tu riemo a lo narrado, pero alarga las frases al llegar a la "brisa suave".

Para meditar

SALMO RESPONSORIAL   Salmo 84:9ab y 10, 11–12, 13–14

R. Muéstranos, Señor, tu misericordia y danos tu salvación.

Voy a escuchar lo que dice el Señor. Dios anuncia la paz a su pueblo y a sus amigos. La salvación está ya cerca de sus fieles, y la gloria habitará en nuestra tierra. **R.**

La misericordia y la fidelidad se encuentran, la justicia y la paz se besan; la fidelidad brota de la tierra, y la justicia mira desde el cielo. **R.**

El Señor nos dará la lluvia y nuestra tierra dará su fruto. La justicia marchará ante él, la salvación seguirá sus pasos. **R.**

I LECTURA Elías fue el gran profeta del reino del norte. Tuvo encuentros fuertes con los reyes al recordarles el cumplimiento de su deber, que estaba normado por la ley divina. La actividad de Elías incluyó a la gente sencilla, como ayudar a una viuda y su hijo, y otorgar pan a la gente campesina. Con todo, parece que su actividad estuvo más centrada con la gente de poder. Su gran motivación era "el celo por el Señor", frase con la que está indicado la motivación fundamental de todo Israelita en su vida. El comportamiento del pueblo de Israel, según el profeta, dejaba mucho que desear en este campo.

La escena escuchada en la primera lectura supone la actividad anterior del profeta y por la cual manifiesta su desánimo. No ha visto cambios en el pueblo ni en los reyes y se siente un fracasado. De aquí su petición al Señor de que le mande la muerte.

Dios lo manda al monte Sinaí, donde empezó la relación de Dios con su pueblo. Muestra el Señor al profeta que la actividad divina, por lo mismo, la suya, no está reducida a ocuparse de las grandes acciones representadas por el terremoto, el huracán, el fuego. Desde luego, alude a alguna actividad de este tipo, ejercida por Elías, pero debe ocuparse también de las acciones sencillas de la vida diaria, como la de dar de comer a una viuda, acciones representadas por el movimiento suave del viento, que manifiesta la presencia activa de Dios.

Un mensaje importante para nosotros los cristianos, que nos encontramos diariamente con la sencillez de la vida, donde debemos injertar el mandato evangélico de hacer el bien.

II LECTURA   Romanos 9:1–5

Lectura de la carta del apóstol san Pablo a los romanos

Hermanos:
Les **hablo** con **toda verdad** en Cristo; **no miento.**
Mi **conciencia** me **atestigua**, con la **luz** del **Espíritu Santo**,
   que tengo una **infinita tristeza** y un **dolor incesante**
     tortura mi **corazón.**

Hasta **aceptaría** verme **separado** de Cristo,
   si **esto** fuera para **bien** de mis **hermanos**,
   los de **mi raza** y de **mi sangre**,
   los **israelitas**, a quienes pertenecen la **adopción filial**,
   la **gloria**, la **alianza**, la **ley**, el **culto** y las **promesas.**
Ellos son **descendientes** de los **patriarcas**;
   y de su **raza**, según la **carne**, nació **Cristo**,
   el cual está **por encima de todo**
   y es **Dios bendito** por los siglos de los siglos. **Amén.**

Esta enseñanza brota del corazón del Apóstol. Aprópiate del sentir de Pablo con toda reverencia.

La confesión del Apóstol continùa; contacta visualmente con la asamblea al hablar de "raza" y "sangre". Luego alarga las frases finales.

EVANGELIO   Mateo 14:22–33

Lectura del santo Evangelio según san Mateo

En **aquel** tiempo, inmediatamente **después** de la **multiplicación**
   de los **panes**,
   Jesús hizo que sus discípulos **subieran** a la **barca**
   y se dirigieran a la **otra orilla**, mientras él **despedía** a la **gente.**
Después de despedirla, **subió** al monte **a solas** para **orar.**
Llegada la **noche**, estaba él **solo** allí.

Entretanto, la barca iba **ya muy lejos** de la costa,
   y las **olas** la **sacudían**,
   porque el **viento** era **contrario.**
A la madrugada, **Jesús** fue **hacia** ellos, caminando **sobre** el agua.

Identifica los momentos del relato para que hagas las debidas pausas. Cada instante tiene un encanto particular que debes rescatar con tu entonación al proclamar.

Procura alargar la frase del caminar sobre el agua. De aquí pende el resto.

II LECTURA A lo largo de esta carta, Pablo ha dedicado su argumentación a mostrar que la justicia de Dios se ha manifestado en Cristo Jesús, y que consiste en otorgar la salvación a todo el que crea en él, sea judío o griego (ver Romanos 1:16). Ahora se plantea una cuestión acuciante que le ocupará la siguiente sección (capítulos 9–11). Incluso en carne propia, Pablo ha constatado el rechazo de los judíos al ofrecimiento divino, ¿cuál es, por tanto, el papel del pueblo judío en la nueva economía de la salvación inaugurada por Cristo? ¿Desechará Dios a Israel por su incredulidad? La parte que nos ha tocado escuchar en la lectura de hoy es apenas el párrafo inicial del desarrollo, en el que Pablo pondera la perspectiva ventajosa en la que el pueblo bíblico se encuentra.

El Apóstol comienza por abrir su corazón a sus correligionarios judíos, dejándoles ver que el asunto lo tortura interiormente; la suerte de su pueblo no es algo periférico a su quehacer apostólico, sino algo más querido que su destino personal. Lo que anota es algo inaudito: preferiría verse separado de Cristo con tal de que su pueblo abrazara al Mesías. Esta locura le desgarra el alma. En este punto el Apóstol enuncia los dones con los que Dios ha privilegiado a su pueblo.

Desde la perspectiva cristiana, la comunidad creyente no está en desventaja respecto al Israel bíblico, porque Cristo, que "está por encima de todo", es el don salvífico por antonomasia.

Es momento no sólo de hermanarnos con el pueblo judío, sino de valorar y usufructuar los dones recibidos en nuestro Señor resucitado, para vivir a plenitud la alianza de vida verdadera sellada en nuestro bautismo.

Los **discípulos**, al verlo andar **sobre** el agua,
    se **espantaron** y **decían**:
"¡Es un **fantasma!**"
Y daban **gritos de terror**.
Pero **Jesús** les dijo **enseguida**:
    "**Tranquilícense** y **no teman**. Soy **yo**".

Entonces le dijo **Pedro**:
"**Señor**, si eres tú, **mándame ir a ti** caminando sobre el agua".
Jesús le contestó: "**Ven**".
Pedro **bajó** de la **barca** y comenzó a **caminar** sobre el agua
    hacia Jesús;
    pero al sentir la **fuerza del viento**, le **entró miedo**,
    comenzó a **hundirse** y gritó: "**¡Sálvame**, Señor!"
Inmediatamente Jesús le **tendió la mano**, lo **sostuvo** y le **dijo**:
"Hombre de **poca fe**, ¿por qué **dudaste?**"

En cuanto **subieron** a la **barca**, el **viento se calmó**.
Los que estaban en la barca **se postraron** ante Jesús, **diciendo**:
"**Verdaderamente** tú eres el **Hijo de Dios**".

No es un regaño sino un reclamo amable el que Jesús hace. Procura hacer más prolongada la pausa previa al parágrafo final y dale gravedad a tu tono de voz en la confesión de todos los discípulos postrados.

EVANGELIO La narración está enmarcada entre dos soledades. Jesús que se va a platicar con su Padre en la soledad. Y la soledad de los discípulos en la barca. La primera soledad es buscada por Jesús; la segunda es impuesta por el Maestro. En el centro está la presencia inesperada de Jesús caminando sobre el mar, mostrando la necesidad de esta presencia en el peligro. La frase clara, "¡Sálvame, Señor!", está pidiendo la presencia salvadora del Maestro.

Desde luego que la barca es un elemento significativo del navegar por el mundo de la Iglesia a través de dificultades, que se concentran en la descripción de un mar embravecido de Tiberíades.

La necesidad de la oración está en el fondo de esta narración milagrosa. Rezar requiere cierta privacidad. Jesús necesita apartarse un poco de la gente para hablar con su Padre. Por esto busca la soledad. Aquí, en concreto, se aparta de la gente que, se presume, quería proclamar a Jesús mesías y los discípulos serían los animadores de esa iniciativa. Esta soledad de los discípulos, que representan a la Iglesia, necesita de la presencia de Jesús. Las dificultades y peligros serán innumerables por todos los tiempos en que la nave de la iglesia navegue por el mundo hasta el final. De aquí la exigencia doble que tienen los discípulos: una, la primera de sobresalto y de miedo ante las amenazas de las distintas borrascas; la otra está representada por ese miedo de Pedro de hundirse. En ambas situaciones la Iglesia debe sentir y creer que el Señor está cerca, cuidando a su Iglesia y que, cuando parece hundirse como Pedro, está la mano generosa del Señor que la sostiene.

ASUNCIÓN DE LA BIENAVENTURADA VIRGEN MARÍA, MISA DE LA VIGILIA

I LECTURA   1 Crónicas 15:3–4, 15–16; 16:1–2

Lectura del primer libro de las Crónicas

Este relato exige una lectura ágil. Nota los momento de lo que sucede para modificar la velocidad y los acentos.

En aquellos días,
  David **congregó** en Jerusalén a **todos** los israelitas,
  para **trasladar** el arca de la alianza
  al lugar que le **había preparado.**
Reunió también a los hijos de Aarón y a los levitas.
Éstos **cargaron** en hombros los travesaños
  sobre los cuales estaba **colocada** el arca de la **alianza,**
  tal como lo **había mandado** Moisés, por orden del Señor.

David **ordenó** a los jefes de los levitas
  que entre los de su tribu
  nombraran **cantores** para que entonaran cantos festivos,
  acompañados de arpas, cítaras y platillos.

Baja la velocidad porque esta escena es solemne. Termina haciendo contacto visual con la asamblea.

Introdujeron, pues, **el arca de la alianza**
  y **la instalaron** en el centro de la tienda
  que David le había **preparado.**
Ofrecieron a Dios holocaustos y **sacrificios** de comunión,
  y cuando David **terminó** de ofrecerlos,
  bendijo al pueblo **en nombre** del Señor.

I LECTURA El libro de las Crónicas describe la entrada solemne y alegre del arca de la alianza a Jerusalén. El tinte es eminentemente litúrgico. La participación de los levitas está en primer plano; en segundo aparecen los sacerdotes Sadoc y Abiatar, que acompañaron a David en su actividad real. David es presentado con la vestimenta sacerdotal, bendiciendo al pueblo.

Sabemos que el arca de la alianza fue destruida en la toma de Jerusalén por los babilonios. Pero pronto se corrió entre la gente una leyenda que se convirtió en tradición según la cual el arca de la alianza contenía tres objetos: el bastón de Aarón, las tablas de los Diez Mandamientos y un fragmento del maná. Es decir, el arca contenía algunos objetos venerados especialmente por el pueblo, puesto que traían a su memoria los momentos fundamentales del éxodo.

Desde la antigüedad los cristianos vieron en esta página del Antiguo Testamento una prefiguración de la gloria que tendría algún día la Virgen María. De hecho, en las letanías se le nombra a María "Arca de la alianza", creando una analogía con el arca histórica. La semejanza consistía en que María llevó en su seno a Cristo, Sumo Sacer-

dote. También en su seno llevó la Palabra hecha carne. Cual maná, María llevó en su seno el pan de vida. Así como fue llevada por David y el pueblo el arca de la alianza a Jerusalén, así se le aplicó este pasaje a María que fue llevada a la Jerusalén celestial, desde donde continúa siendo símbolo y ayuda para los seres humanos.

II LECTURA En esta carta, san Pablo ha venido tratando una serie de situaciones problemáticas que aquejan a los cristianos corintios y lastran su identidad comunitaria. La mayoría de los miembros de

Para meditar

SALMO RESPONSORIAL Salmo 131:6–7, 9–10, 13–14
R. Levántate, Señor, ven a tu mansión; ven con el arca de tu poder.

Oímos que estaba en Efratá,
  la encontramos en el Soto de Jaar:
  entremos en su morada,
  postrémonos ante el estrado
  de sus pies. **R.**

Que tus sacerdotes se vistan de gala,
  que tus fieles vitoreen.
  Por amor a tu siervo David,
  no niegues audiencia a tu Ungido. **R.**

Porque el Señor ha elegido a Sión,
  ha deseado vivir en ella:
  "Ésta es mi mansión por siempre;
  aquí viviré porque lo deseo". **R.**

II LECTURA   1 Corintios 15:54b–57

Lectura de la primera carta del apóstol san Pablo a los corintios

Hermanos:
Cuando nuestro ser corruptible y mortal
  se revista de incorruptibilidad e inmortalidad,
  entonces **se cumplirá** la palabra de la Escritura:
*La muerte ha sido **aniquilada** por la victoria.*
*¡**Dónde está**, muerte, tu victoria?*
*¡**Dónde está**, muerte, tu aguijón?*
El aguijón de la muerte **es el pecado**
  y la fuerza del pecado **es la ley.**
Gracias a Dios, que nos ha dado **la victoria**
  por nuestro Señor **Jesucristo.**

Identifica los contrarios y hazlos notar a la asamblea. Modula bien las interrogaciones y termina en tono alto, como si algo faltara por proclamar.

la comunidad proceden del paganismo; es decir, tienen un trasfondo de ideas y costumbres que no están enraizadas en las Escrituras judías y, por lo tanto, hay que purificar y erradicar, según sea el caso, a la luz de su fe en Cristo Jesús. Es la coherencia con este dato lo que debe primar entre ellos. En la parte final de su escrito, el Aspóstol aborda la más fundamental de todas las convicciones cristianas: la resurrección de entre los muertos.

En el mundo no judío, la resurrección de entre los muertos era un sinsentido total, no así la inmortalidad del alma. Quienes aceptaban la inmortalidad de las almas admitían que éstas subsistían tras la muerte en los lugares de ultratumba según la sentencia que recibieran sobre su vida justa o inicua; unas serían prisioneras o torturadas y otras irían a la felicidad perpetua. Esta creencia básica tenía variaciones de religión a religión, pero la resurrección de los muertos era algo muy particular de algunos círculos judíos. Por eso es que Pablo catequiza a los corintios con textos proféticos, iluminando el dato desde la victoria de la vida nueva otorgada a Cristo Jesús.

La Iglesia celebra la asunción de María Virgen "en cuerpo y alma a la gloria del Cielo y exaltada por el Señor como Reina sobre todas las cosas" (*Lumen gentium*, 59), apoyada en una venerable tradición litúrgica desde los primeros siglos y que condujo a la definición de este dogma (Pío XII, 1950). Es el pecado el que corrompe a la persona humana y la encadena a la muerte, por lo que la victoria definitiva de Cristo, Cabeza de la Iglesia, significa para sus miembros, participar de la incorruptibilidad eterna: María Virgen, la primera.

EVANGELIO   Lucas 11:27–28

Lectura del santo Evangelio según san Lucas

En aquel tiempo, mientras Jesús hablaba **a la multitud,**
    una mujer del pueblo, **gritando,** le dijo:
    "¡**Dichosa** la mujer que te llevó en su **seno**
    y cuyos pechos te **amamantaron!**"
Pero Jesús le **respondió:**
    "Dichosos **todavía más** los que escuchan la **palabra de Dios**
    y la ponen **en práctica**".

Este evangelio es breve pero impactante. Haz que las locuciones suenen en tonos distintos; una entusiasta y la otra magisterial.

EVANGELIO En cierta ocasión una mujer que se encontraba entre el grupo que escuchaba al Maestro, alabó a Jesús con la frase: "¡Dichosa la mujer que te llevó en su seno y cuyos pechos te amamantaron!". Tal vez ese dicho muy palestino corría entre la gente, como lo tenemos atestiguado en el targum palestinense a Génesis 49:25 ("Benditos sean los senos que has chupado y el vientre donde has reposado"). Este dicho, con pequeñas variantes, ha de haberse recitado entre la gente, en las conversaciones ordinarias, para alabar a un gran personaje.

Habrá que tener en cuenta que, en la cultura semítica, la maternidad era un gran honor y dignidad, mientras que la esterilidad se consideraba una maldición. Varias veces externó este pensamiento el Señor, como cuando en un discurso apocalíptico se apenó de las mujeres de Jerusalén (Lucas 23:28–29).

Jesús le da a este elogio una respuesta que va en un sentido más profundo, corrigiendo con el "todavía más", para completar este oír la palabra con el llevarla a cabo.

La dicha y gloria de la Virgen María no proviene sólo por haber dado a luz a Jesús, sino por su obediencia a la palabra del Señor: "Hágase como tú has dicho" (Lucas 1:28). No basta con oír la palabra del Señor; hay que completar con la adenda "y la ponen en práctica". Con la solemnidad de la Asunción de María reconocemos los frutos maduros de la Palabra de Dios en nuestra madre María. Este es el sentido de su Asunción a los cielos: que ella desde el principio aceptó la palabra del ángel y la puso en práctica hasta su ida con su Hijo, sin pasar por la corrupción de su cuerpo.

ASUNCIÓN DE LA BIENAVENTURADA VIRGEN MARÍA, MISA DEL DÍA

La descripción es magnífica y dramática. A cada escena dale su colorido particular. No hay discursos sino hasta el final uno que explica lo sucedido.

I LECTURA   Apocalipsis 11:19a; 12:1–6a, 10ab

Lectura del libro del Apocalipsis del apóstol san Juan

Se **abrió** el templo de Dios en el cielo
    y **dentro de él** se vio el arca **de la alianza.**
Apareció entonces en el cielo una figura **prodigiosa:**
    una mujer **envuelta** por el sol,
    con la luna **bajo sus pies**
    y con una **corona** de doce estrellas en **la cabeza.**
Estaba encinta y a punto de **dar a luz**
    y **gemía** con los dolores del parto.

Pero **apareció** también en el cielo **otra figura:**
    un **enorme** dragón, color de fuego,
    con **siete** cabezas y **diez** cuernos,
    y una corona **en cada una** de sus siete cabezas.
Con su cola **barrió** la tercera parte de las estrellas del cielo
    y las **arrojó** sobre la tierra.
Después se detuvo **delante de la mujer** que iba a dar a luz,
    para **devorar** a su hijo, en cuanto éste **naciera.**
La mujer dio a luz **un hijo varón,**
    destinado a **gobernar** todas las naciones con cetro **de hierro;**
    y su hijo **fue llevado** hasta Dios y hasta su trono.
Y la mujer huyó **al desierto,**
    a un lugar **preparado** por Dios.

Este es el desenlace, o clímax de la acción. Ralentiza las frases que hablan del bebé y las que hablan de lo que Dios hace.

I LECTURA   La primera lectura se abre con una visión esplendorosa: aparece el arca de la alianza. Con esto el autor del libro está afirmando que se llegó el final de los tiempos, un tiempo de prueba y de gracia. Por otro lado, aparecen las fuerzas enormes del mal que amenazan a los elegidos.

A la aparición del arca, que simboliza la presencia divina, sigue un signo grandioso: una mujer "envuelta por el sol". Para ser comprendido ese símbolo, debe ser descifrado. Generalmente lo hace un hombre o ángel, enviados por Dios para dicho fin.

A través de los siglos las generaciones cristianas se han esforzado por encontrar el sentido de este símbolo. Son muchos y no deberíamos contraponerlos, sino juntarlos. Es típico de Juan jugar con la variedad de significados. Parece que la mujer significa el pueblo de Dios que está a punto de dar a luz al Mesías. Un segundo significado, la mujer representa a la Iglesia, la nueva comunidad de creyentes. También hace siglos a esta mujer se le ha identificado con la Virgen María, que está sufriendo los dolores del parto. Este dolor traerá la alegría de una vida nueva. En este momento el autor introduce un nuevo símbolo: un enorme dragón rojo con siete estrellas y diez cuernos, y sobre sus cabezas siete turbantes. Este dragón es identificado con Satanás. Tiene una fuerza tremenda, manifestada en las siete cabezas con los turbantes. Se lanza contra la mujer. Pero este dragón no puede impedir el nacimiento del niño, del Mesías. Es echado del cielo a la tierra. No tiene más fuerza celestial sino terrena. Ahora tiene las horas contadas.

El primado de Cristo sobre Satanás y como consecuencia: la libertad cristina. Todavía puede ser dañado el cristiano por el

Dale impostación deliberada a esta voz; que suene profunda y vigorosa, como verdadero evangelio para la asamblea.	Entonces **oí** en el cielo una **voz poderosa**, que decía: "Ha sonado la hora **de la victoria** de nuestro Dios, de su dominio y **de su reinado,** y del poder **de su Mesías**".

Para meditar

SALMO RESPONSORIAL   Salmo 45: 10bc, 11, 12ab, 16

R. De pie, a tu derecha está la reina, enjoyada con oro de Ofir.

Hijas de reyes salen a tu encuentro.
  De pie a tu derecha está la reina,
  enjoyada con oro de Ofir. **R.**

Escucha, hija, mira: inclina el oído,
  olvida tu pueblo y la casa paterna.
  Prendado está el rey de tu belleza:
  póstrate ante él, que él es tu señor. **R.**

Las traen entre alegría y algazara,
  van entrando en el palacio real. **R.**

II LECTURA   1 Corintios 15:20–27

Lectura de la primera carta del apóstol san Pablo a los corintios

Hermanos:

En textos expositivos o argumentativos es fundamental hacer ver la hilación entre las frases. Atiende a este renglón al proclamar.

Cristo **resucitó,** y resucitó como la **primicia** de todos los muertos.
Porque si **por un hombre** vino la muerte,
  también por un hombre
  vendrá **la resurrección de los muertos.**

En efecto, así como en Adán **todos mueren,**
  así en Cristo todos **volverán a la vida;**
  pero cada uno **en su orden: primero Cristo,** como primicia;
  después, a la hora de **su advenimiento,** los que **son de Cristo.**

Al llegar a este párrafo haz contacto con la asamblea y baja la velocidad. Frasea con cuidado.

Enseguida será la **consumación,**
  cuando Cristo entregue el Reino **a su Padre,**
  después de haber **aniquilado** todos los poderes **del mal.**
Porque él tiene **que reinar**
  hasta que el Padre ponga **bajo sus** pies a **todos** sus enemigos.
El **último** de los enemigos en ser aniquilado, será **la muerte,**
  porque **todo** lo ha sometido Dios **bajo los pies** de Cristo.

---

dragón, pero ya tiene al Señor que le da la fuerza y ayuda para vencerlo. La Virgen María, de la que celebramos hoy su asunción al cielo, nos muestra el resultado de esta lucha contra el dragón. Ella ya está definitivamente con Dios y, como primicia de los salvados, nos invita a imitarla y dejarnos ayudar por ella.

II LECTURA Lo que escuchamos en esta lectura es la parte argumentativa previa al fragmento proclamado en la liturgia de la vigilia de la Asunción. En las líneas de hoy, notamos la afirmación

categórica de la resurrección de Cristo, con la que inicia el fragmento, para pasar luego al parangón entre Cristo y Adán. Esta comparación pende de la consideración de que Cristo es la primicia de los resucitados. Esto subraya el lugar particular que Cristo tiene en la economía de la salvación, porque, en cuanto primicia, es como el paradigma o modelo para todos los que se acogen a la fe en él: estos serán también resucitados. Ello lo desenvolverá el Apóstol enseguida.

El parangón entre Cristo y Adán se funda en la humanidad de ambos. Con esto, Pablo despeja cualquier idea de larvado

docetismo que supusiera que la carne de Jesús era aparente o irreal, como si de una vestidura con la que la divinidad del Hijo permitiera ser visto y percibido por sus contemporáneos. No hay tal. La humanidad es el núcleo o sustancia que porta o vehicula los efectos positivos o negativos, según se trate de Cristo o Adán. Negar la humanidad es negar la vida y la muerte. Cristo es tan humano como Adán; la diferencia son sus acciones.

Pablo no explicita la causa ni de la muerte ni de la resurrección. Anota "por un hombre". Por el relato bíblico, sin embargo,

EVANGELIO   Lucas 1:39–56

Lectura del santo Evangelio según san Lucas

En aquellos días,
    María se encaminó **presurosa**
    a un pueblo de las montañas de Judea,
    y **entrando** en la casa de Zacarías, saludó **a Isabel.**
En cuanto ésta **oyó** el saludo de María, la creatura **saltó** en su seno.

Entonces Isabel **quedó llena** del Espíritu Santo,
    y levantando la voz, **exclamó:**
    "**¡Bendita** tú entre las mujeres y bendito **el fruto** de tu vientre!
¿Quién **soy yo** para que la madre **de mi Señor** venga a verme?
Apenas llegó tu saludo **a mis oídos,**
    el niño saltó **de gozo** en mi seno.
Dichosa tú, que has creído,
    porque **se cumplirá** cuanto te **fue anunciado** de parte del Señor".

Entonces dijo **María:**
    "Mi alma **glorifica** al Señor
    y mi espíritu se ***llena de júbilo*** *en Dios, mi salvador,*
    porque ***puso*** *sus ojos en la humildad* ***de su esclava.***

Desde ahora me llamarán **dichosa** todas las generaciones,
    porque ha hecho en mí **grandes cosas** el que **todo** lo puede.
Santo es su nombre
    y su misericordia llega ***de generación en generación***
    a los que lo temen.

Ha hecho sentir **el poder** de su brazo:
    dispersó a los de corazón **altanero,**
    destronó *a los potentados*
    y ***exaltó*** *a los humildes.*
A los hambrientos ***los colmó*** *de bienes*
    y a los ricos ***los despidió*** *sin nada.*

Dale vida renovada a este conocido pasaje. Aprovecha los discursos para avivar la proclamación y modular cuidadosamente lo que se dice.

Imprime un tono de entusiasmo a este parágrafo.

La alabanza de María es como de toda la asamblea. Tu espíritu debe sintonizar con esto y no quieras acelerar para terminar rápido.

sabemos que fue la rebelión o desobediencia adámica al mandato divino lo que abrió las puertas a la muerte en el mundo. En contrapartida, la obediencia de Cristo será la causa de la resurrección de todos. Entendemos, por tanto, que a la humanidad le cabe la potencia para ser causa de muerte o de vida.

Pablo enseguida describe que los fieles —es decir, "los que son de Cristo"— participarán en la resurrección última. De hecho, el modo como esto se describe indica que los creyentes ya participan en ella, gracias a su participación sacramental desde el bautis-

mo. Pero lo último y definitivo, el sometimiento de la muerte, aguarda en el futuro.

La celebración de la Asunción de María Virgen al cielo es un signo para la esperanza de todos los creyentes. Es la persona entera, cuerpo y alma, la que participará de la plenitud de la vida. El cuerpo mismo ha sido rescatado por la obra del Señor para gozar, glorioso, de la victoria definitiva del Mesías redentor.

EVANGELIO El ángel del Señor había comunicado a María que su prima Isabel estaba esperado un hijo. María

siente la necesidad de ayudar a su pariente, sobre todo, teniendo en cuenta la edad de ésta.

María procedió con rapidez. El lugar estaba lejos, María vivía ya en Galilea y su pariente en Judea y en la montaña. Con estos datos Lucas quiere aludir a 1 Samuel 1:1, donde se dice que los padres de Samuel vivían en esa región. Al entrar María en la casa de Zacarías, saludó a Isabel. Al oír Isabel embarazada el saludo, su bebé saltó en su seno, quedando ella llena del Espíritu Santo. De ahí que, inspirada, Isabel saludó a María declarándola bendita por haber creído

Subraya los verbos del auxilio divino haciendo contacto visual con la asamblea. Haz la pausa debida antes de la fórmula conclusiva que demanda la rúbrica.

Acordándose de su misericordia,
    vino **en ayuda** de Israel, su siervo,
    como lo había prometido **a nuestros padres**,
    a Abraham y a su descendencia **para siempre**".

María permaneció **con Isabel** unos tres meses
    y luego **regresó** a su casa.

en la palabra del Señor. Desde el inicio Lucas está recordando al lector: la verdadera felicidad brota de la humilde escucha y puesta en práctica de la palabra de Dios.

María tomó la palabra para entonar un himno de alabanza y agradecimiento. Es el famoso Magníficat que tanto ha ayudado a los cristianos a agradecer al Señor. Desde luego este himno tiene raíces profundas que llegan e inician en el canto de Ana, con el cual reconoce ésta la gracia de haber recibido a su hijo Samuel, siendo ella estéril. Al poner estas palabras de Ana en la boca de María, Lucas anticipa implícitamente lo que

un poco después dirá referente a María: "María guardaba todas estas cosas meditándolas en s corazón" (Lucas 2:19).

María consciente de su pequeñez, reconoce la grandeza del amor de Dios. La pobreza toma una connotación religiosa porque siendo pobre, el hombre se confía totalmente en Dios. El evangelista añade un pequeño verso (48b) para subrayar la dignidad de la madre de Dios: "Desde ahora me llamarán dichosa todas las generaciones". La verdadera grandeza de María no proviene tanto de su maternidad virginal sino de su

fe y de la escucha humilde de la palara de Dios. Su virginidad es una consecuencia.

El Magníficat anuncia una verdadera revolución. Una revolución conducida no con las armas y la violencia, sino con la misericordia y la gracia de Dios. Nos está diciendo María que el camino del Evangelio es comprometedor y exige mucha dosis de sacrificio y confianza en la providencia divina. Celebrar la Asunción de la Virgen María es asonarse un poquito a contemplar la belleza de la meta final.

XX DOMINGO ORDINARIO

La voz profética denuncia con vigor y sin medios tonos. Sintoniza con ella.

I LECTURA   Isaías 56:1, 6–7

Lectura del libro del profeta Isaías

Esto dice el **Señor**:
"**Velen** por los **derechos** de los demás,
    practiquen la **justicia**,
    porque **mi salvación** está a punto de **llegar**
    y **mi justicia** a punto de **manifestarse**.

A los **extranjeros** que se han adherido al **Señor**
    para **servirlo**, **amarlo** y darle **culto**,
    a los que **guardan el sábado** sin profanarlo
    y se mantienen **fieles** a mi **alianza**,
    los **conduciré** a mi **monte santo**
    y los **llenaré** de **alegría** en mi **casa** de **oración**.
Sus **holocaustos** y **sacrificios** serán **gratos** en mi **altar**,
    porque mi casa será **casa de oración**
    para **todos** los pueblos".

Baja la velocidad pero no la intensidad. Alarga la oración final y termina haciendo contacto visual con toda la asamblea.

Para meditar

SALMO RESPONSORIAL   Salmo 66:2–3, 5, 6 y 8

R. ¡Oh Dios, que te alaben los pueblos, que todos los pueblos te alaben!

El Señor tenga piedad y nos bendiga,
    ilumine su rostro sobre nosotros:
    conozca la tierra tus caminos, todos los
    pueblos tu salvación. **R.**

Que canten de alegría las naciones, porque
    riges la tierra con justicia, riges los
    pueblos con rectitud y gobiernas las
    naciones de la tierra. **R.**

¡Oh Dios, que te alaben los pueblos,
    que todos los pueblos te alaben!
    Que Dios nos bendiga; que le teman
    hasta los confines del orbe. **R.**

I LECTURA Estas palabras proféticas se las debemos a un profeta anónimo, que se cobijó bajo el nombre del gran profeta Isaías del siglo VIII a. C. Las circunstancias en que se encontraba el pueblo de Dios eran precarias, dado que vivían en una paz parecida a ese ambiente somnoliento del Cercano Oriente en tiempos del verano. El pueblo de Dios había tenido contacto a veces débil, otras fuerte con los grandes y medianas civilizaciones. No se puede negar que había pasado con dificultad muchas crisis, pero su fe se había aclarado y fortalecido ante el peligro.

En estas circunstancias el pueblo enfrenta en toda su amplitud el problema de la postura de Dios ante el ser humano. ¿Es el Dios de Israel el único Dios o es un Dios nacional, propiedad del pueblo de Israel y de su cultura? Ante esto el profeta anuncia la absoluta unicidad del Dios de Israel y para ello hace ver las consecuencias que derivan de lo anterior.

Si hay un solo Dios, entonces hay un solo Dios salvador para todos. La salvación y la paz depende del amor divino, claro, pero este amor debe tener una correspondencia en el amor humano. Dios salvará a todos los

que observan el derecho y practican la justicia (v. 1). Por lo tanto, todos los que se han adherido al Señor (v. 6), participan de la salvación divina. Por lo mismo, no cuenta la circuncisión ni la pertenencia al pueblo de Israel. "Ser del Señor" quiere decir conocerlo y andar por sus mandatos. Además, el Señor hace partícipes de su gloria a los que lo aman y lo siguen (v. 7). Dios ofrece a todos los pueblos la salvación y la alegría, nadie debe sentirse excluido de su amor.

II LECTURA El distintivo quehacer evangelizador de Pablo provocó

II LECTURA   Romanos 11:13–15, 29–32

Lectura de la carta del apóstol san Pablo a los romanos

El texto es argumentativo y no es fácil de seguir. Apóyate en la puntuación y dale realce a las frases que van hilando la lectura.

Hermanos:
Tengo **algo** que decirles a **ustedes**, los que **no son** judíos,
    y **trato** de desempeñar lo **mejor posible** este **ministerio.**
Pero esto lo hago **también** para ver si **provoco**
        los **celos** de los de mi **raza**
    y logro **salvar** a **algunos** de ellos.
Pues, si su **rechazo** ha sido **reconciliación** para el **mundo,**
    ¿**qué** no será su **reintegración,** sino **resurrección**
        de entre los **muertos?**
Porque Dios **no se arrepiente** de sus **dones** ni de su **elección.**

No pierdas la correspondencia que guarda una frase con otra. Subraya la palabra "rebelde" y sus afines.

Así como ustedes **antes** eran **rebeldes** contra Dios
    y **ahora** han alcanzado su **misericordia** con ocasión
        de la **rebeldía** de los judíos,
    en la **misma** forma, los **judíos,** que **ahora** son los rebeldes
    y que **fueron** la ocasión de que **ustedes alcanzaran**
    la **misericordia** de Dios, **también ellos** la **alcanzarán.**

Termina elevando la voz y contactando a la congregación con la mirada.

En efecto, Dios ha **permitido** que **todos cayéramos**
        en la **rebeldía,**
    para **manifestarnos** a **todos** su **misericordia.**

EVANGELIO   Mateo 15:21–28

Lectura del santo Evangelio según san Mateo

El episodio es importante y emotivo. Dale vehemencia a la súplica de la madre, pero también firmeza.

En **aquel** tiempo, **Jesús** se retiró a la comarca de **Tiro** y **Sidón.**
Entonces una **mujer cananea** le salió al **encuentro**
        y se puso a **gritar:**
"**Señor,** hijo de David, **ten compasión** de mí.
Mi hija está **terriblemente atormentada** por un **demonio".**

muchas interrogantes y polémicas. Todas ellas no sólo eran externas con relación al contenido de su predicación y sintonía con los otros evangelizadores apostólicos, sino también tensiones muy intestinas; es decir, las que miran a su propia conciencia de "apóstol de los gentiles" y a su propia identidad y pertenencia judía. Pablo había ido entendiendo su vocación apostólica como una consagración total a llevar el Evangelio a los incircuncisos, él mismo siendo un circunciso. En la ruta del cumplimiento de su tarea, pronto cayó en la cuenta de que sus hermanos de raza, los judíos, lejos de ser un apoyo para ganar a los gentiles a la fe mesiánica, rechazaban a Cristo Jesús, y con él, la oferta gratuita de salvación que Dios estaba brindando a griegos y judíos por igual. En esa tesitura, Pablo se pregunta por el sentido de su quehacer en el designio salvífico de Dios. Su respuesta nos la deja ver en las líneas escuchadas este domingo, que algunos de los judíos que integraban las comunidades cristianas de Roma debieron también escuchar mediado el año 56, probablemente.

El rechazo judío de la Buena Nueva que Pablo constata y confronta no es nuevo. propia.

La misericordia de Dios es la gracia que otorga al creyente la fe en Cristo. Reconciliarse con Dios es hacer la experiencia de la misericordia divina. Sin esto, la fe carece de sustento personal. La Iglesia es comunidad de pecadores reconciliados por la muerte y resurrección de Jesús. Nos corresponde ser testigos de esa misericordia en el mundo, aquí y ahora.

Pronuncia a respuesta de Jesús como si fuera su última palabra.

Jesús no le contestó **una sola palabra**;
    pero los **discípulos** se **acercaron** y le **rogaban**:
"**Atiéndela**, porque viene **gritando** detrás de **nosotros**".
Él les **contestó**:
"Yo no he sido **enviado** sino a las **ovejas descarriadas**
    de la casa de **Israel**".

Ella **se acercó** entonces a **Jesús**, y **postrada** ante él, le **dijo**:
"¡Señor, **ayúdame**!"
Él le **respondió**:
"No está bien **quitarles** el **pan** a los **hijos** para **echárselo**
    a los **perritos**".
Pero ella **replicó**:
"Es **cierto**, Señor;
    pero **también** los **perritos** se comen las **migajas**
    que **caen** de la mesa de sus **amos**".
Entonces **Jesús** le respondió:
"**Mujer**, ¡qué **grande** es tu **fe**!
Que se **cumpla** lo que **deseas**".
Y en **aquel mismo instante** quedó **curada** su **hija**.

Con firmeza aunque en tono menor proclama las palabras de la madre cananea. A las de Jesús dales un matiz de admiración genuina.

EVANGELIO Jesús se fue a la región fenicia e Tiro y Sidón. Se fue, pues, a una tierra extranjera, contra su costumbre de reducir su actividad en las tierras tradicionalmente judías o israelitas. El motivo no lo sabemos. Las razones que se dan quedan en puras suposiciones.

Una mujer de esta región se le acercó al grupo de Jesús y empezó a gritarle al Maestro, pidiéndole que curara a su hija. Jesús le contestó con su silencio. La mujer no pide nada para sí, sino para su hija: la curación. Una cosa es cierta, cree firmemente en el Maestro. Jesús no responde (v. 23). Como hebreo, sigue la Ley que afirmaba que el Mesías vendría a salvar a las ovejas perdidas de la casa de Israel (v. 24). Ya vendría otro tiempo y circunstancia para que los paganos reciban también ellos la invitación al Reino. La respuesta de Jesús es dura, pero refleja la creencia de que todos los humanos son llamados a la mesa del Señor. Los primeros, los hijos, son los hebreos. Pero, como hemos visto en el episodio del mar embravecido, estos no son tan dignos. Jesús los llamó "hombres de poca fe". La mujer insiste, no se desanima. Su fe en Jesús es grande. Por esto le pide al Maestro que le dé de las boronas.

Jesús responde finalmente. La fe de la mujer es grande y obtiene la gracia de Jesús. Dios hace milagros, nos invita a ser libres como él. No dejarnos llevar por los prejuicios políticos, sociales, racistas, nacionalistas. Esta mujer con sus insistencia y firmeza granítica nos invita a recoger el bien, venga de donde viniere.

XXI DOMINGO ORDINARIO

I LECTURA Isaías 22:19–23

Lectura del libro del profeta Isaías

Esto dice el **Señor** a Sebná, **mayordomo** de **palacio:**
"**Te echaré** de tu **puesto**
    y **te destituiré** de tu **cargo.**
Aquel mismo día **llamaré** a mi **siervo,** a **Eleacín,** el hijo de **Elcías;**
    le **vestiré** tu túnica,
    le **ceñiré** tu banda
    y le **traspasaré** tus poderes.

Será un **padre** para los habitantes de **Jerusalén**
    y para la **casa** de **Judá.**
Pondré la llave del palacio de **David** sobre su **hombro.**
Lo que **él** abra, **nadie** lo cerrará;
    lo que **él** cierre, **nadie** lo abrirá.
Lo **fijaré** como un **clavo** en **muro firme**
    y será un **trono de gloria** para la casa de su **padre".**

SALMO RESPONSORIAL Salmo 137:1a y 1c–2ab, 2cd–3, 6 y 8bc

R. Señor, tu misericordia es eterna, no abandones la obra de tus manos.

Te doy gracias, Señor, de todo corazón;
    delante de los ángeles tañeré para ti. Me
    postraré hacia tu santuario, daré gracias
    a tu nombre. **R.**

Por tu misericordia y tu lealtad, porque tu
    promesa supera a tu fama. Cuando te
invoqué me escuchaste, acreciste el valor en
    mi alma. **R.**

El Señor es sublime, se fija en el humilde
    y de lejos conoce al soberbio. Señor, tu
    misericordia es eterna, no abandones la
    obra de tus manos. **R.**

I LECTURA La escena que nos transmite el profeta Isaías pertenece al tiempo de su actividad, a finales del siglo VIII a. C. La escena internacional estaba dominada por la potencia asiria. Judá era un reino muy pequeño, cuya única importancia estaba en ser un reino limítrofe con Egipto y estar a un lado de la vía más importante, la famosa *Via maris* (Camino del mar).

Ante el pueblo aparecía el rey como un rey piadoso y justo, que respetaba las instrucciones de la Ley divina. Su actividad económica y social quedó marcada en el canal que construyó para proporcionar agua a la parte baja de la ciudad de Jerusalén, agua que va a llenar lo que desusa va a ser la piscina de Siloé. Combatió al rey asirio Senaquerib, que destruyó casi todo el reino de Judá a excepción de Jerusalén que se salvó de millar. La Biblia atribuye a esta acción de retirada del rey asario a una intervención divina y hasta hoy no sabemos sus causas históricas.

El pasaje nos habla de la investidura de un nuevo ministro, quien conduciría la política externa e interna de la administración política y social del reino. En realidad, era muy importan este oficio. El ministro que tenía no era apto y por esto va a cambiarlo por un tal Eliakim. Este ministro será el responsable de un programa de gobierno que favorezca al pueblo y que salve al pequeño reino de Judá ante la amenaza asiria. Este texto habla de la investidura del ministro, ofreciendo los símbolos de ésta (la túnica, banda y la llave), símbolos de la entrega del poder de parte de Dios para que sirva al pueblo.

 II LECTURA En esta parte de la carta, Pablo ha estado tratando el papel que el pueblo elegido juega en la

II LECTURA   Romanos 11:33–36

Lectura de la carta del apóstol san Pablo a los romanos

¡Qué **inmensa** y **rica** es la **sabiduría** y la **ciencia** de **Dios**!
¡Qué **impenetrables** son sus **designios** e **incomprensibles**
     sus **caminos**!
*¿**Quién** ha conocido **jamás** el pensamiento del Señor*
     *o ha llegado a ser su **consejero**?*
*¿**Quién** ha podido darle algo primero, para que **Dios** se lo tenga*
     *que **pagar**?*
En efecto, **todo** proviene de **Dios**,
     todo ha sido hecho **por él** y **todo** está orientado **hacia él**.
A él la **gloria** por los **siglos** de los siglos. **Amén**.

Las exclamaciones tienen sentido de admiración que sobrepasa los alcances humanos. Otro tanto deben sonar las interrogaciones retóricas.

Dale fuerza al "En efecto" y luego al "todo". Pronuncia con entusiasmo la doxología.

EVANGELIO   Mateo 16:13–20

Lectura del santo Evangelio según san Mateo

En **aquel** tiempo, cuando llegó **Jesús** a la región
     de **Cesarea de Filipo**,
     hizo **esta pregunta** a sus **discípulos**:
"¿**Quién** dice la **gente** que es el **Hijo del hombre**?"
Ellos le **respondieron**:
"**Unos** dicen que eres **Juan el Bautista**; otros, **que Elías**;
     otros, que **Jeremías** o alguno de los **profetas**".

Luego les preguntó: "Y ustedes, ¿**quién** dicen que **soy yo**?"
Simón Pedro tomó la palabra y **le dijo**:
"Tú eres el **Mesías**, el **Hijo** de Dios **vivo**".

Jesús le dijo **entonces**:
"¡**Dichoso tú, Simón**, hijo de Juan,
     porque **esto** no te lo ha revelado **ningún** hombre,
     sino mi **Padre**, que está en los **cielos**!

Aunque sucede en exteriores, la atmósfera es de instrucción discipular. Al referir las distintas opiniones, vuélvete a mirar varios puntos de la congregación.

Impregna de entusiasmo esta bienaventuranza de Jesús.

---

nueva economía de la salvación ofertada en Cristo. Pablo ha explorado diversas vías para hacer comprensible que el actual rechazo del pueblo de Israel no significa que Dios lo haya repudiado. Hay un designio, vislumbra el teólogo apostólico, en el que la conversión postrera de Israel vendrá a dejar de manifiesto la magnificencia gratuita que Dios depara a los que ha elegido desde antaño. Ahora llegamos al cierre de su exploración teológica, donde encontramos una especie de exultación articulada en frases cuajadas de admiración seguidas de dos interrogaciones retóricas que des-

embocan en una frase causal y una exclamación doxológica.

La admiración de Pablo enuncia tres atributos divinos en primera instancia: la riqueza, la sabiduría y el conocimiento. Estos atributos son abismales; es decir, no hay manera de que la pequeñez de la creatura humana figure siquiera su horizonte. La riqueza de Dios, desde los términos bíblicos, podemos traducirla en su misericordia; su sabiduría en la pedagogía para conducir la historia de los humanos, y su conocimiento en que nada le es oculto o desconocido. Estos atributos quedan patentes en sus jui-

cios o designios y en sus mandamientos o caminos. La desproporción entre el Creador y la creatura se prolonga con preguntas planteadas por Job (15:8) y el profeta Isaías (40:13). ¡El Señor es único! ¡Él es el origen, sostén y destino de toda creatura!

Este día, hagamos eco a la admiración de Pablo y alabemos a Dios porque nos ha participado su bondad inconmensurable.

EVANGELIO Jesús pregunta a sus discípulos, sobre la opinión de la gente acerca de él. Ellos dan distintas respuestas, que no recogen sino retazos de

El perfil de Pedro para la comunidad de fe es claro; subraya los "yo" de Jesús en esta encomienda de servicio.

Y yo te digo **a ti** que **tú** eres **Pedro**
    y sobre **esta piedra** edificaré **mi Iglesia**.
Los **poderes del infierno** no **prevalecerán** sobre ella.
Yo te daré las **llaves del Reino** de los cielos;
    todo lo que **ates** en la tierra **quedará atado** en el cielo,
    y **todo** lo que **desates** en la tierra **quedará desatado** en el cielo".

Y les **ordenó** a sus **discípulos** que **no dijeran** a **nadie**
    que **él** era el **Mesías**.

su identidad. Viene entonces la segunda pregunta, que será más importante, puesto que ellos que han convivido con Jesús de seguro tendrán una idea más clara sobe su identidad. En nombre de los discípulos, Pedro afirma dos cosas: la mesianidad de Jesús y su filiación divina. Evidentemente que lo segundo es una explicitación de qué tipo de mesianidad se le adjudica a Jesús. Lo primero que empezaron a afirmar los cristianos acerca de Jesús fue eso, que él era el Mesías de Dios. Así pues, el Señor dice que este conocimiento sólo le pudo venir a Simón Pedro, como inspiración del Padre celestial.

Jesús le ofrece en este momento una promesa de que él será la piedra sobre la que se identificará el auténtico movimiento de Jesús. por eso le da los tres símbolos que corresponde a lo significado. Será Pedro el centro de la unidad de los discípulos cristianos y tendrá autoridad aquí en la tierra de forma definitiva en los asuntos de la fe cristiana. Eso significan los tres símbolos: la piedra, las llaves y el lazo o cuerda. Así Jesús respondería a una pregunta que se harían los primeros cristianos: ¿quién es el representante autorizado de Jesús en la tierra? Ya lo dijo el Señor: Simón. ¿Y mientras el Señor venga? Los sucesores de Simón.

Las dos preguntas tienen mucha importancia para nosotros. La pregunta más importante a la que debemos responder cada uno de nosotros es, ¿quién es Jesús para mí? Sin responder a esta pregunta, la que se hacen los cristianos sale sobrando.

XXII DOMINGO ORDINARIO

Es una confesión íntima del profeta que deplora las consecuencias de su compromiso con la palabra de Dios. Infunde dolor, como de alguien traicionado, a esta lectura.

I LECTURA   Jeremías 20:7–9

Lectura del libro del profeta Jeremías

Me sedujiste, Señor, y **me dejé seducir**;
  fuiste **más** fuerte que **yo** y me **venciste**.
He sido el **hazmerreír** de **todos**;
  día tras día se **burlan** de mí.
Desde que **comencé** a **hablar**,
  he tenido que **anunciar** a gritos **violencia** y **destrucción**.
Por anunciar la **palabra del Señor**,
  me he convertido en **objeto de oprobio** y de burla **todo el día**.
He **llegado** a decirme: "**Ya no me acordaré** del Señor
  ni hablaré más en su **nombre**".
Pero **había en mí** como un **fuego ardiente**,
  encerrado en mis **huesos**;
  yo me esforzaba por contenerlo y **no podía**.

Para meditar

SALMO RESPONSORIAL   Salmo 62:2, 3–4, 5–6, 8–9
R. Mi alma está sedienta de ti, Señor, Dios mío.

Oh Dios, tú eres mi Dios, por ti madrugo, mi alma está sedienta de ti; mi carne tiene ansia de ti, como tierra reseca, agostada, sin agua. **R.**

¡Cómo te contemplaba en el santuario viendo tu fuerza y tu gloria! Tu gracia vale más que la vida, te alabarán mis labios. **R.**

Toda mi vida te bendeciré y alzaré las manos invocándote. Me saciaré como de enjundia y de manteca y mis labios te alabarán jubilosos. **R.**

Porque fuiste mi auxilio, y a la sombra de tus alas canto con júbilo, mi alma está unida a ti, y tu diestra me sostiene. **R.**

I LECTURA La lectura de Jeremías está tomada de una de sus confesiones. Estas composiciones del profeta han de haber sido guardadas por éste, para leerlas cuando estaba triste o alegre.

Con una extrema audacia expresa el profeta su desilusión como un amante al que se le había prometido un amor sincero y desinteresado y, de pronto, se siente abandonado y sin respuesta ante su dolor y soledad. Jeremías expresa claramente el abandono: Dios lo ha abandonado en el peligro en que se encuentra por anunciar el mensaje divino. Dios le había encomendado

denunciar la violencia e injusticias presentes que estaban llevándose a cabo en Judá. Su voz de advertencia y condenación no sólo no ha sido escuchada, sino se ha vuelto contra el profeta, que sufre reclamos, insolencia y opresión. Jeremías se duele de no gozar de las ayudas fundamentales de seguridad y estima. Siente que Dios no le ayuda. Del pueblo esperaba cierto reconocimiento, al menos indiferencia, pero no ataques ni amenazas ni mucho menos el desprecio, la burla e irrisión que sufría al ir por los lugares públicos que visitaba para entregar al pueblo el mensaje de Dios.

Ante todo esto el profeta quiere liberarse de su encomienda; desgraciadamente no ha podido. En su interior siente con fuerza el empuje de la palabra de Dios, que vuelve a lanzarlo a anunciar la palabra divina. Esto mismo lo experimentó Jesús y en más alto grado. Sus discípulos recibieron el encargo de proclamar la palabra de Dios, sabiendo las consecuencias que esta entrega de la palabra les causaría a ellos.

II LECTURA La parte exhortativa de la Carta a los Romanos inicia con el fragmento que hemos escuchado

---

II LECTURA   Romanos 12:1–2

Lectura de la carta del apóstol san Pablo a los romanos

Hermanos:
Por la **misericordia** que **Dios** les ha **manifestado,**
los **exhorto** a que se ofrezcan **ustedes mismos**
como una **ofrenda viva, santa** y **agradable** a **Dios,**
porque en **esto** consiste el **verdadero culto.**
No se dejen **transformar** por los **criterios de este mundo,**
sino **dejen** que una **nueva manera de pensar**
los transforme **internamente,**
para que sepan distinguir **cuál** es la voluntad de **Dios,**
es decir, lo que es **bueno,** lo que le **agrada,** lo **perfecto.**

El exhorto apremia a una entrega total. Dale profundidad a tu voz y a tu porte, como de alguien que experimenta el ardor apostólico de Pablo y desea contagiarlo a los escuchas.

EVANGELIO   Mateo 16:21–27

Lectura del santo Evangelio según san Mateo

En **aquel** tiempo,
comenzó **Jesús** a anunciar a sus **discípulos** que tenía que **ir**
a **Jerusalén**
para **padecer** allí **mucho** de parte de los **ancianos,**
de los **sumos sacerdotes** y de los **escribas;**
que tenía que ser **condenado a muerte** y **resucitar al tercer día.**

Pedro se lo llevó **aparte** y trató de **disuadirlo,** diciéndole:
"**No** lo permita Dios, **Señor.**
Eso no te puede suceder a **ti".**
Pero **Jesús se volvió** a Pedro y le **dijo:**
"**¡Apártate** de mí, **Satanás,** y no **intentes** hacerme
tropezar en mi **camino,**
porque **tu modo** de pensar **no es** el de **Dios,**
sino **el** de los **hombres!"**

El comienzo es un casi impersonal, pero en realidad es tremendo. Dale la gravedad correspondiente a tu inflexión; avanza pausadamente.

El reproche es duro. No lo suavices. En la pausa miral al auditorio.

---

hoy. Las comunidades cristianas de Roma eran mixtas en su composición; habría en ellas muchos de origen gentil, pero más peso tenían los de raíces judías. Pablo resaltará los rasgos primarios de la vida de los bautizados en Cristo Jesús, en términos familiares para todos.

En el lenguaje religioso, no sólo del mundo judío, la referencia a ofrendas y sacrificios era perfectamente conocida. Un fiel, a veces en peregrinación, acude al templo de su divinidad con una ofrenda (un animal u otro don). Ahí un sacerdote lo recibe, sacrifica o consagra para presentarlo y soli-

citar alguna bendición en favor del oferente; luego vendría un acto de comunión, según el caso, y la despedida. Este ritual de transferir algo profano o común a la esfera de lo sacro es la referencia primaria en estas líneas iniciales.

El bautismo cristiano configura al fiel a la imagen de Cristo, por eso es capaz de realizar las funciones sagradas de oferente, sacerdote y ofrenda en su propia vida y con su propio cuerpo. Cualquier otro tipo de culto es superfluo. Pablo describe en qué consiste la consagración o santificación del bautizado: en configurarse con Cristo, lo

que es incompatible con los criterios del mundo. Despojarse de lo mundano es un proceso que, en su parte positiva, consiste en descubrir lo que complace a Dios. Pablo lo resume con tres cualidades que hablan de la naturaleza de toda ofrenda que se eleva ante Dios, y por tanto de la vida cristiana: lo bueno, lo amable, lo perfecto.

La obra de nuestra santificación es un quehacer constante que consiste en adoptar como criterio de vida lo nuevo, que no es otra cosa que los dones espirituales que la redención nos brinda.

Luego Jesús dijo a sus **discípulos:**
"El que quiera **venir conmigo,** que **renuncie a sí mismo,**
  que **tome su cruz** y **me siga.**
Pues el que **quiera salvar** su vida, **la perderá;**
  pero el que **pierda su vida** por mí, **la encontrará.**
¿De **qué** le sirve a uno **ganar** el **mundo entero,** si **pierde** su **vida?**
¿Y **qué** podrá dar uno a **cambio** para **recobrarla?**

Porque el **Hijo del hombre** ha de **venir** rodeado de la **gloria**
  de su **Padre,**
  en **compañía** de sus **ángeles,**
  y entonces le dará a **cada uno** lo que **merecen** sus **obras".**

Haz notar el vínculo a lo previo sin alargar la pausa a tres tiempos. Es como un punto y seguido. Cierra de memoria la última línea y mirando a la congregación.

EVANGELIO Al inicio de su viaje a Jerusalén, Jesús habló exclusivamente al grupo restringido de sus discípulos, anunciándoles claramente que en Jerusalén le esperaba el sufrimiento y la muerte. Los protagonistas son dos: Jesús y Pedro, representante de los discípulos. En el caso anterior Pedro había sido alabado y ensalzado por su fe; ahora se le da también el nombre de piedra; sí, pero piedra de escándalo, porque su manera de comprender el misterio y personalidad de Jesús, en términos mundanos, causa que los discípulos tropiecen y caigan.

Enseguida, Mateo coloca una cadena de cinco sentencias en las que aclara este misterio de su suerte en Jerusalén. Hay correspondencia entre lo que le pasará a Jesús en Jerusalén y lo que les pasará a sus discípulos: al sufrimiento y muerte de Jesús corresponde la cruz de los discípulos. Así como Jesús resucitará, los discípulos recibirán la gloriosa venida del Hijo del Hombre por ellos. El kerigma que anuncia Jesús como Hijo del Hombre, consta de tres eventos: sufrimiento, muerte y resurrección.

La comprensión de Pedro es un obstáculo al plan divino, pues imita a Satanás, el que aparece en la plática con Jesús en el desierto, recomendándole al Maestro un camino glorioso para hacer asequible su mesianidad al pueblo. Por esto Pedro debe estar detrás de Jesús, retirarse. Esto le da ocasión al Maestro para ofrecer una enseñanza al que quiera ser su discípulo: renegar de sí mismo, tomar la cruz y seguir a Jesús en todo. Palabras claras, sí, pero difíciles de llevar a cabo. Pero solamente así seremos discípulos del Señor.

XXIII DOMINGO ORDINARIO

I LECTURA   Ezequiel 33:7–9

Lectura del libro del profeta Ezequiel

La función de centinela corresponde también a la comunidad eclesial. Siéntete con esa responsabilidad compartida y pregona con esa conciencia esta palabra.

Esto dice el **Señor**:
"A ti, **hijo** de hombre, te he constituido **centinela**
    para la **casa** de **Israel**.
Cuando **escuches** una **palabra** de mi **boca**,
    tú se la **comunicarás** de mi **parte**.

Si yo pronuncio **sentencia de muerte** contra un **hombre**,
    porque es **malvado**,
    y tú no lo **amonestas** para que **se aparte** del **mal camino**,
    el malvado **morirá** por su **culpa**,
    pero yo te pediré **a ti** cuentas de su **vida**.

Hay un contraste claro con lo previo. subraya los "tú" y alarga el último con su frase.

En cambio, si **tú** lo **amonestas**
    para que **deje** su **mal camino** y él **no lo deja**,
    morirá por su **culpa**,
    pero tú habrás **salvado** tu **vida**".

Para meditar

SALMO RESPONSORIAL   Salmo 94:1–2, 6–7, 8–9
R. Ojalá escuchen hoy su voz: "No endurezcan su corazón".

Vengan, aclamemos al Señor, demos vítores a la Roca que nos salva; entremos a su presencia dándole gracias, aclamándolo con cantos. **R.**

Entren, postrémonos por tierra, bendiciendo al Señor, creador nuestro. Porque él es nuestro Dios y nosotros su pueblo, el rebaño que él guía. **R.**

Ojalá escuchen hoy su voz: "No endurezcan el corazón como en Meribá, como el día de Masá en el desierto, cuando los padres de ustedes me pusieron a prueba y me tentaron, aunque habían visto mis obras". **R.**

I LECTURA La tercera parte del libro de Ezequiel se abre con el tema de la responsabilidad. Habla de dos temas, interconectados entre sí: del profeta como centinela y de la conversión. Los versos 1–9 tratan del tema del centinela y los versos siguientes ofrecen una pequeña conclusión sobre la responsabilidad del profeta.

La función del profeta era importante, sobre todo en tiempo de crisis o de guerra. Pensemos que entonces, desde encima de las murallas de la ciudad y, en caso de que gente armada se aproximara contra ella, se hacía sonar el cuerno para advertir a sus habitantes y tomaran providencias. Este oficio tenía el profeta: advertir al pueblo de Dios de los riesgos que estaban corriendo si continuaban comportándose como lo estaban haciendo, transgrediendo los preceptos divinos. Debía insistir y no cesar de invitar al pueblo a la conversión, asegurándoles el perdón divino.

Como estaban en el exilio, a menudo los exiliados iban perdiendo la esperanza y pensaban que Dios los había abandonado y, lo que era peor, que Dios no se ocupaba ya de ellos. La función del profeta es puesta en términos jurídicos: si el profeta no anuncia ni advierte del peligro que amenaza al pueblo, es responsable ante Dios. El silencio ante el pecado hace corresponsable al profeta. Si el profeta cumple el oficio de advertir del peligro que corre el pueblo por su conducta y si el pueblo hace caso omiso, entonces el pueblo es el responsable.

El profeta tiene una gran obligación: ser responsable no obstante los peligros que corre cumpliendo su deber, Con todo al miembro del pueblo no se le quita su responsabilidad.

II LECTURA   Romanos 13:8–10

Lectura de la carta del apóstol san Pablo a los romanos

Dale la inflexión debida a este exhorto argumentativo. Apóyate en la puntuación y no le des tono autoritario.

Hermanos:
No tengan con nadie **otra deuda** que la del **amor mutuo,**
    porque el que **ama** al **prójimo**, ha **cumplido** ya **toda la ley.**
En efecto, los **mandamientos** que **ordenan:**
"**No** cometerás adulterio, **no robarás,**
    no matarás, **no** darás **falso** testimonio, **no** codiciarás"
    y **todos** los **otros**, se **resumen** en **éste:**
    "**Amarás a tu prójimo** como a **ti mismo**",
    pues quien **ama** a su **prójimo** no le causa **daño** a **nadie.**

La frase conclusiva pregónala sin despegar tus ojos del leccionario.

Así pues, cumplir **perfectamente** la ley **consiste** en **amar.**

EVANGELIO   Mateo 18:15–20

Lectura del santo Evangelio según san Mateo

Pronuncia con aplomo las enseñanzas del Maestro. Es sabiduría de la comunidad de fe también.

En **aquel** tiempo, **Jesús** dijo a sus **discípulos:**
"Si tu **hermano** comete un **pecado**,
    ve y amonéstalo **a solas.**
Si **te escucha**, habrás **salvado** a tu **hermano.**
Si **no te hace caso**, hazte **acompañar** de **una** o **dos personas,**
    para que **todo** lo que se diga **conste** por **boca**
        de **dos** o **tres testigos.**
Pero si **ni así** te hace caso, **díselo** a la **comunidad;**
    y si **ni** a la **comunidad** le hace **caso,**
        apártate de él como de un **pagano** o de un **publicano.**

Con toda convicción pronuncia este don de Cristo a su comunidad de discípulos. Enfatiza las palabras en negrillas.

Yo les **aseguro** que **todo** lo que **aten** en la tierra
    quedará atado en el cielo,
    y **todo** lo que **desaten** en la tierra
    quedará desatado en el cielo.

II LECTURA Las líneas que escuchamos en esta lectura proceden de la sección exhortativa de la carta. Luego de estimular a los creyentes a cumplir cabalmente todos sus deberes públicos, el Apóstol vuelve la mirada a las relaciones entre los propios creyentes. Acaba de dejar asentado que es necesario saldar cualquier deuda cívica, pero hay una que nunca debe quedar satisfecha: la deuda del amor cristiano. Éste es un principio de la vida cristiana que arraiga en las tradiciones de Jesús mismo y que lo encontramos formulado en otras enseñanzas apostólicas en el Nuevo Testamento. La manera del exhorto paulino, en nuestro texto, es similar a lo que conocemos por el Evangelio de Marcos, referente al mayor de los mandamientos (ver Marcos 12:28–34). En efecto, al enunciado categórico de amar al prójimo sigue la explicación práctica de ese amor en los enunciados de la segunda tabla de la ley mosaica.

En las expresiones paulinas se aprecia, sin embargo, una diferencia. En tanto que amar al prójimo implica un rasgo positivo y proactivo, pudiera decirse, los cinco mandatos de la ley recogidos en nuestra lectura litúrgica son enunciados negativos o prohibitivos. Estos enunciados negativos colocan un cerco protector en torno a los derechos del prójimo. El mandato positivo, en cambio, es una especie de condensación de todos ellos y de los demás prescritos, que impulsa a hacer el bien al prójimo.

El amor al prójimo no es un matiz de la identidad cristiana sino su rostro más prominente, y su cumplimiento no se limita al cumplimiento de los otros. Si Pablo lo expresa ante los grupos o comunidades cristianas de Roma es porque este precepto no hace diferencia entre judíos y no judíos, sino que mira al prójimo de manera universal.

Aumenta el volumen de tu voz y suaviza un tanto el tono, como constatando esta verdad en los aquí presentes.

Yo les **aseguro también,** que si dos de **ustedes**
se **ponen** de acuerdo para **pedir** algo, **sea** lo que fuere,
mi **Padre celestial** se lo **concederá**;
pues donde **dos o tres** se reúnen en **mi nombre**,
ahí estoy yo **en medio de ellos**".

| EVANGELIO | Corregir a una persona es una de las actividades más difíciles de llevar a cabo. Se considera en nuestros medios sociales, que una persona es intocable en su manera de ser y obrar.

Jesús dio a sus discípulos una pequeña regla para intervenir cuando uno de los miembros de la comunidad tuviera una conducta no cónsona con la comunidad cristiana. El primer acto es hablar con la persona que lleva una conducta inapropiada e intentar hacerla reflexionar para que cambie de conducta. Esto es muy difícil y lo será en el futuro. Sin embargo, habrá que intentarlo en

nombre de la caridad con la persona que obra mal y con la comunidad a la que se está haciendo el mal. Ello supone una discreción absoluta. Si esto no funciona, entonces se debe ayudarse de varias personas sensatas de la comunidad para que, entre todos, empleando las cualidades de persuasión de estos miembros, puedan influir sobre el hermano que obra mal y lo convenzan de volver al camino correcto. Finalmente, si a pesar de todos los esfuerzos la persona continúa en su conducta inadecuada, en atención a la comunidad debe apartársele de la comunidad.

Lo anterior tiene un principio de fondo. El mal es expansivo por naturaleza. Una mala conducta puede llevar a otros a imitarla y así una comunidad tiene el peligro de seguir caminos antievangélicos. Pero en todo esto siempre debe estar presente el amor hacia quien ha desviado su camino; nunca hacerlo ni por envidia ni por otros motivos deshonestos. El principio que está detrás del consejo de Jesús es la caridad; de desaparecer ésta, el proceso se echaría a perder.

XXIV DOMINGO ORDINARIO

El desarrollo es equilibrado, los elementos se balancean de uno con otro; nota que forman como tripletes. No precipites la lectura porque vas como desgranando máximas de sabiduría.

I LECTURA   Eclesiástico (Sirácide) 27:30—28:7

Lectura del libro del Eclesiástico o Sirácide

Cosas abominables son el rencor y la cólera;
    sin embargo, **el pecador** se aferra a ellas.
El Señor se vengará del vengativo
    y llevará rigurosa cuenta de sus pecados.

Perdona la ofensa a tu prójimo,
    y así, **cuando pidas** perdón, se te perdonarán tus pecados.
Si un hombre le **guarda rencor** a otro,
    ¿le **puede acaso** pedir la salud al Señor?

El que **no tiene** compasión de un semejante,
    ¿**cómo pide** perdón de sus pecados?
Cuando el hombre que **guarda rencor**
    pide a Dios el perdón de sus pecados,
    ¿hallará **quien interceda** por él?

Piensa **en tu fin** y deja de odiar,
    piensa en **la corrupción** del sepulcro
    y **guarda** los mandamientos.

Ten presentes los mandamientos
    y **no guardes** rencor a tu prójimo.
Recuerda la alianza del Altísimo
    y **pasa por alto** las ofensas.

Ahora las máximas son generales o impersonales. Acentúa las preguntas elevando la voz hacia el final.

Se retomó el hilo directo, personal. Formula el último aforismo mirando a la asamblea, como invitándola a que lo reciba en el corazón.

I LECTURA El Sirácide nos ha dejado una obra importante de la que se han conservado en hebreo cuatro quintas partes. En Alejandría, Egipto, fue traducida al griego por el nieto de su autor, y en griego pasó de generación en generación. La traducción al latín de este libro se conoce como Eclesiástico, lo que delata su amplia recepción en la Iglesia. En cuanto a la parte a la que pertenece la primera lectura de hoy, sólo se conservó su traducción griega.

Su autor intenta exponer a sus contemporáneos, quizá a los jóvenes, la sabiduría de la tradición del pueblo de Dios, para instruir a la juventud y no dejarla a la deriva, pensado y siguiendo las obras sapienciales griegas que por el siglo II a. C. abundaban.

Reflexionando sobre el material didáctico tradicional hebreo y añadiendo su experiencia personal, el autor compone máximas y normas de vida para los jóvenes de su época. La parte a la que pertenece el trozo literario de hoy habla sobre las relaciones con el prójimo.

Podemos ver en la forma de exponer del autor, que primero presenta un dato o una actitud y luego lo confronta con el juicio divino. Al avanzar en esta disposición, el autor confronta también directamente al lector u oyente, para que no vaya a pensarse que eso le pasa a todo el mundo, menos a los que escuchan esas palabras. La sabiduría consiste en saber vivir acorde a la voluntad de Dios trasplantada a la Ley y los Profetas. Una conducta así trae una vida dichosa.

La vida le ha enseñado al Sirácide que los sentimientos de rencor, ira, cólera y venganza dañan al que los posee y son objeto del castigo divino. En la base de la argumentación del Sirácide está la idea de la retribu-

Para meditar

SALMO RESPONSORIAL   Salmo 103 (102):1–2, 3–4, 9–10, 11–12

R. (8) El Señor es compasivo y misericordioso

El Señor es compasivo y misericordioso
 lento a la ira y rico en clemencia.
 Bendice, alma mía, al Señor,
 y todo mi ser a su santo nombre.
 Bendice, alma mía, al Señor,
 y no olvides sus beneficios. **R.**

El perdona todas tus culpas
 y cura todas tus enfermedades;
 el rescata tu vida de la fosa,
 y te colma de gracia y de ternura. **R.**

No está siempre acusando
 ni guarda rencor perpetuo.
 No nos trata como merecen nuestros
 pecados
 ni nos paga según nuestras culpas. **R.**

Como se levanta el cielo sobre la tierra,
 se levanta su bondad sobre sus fieles;
 como dista el oriente del ocaso,
 así aleja de nosotros nuestros delitos. **R.**

II LECTURA   Romanos 14:7–9

Lectura de la carta del apóstol san Pablo a los romanos

Hermanos:
Ninguno de nosotros vive para sí mismo,
 ni muere para sí mismo.
Si vivimos, para el Señor vivimos;
 y **si morimos**, para el Señor morimos.
Por lo tanto,
 ya sea que estemos vivos o que hayamos muerto,
 somos del Señor.
Porque Cristo murió y resucitó para ser Señor
 de vivos y muertos.

Estas verdades de la fe cristiana son el hueso que sostiene la vida entera. Pronúncialas con absoluta convicción y subraya el "por lo tanto".

---

ción recíproca. Invita al ofendido a perdonar. Este perdón es un presupuesto de que también sus propias faltas serán perdonadas. Sus pecados son presentados como lazos de los que el hombre debe liberarse. Dios rompe estos lazos y entra en una íntima anisad con el hombre. Esto pide que el hombre también de una manera personal entre en esta acción divina. En cierta forma esta postura es el fundamento de la quinta petición del Padrenuestro y alude a la parábola del rey que perdona a su deudor.

La edificación de la comunidad exige El Nuevo Testamento insistirá en esta especie de equivalencia y correspondencia

entre Dios y el fiel perdonado. Jesús nos hablará de un perdón sin miramientos, sin cantidades. El perdón vendrá de la bondad inmensa de Dios.

II LECTURA En la parte parenética de la carta, Pablo aborda una problemática particular de los grupos cristianos de Roma. Entre ellos, hay cristianos que se tienen por fuertes, a quienes las cuestiones dietéticas les tenían sin cuidado, y hay otros, los débiles, con escrúpulos respecto a lo que podían comer. Esto creaba tensiones entre los miembros de la misma

congregación. Pablo les pide a los fuertes no perturbar a los débiles y ser capaces de sacrificar su fortaleza con tal de edificar a los más vulnerables y afianzar la unidad comunitaria bajo el mismo Señor que a todos los ha acogido y hecho suyos. Tal es el contexto que precede a las líneas que hoy escuchamos.

La edificación de la comunidad exige de cada uno de sus miembros dar lo mejor de sí, con genuino espíritu cristiano. No se trata de hacer este o aquel servicio, sino, como Pablo lo formula, de algo más trascendental y profundo, de no vivir ni morir para

EVANGELIO   Mateo 18:21–35

Lectura del santo Evangelio según san Mateo

La pregunta del discípulo es sincera; dale a la segunda pregunta cierto tono de desmesura: "¿Hasta siete veces?", y prolonga una pausa.

En aquel tiempo, Pedro se acercó a Jesús y le preguntó:
"Si mi hermano **me ofende**, ¿cuántas veces tengo que
    perdonarlo?
¡Hasta siete veces?"
Jesús le contestó: "No sólo hasta siete, **sino hasta** setenta
    veces siete".

La parábola marca un cambio de nivel discursivo. Identifica las escenas distintas y dales vivacidad a los diálogos.

Entonces Jesús les dijo:
"El Reino de los cielos es semejante a un rey
    que **quiso ajustar cuentas** con sus servidores.
El primero que le presentaron le debía muchos talentos.
Como **no tenía con qué** pagar,
    el señor mandó que lo vendieran a él, a su mujer, a sus hijos
    y todas sus posesiones, **para saldar** la deuda.
El servidor, arrojándose a sus pies, le suplicaba, diciendo:
'**Ten paciencia** conmigo y te lo pagaré todo'.
El rey **tuvo lástima** de aquel servidor, lo soltó y hasta le
    perdonó la deuda.

Pero, apenas había salido aquel servidor,
    se encontró con uno de sus compañeros, que le debía **poco**
    dinero. Entonces lo agarró por el cuello y casi lo
    estrangulaba,
    mientras le decía: '**Págame** lo que me debes'.
El compañero se le arrodilló y le rogaba:
'**Ten paciencia** conmigo y te lo pagaré todo'.
Pero el otro **no quiso** escucharlo,
    sino que fue y lo metió en la cárcel **hasta que le pagara**
    la deuda.

sí. Con esto se dice que no es la propia personalidad la que hay que afirmar ante los demás miembros de la comunidad. El lenguaje es significativamente bautismal. De hecho, la comunidad cristiana se ha configurado a partir del bautismo, con ese baño ritual que hace visible el morir y el vivir para Cristo, el único Señor de la comunidad. Lo que ello implica no es otra cosa que la proyección en la vida comunitaria de lo realizado en el bautismo. Todos los cristianos deben y consagran su vida al Señor, y no a afirmar su propia identidad ante los demás.

Cristo es el único "Señor de vivos y muertos", de este mundo como del inframundo.

Los disensos y tensiones que experimentan los miembros de nuestras comunidades cristianas podrían disolverse de recurrir a una sana catequesis bautismal que ponga de manifiesto nuestra propia pertenencia al Señor, verificada en la celebración del misterio pascual. Este misterio es lo que puede sepultar los egos y generar una vida nueva que vigorice a la comunidad entera. Recordemos siempre quién es el Señor de la comunidad y obremos en consecuencia.

EVANGELIO En la lectura semicontinua de estos domingos del año litúrgico, Mateo agrupa una serie de enseñanzas disciplinares que deben ayudar a conformar la vida de la comunidad de fe. Estamos ante una proyección retrospectiva. Es decir, no se trata asuntos que se les presentarán cuando Jesús les haya confiado la gran misión de hacer discípulos de entre todos los pueblos, sino de asuntos que ya han ido experimentando en la vida diaria quienes han creído en el Evangelio. El evangelista toma esos tópicos y los coloca en labios de Jesús para iluminar las situaciones

El rey reprocha con justa dureza al siervo.

Al ver lo ocurrido, sus compañeros se llenaron de **indignación**
    y fueron a contar al rey lo sucedido.
Entonces el señor lo llamó y le dijo:
'Siervo malvado. **Te perdoné** toda aquella deuda porque me lo
    suplicaste.

La pregunta enfatízala con toda propiedad.

¿No debías tú también haber **tenido compasión** de tu
    compañero,
    como yo **tuve compasión** de ti?'
Y el señor, encolerizado, lo entregó a **los verdugos**
    para que no lo soltaran **hasta que pagara** lo que debía.

Las líneas finales alárgalas como un eco a todo lo precedente.

Pues **lo mismo hará** mi Padre celestial con ustedes,
    si cada cual **no perdona de corazón** a su hermano''.

que ahora exigen un comportamiento sintonizado con la historia del Cristo. El asunto del perdón es algo sustancial al modo de vivir cristianamente en el mundo.

Pedro se acerca a Jesús y le pregunta cuál debe ser la actitud de un ser humano, de un miembro de la comunidad de Jesús en cuestión del perdón. ¿Hay que perdonar hasta siete veces? Es decir, ¿debe obrarse con mucha magnanimidad? La respuesta de Jesús es absoluta: hay que perdonar siempre.

Pedro parte del ofendido, del que es víctima, y no del que ofende. No alude a la ley del talión (Éxodo 21:24), que no es otra cosa que la ley de la equivalencia. De Jesús, Pedro ha entendido que debe perdonar ante la ofensa. La preocupación del apóstol es si el perdón tiene un límite. Para esto hay una alusión a lo que dijo Caín, quien afirmó que, ante una ofensa, se vengaría siete veces o Lamec que aumentó su número a setenta veces siete (Génesis 4:24). Jesús da una respuesta inimaginable: siempre. Y ofrece la parábola de un rey que perdona a su siervo una suma impagable por todos los lados que se le mire: diez mil talentos. Un talento equivalía a unos 26 kilos de plata. Por lo tanto, aunque se tratara del gobernador de una rica provincia del reino, esta suma sería impagable. El servidor pide paciencia y asegura lo imposible, pagar lo impagable. El rey, movido por la compasión, le perdona todo. La esencia de la parábola es el comportamiento del servidor, al que se le perdonó lo impagable. La respuesta le quedó clara a Pedro y a todos los que escuchamos la parábola de Jesús o su primera respuesta: hay que perdonar siempre.

XXV DOMINGO ORDINARIO

I LECTURA   Isaías 55:6–9

Lectura del libro del profeta Isaías

La invitación va pareada; para darle fuerza pronúnciala con cierta vehemencia, casi como un ruego.

Busquen al Señor mientras lo pueden **encontrar**,
  invóquenlo mientras está **cerca**;
  que el **malvado** abandone su **camino**,
  y el **criminal**, sus **planes**;
  que **regrese** al Señor, y **él** tendrá **piedad**;
  a nuestro **Dios**, que es **rico en perdón**.

Eleva un poco el tono para esta parte, pero no la velocidad de lectura.

Mis pensamientos **no** son los pensamientos de **ustedes**,
  sus caminos **no** son **mis** caminos, dice el **Señor**.
Porque **así** como **aventajan** los **cielos** a la **tierra**,
  así aventajan **mis caminos** a los de **ustedes**
  y **mis pensamientos** a **sus pensamientos**.

SALMO RESPONSORIAL   Salmo 144:2–3, 8–9, 17–18

Para meditar

R. Cerca está el Señor de los que lo invocan.

Día tras día te bendeciré y alabaré tu nombre por siempre jamás. Grande es el Señor y merece toda alabanza, es incalculable su grandeza. **R.**

El Señor es clemente y misericordioso, lento a la cólera y rico en piedad; el Señor es bueno con todos, es cariñoso con todas sus criaturas. **R.**

El Señor es justo en todos sus caminos, es bondadoso en todas sus acciones; cerca está el Señor de los que lo invocan, de los que lo invocan sinceramente. **R.**

I LECTURA La destrucción de Jerusalén y, sobre todo, del templo hizo una gran mella en la fe de Israel. Mas allá de las desgracias que trajo la invasión de los babilonios y sus consecuencias —pobreza, hambre y enfermedades— estaba la fe de Isael: su Dios los había sacado de la esclavitud de Egipto. Esa era su creencia fundamental. ¿Cómo compaginar ahora la situación de esclavitud y humillación ante la nueva potencia, Babilonia? ¿Los habría abandonado Dios? Había miembros del pueblo que hablaban de la debilidad de su Dios y de la fuerza de los dioses extranjeros.

Finalmente, no sabemos cuántos, había un número de judíos que habían abandonado toda fe en el Señor, el Dios de sus padres.

Ante esa situación, el profeta a quien han llamado Segundo Isaías se había presentado en nombre de Dios para anunciarles un nuevo inicio. La gozosa alegría con que se había presentado (Isaías 40:1–11), hablándoles de un nuevo éxodo, con ese mismo ánimo termina ahora en ese capítulo 55, invitándolos a la búsqueda del Señor. En esa crisis el profeta habla e insiste en anunciar la esperanza de una acción salvífica de su Dios, señor de la historia, único Dios. Los

versos 6–7 invitan a la conversión, a buscar al Señor; es decir, a dejar otras esperanzas o desánimos, para entonces sí encontrarlo. Al final, el profeta les afirma que la manera de pensar y obrar del Señor es muy distinta de la de ellos. Por lo mismo, sólo este tipo de fe inquebrantable en un Dios que tiene sus caminos distintos de los humanos y que les ha mostrado su amor y compasión, podrá salvarlos y sacarlos de esa grave dificultad por la que están pasando.

II LECTURA Filipo era una ciudad con sello militar en el tiempo de

---

II LECTURA   Filipenses 1:20c–24, 27a

Lectura de la carta del apóstol san Pablo a los filipenses

Hermanos:
Ya sea por mi vida, **ya sea** por mi muerte,
    Cristo será **glorificado** en **mí**.
Porque **para mí**, la **vida** es **Cristo**, y la **muerte**, una **ganancia**.
Pero si el **continuar** viviendo en **este mundo**
    me permite trabajar **todavía** con **fruto**, no **sabría** yo **qué** elegir.

Me hacen fuerza **ambas cosas**:
    por una parte, el **deseo de morir** y **estar con Cristo**,
    lo cual, **ciertamente**, es con **mucho lo mejor**;
    y **por la otra**, el de **permanecer en vida**,
    porque **esto** es **necesario** para el **bien** de **ustedes**.
Por lo que a **ustedes** toca, **lleven** una **vida digna** del **Evangelio**
    de **Cristo**.

Avanza como explorando lo que Pablo nos muestra. Enfatiza los referentes de la primera persona de singular, "mi" y "me".

Muestra cierta indecisión ante la disyuntiva. Apóyate en las negrillas y haz contacto con la asamblea en el "ustedes".

EVANGELIO   Mateo 20:1–16

Lectura del santo Evangelio según san Mateo

En **aquel** tiempo, **Jesús** dijo a sus discípulos **esta parábola**:
"El **Reino de los cielos** es **semejante** a un **propietario**
    que, al amanecer, salió a **contratar trabajadores** para su **viña**.
Después de **quedar** con ellos en pagarles un **denario** por día,
    los **mandó** a su **viña**.
Salió **otra vez** a media mañana,
    vio a **unos** que estaban **ociosos** en la **plaza** y les **dijo**:
'Vayan **también ustedes** a mi **viña** y les **pagaré**
    lo que sea **justo**'.
Salió de nuevo a **medio día** y a **media tarde** e hizo **lo mismo**.

La historia de la parábola es cautivadora. Trata de darle realce a las marcas temporales, porque son sustantivas al argumento.

Pablo, porque era asiento de muchos veteranos de las legiones romanas que luego se fueron mezclando con los nativos y gentes que llegaban de diversas latitudes. La ubicación de la ciudad, junto a la Vía Egnatia, le procuraba una afluencia considerable de mercancías y de viajeros. Entre ellos llegó Pablo con su pregón evangelizador y, al paso del tiempo y con su consabido tesón apostólico, logró configurar una comunidad cristiana con la que mantuvo una entrañable relación, como bien puede colegirse de sus escritos. Esta carta en particular habría sido enviada estando Pablo en prisión y con la

sentencia pendiente, por lo que cabe considerarla como una especie de testamento espiritual.

Lo que escuchamos en la lectura pertenece al comienzo de la carta donde luego del saludo, Pablo muestra sus credenciales apostólicas. Pero lo hace a corazón abierto, porque los destinatarios lo conocen bien; está prisionero y se plantea un dilema crucial, hasta cierto punto: vivir o morir. Su dilema lo expone a la comunidad.

La muerte es para Pablo la opción más provechosa porque representa la unión definitiva con Cristo. No hay nada más deseable

para un corazón creyente. Cuanto el Apóstol ha emprendido no ha tenido otro objetivo que unirse a Cristo. No busca Pablo la muerte, que llegará sin falta y a tiempo, sino entrar en la comunión permanente con el Mesías de Dios. La vida, por otra parte, significa para Pablo no un afán de pasarla bien, sino de seguir trabajando por la causa del Evangelio y transformando las comunidades para su encuentro con el Señor. Los filipenses, en concreto, necesitan la orientación y el apoyo del Apóstol, porque enfrentan peligros para su fe, mismos que les acarrean predicadores de un evangelio diferente. Por

Este diálogo repórtalo como algo natural, sin marcas de exclamación.

Por último, salió **también** al caer la **tarde**
y encontró **todavía otros** que estaban en la **plaza** y les **dijo:**
'**¿Por qué** han estado aquí **todo** el día **sin trabajar?**'
Ellos le respondieron: 'Porque **nadie** nos ha **contratado**'.
Él les dijo: 'Vayan **también ustedes** a mi **viña**'.

Al atardecer, el **dueño de la viña** le dijo a su **administrador:**
'**Llama** a los **trabajadores** y **págales su jornal,**
comenzando por los **últimos** hasta que llegues a los **primeros**'.
Se **acercaron**, pues, los que habían llegado al **caer la tarde**
y **recibieron** un denario **cada uno.**

Dale a tu voz un acento como de reclamo o disconformidad con lo que estás describiendo.

Cuando les llegó su turno **a los primeros,**
creyeron que **recibirían más;**
pero **también ellos** recibieron un denario **cada uno.**
Al recibirlo, **comenzaron** a **reclamarle** al **propietario**, diciéndole:
'**Ésos** que llegaron **al último** sólo trabajaron **una hora,**
y **sin embargo**, les pagas **lo mismo** que a **nosotros,**
que **soportamos** el **peso** del **día** y del **calor**'.

Pero él respondió a **uno de ellos:**
'**Amigo**, yo no te hago **ninguna injusticia.**
¿Acaso no quedamos en que te pagaría **un denario?**
Toma, pues, **lo tuyo** y vete.
Yo quiero darle al que llegó al último **lo mismo** que **a ti.**
¿Qué no puedo hacer con **lo mío** lo que **yo quiero?**
¿O vas a tenerme **rencor** porque **yo soy bueno?**'

Prepara las dos últimas frases que son el clímax de la parábola, elevano la voz en las preguntas.

De **igual** manera, los **últimos** serán los **primeros,**
y los **primeros**, los **últimos**".

eso Pablo los encarece a que vivan que no desdiga los valores del Evangelio.

EVANGELIO Un propietario, dijo Jesús, salió muy de mañana a contratar trabajadores para que fueran a trabajar a su viña. Probablemente se le habría venido la cosecha de pronto y habría que recoger los racimos. Salió muy de mañana como era costumbre y contrató a los que juzgó suficientes, quedando en pagarles un denario, que era lo que se estilaba en ese tiempo. Tres veces durante el día salió a buscar a nuevos trabajadores,

pues no había calculado bien la enormidad del trabajo requerido. A los que llevó a su viña, la cuarta vez, no les dijo que les daría un denario. Cuando cayó la tarde y llegó la hora de pagar, empezó por los últimos y les pagó un denario. Lo mismo les pagó a los otros que habían trabajado más, ya sea desde la mañana, el mediodía o la tarde. Ante las protestas de los que habían sido contratados por un denario, tanto los primeros, segundos y terceros, el dueño les contestó que él era justo, pues les pagaba en lo que habían quedado, un denario. En cuanto a que les pagó a los últimos un denario, lo

hacía libremente. ¿Por qué? Porque ellos también deberían llevar lo necesario para sustentar a su familia. En ese tiempo una familia constaba de unos seis miembros.

¿Es justa esta propuesta de Jesús? Evidentemente que sí. De lo contrario tendríamos a un Dios justo, pero no bueno o compasivo. Ya desde lo del becerro de oro, Dios se describió a Moisés como un Dios bueno y compasivo que perdona hasta la milésima generación. Sólo Dios sabe conjugar bondad con justicia. Estamos invitados también nosotros a juntar estas dos virtudes en nuestra vida.

XXVI DOMINGO ORDINARIO

I LECTURA   Ezequiel 18:25–28

Lectura del libro del profeta Ezequiel

Esto dice el **Señor**: "Si **ustedes** dicen:
    'No es **justo** el proceder del Señor', **escucha**, casa de **Israel**:
¿Conque es **injusto** mi proceder?
¿No es **más bien** el proceder de **ustedes** el **injusto**?

Cuando el justo **se aparta** de su **justicia**,
    comete la **maldad** y **muere**;
    muere por la maldad que **cometió**.
Cuando el pecador **se arrepiente** del **mal** que hizo
    y practica la **rectitud** y la justicia, **él mismo salva** su vida.
Si **recapacita** y **se aparta** de los **delitos cometidos**,
    ciertamente vivirá y **no morirá**".

La contrariedad en la voz del Señor debe ser evidente, pero no uses un tono regañón sino de reclamo mesurado y hasta contenido.

Avanza dándole peso al raciocinio; identifica la prótasis o condición de lo que se afirma y luego su consecuencia.

Para meditar

SALMO RESPONSORIAL   Salmo 24:4–5, 6–7, 8–9
R. Recuerda, Señor, que tu misericordia es eterna.

Señor, enséñame tus caminos, instrúyeme
    en tus sendas, haz que camine con
    lealtad; enséñame, porque tú eres mi
    Dios y Salvador, y todo el día te estoy
    esperando. **R.**

Recuerda, Señor, que tu ternura y tu
    misericordia son eternas; no te acuerdes
    de los pecados ni de las maldades de mi
    juventud; acuérdate de mí con misericordia,
    por tu bondad, Señor. **R.**

El Señor es bueno y es recto, y enseña el
    camino a los pecadores; hace caminar
    a los humildes con rectitud, enseña su
    camino a los humildes. **R.**

I LECTURA "De tal palo, tal astilla". Dichos como éste reflejan un pensamiento muy común entre la gente cuando se quiere juzgar o alabar a una persona según sus antepasados, padres o parientes. No debe admirarnos que los exiliados hebreos del tiempo del profeta Ezequiel culparan de su situación a sus padres y que dijeran: "Los padres comieron uvas agrias y los hijos sufrieron mal de dientes" (v. 2).

Es cierto que en el Oriente estaba muy extendido esta explicación de las catástrofes públicas y privadas: se culpaba a la tribu o estirpe. Ezequiel conocía estos dichos y reacciona negando esta causalidad. El destierro tiene una causalidad social, claro; pero en esta causalidad no se quitaba la curabilidad individual. Para Ezequiel cada generación es responsable de su culpa, como lo es cada individuo. De aquí la negativa a lo que afirman los desterrados: "No es justo el proceder del Señor" (v. 25). El profeta les afirma que el que obra mal, es responsable de ello. Los demás no tienen por qué pagar las faltas ajenas. Afirma que la regla de causa-efecto vale también en el orden moral. Cada quien debe responder en base a su justicia o injusticia personal y si se arrepiente de sus faltas pasadas, evitará el castigo. Es muy fácil culpar a otra persona, como lo hacían muchos desterrados, que culpaban de su desgracia a sus padres, sin hacer ellos nada para cambiar de conducta. Mientras el hombre vive, puede convertirse y cambiar de camino. Dirá más adelante el profeta: "Dios quiere que el pecador se convierta y viva" (33:11).

II LECTURA Nos encontramos ya en el último cuarto del año litúrgico. Es momento de mirar alrededor y

La acumulación de las frases condicionales crea la sensación de totalidad. Identifica la consecuencia ("entonces…") y remata con las frases consecutivas.

II LECTURA   Filipenses 2:1–11

Lectura de la carta del apóstol san Pablo a los filipenses

Hermanos:
Si **alguna fuerza** tiene una **advertencia** en nombre de **Cristo**,
    si **de algo** sirve una **exhortación** nacida del **amor**,
    si **nos une** el mismo **Espíritu** y si ustedes **me profesan**
    un afecto **entrañable**, llénenme de **alegría** teniendo
    todos una **misma manera** de **pensar**,
    un **mismo** amor, unas **mismas** aspiraciones y **una sola** alma.
Nada hagan por espíritu de **rivalidad** ni **presunción**;
    antes bien, por **humildad**,
    cada uno considere **a los demás** como **superiores** a sí mismo
    y **no busque** su **propio interés**, sino **el** del **prójimo**.
Tengan los **mismos** sentimientos que tuvo **Cristo Jesús**.

Como si se tratara de una contemplación, busca que la asamblea se adentre pausada pero intensamente en estas líneas.

Cristo, siendo Dios,
    no consideró que debía **aferrarse**
    a las prerrogativas de su **condición divina**,
    sino que, **por el contrario**, **se anonadó** a sí mismo,
    tomando la **condición** de **siervo**,
    y se hizo **semejante** a los **hombres**.
Así, hecho **uno** de ellos, **se humilló** a sí mismo
    y por obediencia **aceptó** incluso la muerte,
    y una **muerte de cruz**.

Pronuncia con mayor intensidad los verbos que enuncias el quehacer de Dios respecto a Cristo.

Por eso Dios lo **exaltó** sobre **todas** las cosas
    y le **otorgó** el **nombre** que está sobre **todo nombre**,
    para que, al **nombre de Jesús, todos** doblen la rodilla
    en el **cielo**, en la **tierra** y en los **abismos**,
    y **todos** reconozcan **públicamente** que **Jesucristo** es el **Señor**,
    para **gloria** de **Dios Padre**.

Forma breve: Filipenses 2:1–5

reconsiderar nuestra conducta, como nos solicitan las lecturas de hoy. Ésta, la de Filipenses, nos coloca frente a nuestra colaboración en la unidad de la comunidad de fe. Sabemos que Pablo le tenía un particular cariño a esta comunidad, tal vez por ser la primicia de las iglesias europeas: es la única de la que acepta dones mientras está encarcelado. Ellos querían entrañablemente a Pablo también, y le han enviado dinero con Epafrodito para que solventar sus gastos. El cariño mutuo es lo que transpiran las líneas del Apóstol y a lo que él apela, antes de transcribirles un cántico que describe el

periplo completo de la obra de la redención realizada por Cristo Jesús, y que nos exige emular sus disposiciones.

Pablo ruega a los filipenses que construyan la unidad de la comunidad en torno a cuatro elementos: el pensar, el amar, el sentir y el discernir. Estos pilastrones de la comunidad, que Pablo quiere que los filipenses fomenten, no caen del cielo ni son abstractos; tienen sus cimientos en la experiencia del Evangelio, concretamente en su afectuosa relación con Pablo que aflora en las cuatro expresiones previas: la fortaleza en Cristo, el consuelo amoroso, la sintonía espiritual, el

cariño y ternura. Así percibe Pablo a los filipenses, y es lo que ellos deben volcar hacia los propios miembros de la comunidad, para alegrar al Apóstol que se encuentra "en capilla"; es decir, aguardando el desenlace de su proceso judicial.

La comunidad cristiana se conforma de la red de relaciones entre sus miembros que deben replicar las actitudes de Cristo. Estas relaciones nacen, crecen y se desarrollan en la mutua interacción diaria, no en abstracto. Allí cobran vida "los mismos sentimientos que tuvo Cristo Jesús", y no sólo en la asamblea dominical.

EVANGELIO Mateo 21:28–32

Lectura del santo Evangelio según san Mateo

En **aquel** tiempo,
  Jesús dijo a los **sumos sacerdotes** y a los **ancianos** del pueblo:
"¿Qué opinan de **esto**?
Un **hombre** que tenía **dos hijos** fue a ver al **primero** y **le ordenó**:
'Hijo, ve a trabajar **hoy** en la **viña**'.
Él le contestó: '**Ya voy**, señor', pero **no fue**.
El **padre** se dirigió al **segundo** y le dijo **lo mismo**.
Éste le respondió: '**No quiero ir**', pero **se arrepintió** y **fue**.
¿**Cuál** de los **dos** hizo la **voluntad del padre**?"
Ellos le respondieron: "El **segundo**".

Entonces **Jesús** les dijo:
"Yo les **aseguro** que los **publicanos** y las **prostitutas**
  se les han **adelantado** en el **camino** del **Reino de Dios**.
Porque **vino** a ustedes **Juan**, predicó el camino de la **justicia**
  y **no le creyeron**;
  en cambio, los **publicanos** y las prostitutas, **sí** le creyeron;
  ustedes, **ni siquiera** después de haber visto,
  se han arrepentido **ni han creído** en él".

El ejemplo es simple, pero exige precisión en el planteamiento. Verbaliza deliberadamente las respuestas y no hagas la pausa triple del final del párrafo, sino una más breve.

La sentencia es categórica. Pronuncia con resolucion y hasta como desafiando, el juicio de Jesús.

EVANGELIO La parábola de los dos hijos empieza y termina con una pregunta dirigida a sus oyentes. Entre estas dos preguntas se describe el comportamiento de dos hijos que tienen una conducta distinta ante la orden de su padre. Uno acepta la orden paterna, pero no la cumple; el otro niega el mandato, pero termina por ejecutarlo. Jesús coloca frente a su auditorio un comportamiento común en la vida familiar. Como dice el refrán: "Del dicho al hecho hay mucho trecho". Lo que da constancia a una doctrina es la práctica.

Esto aplica en todos los campos de la actividad humana.

Ya Jesús había explicado con una certera composición esta diferencia entre el oír y el llevar a cabo, poniendo el ejemplo del constructor de una casa (7:24–27). La condena que Jesús lanzaba contra sus oyentes, escribas y fariseos, se basaba en que "Dicen, pero no hacen" (23:3). Esta gente piadosa de entonces tenía autoridad entre la gente, ya que eran conocedores de la Ley. Lo único que les fallaba era que no la ponían en práctica. Por otro lado, estos jefes religiosos atacaban a Jesús porque se juntaba con los publicanos y los pecadores para instruirlos y llevarlos a la práctica de lo que eran convencidos. Hoy como entonces, el Señor nos llama y recomienda lo mismo. Que así como el Creador con su Palabra forjó el mundo, que así nosotros hagamos que muestras acciones sean el reflejo de nuestra fe. La pregunta de Jesús es la misma que nos hace hoy. Lo que sucedió con los jefes religiosos de Isael que rechazaron a Jesús, puede remitirse a nosotros cuando nuestra fe no va acompañada de obras. Un refrán español nos recuerda que "Obras son amores, no buenas razones".

XXVII DOMINGO ORDINARIO

Este poema bucólico que habla de los cuidados amorosos de Dios con su pueblo tiene dos voces. Identifícalas y muestra un cambio de ritmo, al cambiar el discurso.

I LECTURA   Isaías 5:1–7

Lectura del libro del profeta Isaías

Voy a **cantar**, en **nombre** de mi **amado**,
    una **canción** a su **viña**.
Mi amado **tenía** una **viña**
    en una **ladera fértil**.
Removió la tierra, **quitó** las piedras
    y **plantó** en ella **vides selectas**;
    edificó en medio una **torre**
    y **excavó** un **lagar**.
Él **esperaba** que su **viña** diera **buenas uvas**,
    pero la viña dio **uvas agrias**.

Ahora bien, habitantes de **Jerusalén**
    y gente de **Judá**, yo les **ruego**,
    sean **jueces** entre mi **viña** y yo.
¿Qué más pude hacer por mi **viña**,
    que yo **no lo hiciera**?
¿Por qué cuando yo **esperaba** que diera **uvas buenas**,
        las dio **agrias**?

Ahora voy a darles a **conocer** lo que **haré** con mi **viña**;
    le **quitaré** su **cerca** y será **destrozada**.
Derribaré su **tapia** y será **pisoteada**.
La **convertiré** en un erial,
    nadie la podará **ni** le quitará los **cardos**,
    crecerán en ella los **abrojos** y las **espinas**,
    mandaré a las **nubes** que **no lluevan** sobre ella.

El desilusionado amante muestra su despecho de manera terrible. Procura que tu tono de voz sea un tanto tajante en esta parte.

I LECTURA Para este domingo, la liturgia de la Iglesia nos ha preparado para el banquete de la Palabra una porción deliciosa con un selecto poema tomado del libro del profeta Isaías. Los libros proféticos de la Biblia cristiana se atribuyen a algún profeta, aunque muchas de sus partes fueron consignadas por discípulos suyos o por un grupo de posteriores escribas, quienes los habrían organizado en la forma como nos han llegado. De cualquier forma, en varios de sus relatos y de sus oráculos se notan incorporaciones de piezas que bien pueden provenir de fuentes anóni-

mas y que se volvieron populares; en muchos otros, las piezas son verdaderas creaciones originales. En nuestra lectura de hoy, nos alcanza la voz del profeta Isaías, activo hacia el siglo VIII a. C., pero muy relevante en las tradiciones judías y cristianas.

Isaías, egregio poeta, compuso una canción amorosa. Como dice al principio, fue un encargo de un amigo ("en nombre de mi amado"). El canto es sumamente poético. Se entiende que este amigo, a su vez, la dedicará a su amor, alguna joven que amaba.

El canto es bello, corto y bien estructurado. El verbo *esperar* ritma la composición. El verbo *hacer* especificado en varias acciones, es el eje del poema. Dar frutos o hacer frutos, se repite siete veces, lo que nos indica que no se trata del simple amor sentimental que nació en el romanticismo, sino que este sentimiento se tiene que manifestar en obras, en acciones concretas, diríamos, en dar fruto. El amante hizo todo lo que se podría esperar de alguien que amaba a una mujer. El enamorado describe una serie de atenciones e iniciativas de amor.

Separa bien este párrafo de lo previo;
es como su "moraleja". Deben sonar como un
amago o advertencia de un daño inminente.

Pues bien, la **viña del Señor** de los ejércitos
   es la casa de **Israel**,
y los hombres de **Judá** son su plantación **preferida**.
El Señor **esperaba** de ellos que obraran **rectamente**
   y ellos, **en cambio**, cometieron **iniquidades**;
   él esperaba **justicia**
   y **sólo** se oyen **reclamaciones**.

Para meditar

SALMO RESPONSORIAL   Salmo 79:9 y 12, 13–14, 15–16, 19–20
R. La viña del Señor es el pueblo de Israel.

Sacaste, Señor, una vid de Egipto, expulsaste
a los gentiles, y la trasplantaste. Extendió
sus sarmientos hasta el mar y sus brotes
hasta el Gran Río. **R.**

¿Por qué has derribado su cerca, para que la
saqueen los viandantes, la pisoteen los
jabalíes y se la coman las alimañas? **R.**

Dios de los Ejércitos, vuélvete, mira
desde el cielo, fíjate, ven a visitar tu viña,
la cepa que tu diestra plantó y que tú
hiciste vigorosa. **R.**

No nos alejaremos de ti; danos vida, para
que invoquemos tu nombre. Señor Dios
de los Ejércitos, restáuranos, que brille tu
rostro y nos salve. **R.**

II LECTURA   Filipenses 4:6–9

Lectura de la carta del apóstol san Pablo a los filipenses

Esta breve lectura requiere de un tono sereno
y convincente, pues exhorta a abrazar valores
genuinamente universales.

Hermanos:
No se inquieten **por nada**;
   más bien presenten en **toda ocasión** sus peticiones a **Dios**
      en la **oración** y la **súplica**,
   llenos de **gratitud**.
Y que la **paz de Dios**, que sobrepasa **toda** inteligencia,
   custodie sus **corazones** y sus **pensamientos** en **Cristo Jesús**.

Haz contacto visual con la asamblea al decir
"hermanos". Frasea con cuidado los valores
que se van proponiendo.

Por lo demás, **hermanos**, aprecien **todo** lo que es **verdadero**
   y **noble**,
   cuanto hay de **justo** y **puro**, **todo** lo que es **amable** y **honroso**,
   todo lo que sea **virtud** y merezca **elogio**.

Cinco acciones fundamentales, siendo la principal, que plantó buenas cepas.

De pronto este canto se convierte en una alegoría y, finalmente Isaías le da un rápido giro jurídico de acusación. En los versos 1–3 increpa a los oyentes a tomar el papel de jueces. El enamorado esperaba correspondencia, pero no la hubo. En lugar de buena y agradables uvas, se encontró con que las parras produjeron uvas amargas. Alegóricamente aplicado el canto a Jerusalén: esperaba derecho y justicia el enamorado, Dios, y en su lugar encontró asesinatos. ¿Qué hará el amante desilusio-

nado? Destruirá y acabará completamente su viña; es decir, la ciudad de Jerusalén. Ahora y desilusión son pues los dos elementos de esta lectura simbólica de la historia del pueblo de Israel.

II LECTURA En la parte final de las cartas paulinas suelen venir las recomendaciones y los exhortos a abrazar los valores cristianos; Filipenses no es la excepción. La entera sección exhortativa arranca enfatizando el llamado a la alegría y el recuerdo de que "El Señor está cerca" (4:4–5), que no recogen nuestra lectura

litúrgica, pero que son el trasfondo para las siguientes demandas; dos son las que escuchamos.

La primera solicitud es orar con gratitud. Cabe pensar que se trata de la oración comunitaria que puede verse perturbada por las tensiones o disensiones entre los propios congregados. Líneas antes, Pablo les ruega a dos mujeres, Evodia y Síntique, concordar en el Señor (4:2). Tal vez ellas habrían sido diaconisas que mantenían alguna diferencia, doctrinal o práctica, que repercutía incluso en el modo de orar. De allí se entiende el exhorto paulino a no inquietarse,

Pongan por obra cuanto han **aprendido** y **recibido** de mí,
   todo lo que yo he **dicho** y me han **visto** hacer;
   y el **Dios** de la **paz** estará con **ustedes**.

EVANGELIO   Mateo 21:33–43

Lectura del santo Evangelio según san Mateo

En **aquel** tiempo,
   Jesús dijo a los **sumos sacerdotes** y a los **ancianos** del pueblo
      esta **parábola**:
"Había una vez un **propietario** que **plantó** un **viñedo**,
   lo **rodeó** con una cerca, **cavó** un lagar en él,
   construyó una **torre** para el **vigilante**
   y luego lo **alquiló** a unos **viñadores** y **se fue** de viaje.

Llegado el **tiempo** de la **vendimia**,
   envió a sus **criados** para pedir su parte de los frutos
      a los **viñadores**;
   pero **éstos** se **apoderaron** de los **criados**,
   golpearon a uno, **mataron** a otro y a **otro más** lo **apedrearon**.
Envió de nuevo a **otros criados**,
   en **mayor número** que los **primeros**,
   y los trataron del **mismo** modo.

Por último, les **mandó** a su **propio hijo**, pensando:
'A **mi hijo** lo **respetarán**'.
Pero cuando los viñadores **lo vieron**, se dijeron **unos a otros**:
'**Éste** es el **heredero**.
Vamos a **matarlo** y **nos quedaremos** con su **herencia**'.
Le **echaron** mano, lo **sacaron** del viñedo y lo **mataron**.

Ahora, **díganme**: cuando **vuelva el dueño** del viñedo,
   ¿**qué hará** con esos viñadores?"

La parábola se arma con distintos momentos cada vez más dramáticos hasta su clímax. Haz notar esto en la velocidad que le imprimas a cada uno de ellos. Apóyate en las frases temporales.

Ralentiza el "por último" e igualmente la conspiración de los homicidas. Deja alargar la pausa tras enunciar la pregunta y contacta visualmente con la congregación, como esperando su reacción.

aunque cabe entenderlo con mayor amplitud: no permitir que las angustias y preocupaciones de la vida nos hagan perder la confianza en el Señor. Es su cercanía la que nos llena de confianza y paz para vivir alegres.

La segunda encomienda consiste en abrir la mente a los valores universales del Evangelio. Pablo advierte que un prurito o escrúpulo por cumplimentar ciertas estipulaciones sería contraproducente para los propios cristianos. Por eso les solicita abrir sus ojos al bien, dondequiera que se encuentre, y abrazar una vida virtuosa, por-

que ello sintoniza con la verdad profunda del Evangelio. Las ocho cualidades que el Apóstol menciona deben ser la aspiración de todo seguidor genuino de Cristo. Esos son los afanes del cristiano, que deben verse reflejados en los líderes, como se ven en Pablo mismo. Una vida virtuosa de esa magnitud no puede sino garantizar la paz que Dios da. Este llamado nos hace también hoy el Señor.

EVANGELIO Jesús fue un gran observador del campo. Con su gran creatividad, con facilidad se inspiraba en

algún proceso o suceso de lo que sucedía en el campo y forjaba sus dichos y parábolas. La parábola de este domingo proviene de una costumbre que se da entre todos los pueblos: el arrendamiento del campo.

En las sociedades pobres a veces los dueños de un campo no tienen los medios suficientes para llevar a cabo una siembra. O a veces no pueden sembrar, porque tienen que hacer un viaje, como parece ser el caso aquí. Entonces alquilan su campo a alguno o a algunos. Este es el caso en esta parábola. El dueño arrendó su viña a unos viñadores. La viña estaba provista de todos

Las palabras de Jesús son enigmáticas, pero se aclaran enseguida. La sentencia final es lapidaria y tajante.

Ellos le respondieron:
"**Dará muerte terrible** a esos **desalmados**
    y **arrendará** el viñedo a **otros** viñadores,
    que le **entreguen** los frutos **a su tiempo**".

Entonces **Jesús** les dijo:
"¿No han leído **nunca** en la **Escritura**:
*La **piedra** que **desecharon** los **constructores**,
    es **ahora** la piedra **angular**.
Esto es **obra del Señor** y es un **prodigio admirable**!*

Por **esta** razón les digo a **ustedes**
    que les **será quitado** el **Reino de Dios**
    y se le **dará** a un pueblo que **produzca** sus **frutos**".

los elementos para rendir. El dueño se fue. Cuando calculó que era hora de la cosecha, mandó a unos criados para pedir lo que le pertenecía de ella. Los arrendadores, en lugar de ceñirse al pago, se negaron y golpearon y maltrataron a los siervos del patrón. Éste mandó a otros servidores y a estos les fue peor. Entonces pensó que, si mandaba al heredero, a ése lo respetarían y le pagarían el alquiler. Pero cuando los arrendadores vieron al heredero, lo mataron. Se entiende que no sólo no querían pagar, sino quedarse con la viña. Como toda parábola, el final es lo que da el sentido principal. De aquí Jesús saca una pegunta para su auditorio: ¿qué debe hacer el propietario? La respuesta es clara para cualquier ser humano. El dueño acabará sin compasión con esos malvados y arrendará la viña a otros que sí le entreguen la ganancia debida.

Jesús entonces saca a luz la enseñanza, citando una frase de la Escritura, el Salmo 118. La piedra desechada, es ahora la piedra angular. Entonces Dios les quitara a los oyentes de Jesús el Reino y se lo dará a otros que sí den fruto. No es que Jesús rechace al pueblo elegido, según las promesas divinas, sino que se abre de esta forma la salvación para todos los pueblos. Sigue la misma exigencia para la Iglesia: el Señor espera frutos, el principal, el de la caridad. Desgraciadamente la Iglesia actual está sufriendo en ese renglón. Sí tiene frutos, pero parece que son pocos. Con todo, la exigencia del Señor sigue abierta.

XXVIII DOMINGO ORDINARIO

Llénate el semblante de alegría para proclamar esta lectura. Es una invitación en tono poético, al que todos deben sentirse convidados.

Dale un tono culminante a este parrafito. Luego alarga la mirada por la reunión conforme pronuncias las líneas finales.

I LECTURA   Isaías 25:6–10a

Lectura del libro del profeta Isaías

En **aquel** día, el **Señor** del universo
  preparará sobre **este monte**
    un **festín** con platillos **suculentos**
    para **todos** los pueblos;
  un **banquete** con vinos **exquisitos**
  y manjares **sustanciosos**.
Él **arrancará** en este monte
    el **velo** que **cubre** el **rostro** de **todos** los pueblos,
    el **paño** que **oscurece** a **todas** las naciones.
Destruirá la **muerte** para **siempre**;
    el Señor Dios **enjugará** las **lágrimas** de **todos** los rostros
    y **borrará** de **toda** la tierra la **afrenta** de su **pueblo**.
Así lo ha dicho el **Señor**.

En **aquel** día se dirá:
  "**Aquí** está **nuestro Dios**,
  de quien **esperábamos** que nos **salvara**.
Alegrémonos y **gocemos** con la **salvación** que nos trae,
    porque la **mano** del Señor **reposará** en **este monte**".

I LECTURA La lectura del Antiguo Testamento está tomada de una parte del libro que albergó lo que se ha llamado "El pequeño apocalipsis de Isaías". Esa literatura habla de los últimos tiempos y de las luchas definitivas en que Dios ayudará a su pueblo.

Empieza la lectura anunciando la intervención futura de Dios en favor de todos los pueblos (6–8) y se cierra con un agradecimiento como respuesta a la acción llevada a cabo por Dios en favor de todos los pueblos (9–10).

El banquete es una imagen simbólica, empleada por los pueblos orientales para significar una gran alegría: el término de una catástrofe o el arribo de un salvador guerrero. Aquí se habla de un final feriz, de salvación gozosa de toda la humanidad. El autor habla de que arrancará "el velo que cubre el rostro de todos los pueblos" (v. 7). Entre los israelitas se tenía la idea de que ningún hombre podía ver la faz de Dios sin morir. Por esto, tanto Moisés como Elías se cubren el rostro cuando se manifiesta el Señor en el monte santo. Esto los lleva a pensar qué el amor tiene en la mente una intervención

futura de Dios, lo que indicaría un conocimiento mediato o fragmentario de Dios, para no pensar en una comprensión completa de Dios al final de los tiempos. El texto también se inspira en la madre que llena de atención y ternura se inclina sobre su niño que llora por su dolor y lo contenta enjugándole las láminas.

Algo muy importante que a todos los hombres siempre les ha preocupado es la presencia terrible de la muerte. Podemos decir que es la peor calamidad para la humanidad. El texto dice que Dios al final aniquilará la muerte. El oprobio de Israel

Para meditar

SALMO RESPONSORIAL   Salmo 22:1–3a, 3b–4, 5, 6

R. Habitaré en la casa del Señor, por años sin término.

El Señor es mi pastor, nada me falta: en verdes praderas me hace recostar, me conduce hacia fuentes tranquilas y repara mis fuerzas. **R.**

Me guía por el sendero justo por el honor de su nombre. Aunque camine por cañadas oscuras, nada temo, porque tú vas conmigo: tu vara y tu cayado me sosiegan. **R.**

Preparas una mesa ante mí enfrente de mis enemigos; me unges la cabeza con perfume, y mi copa rebosa. **R.**

Tu bondad y tu misericordia me acompañan todos los días de mi vida, y habitaré en la casa del Señor por años sin término. **R.**

II LECTURA   Filipenses 4:12–14, 19–20

Lectura de la carta del apóstol san Pablo a los filipenses

Es un testimonio muy personal el que Pablo comunica a los creyentes. Nota el balance en las frases pareadas para manetener el flujo de tu discurso.

Hermanos:
Yo sé lo que es **vivir** en **pobreza**
   y **también** lo que es tener de **sobra**.
Estoy **acostumbrado** a **todo**:
   lo mismo a comer bien que a pasar **hambre**;
   lo mismo a la abundancia que a la **escasez**.
Todo lo puedo unido a **aquél** que me da **fuerza**.
Sin embargo, han hecho **ustedes** bien en **socorrerme**
   cuando **me vi** en **dificultades**.

Aunque el texto guarda cierta exaltación, no exageres; mantén un tono moderado.

Mi Dios, **por su parte**, con su **infinita riqueza**,
   remediará con esplendidez **todas** las necesidades de **ustedes**,
   por medio de **Cristo Jesús**.
Gloria a Dios, nuestro **Padre**, por los **siglos** de los siglos. **Amén.**

sígnica la larga secuencia de invasiones y derrotas del pueblo por las potencias extranjeras. Esto, que era objeto de burla de parte de los paganos, se terminará. Reconocerán todos los pueblos la acción de Dios en favor de su pueblo. Todo esto es causa más que suficiente para alabar al Señor, Dios de Israel, que ha salvado al mundo entero.

Esta hermosa lectura invita a la comunidad, todavía golpeada por la presencia del COVID-19 y otros virus, a confiar en la intervención generosa de nuestro Dios, en el que más que predomina la generosidad.

II LECTURA Estamos en la parte final de la carta, pero en nuestra lectura litúrgica se ha quedado fuera el cálido y sucinto sumario de cómo fue la evangelización de los propios filipenses. Pablo se siente en deuda por los dones que la comunidad le ha hecho llegar para su sustento, por medio de Epafrodito, pero traslada esta generosidad a donde debe de estar, la presencia de Dios. De este trasfondo proceden las líneas que escuchamos en la asamblea.

Vale la pena subrayar la frase que es como una síntesis de la personalidad del Apóstol y refleja su talante evangelizador: "Todo lo puedo unido a aquél que me da fuerza". El evangelizador se ha visto en la escasez y en la penuria, pero esto no condicionó su fidelidad al Evangelio, sino que siempre lo entregó como lo que es: una gracia. El Evangelio es gratuito. Tampoco cuando Pablo se ha visto en la abundancia el Evangelio fue condicionado. Esta ecuanimidad paulina no la ha ganado por su propia virtud sino por el auxilio de Dios que lo ha sostenido siempre. La gratuidad del Evangelio fue mantenida en todo momento y nunca se valió Pablo para lucrar con él. Esto le da

EVANGELIO   Mateo 22:1–14

Lectura del santo Evangelio según san Mateo

En **aquel** tiempo, volvió **Jesús** a hablar en **parábolas**
    a los **sumos sacerdotes**
    y a los **ancianos** del pueblo, diciendo:
"El **Reino de los cielos** es **semejante** a un **rey**
    que preparó un **banquete de bodas** para **su hijo**.
Mandó a sus **criados** que **llamaran** a los **invitados**,
    pero **éstos no quisieron ir**.

Envió **de nuevo** a **otros criados** que les dijeran:
'**Tengo preparado** el **banquete**;
    he hecho **matar** mis **terneras** y los **otros animales gordos**;
        todo está **listo**.
Vengan a la **boda**'.
Pero los **invitados** no hicieron **caso**.
Uno se fue a su campo, **otro** a su negocio
    y **los demás** se les echaron **encima** a los **criados**,
        los **insultaron** y los **mataron**.

Entonces el **rey** se **llenó** de **cólera**
    y **mandó** sus **tropas**, que dieron **muerte** a **aquellos asesinos**
    y **prendieron fuego** a la **ciudad**.

Luego les dijo a sus **criados**:
'La **boda** está **preparada**; pero los que habían sido **invitados**
    no fueron **dignos**.
Salgan, pues, a los **cruces** de los **caminos**
    y **conviden** al **banquete de bodas** a **todos** los que **encuentren**'.
Los criados **salieron** a los **caminos**
    y **reunieron** a **todos** los que encontraron, **malos** y **buenos**,
    y la **sala** del banquete **se llenó** de **convidados**.

Diferencia entre la introducción y el relato de la parábola. Proclama con agilidad el primer párrafo, pero retrasa su frase final.

Recita estas tres líneas como si fueran acciones desarticuladas. Luego, en un solo impulso, une con el siguiente párrafo.

Eleva el tono y tu mirada al momento de la invitación universal.

---

al evangelizador una credibilidad tal que se convierte en su carta de presentación. Por su tradición farisea, Pablo se ha sustentado sin pedir dinero; los rabinos inculcaban que si alguien se dedicaba a enseñar la Torah debía vivir de un oficio para no volverla en objeto de lucro. Pablo ha trabajado con sus manos para mantenerse y nunca ha dependido de las comunidades. Este es su timbre de gloria. Ahora, impedido de trabajar por estar encadenado, se ha visto obligado a aceptar los dones de los filipenses. Esta obra buena, nacida del cariño por su evangelizador, es como una fragante ofrenda a los ojos

del Señor y redundará en toda clase de gracias celestiales para solventar cuanto ellos necesiten. No es una ofrenda vana sino una que se inscribe en la entrega recíproca que la comunidad cristiana patentiza ante Dios.

En la sociedad de consumo en la que vivimos todo se mira sometido a la comercialización y a la compraventa, incluidos los movimientos religiosos. En estas circunstancias, la responsabilidad por mantener la credibilidad de los evangelizadores descansa en la actitud de las comunidades. En este momento en que el camino sinodal va abriendo horizontes novedosos, cabe pre-

guntarse por nuestra corresponsabilidad en formar líderes eclesiásticos autárquicos. Pidamos al Espíritu de Dios que infunda fortaleza en su Iglesia para imitar la entrega apostólica de Pablo.

EVANGELIO | Jesús aparece frecuentemente participando en banquetes como el ofrecido en Caná, en la casa de Lázaro, Simón el leproso, en compañía de pecadores y publicanos y el ofrecido por él mismo en la Última Cena. Es que hay que ver también lo que está detrás de un banquete: la alegría y más en aquellos

Haz una breve pausa antes de las palabras del rey. Nota la sorpresa en la pregunta.

Cuando el rey **entró** a **saludar** a los **convidados**
   vio **entre ellos** a un **hombre que no iba vestido**
      con **traje de fiesta** y le **preguntó:**
'**Amigo**, ¿cómo has **entrado** aquí **sin traje de fiesta?'**
Aquel hombre se quedó **callado**.
Entonces el **rey** dijo a los **criados:**
'**Átenlo** de pies y manos y **arrójenlo fuera**, a las **tinieblas**.
Allí será el **llanto** y la **desesperación**.
Porque **muchos** son los **llamados** y **pocos** los **escogidos**'".

Forma breve: Mateo 22:1–10

tiempos que no había abundancia de comida para la media de la población. La comida es un momento de convivencia, de amistad, de alegría de fiesta. No en balde parecen los banquetes con frecuencia también en el Antiguo Testamento.

Jesús habla de la invitación de un rey a una fiesta con ocasión de las bodas de su hijo. Son invitados, se sobrentiende, las personalidades más importantes del reino. Extrañamente los invitados rechazan la invitación. Envía a otros servidores que volvieran a invitar a los mismos a la fiesta, en concreto al banquete que ofrecería el rey;

pero los invitados rechazaron la invitación, dando excusas a todas luces inverosímiles y con un tinte de desprecio. Lo más grave, algunos invitados llegan a maltratar y hasta a matar a algunos siervos. La reacción del rey: mata a los asesinos y destruye la ciudad.

En la segunda parte, el rey envía a los servidores a que inviten a toda clase de personas. Se sobreentiende que son los paganos los que están dispuestos a aceptar el anuncio del Reino. Jesús dice en la parábola que los siervos invitan a buenos y a malos, sin distinción. Dios invita a su reino a buenos y malos. Jesús convivía asi en sus comi-

das. Los siervos han invitado a todos, según lo mandado. No les pertenece a ellos juzgar quién es digno y quién no, sino al rey El rey sabe cuando alguien es indigno. Como en nuestra eucaristía, sólo Jesús sabe quién es digno, o no, de sentarse a su mesa. Participar en la eucaristía es una señal de participación en la caridad. Al don de la invitación del Señor a su Reino, hay que responder con una vida adecuada. El vestido del que se habla es necesario para participar en la totalidad del misterio de la Iglesia. Hay que ser coherentes con lo recibido.

XXIX DOMINGO ORDINARIO

El oráculo tiene una introducción muy solemne; eleva la voz al llegar a los dos puntos, para que se advierta que el contenido viene enseguida.

Dale fondo a tu voz; sácala desde el vientre en los repetidos "Yo" de este parágrafo. La aseveración es firme y serena.

I LECTURA   Isaías 45:1, 4–6

Lectura del libro del profeta Isaías

Así habló el **Señor** a **Ciro**, su **ungido**,
  a quien ha tomado **de la mano**
    para **someter ante él** a las naciones
  y **desbaratar** la **potencia** de los **reyes**,
  para **abrir ante** él los portones
  y que no quede **nada cerrado**:
"Por amor a **Jacob**, mi **siervo**, y a **Israel**, mi **escogido**,
  te llamé por tu nombre y **te di** un título de **honor**,
    aunque **tú no me conocieras**.
Yo soy el Señor y **no hay** otro;
  fuera de mí no hay Dios.
Te hago **poderoso**, aunque **tú no me conoces**,
  para que **todos** sepan, de **oriente a occidente**,
  que **no hay** otro Dios **fuera de mí**.
Yo soy el Señor y **no hay otro**".

I LECTURA El autor de los capítulos 40–55 es un gran profeta, posterior al profeta Isaías del que son los capítulos 1–39. Este profeta vivió entre los desnortados en Babilonia y acompañó al pueblo en plena dependencia de Dios. Experimentó la carrera victoriosa de Ciro y captó las consecuencias para los israelitas desterrados.

Este profeta es llamado por Dios a ser su voz (40:1–11) y su profecía es una ayuda para que el pueblo comprenda lo que está sucediendo y reconozca la mano divina en todo esto. Dios intervendrá de nuevo en los

acontecimientos sociopolíticos de entonces. La lectura que escuchamos es un oráculo de entronización. Dios ha dado un encargo al pagano Ciro. El pueblo debe saber leer los acontecimientos. Dios ha dado un encargo a Ciro, que resultará en el regreso de los desterrados a su tierra. Es algo nunca visto, pero real: Dios ha encomendado a un rey pagano una misión que favorecerá a Israel. Es cierto, Ciro ha sujetado a muchos pueblos, mas el sentido último y profundo de lo hecho por Ciro, al mismo Ciro le es desconocido. Al aspirar al poder, Ciro ha obrado y, a lo mejor, pensaba que su o sus dioses lo empujaban

a ello. Pero su acción traerá como resultado que el pueblo de Israel conquiste su libertad y salvación (v. 4).

El profeta afirma la superioridad absoluta del Dios de Israel. A este Dios le pertenece el dominio de la historia. Esto es una afirmación fundamental del profeta. Los desterrados deben obedecer y prepararse a seguir la voluntad del Señor, que ahora, por causas segundas, está invitando a los desterrados a volver a su tierra (v. 6).

II LECTURA Tesalónica era una ciudad muy dinámica gracias a su

Para meditar

SALMO RESPONSORIAL Salmo 95:1 y 3, 4–5, 7–8, 9–10a y c

R. Aclamen la gloria y el poder del Señor.

Canten al Señor un cántico nuevo, canten
al Señor, toda la tierra. Cuenten a los
pueblos su gloria, sus maravillas a todas
las naciones. **R.**

Porque es grande el Señor, y muy digno de
alabanza, más temible que todos los
dioses. Pues los dioses de los gentiles
son apariencia, mientras que el Señor ha
hecho el cielo. **R.**

Familias de los pueblos, aclamen al Señor,
aclamen la gloria y el poder del Señor,
aclamen la gloria del nombre del Señor,
entren en sus atrios trayéndole ofrendas.
R.

Póstrense ante el Señor en el atrio sagrado,
tiemble en su presencia la tierra toda.
Digan a los pueblos: "el Señor es rey", él
gobierna a los pueblos rectamente. **R.**

II LECTURA   1 Tesalonicenses 1:1–5ab

**Lectura de la primera carta del apóstol san Pablo
a los tesalonicenses**

Es la apertura de la carta. Vocaliza los
tres nombres que la envían y las formas
verbales que los incluyen, en primera
persona de plural.

Pablo, Silvano y **Timoteo**
    deseamos la **gracia** y la **paz** a la comunidad **cristiana**
        de los **tesalonicenses**,
    congregada por **Dios Padre** y por **Jesucristo**, el **Señor**.

En **todo** momento **damos gracias** a Dios por **ustedes**
    y los tenemos **presentes** en **nuestras oraciones**.
Ante **Dios**, nuestro **Padre**,
    recordamos **sin cesar** las obras que **manifiestan** la fe de **ustedes**,
    los **trabajos fatigosos** que ha emprendido su **amor**
    y la **perseverancia** que les da su **esperanza**
        en **Jesucristo**, nuestro **Señor**.

Dale un matiz de calidez y de intimidad a
estas líneas. Hazlas sonar desde el corazón.

Nunca perdemos de vista, **hermanos muy amados** de **Dios**,
    que **él** es quien los ha **elegido**.
En efecto, nuestra **predicación** del Evangelio entre **ustedes**
    no se llevó a cabo **sólo** con **palabras**,
    sino **también** con la **fuerza** del Espíritu Santo,
    que produjo en ustedes **abundantes** frutos.

puerto y a la gran calzada que la cruzaba
uniendo a Oriente con Occidente hasta llegar a Roma. En Tesalónica tenía su asiento
la autoridad proconsular, pues era también
la capital de la provincia de Macedonia.
Albergaba, además, santuarios de los dioses
más populares del heterogéneo panteón
griego tales como Dionisio, Isis y Serapis,
pero la religiosidad se volcaba en los Kabiros
que eran las divinidades protectoras de la
ciudad. Allí Pablo logró dejar una comunidad
cristiana incipiente, pero sin los cimientos
sólidos que una prolongada catequesis
debía ir fraguando, porque debió dejar el

lugar para salvar su vida. Timoteo, estrecho
colaborador de Pablo, le trajo noticias de
aquellos cristianos que han conseguido ir
afianzando su fe, pero que se ven sobrepa-
sados por cuestiones que los angustian,
además de que comienzan a ser presa de
predicadores itinerantes que se aprovechan
de sus bienes.

Como otras cartas paulinas, en la sección inicial encontramos los datos referentes a los involucrados en la comunicación y
una acción de gracias trenzada con una eulogía que nos deja ver algunos de los rasgos

de esta comunidad cristiana, forjada con
pagano-cristianos, mayoritariamente.

Las líneas iniciales dejan ver lo que
deben ser los pilares de toda comunidad cristiana: la fe, la esperanza y la caridad, que vinieron a ser las virtudes teologales; es decir,
aquéllas que nos unen a Dios y a los demás.
Si bien son dones de Dios, porque en él tienen su origen, es corresponsabilidad nuestra
cultivarlas y ejercitarlas para que logren su
cometido: conducirnos a su Fuente. Miremos
de nuevo esta cartita del equipo apostólico
para descubrir los frutos que nuestros ances-
tros en la fe ya produjeron, y emularlos.

EVANGELIO   Mateo 22:15–21

Lectura del santo Evangelio según san Mateo

En **aquel** tiempo,
   se reunieron los **fariseos** para ver la manera de **hacer caer**
      a **Jesús**,
   con **preguntas insidiosas**, en algo de que pudieran **acusarlo**.

Le **enviaron**, pues, a **algunos** de sus **secuaces**,
   junto con **algunos** del partido de **Herodes**, para que le dijeran:
"**Maestro**, sabemos que eres **sincero** y enseñas con **verdad**
      el **camino de Dios**,
   y que **nada** te arredra, porque **no buscas** el favor de **nadie**.
Dinos, pues, **qué** piensas:
¿Es **lícito** o no **pagar** el **tributo al César**?"

Conociendo **Jesús** la **malicia** de sus intenciones, les **contestó**:
"**Hipócritas**, ¿por qué **tratan** de **sorprenderme**?
Enséñenme la moneda del **tributo**".
Ellos le presentaron una **moneda**.
Jesús les **preguntó**:
"¿De **quién** es **esta imagen** y **esta inscripción**?"
Le respondieron: "**Del César**".
Y **Jesús concluyó**:
"**Den**, pues, **al César** lo que es **del César**,
   y **a Dios** lo que **es de Dios**".

El inicio es un tanto impersonal, pero luego cobra un giro cada vez más agresivo. Tu voz debe registrar el tono insidioso de lo que se describe.

Alarga la pausa y dale fuerza a la imprecación que no mayor volumen. Hay cierta rabia en la reprimenda de Jesús que va a contracar. La conclusión pronúnciala deliberadamente para que se inscriba en la memoria de los oyentes.

EVANGELIO Esta lectura del evangelio forma parte de un conjunto de cuatro controversias, cuyo tema subyacente es el contraste entre Jesús y los jefes religiosos de entonces.

Con esta primera controversia intentan las autoridades religiosas desacreditar a Jesús ante el pueblo. Con la pregunta sobre el valor del impuesto quieren comprometer a Jesús ante las autoridades romanas y, al mismo tiempo, desprestigiarlo ante el pueblo.

Roma, la potencia ocupante de Palestina, exigía a los judíos un impuesto. Ante eso había posturas divergentes entre la población. Por ejemplo, para los herodianos no constituía ningún problema. Los zelotas no lo aceptaban. Los fariseos lo pagaban sin estar de acuerdo. Los fariseos y herodianos envían una delegación para pedir a Jesús su opinión al respecto. Cualquiera que sea la respuesta de Jesús, quedará mal. La forma de preguntar es falsa y melosa, pero Jesús es un hombre franco y recto. Jesús pide que le muestren una moneda y cambia el problema del plano ideológico al práctico. La moneda con la efigie de Roma mesura claramente que los judíos son súbditos de Roma y aceptan con esto dar su contribución a Roma. Por esto la primera parte de su respuesta se justifica: "Den, pues, al César lo que es del César". La segunda parte no está en contraste con dar a Dios lo que se le debe dar: adoración y obediencia. Sólo que aquí debería traducirse no con la conjunción ilativa "y", sino con la adversativa "pero o mas", señalando la distancia entre el emperador de Roma y Dios. El estado tiene un sentido, pero el valor absoluto es Dios y ningún poder humano puede adjudicarse este poder.

XXX DOMINGO ORDINARIO

I LECTURA   Éxodo 22:20–26

Lectura del libro del Éxodo

Esto dice el **Señor** a su **pueblo**:
"**No hagas** sufrir **ni oprimas** al **extranjero**,
    porque **ustedes** fueron extranjeros en **Egipto**.
No explotes a las **viudas** ni a los **huérfanos**,
    porque si los **explotas** y ellos **claman** a mí,
    ciertamente oiré yo su **clamor**;
    mi ira se **encenderá**, te **mataré** a espada,
    tus **mujeres** quedarán **viudas** y tus **hijos, huérfanos**.

Cuando **prestes dinero** a uno de mi **pueblo**,
    al **pobre** que está **contigo**,
    no te portes con él como **usurero**, cargándole **intereses**.

Si **tomas** en prenda el **manto** de tu **prójimo**,
    devuélveselo **antes** de que **se ponga el sol**,
    porque no tiene otra cosa con qué **cubrirse**;
    su **manto** es su **único** cobertor
    y **si no** se lo devuelves, ¿**cómo** va a **dormir**?
Cuando él **clame** a mí, **yo** lo escucharé,
    porque soy **misericordioso**".

Estos preceptos resuenan particularmente con la asamblea. No avances con mucha velocidad; modera tu paso en cada asunto marcado en los parágrafos.

Haz contacto visual con la asamblea cuando pronuncies "al pobre...".
Sé categórico en los "no".

I LECTURA La primera lectura es parte del "Libro de la Alianza" (Éxodo 20:22—23:33), que con el tiempo vino a formar parte de la tradición del Sinaí. En este libro hay una legislación antigua que se ocupa, sobre todo, de legislar la vida social del pueblo.

Con los siglos, los hebreos pasaron de una vida nómada a una sedentaria y la legislación de alguna forma tenía que adaptarse a la nueva forma de vivir. El individuo no podía contar con el apoyo del clan. El trío extranjeros, viudas y huérfanos eran los más desamparados, de ahí que se dieran normas para intentar socorrerlos. Los versos 20–23 abarca dicho tema.

Los extranjeros habían abandonado su país; en Israel no podían tener posesiones y sus derechos fundamentales no se tenían en cuenta. Las viudas y huérfanos, al faltar el esposo y el padre, eran abandonados Ante esa terna de indigentes, la ley invoca a Dios como su protector. Las pocas ayudas como podían ser los préstamos y empeños eran rechazadas en la práctica. Dios era su única defensa y amenaza intervenir contra los que violen estos derechos mínimos. Contra esta injusticia son invocadas las dos cualidades con las que intervendrá Dios: su ira y misericordia. Parecen dos sentimientos o cualidades opuestas, pero no es así. Aquí significan la intervención de Dios en defensa de estas personas. Hay una experiencia de la cual es consciente todo el pueblo: Dios intervino en favor de los hebreos cuando estaban oprimidos en Egipto. Ahora los israelitas son invitados, por ley, a imitar esta forma de ayuda de Dios, ejerciéndola con los oprimidos.

II LECTURA En la lectura continua de nuestra liturgia encontra-

Para meditar

SALMO RESPONSORIAL　Salmo 17:2–3a, 3bc–4, 47 y 51ab

R. Yo te amo, Señor, tú eres mi fortaleza.

Yo te amo, Señor, tú eres mi fortaleza, Señor, mi roca, mi alcázar, mi libertador. **R.**

Dios mío, peña mía, refugio mío, escudo mío, mi fuerza salvadora, mi baluarte. Invoco al Señor de mi alabanza y quedo libre de mis enemigos. **R.**

Viva el Señor, bendita sea mi Roca, sea ensalzado mi Dios y Salvador. Tú diste gran victoria a tu rey, tuviste misericordia de tu ungido. **R.**

II LECTURA　　1 Tesalonicenses 1:5c–10

**Lectura de la primera carta del apóstol san Pablo
a los tesalonicenses**

Hermanos:
Bien saben **cómo** hemos actuado entre **ustedes** para su **bien**.
Ustedes, por su parte, se hicieron **imitadores** nuestros
　　　y del **Señor**,
　　pues en medio de **muchas tribulaciones**
　　y con la **alegría** que da el **Espíritu Santo**,
　　han aceptado la palabra de Dios **en tal forma**,
　　que han llegado a ser **ejemplo** para **todos** los creyentes
　　　de **Macedonia** y **Acaya**,
　　porque **de ustedes** partió y se ha **difundido**
　　　la **palabra** del **Señor**:
　y su **fe en Dios** ha llegado a ser **conocida**,
　　no sólo en **Macedonia** y **Acaya**, sino en **todas** partes;
　de **tal manera**, que nosotros
　　　ya no teníamos necesidad de decir **nada**.

Dale calidez a este testimonio de la comunidad que ha sido fiel al Evangelio. Marca los "ustedes" con rocura que cada afirmación sea cálida y llena de confianza.

Eleva tu mirada sobre la asamblea, como recorriendo la sala, para enfatizar el "en todas partes".

mos la prolongación de la eulogía en favor de los cristianos de Tesalónica, que sirve también para granjearse la buena voluntad de los lectores. Por las entusiastas frases de la carta, adivinamos que Timoteo, quien ha llevado hasta Corinto noticias de Macedonia, le ha contado buenas cosas de aquella comunidad. Aquí está la constancia.

Entre otras cosas positivas, resalta la ferviente y cálida acogida que los tesalonicenses le han dado al Evangelio. El equipo de evangelizadores —Silvano, Timoteo y Pablo— lo han visto y constatado. No ha sido palabra humana meramente lo que ellos han acogido, sino palabra de Dios, capaz de transformarles la vida. Es sustancial que el humano abra oído y corazón a esa palabra que escucha de labios humanos, para que ulteriormente logré percibir en ella la fuerza del Espíritu de Dios que es el que impulsa el cambio de vida. Los creyentes de Tesalónica han dejado atrás los ídolos, para iniciarse en una vida diferente; ahora tienen puesta su esperanza en la venida del Señor Jesús. En esta espera anhelante se sostienen con la fuerza del Espíritu divino que sigue obrando prodigios entre ellos.

La hospitalidad que le han brindado al equipo evangelizador ha sido objeto de conversación en otros círculos de cristianos, de modo que los tesalonicenses se han convertido en un ejemplo que acicatea la conducta de otros creyentes. Se trata de un estímulo más, para que no flaqueen en la verdad que han acogido, con la gracia de Dios.

Cuando Pablo menciona el servicio a Dios, puede adivinarse una velada alusión a la liturgia cristiana en contraste con el abandono a los ídolos, que constituye la conversión de los tesalonicenses. El contexto literario de servir a Dios implica la memo-

Porque **ellos mismos** cuentan de **qué** manera **tan favorable**
    nos acogieron **ustedes**
y cómo, **abandonando** los ídolos,
se convirtieron al Dios **vivo** y **verdadero** para **servirlo**,
esperando que venga desde el cielo su Hijo, **Jesús**,
a quien él **resucitó** de entre los **muertos**,
y es quien **nos libra** del castigo venidero.

EVANGELIO   Mateo 22:34–40

Lectura del santo Evangelio según san Mateo

En **aquel** tiempo, habiéndose enterado los **fariseos**
    de que **Jesús** había dejado **callados** a los **saduceos**,
    se acercaron a él.
Uno de ellos, que era **doctor de la ley**,
    le preguntó para **ponerlo a prueba**:
"Maestro, ¿**cuál** es el mandamiento **más grande** de la **ley**?"

Jesús le respondió:
"**Amarás al Señor**, tu Dios, con **todo tu corazón**,
    con **toda tu alma** y con **toda tu mente**.
Éste es el **más grande** y el **primero** de los mandamientos.
Y el segundo es **semejante** a éste:
Amarás a tu **prójimo** como a **ti mismo**.
En estos **dos mandamientos** se fundan **toda la ley** y los **profetas**".

Prepara la salida del texto pero no bajes el tono de tu voz; más bien sosténlo y elévalo para la línea final.

Los dos parágrafos ensamblan bien el episodio: pregunta y respuesta. Eleva el tono en la interrogación y deja alargar la pausa como para crear una expectativa.

Como aislando esta línea, créale un silencio al final. Luego arranca con "Y el segundo...", como si se tratara de una idea repentina.

---

ria de la venida de Cristo Jesús, como se guarda hasta hoy en la narrativa eucarística, en la que clamamos por esa venida. Esta lectura nos solicita renovar esa esperanza.

EVANGELIO Jesús había sido cuestionado sobre el deber de pagar impuestos y ya había respondido también a los saduceos sobre el asunto de la resurrección. Ahora, reunidos, fariseos y saduceos le preguntan a Jesús sobre cuál es el mandamiento más grande de la Ley. El evangelista dice que esta pregunta es insidiosa.

La cuestión, en realidad, era discutida entre los entendidos en la Ley y también se hablaba de esto entre la gente piadosa. En efecto, en el Pentateuco hay 613 prescripciones. De ellas, 248 son mandatos positivos, que algunos decían que correspondían al número de los huesos del cuerpo humano; las restantes 365 prohibiciones corresponderían, según algunos, al número de días del año. Había varias respuestas sobre si no habría una jerarquía u ordenación entre tantos mandatos.

Jesús responde citando a Deuteronomio 6:5: "Amarás al Señor, tu Dios, con todo el corazón, con toda tu alma y con toda tu mente". Estas tres partes forman las energías del hombre. Estas palabras son recitadas por el israelita tres veces al día. Al responder así, Jesús recuerda que en el corazón del hombre Dios tiene el primado. Además, afirma que el amor a Dios va unido al amor del prójimo. Cita a Levítico 19:18. Algunos rabinos entenderán que este prójimo es un judío. Otros rabinos, decían que este prójimo era sólo el judío que observaba los mandamientos. En la práctica, este prójimo se reserva al connacional. Jesús interpreta *prójimo* como ser humano.

TODOS LOS SANTOS

Proclama las acciones con auténtico sentido dramático. No exageres, pero no dejes dominar el tono llano. Imagina con colores y movimientos lo que estás anunciando.

I LECTURA   Apocalipsis 7:2–4, 9–14

Lectura del libro del Apocalipsis del apóstol san Juan

Yo, Juan, vi a un **ángel** que **venía** del oriente.
Traía consigo el **sello** del **Dios vivo**
   y gritaba con voz **poderosa**
      a los **cuatro ángeles** encargados de hacer daño
      a la tierra y al mar.
Les dijo: "¡**No hagan daño** a la tierra, ni al **mar**, ni a los **árboles**,
   hasta que terminemos de **marcar** con el **sello**
   la frente de los **servidores** de nuestro **Dios**!"
Y pude oír el **número** de los que habían sido **marcados**:
   eran ciento **cuarenta** y **cuatro mil**,
   procedentes de **todas** las **tribus** de Israel.

Es el resultado. Haz contacto visual con la asamblea al pronunciar el número; allí están los contados también.

Vi luego una **muchedumbre** tan grande,
   que **nadie** podía contarla.
Eran individuos de **todas** las **naciones** y **razas**,
   de **todos los pueblos y lenguas**.
Todos estaban **de pie**, delante del **trono** y del **Cordero**;
   iban **vestidos** con una túnica **blanca**;
   llevaban **palmas** en las **manos** y **exclamaban**
      con voz poderosa:
"La **salvación** viene de nuestro **Dios**,
que está **sentado** en el **trono**, y del **Cordero**".

Sube un poco el tono para esta proclama polifónica del Evangelio.

I LECTURA En esta fiesta la Iglesia en su liturgia privilegia en su primera lectura textos que tengan que ver con la apocalíptica. La parte escogida hoy, está tomada del Apocalipsis de san Juan.

Juan en su segundo cuadro, ofrece dos secciones: 1–8 y 9–17. Hay tres fases. En la primera, aparecen cuatro ángeles que detienen los vientos; en la segunda, un ángel detiene el viento destructor; en la tercera, se habla de la colocación del sello.

Imaginaban que la tierra era rectangular. Los cuatro ángeles tienen una relación con la naturaleza. Detienen a los vientos

para que no destruyan otras fuerzas naturales que acabarían con la tierra. Desde luego, Dios está detrás de los ángeles. Este suspenso es necesario para que la Iglesia tenga tiempo de cumplir su misión. Se habla de una muchedumbre que son las doce tribus que recién han recibido en la frente el sello de los servidores del Dios viviente.

Después hay algo distinto, que se corrobora con la oposición entre los 144 000 y la multitud indeterminada. Se trata del pueblo de Dios, visto desde su plenitud escatológica. Hay pluralidad y unidad. La salvación está dirigida a todo ser humano. Las distinciones completan, no separan. Es el pueblo de Dios escatológica. Esa multitud está ante Dios, lo que es permitido por la resurrección. Es lo que hoy celebra la Iglesia.

Juan sobrepone dos visiones de la misma realidad: la Iglesia actual, ya han vencido al mal. Aparece también la iglesia como cumplimiento de la salvación del mundo entero. Estas dos imágenes se sobreponen, elaborado una eclesiología completa. Esta Iglesia celestial celebra la nueva fiesta de los Tabernáculos, la fiesta de la gran recolección de los frutos, al final de los tiempos.

Nota el crescendo en la alabanza. No aminores la velocidad, sino hasta llegar al discurso; paúsala, conforme a la puntuación.

Y todos los **ángeles** que estaban alrededor del **trono**,
de los **ancianos** y de los **cuatro** seres **vivientes**,
cayeron rostro en tierra delante del trono
y **adoraron** a **Dios**, diciendo:
"**Amén**. La alabanza, la gloria, la sabiduría,
la acción de gracias, el **honor**, el poder y la **fuerza**,
se le **deben** para **siempre** a nuestro **Dios**".

Entonces uno de los ancianos me preguntó:
"¿**Quiénes** son y de **dónde** han venido
los que llevan la **túnica blanca**?"
Yo le respondí:
"**Señor** mío, **tú** eres quien lo **sabe**".
Entonces él me **dijo**:
"Son los que han **pasado** por la gran **persecución**
y han **lavado y blanqueado** su **túnica**
con la sangre del **Cordero**".

Es genuina la respuesta del vidente. La voz del anciano debe sonar vigorosa, como un testimonio ante la creación entera.

Para meditar

SALMO RESPONSORIAL   Salmo 23:1–2, 3–4a, 5–6
R. Ésta es la clase de hombres que te buscan, Señor.

Del Señor es la tierra y cuanto la llena,
el orbe y todos sus habitantes:
Él la fundó sobre los mares,
él la afianzó sobre los ríos. **R.**

¿Quién puede subir al monte del Señor?
¿Quién puede estar en el recinto sacro?
El hombre de manos inocentes
y puro de corazón, que no confía
en los ídolos. **R.**

Ése recibirá la bendición del Señor,
le hará justicia el Dios de salvación.
Éste es el grupo que busca al Señor,
que viene a tu presencia, Dios de
Jacob. **R.**

La gran postración es un rito de la antigua liturgia judía (ver Sirácida 50:17–21). Todos los ángeles, los presbíteros y vivientes caen en adoración ante Dios. Han intervenido todos ellos también en el desarrollo de la victoria que concluye con la salvación de la multitud universal. Adoran a Dios con actos y palabras.

La Iglesia hoy celebra en este día a esos hermanos nuestros que ya alcanzaron la gloria y adoran a Dios y al Cordero por la eternidad. Y, algo importante, es hacia esa gloria a donde los cristianos y los hombres de buena fe caminamos.

II LECTURA De las tres cartas atribuidas a Juan recogidas en el Nuevo Testamento, la primera es la más amplia y tiene más trazos de exposición teológica que de carta en sí. En ella encontramos temas neurálgicos de la identidad cristiana, que se veía amenazada seriamente por las enseñanzas defectuosas y torcidas de ciertos maestros cristianos, disidentes, que se apartaban de la tradición del Evangelio. En la lectura de hoy, escuchamos un ingrediente central de la identidad de creyente pero que tiene una impronta escatológica; lo que ya somos y lo que nos

aguarda en la venida gloriosa del Señor cuando la luz de la verdad dejará ver lo que cada quién es.

La identidad cristiana consiste en la filiación divina. El tener por padre a Dios no consiste en un certificado o en un blasón que haga valer privilegios en la sociedad, como solía ser el caso de las familias nobles, gobernantes y militares connotados. Para validarse, las autoridades se hacían llamar "hijos de" alguna divinidad. En Éfeso y el Oriente esto era común. El autor de la carta apela a la dignidad inigualable que los creyentes reciben, por pura gracia, con la fe

El exhorto es paternal y en tono de convencimiento, no de reprimenda. El desarrollo del pensamiento es como en espiral, por lo que exige que atiendas a lo nuevo de cada oración para enfatizarlo. Apóyate en las negrillas.

II LECTURA   1 Juan 3:1–3

Lectura de la primera carta del apóstol san Juan

Queridos hijos:
Miren cuánto **amor** nos ha tenido el **Padre**,
    pues no sólo nos **llamamos** hijos de **Dios**, sino que lo **somos**.
Si el **mundo** no nos reconoce,
    es porque **tampoco** lo ha **reconocido** a él.

Hermanos **míos**,
    ahora **somos hijos** de Dios,
    pero aún **no** se ha **manifestado** cómo seremos al fin.
Y ya sabemos que, cuando él se **manifieste**,
    vamos a ser **semejantes** a él,
    porque lo **veremos** tal cual es.

Todo el que tenga **puesta** en Dios esta **esperanza**,
    se **purifica** a sí **mismo** para ser tan puro como **él**.

La introducción parece impersonal, pero va ganando en enfoque. Alarga la palabra "discípulos" para que la asamblea lo note.

EVANGELIO   Mateo 5:1–12a

Lectura del santo Evangelio según san Mateo

En aquel tiempo,
    cuando Jesús vio a la **muchedumbre**,
    subió al monte y se sentó.
Entonces se le acercaron sus **discípulos**.
Enseguida comenzó a **enseñarles**, hablándoles así:

Es como una recitación poética pero vigorosa. Debes pronunciar distintamente la prótasis de cada oración y su "porque..." correspondiente; van de a par.

"**Dichosos** los pobres de **espíritu**,
    porque de ellos es el **Reino** de los **cielos**.
Dichosos los que **lloran**,
    porque serán **consolados**.

bautismal. Esta identidad se nota, lo repite el autor a lo largo de su escrito, en el amor que impregna toda la vida y quehacer del creyente. Esto, sin embargo, no es reconocible por el mundo; es decir, la humanidad que no acepta a Cristo Jesús venido y resucitado en carne. Él es la manifestación primera del amor de Dios, que debe dejarnos admirados y convencidos, pero viene todavía su segunda manifestación, la gloriosa, y para ella hemos de mantener la fe firme y purificarnos.

Al celebrar a los santos reconocemos a cristianos que han manifestado su filiación divina de la mejor manera: amando con el amor de Dios. Ellos interceden por nosotros y han andado ya el camino de Cristo que cada uno de nosotros está recorriendo.

EVANGELIO El sermón de la montaña empieza con esta bella proclamación que llamamos "Las bienaventuranzas". Como Moisés, Jesús sube a la montaña y se sienta a enseñar a sus seguidores. Los discípulos lo rodean para escuchar su enseñanza. Con este discurso empieza la serie de cinco con los que el evangelista dio la armazón a su evangelio.

El término "Dichosos" o "Bienaventurados" que abre cada proclama no es la constatación de una cualidad, sino más bien se refiere a una promesa ofrecida por Jesús a los que siguen su manera de ser.

El pobre de espíritu es el mendicante, el que no tiene nada, Su indigencia radical lo lleva a poner su esperanza sólo en el Señor. Ya ahora empieza el cumplimiento del reino en él, y su plena realización está en un futuro. La segunda bienaventuranza es para los afligidos en la línea de que hablaba Isaías. Es el discípulo que sufre por sus propios pecados. Dios lo consolará. La

Dichosos los **sufridos**,
   porque **heredarán** la **tierra**.
Dichosos los que tienen **hambre** y **sed** de **justicia**,
   porque serán **saciados**.
Dichosos los **misericordiosos**,
   porque **obtendrán misericordia**.
Dichosos los **limpios** de **corazón**,
   porque **verán** a Dios.
Dichosos los que **trabajan** por la **paz**,
   porque se les **llamará** hijos de **Dios**.
Dichosos los **perseguidos** por causa de la **justicia**,
   porque de ellos es el **Reino** de los **cielos**.
Dichosos serán ustedes, cuando los **injurien**,
   los **persigan** y **digan** cosas falsas de ustedes **por** causa **mía**.
Alégrense y salten de contento,
   porque su **premio** será **grande** en los **cielos**".

Conviene mirar a la asamblea en esta parte, como reconociendo la fidelidad a su fe cristiana en medio de las adversidades.

tercera bienaventuranza se refiere al manso, sereno. El que no reacciona con violencia. Su premio es la posesión de la tierra; es decir, la salvación. La cuarta bienaventuranza va dirigida a los que tienen hambre y sed de justicia; o sea, el que respeta las leyes de Dios y vive conforme a éstas. Su premio será la participación en el banquete mesiánico. La quinta bienaventuranza es para los misericordiosos. La misericordia es una característica de Dios en el Sinaí. El hombre es radical mente pecador y su única esperanza para salir del pecado es la misericordia divina. La sexta bienaventuranza se dirige a los puros de corazón. El corazón es la sede de los sentimientos, deseos y pensamientos. Se refiere al que es sincero en su conducta, el que en su obrar es transparente ante Dios y los hombres. Su recompensa es ser semejante a Dios. La octava bienaventuranza está comentada por la novena. Se refiere a los perseguidos por la justicia. No alude a cualidades del hombre, sino al que recibe un maltrato por ser justo.

Si nos fijamos bien, no se trata de varios hombres con distintas virtudes o cualidades sino del mismo discípulo de Jesús, que se debe caracterizar por estas virtudes que, en el fondo, imitan a Jesús que así se comportó entre nosotros. La salvación y nuestro comportamiento es para el día de hoy, porque sólo asi se hará realidad en el mañana de Dios.

TODOS LOS FIELES DIFUNTOS

El poeta adopta figuras fuertes. Busca alargar las frases de "láminas de bronce", "punzón de hierro" y luego "roca para siempre".

Esto es prolongación de lo previo. Con firmeza y convicción pronuncia los referentes de la primera persona de singular.

PRIMERA LECTURA   Job 19:1, 23–27a

Lectura del libro de Job

En aquellos días, Job tomó la palabra y dijo:
    "Ojalá que mis palabras **se escribieran**;
    ojalá que se grabaran en **láminas de bronce**
    o **con punzón de hierro** se esculpieran
    en la roca **para siempre**.

Yo sé bien que **mi defensor** está vivo
    y que al final se levantará **a favor de humillado**;
    de nuevo **me revestiré** de mi piel
    y con mi carne **veré a mi Dios**;
    yo mismo **lo veré** y no otro,
    mis propios ojos **lo contemplarán**.
Esta es **la firme esperanza** que tengo".

Se puede usar estas u otras lecturas tomadas de las Misas de Difuntos.

SALMO RESPONSORIAL   Salmo 25 (24):6–7bc, 17–18, 20–21

R. A ti, Señor, levanto mi alma.

O bien:
R. Cuantos en ti viven confiados,
no serán confundidos.

Recuerda, Señor, que tu ternura
    y tu misericordia son eternas;
    acuérdate de mí con misericordia,
        por tu bondad, Señor. **R.**

Ensancha mi corazón oprimido
    y sácame de mis tribulaciones.
Mira mis trabajos y mis penas
    y perdona todos mis pecados. **R.**

Guarda mi vida y líbrame, no quede yo
    defraudado de haber acudido a ti.
La inocencia y la rectitud me protegerán,
    porque espero en ti. **R.**

I LECTURA   En ese día dedicado a conmemorar a los fieles difuntos, es muy apropiado leer estas líneas de la respuesta que da Job a Bildad, uno de sus amigos que fueron a consolarlo por su desgracia.

La acusación fundamental de los amigos a Job era que éste había ofendido gravemente a Dios y por esto le habían venido todas esas desgracias. Esto lo habían defendido con una variedad de discursos extraídos de su teología tradicional: Dios es juez y debe castigar al que es injusto o pecador. En su respuesta, o respuestas, Job ha nega-do una y otra vez esta imagen de Dios que comparten todos sus contemporáneos; Dios no es una máquina que automáticamente castigue el pecado. Job, por otro lado, ha descrito su actuar y con sinceridad ha expuesto a sus tres amigos sus razones para quitar esa falsa imagen de Dios. Job siente en lo más profundo de su mente, que Dios es ante todo misericordia, que en él todo hombre encuentra consuelo y ayuda, pero sobre todo justicia. Este es el Dios que Job acepta. El Dios defendido por sus amigos es una caricatura.

Confiesa a su amigo Bildad su firme esperanza: Dios es el viviente. Job tiene la plena esperanza de que él contemplará con sus ojos a Dios. La Vulgata latina tradujo este texto como una confesión de fe en la futura resurrección. Esta creencia no está de acuerdo con el tiempo en que se escribió este libro de Job, no existía todavía la certeza de la resurrección. Job la anhela y la espera. Por esto, el texto leído a la luz de la revelación nos afirma que nuestros fieles difuntos ven y están en compañía de Dios.

SEGUNDA LECTURA   Filipenses 3:20–21

Lectura de la carta del apóstol san Pablo a los filipenses

Hermanos:

Nosotros **somos ciudadanos** del cielo,
    de donde esperamos que **venga nuestro Salvador**, Jesucristo.
Él transformará **nuestro cuerpo** miserable
    en un **cuerpo glorioso**, semejante al suyo,
    en virtud del poder que tiene para **someter a su dominio** todas
        las cosas.

Breve pero poderosa, esta lectura anuncia la obra de Cristo Jesús. Anuncia con energía y seguridad esta verdad que los cristianos compartimos.

EVANGELIO   Marcos 15:33–39; 16:1–6

Lectura del santo Evangelio según san Marcos

Al llegar el mediodía,
    toda aquella tierra **se quedó en tinieblas** hasta las tres
        de la tarde.
Y a las tres, Jesús **gritó con voz** potente
    Eloí. Eloí, ¿lemá sabactaní?
    (que significa: Dios mío, Dios mío,
    ¿por qué me has abandonado?).
Algunos de los presentes, al oírlo decían:
    "Miren, **está llamando** a Elías".
Uno corrió a empapar una esponja en vinagre,
    la sujetó a un carrizo
    y se la acercó **para que la bebiera**, diciendo:
    "Vamos a ver **si viene Elías** a bajarlo".
Pero Jesús, dando un fuerte grito, **expiró.**

El dramatismo y el contenido del relato exigen proclamarlo con mucha reverencia. No trivialices ni una de sus líneas.

Détente tras la primera oración, como impactado por lo narrado.

II LECTURA   Los cristianos de Filipos formaban una comunidad muy entrañable para Pablo. En esta parte de su carta, el Apóstol ha estado recomendándoles una serie de actitudes y conductas genuinamente cristianas. Les ha recordado que ellos han dejado atrás un modo de ser, cuando vivían dominados por los ídolos y sus usos inmorales, y que se han convertido a Cristo Jesús. Ellos han cambiado su horizonte de vida, por lo que deben tener siempre a la vista su nueva condición y lanzarse a vivir los valores del Evangelio recibido. Estos valores brotan de la muerte y resurrección del Señor. Ahora, la existencia terrenal de los filipenses está rodeada de obstáculos, pero no pueden claudicar en su vocación bautismal, porque incluso su misma corporeidad participa ya de esa llamada original que es trascendente. De esto trata la lectura que hemos escuchado.

Cuando Pablo habla de la ciudadanía celeste anuncia la venida del Señor Jesús desde el cielo, precisamente, porque esa ciudadanía la ha conquistado Cristo para nosotros, sus seguidores. Es una ciudadanía que nos pertenece ya, y de la que hemos recibido prenda en el bautismo, aunque aguardamos su plenitud; estará completa cuando nuestro Redentor venga de cuenta nueva. Su venida será transformadora.

Pablo contrapone dos términos para expresar la transformación que traerá la venida del Señor. Ahora tenemos un "cuerpo miserable" o de humillación, al que el Señor cambiará en un "cuerpo glorioso". Nuestro modo de existir terrestre, entonces, será mutado en uno inimaginable. Cristo mismo nos hará partícipes de su gloria plena. Esto aguardamos por el poder que de Dios ya ha recibido.

La meta gloriosa de nuestra vida es la motivación para sobreponernos a cualquier

Aísla un tanto la primera línea de este párrafo. Luego, eleva la voz a las palabras del oficial, y prolonga el silencio de la pausa.

Es como un nuevo comienzo. Refresca la voz y refleja viveza en el diálogo de las nuevas protagonistas.

Es el punto culminante del relato. Matiza tu tono de voz con admiración y asombro. Las palabras del joven hazlas sonar con certidumbre y contenido gozo.

Entonces el velo del templo **se rasgó en dos**, de arriba abajo.
El oficial romano que estaba frente a Jesús,
al ver **cómo había expirado** dijo:
"De veras este hombre era **Hijo de Dios**".

Transcurrido el sábado,
María Magdalena, María (la madre de Santiago) y Salomé,
compraron perfumes para ir **a embalsamar a Jesús**.
Muy de madrugada, **el primer día de la semana**,
a la salida del sol, se dirigieron al sepulcro.
Por el camino se **decían unas a otras**:
"¿Quién **nos quitará la piedra** de la entrada del sepulcro?"
Al llegar, vieron que **la piedra ya estaba** quitada,
a pesar de ser muy grande.

Entraron en el sepulcro y **vieron a un joven**,
vestido con una túnica blanca, **sentado en el lado derecho**,
y se **llenaron de miedo**.
Pero él les dijo:
"No se espanten.
Buscan a **Jesús de Nazaret**, el que fue crucificado.
No está aquí; **ha resucitado**.
Miren **el sito donde** lo habían puesto".

obstáculo que opaque la gloria de Cristo. Todos los bautizados difuntos vivieron con esa esperanza, a pesar de sus ocasionales faltas y pecados. El Señor, sin embargo, nos da la certeza de la plenitud gloriosa que ha destinado para todos.

EVANGELIO La Iglesia escogió para esta celebración de los fieles difuntos el texto de Marcos, donde habla sucintamente de la muerte de Jesús. Jesús murió realmente, nos acompañó en este paso terrible y misterioso de la muerte, de la nada. La muerte de Jesús fue negada por

muchos. Estos se apoyaban en que como era Dios no podía morir. Pero nuestra fe, proclamada por las palabras del centurión, son una verdad eje del cristianismo: "De veras este hombre era Hijo de Dios" (15:39).
La muerte es una realidad para todo mundo y sólo un desquiciado mental lo puede negar. Más ahora con las oleadas del COVID-19 y sus variantes, se ha convertido en una evidencia terrible y dolorosa. La muerte y su abundancia nos acompañan en todas las noticias diarias de todo el mundo. No ha habido pueblo o nación que haya escapado a este flagelo de la muerte. Es cu-

rioso y raro que, en ciertos círculos católicos, haya salido y siga saliendo a flote el fundamentalismo apocalíptico ante la catástrofe y no la esperanza fundada en la razón y la esperanza que conforte a las personas angustiadas.
Pero los cristianos, siguiendo al más antiguo de los evangelistas, hemos quitado la enorme piedra del sepulcro, de la muerte. Como aquellas primeras mujeres, hemos superado la tentación del vacío, que produce la muerte, a la escucha de nuestra fe.

XXXI DOMINGO ORDINARIO

I LECTURA   Malaquías 1:14—2:2, 8–10

Lectura del libro del profeta Malaquías

Las palabras son severas. Dios trae a cuentas a los líderes de su pueblo. No exageres el tono ni lo impostes como de enojo.

Yo soy el **rey soberano**, dice el Señor de los ejércitos;
  mi nombre es temible entre las naciones.
Ahora les voy a dar a ustedes, sacerdotes, **estas advertencias**:
Si no me escuchan
  y si no se proponen de corazón dar gloria a mi nombre,
  yo mandaré contra ustedes la maldición".

Esto dice el Señor de los ejércitos:

"Ustedes se han **apartado del camino,**
  han hecho tropezar a muchos en la ley;
  han **anulado la alianza** que hice
  con la tribu sacerdotal de Leví.
Por eso yo los hago despreciables y viles
  ante todo el pueblo,
  pues **no han seguido** mi camino
  y han aplicado la ley **con parcialidad**".

Las preguntas son punzantes. No las amortigües ni les quites su filo.

¿Acaso no tenemos todos **un mismo** Padre?
¿No nos ha creado **un mismo** Dios?
¿Por qué, pues, **nos traicionamos** entre hermanos,
  profanando así **la alianza** de nuestros padres?

I LECTURA El profeta Malaquías llevó a cabo su actividad durante el ocaso del dominio persa en la que por entonces era la provincia de Jehud. Su mensaje tuvo como principal objetivo reconstruir la sociedad judía que sufría de muchas injusticias. A las injusticias que estaba sometida la población por las exigencias desmedidas de las autoridades persas asentadas en Jerusalén, había que añadir las arbitrariedades de los sacerdotes, a los que tiene principalmente en mira el profeta.

Malaquías lanza una directa acusación de parte de Dios a los sacerdotes del templo (ver 1:16). El servicio sacerdotal y el don de las ofrendas constituye el centro de las acusaciones y diatribas con la gente, especialmente con los sacerdotes. La llamada alianza de Dios con Leví es el núcleo de la argumentación del profeta.

Los sacerdotes debían dejarse llevar por la autoridad de la Ley. Sin embargo, con su proceder se han alejado de la alianza con Dios: "Ustedes […] han anulado la alianza que hice con la tribu sacerdotal de Leví" (2:8). Mucho tiene que ver con el cambio que hacían con las ofrendas y demás regalos que los fieles llevaban al templo. Obra-

ban como antes lo habían hecho los hijos de Elí.

La predicación del profeta exhorta a la clase sacerdotal dirigente a construir una sociedad solidaria e igualitaria. Orientarse por la alianza de Leví es lo mismo que orientarse por la Ley de Moisés, pues según la tradición, Moisés pertenecía a la tribu de Leví (Éxodo 2:1). Esta lectura es muy actual hoy en la Iglesia que quiere renovarse y lo hará hundiendo sus raíces en la palabra de Dios, como lo hizo Israel al volver del exilio.

SALMO RESPONSORIAL   Salmo 131 (130): 1, 2, 3
R. Guarda mi alma en la paz, junto a ti, Señor.

Señor, mi corazón no es ambicioso,
  ni mis ojos altaneros;
  no pretendo grandezas
  que superan mi capacidad. **R.**

Sino que acallo y modero mis deseos,
  como un niño en brazos de su madre.
Como un niño que acaba de mamar
  así está mi alma en mí. **R.**

Espere Israel en el Señor ahora y
  por siempre. **R.**

II LECTURA   1 Tesalonicenses 2:7—9, 13

**Lectura de la primera carta del apóstol san Pablo a
  los tesalonicenses**

Hermanos:
Cuando estuvimos entre ustedes,
  los tratamos **con la misma** ternura
  con la que una madre estrecha **en su regazo** a sus pequeños.
Tan grande es nuestro **afecto por ustedes,**
  que hubiéramos querido entregarles, no solamente
    el Evangelio de Dios,
  sino también **nuestra propia vida,**
  porque han llegado a sernos **sumamente queridos.**

Sin duda, hermanos, ustedes **se acuerdan** de nuestros
    esfuerzos y fatigas,
  pues, trabajando de día y de noche, a fin de **no ser una carga**
    para nadie,
  les hemos **predicado el Evangelio** de Dios.

Ahora damos gracias a Dios continuamente,
  porque al recibir ustedes **la palabra** que les hemos predicado,
  la aceptaron, **no como** palabra humana, **sino como** lo que
    realmente es:
  palabra de Dios, que **sigue actuando** en ustedes, los creyentes.

Con verdadero afecto y tono suave entrega las líneas del Apóstol a su comunidad.

Enfatiza las negrillas.

II LECTURA En esta parte de la carta, Pablo recuerda a sus escuchas cómo fue su apostolado entre ellos, los tesalonicenses, para que se hagan una idea clara del tipo de evangelizador que es y que sean consecuentes. En efecto, esta autorecomendación del Apóstol y sus colaboradores cobra sentido porque Timoteo le ha traído noticias hasta Corinto de lo que sucede en aquella comunidad cristiana asentada en la capital de Macedonia. Resulta que han llegado nuevos predicadores que buscan "corregir" lo que aprendieron de Pablo, Silvano y del propio Timoteo

en los orígenes de la comunidad. Ahora hace falta que los fieles tengan criterio propio para juzgar a esos misioneros y la doctrina que enseñan.

El Apóstol resalta la ternura maternal de su trato con los fieles. Esto es básico para abrir el corazón de quien escucha la palabra de Dios. El cariño del evangelizador no es fingido ni con dobles intenciones, sino genuino, porque surge de la relación amable cotidiana. En la relación se entretejen gestos, favores, sentimientos y valores sobre los que la Buena Nueva se hace camino y va a enraizar. El Evangelio no entra con rude-

zas, ni malos modos. Este es un criterio pastoral de sentido común. Al parecer los misioneros han llegado mostrando sus méritos, exigiendo el derecho de la hospitalidad y demandando sumisión a su investidura de predicadores. Tal vez por eso, Pablo les recuerda que lejos de pedirles dinero u hospedaje, él se mantuvo con el trabajo incesante de sus manos para no serle gravoso a nadie. Si el Evangelio es una gracia, su ministro debe hacer ver su gratuidad de la manera más convincente posible, también hoy.

EVANGELIO   Mateo 23:1–12

Lectura del santo Evangelio según san Mateo

Las palabras son duras denuncias contra los líderes del pueblo. No aligeres el tono, ni minimices la denuncia de Jesús.

En aquel tiempo, Jesús dijo a las multitudes y a sus discípulos:
"En la cátedra de Moisés **se han sentado** los escribas y fariseos.
Hagan, pues, **todo lo que les digan**,
    pero no imiten sus obras, porque dicen una cosa y **hacen otra**.
Hacen fardos muy pesados y difíciles de llevar
    y los echan sobre las espaldas de los hombres,
    pero ellos **ni con el dedo** los quieren mover.
Todo lo hacen para **que los vea** la gente.
Ensanchan las filacterias y las franjas del manto;
    les agrada ocupar **los primeros lugares** en los banquetes
    y los asientos de honor en las sinagogas;
    les gusta que los saluden en las plazas y que la gente los
        llame 'maestros'.

Déjate guiar por la puntuación y sábete hermanado con la entera asamblea del pueblo de Dios.

Ustedes, **en cambio**, no dejen que los llamen 'maestros',
    porque no tienen más que un Maestro y **todos ustedes** son
        hermanos.
A ningún hombre sobre la tierra lo llamen 'padre',
    porque el Padre de ustedes **es sólo** el Padre celestial.
No se dejen llamar 'guías', porque el 'guía' de ustedes es
        solamente Cristo.
Que el mayor de **entre ustedes** sea su servidor,
    porque el que se enaltece **seráhumillado**
    y el que se humilla será **enaltecido**".

 EVANGELIO Este capítulo supone el de la situación de la provincia de Judea después del año 70. La autoridad docente de los rabinos es reconocida como sucesora de la de Moisés.

Muestra el Señor la diferencia entre palabra y acción. Jesús, la autoridad y la comunidad cristiana se dibujan en contraluz. Jesús obra de una forma distinta a la de los fariseos, exigiendo un legalismo fuera de las posibilidades humanas. Jesús acompaña al hombre perdonando y salvándolo.

Esta postura de exigencia a ultranza de los preceptos, provoca pensar a menudo que los preceptos y leyes no son ayuda para el hombre sino redes para encerrar y amargar la convivencia humana. Habrá que revisar continuamente nuestro concepto de la autoridad eclesial. Es cierto que existe en nuestro medio una desconfianza contra toda autoridad y ley. Muchas veces la autoridad toma posturas y decisiones que golpean o van contra la libertad que nos trajo el Señor. El evangelio va más allá de la ley. El cristiano siente que las leyes son meras indicaciones que nos empujan a tomar determinada postura en la vida, que nuestro sentimiento o coraje no quiere ver.

El clericalismo se ha introducido en nuestra institución eclesial, ha hecho mucho mal últimamente. Pero también se está viviendo el caso contrario, un libertinaje y un sentido mal entendido de la libertad. Por esto el salmo primero termina diciéndonos que Dios cuida el camino del justo; es decir, del que medita la ley día y noche. En cambio, el que va contra todo y todos, no recibe castigos divinos, sino que su camino, su manera de hacer lo que le place "acaba por perderlo".

XXXII DOMINGO ORDINARIO

Este elogio poético de la Sabiduría exije leer conforme a las líneas de sentido. Identifica bien cada oración verbal y dale el tono de un maestro experimentado que habla de lo que mejor conoce.

Levanta tu mirada hacia la asamblea y termina sosteniéndola. Haz la pausa y formula, de memoria, la conclusión litúrgica.

I LECTURA   Sabiduría 6:12–16

Lectura del libro de la Sabiduría

Radiante e incorruptible es **la sabiduría**;
  con facilidad la contemplan quienes **la aman**
  y ella se deja encontrar por quienes **la buscan**
  y se anticipa a darse a conocer a los que **la desean**.
El que **madruga por ella** no se fatigará,
  porque **la hallará sentada** a su puerta.
Darle la primacía en los pensamientos
    es **prudencia consumada**;
    quien por ella se desvela
    pronto se verá **libre de preocupaciones**.

A los que son dignos de ella,
    ella misma sale a buscarlos por los caminos;
    se les aparece benévola
    y colabora con ellos **en todos sus** proyectos.

SALMO RESPONSORIAL   Salmo 63 (62):2, 3–4, 5–6, 7–8
R. (2b) Mi alma está sedienta de ti, Señor, Dios mío.

Oh Dios, tú eres mi Dios, por ti madrugo,
  mi alma está sedienta de ti;
  mi carne tiene ansia de ti,
  como tierra reseca, agostada, sin agua. **R.**

¡Cómo te contemplaba en el santuario
  viendo tu fuerza y tu gloria!
Tu gracia vale más que la vida,
  te alabarán mis labios. **R.**

Toda mi vida te bendeciré
  y alzaré las manos invocándote.
Me saciaré como de enjundia y de manteca,
  y mis labios te alabarán jubilosos. **R.**

En el lecho me acuerdo de ti
  y velando medito en ti,
  porque fuiste mi auxilio, y a la sombra
  de tus alas canto con júbilo. **R.**

I LECTURA El libro de la Sabiduría es el más reciente de los libros del Antiguo Testamento. Fue compuesto hacia el año 50 a. C. La influencia griega en esta búsqueda de la sabiduría ayudó sobremanera al pueblo de Dios. La atribución del libro a Salomón es una ficción literaria. La parte de este libro que escuchamos hoy (6:12–16) habla de la naturaleza y origen de la sabiduría, y de la manera de adquirirla.

La sabiduría participa de alguna forma de la divinidad e inmortalidad. La sabiduría es como algo luminoso, como una neblina que se extiende y penetra todo. Más adelan-

te el autor la comparará con una figura femenina que atrae a todo hombre (8:2; 9:2) Al penetrar la sabiduría en el ser humano, lo hace sabio. Se adquiere, es amada y, por lo mismo, buscada. El que la busca, para lo cual se necesita tiempo, al final la encuentra. Vale más que cualquier objeto material (riqueza, belleza o vida) y por lo mismo, se busca.

Esta sabiduría para el hebreo es Dios mismo, que atrae al hombre internamente con dulzura y paciencia. Por eso el hombre al buscarla, debe buscar la acción divina en los acontecimientos y preocupaciones diarias. Sólo el que busca encuentra, dirá Jesús.

El hombre que la busca no es él el primero ni el único en hacerlo; ya otros antes la han buscado. Debemos apoyarnos en lo que ya otros han encontrado. Como la sabiduría es una cualidad de Dios, se deja buscar, más aun, empuja al hombre a que la busque. San Agustín estampó esta búsqueda en su famosa frase "Nos hiciste para ti y nuestro corazón está inquieto hasta que descanse en ti".

II LECTURA Uno de los asuntos que preocupaba a los fieles cristianos de Tesalónica era la suerte de sus

II LECTURA   1 Tesalonicenses 4:13–18

Lectura del la primera carta del apóstol san Pablo a los tesalonicenses

Infunde cordialidad a tu voz; tonalidad serena y baja, pero transmitiendo certidumbre.

Hermanos:
No queremos que ignoren **lo que pasa** con los difuntos,
    para que **no vivan tristes**,
    como los que no tienen esperanza.
Pues, si creemos que Jesús murió y resucitó,
    de igual manera debemos creer que,
    a los que murieron en Jesús,
    Dios los llevará **con él**.

Lo que les decimos, como **palabra del Señor**, es esto:
    que nosotros, los que **quedemos vivos**
        para cuando venga el Señor,
    no tendremos **ninguna ventaja** sobre los que ya murieron.

Aviva la velocidad en esta parte y nota los ribetes de cierta espectacularidad que guarda la descripción. Aminora hacia el final y separa del resto la línea conclusiva.

Cuando Dios mande que suenen **las trompetas**,
    se oirá la voz de un arcángel y el **Señor mismo** bajará del cielo.
Entonces, los que murieron en Cristo **resucitarán primero**;
    después nosotros, los que **quedemos vivos**,
    seremos arrebatados, juntamente con ellos entre nubes,
        por el aire,
    para ir al encuentro del Señor, y así estaremos **siempre con él**.

Consuélense, pues, unos a otros con estas palabras.

Lectura breve: 1 Tesalonicenses 4:13–14

compañeros que habían fallecido, pues no podrían tomar parte en la parusía gloriosa del Señor. ¿Cuál sería la suerte que ellos correrían? Tal vez Pablo mismo se habría planteado esa cuestión, pues estaba convencido de que el Señor volvería pronto y de un momento a otro. ¿Qué pasaría con él mismo? ¿Cómo iría a reunirse con su Señor? Para aliviar esas inquietudes, Pablo describe, en tenor apocalíptico, los eventos inmediatos a la venida del Señor.

Al estilo de las teofanías o manifestaciones de Dios como las conocemos en el Antiguo Testamento, se figura Pablo que será la de Cristo. El acto escatológico inicial será sonoro, como una convocación universal al sonido de las trompetas celestes. Enseguida, se escuchará la voz de un arcángel; Pablo no dice lo que pronuncia ese ser celestial, pero ocurre entonces el descenso del Señor desde los mismos cielos, donde ahora se encuentra. Viene una sucesión de eventos: los muertos en Cristo; es decir, resucitan los difuntos bautizados y que eran preocupación de los tesalonicenses. Acto seguido, el resto de los creyentes son arrebatados en el aire para conformar un sólo grupo con los resucitados, para ser llevados en nubes a encontrarse con el Señor. Pablo imagina que esta parusía quizá ocurra en la tierra, donde Cristo congrega a sus fieles de todas partes para estar con él por siempre.

La esperanza cristiana consiste en estar con Dios de una manera definitiva, sin temor alguno a perderlo. Conforme nos acercamos al término del año litúrgico, la Iglesia nos solicita reanimar nuestra esperanza y nuestra vocación bautismal, para ir al encuentro del Señor en cuanto nos convoque.

EVANGELIO Mateo 25:1–13

Lectura del santo Evangelio según san Mateo

En aquel tiempo, Jesús dijo a sus discípulos esta parábola:
"El Reino de los cielos **es semejante a** diez jóvenes,
    que tomando sus lámparas, salieron al encuentro del esposo.
Cinco de ellas **eran descuidadas** y cinco, **previsoras**.
Las descuidadas llevaron sus lámparas,
    pero no llevaron aceite para llenarlas de nuevo;
    las previsoras, **en cambio**,
    llevaron cada una un frasco de aceite junto con su lámpara.
Como el esposo **tardaba**, les entró sueño a todas y se durmieron.

A medianoche **se oyó un grito**:
'¡Ya viene el esposo! ¡Salgan a su encuentro!'
Se levantaron entonces **todas aquellas jóvenes**
    y se pusieron a preparar sus lámparas,
    y **las descuidadas** dijeron a las previsoras:
'Dennos un poco de su aceite,
    porque nuestras lámparas **se están apagando**'.
Las previsoras les contestaron:
'No, porque no va a alcanzar para ustedes y para nosotras.
Vayan mejor a donde lo venden y cómprenlo'.

Mientras aquéllas iban a comprarlo, **llegó el esposo**,
    y las que estaban listas entraron con él al banquete de bodas
    y **se cerró la puerta**.
Más tarde llegaron las otras jóvenes y dijeron: 'Señor, señor,
    ábrenos'.
Pero él les respondió: 'Yo les aseguro que **no las conozco**'.

Estén pues, preparados, porque no saben ni el día ni la hora'".

La parábola es encantadora y vivaz. Guarda esto en el ritmo de tu proclamación.

Denota la sorpresa elevando un tanto la voz al registro del grito nocturno.

Prepara la frase de "y se cerró la puerta", de modo que se transmita lo definitivo de la acción.

EVANGELIO La parábola da su sentido casi siempre al final. Habla del banquete celestial, al cual es invitada la comunidad cristiana, representada por las diez muchachas. El novio no aparece hasta el final, lo que indica que el personaje principal es él y no las muchachas. Éstas ya están caracterizadas desde el principio de "previsorias" y "descuidadas".

Si bien en Palestina la costumbre del casamiento variaba según el pueblo, había algo común. El novio antes de la fiesta nupcial, que normalmente ocurría en su casa, iba por la novia a la casa de los padres de su novia. Unas muchachas esperaban al novio y acompañaban con antorchas la litera de la novia hasta la casa del novio. Lo anterior era lo usual, pero había variantes.

Son presentadas las muchachas. La mitad de ellas son previsoras; la otra, descuidadas, pues lo manifiestan en su falta de provisión de aceite. Como la llegada del novio podía tardar, de allí la necesidad de proveerse de aceite.

La tercera escena es hacia dónde va la parábola. Llega el novio y se va con las que lo alumbrarán a la casa de su novia. La puerta se cierra y la fiesta empieza. Las muchachas descuidadas llegan tarde y reciben en el terrible anuncio del novio: "no las conozco". El final (v. 13) da la moraleja: "Estén pues, preparados, porque no saben ni el día ni la hora".

XXXIII DOMINGO ORDINARIO

I LECTURA   Proverbios 31:10–13, 19–20, 30–31

Lectura del libro de los Proverbios

El elogio de la mujer sabia es un discurso sapiencial. Marca los verbos principales y alárgalos con un tono profundo.

Dichoso el hombre que encuentra una **mujer hacendosa**:
  muy superior a las **perlas** es su **valor**.

Su marido **confía** en ella
  y, con su **ayuda**, él **se enriquecerá**;
  todos los días de su **vida**
  le procurará **bienes** y **no males**.

Ella es el sujeto de estas frases elogiosas del trabajo femenino. Separa bien cada asunto.

Adquiere lana y lino
  y los **trabaja** con sus **hábiles manos**.

Sabe manejar la **rueca** y con sus dedos **mueve** el huso;
  abre sus manos al **pobre** y las **tiende** al **desvalido**.

Son **engañosos** los **encantos** y **vana** la **hermosura**;
  merece **alabanza** la mujer que **teme al Señor**.

Es **digna** de **gozar** del fruto de sus **trabajos**
  y de ser **alabada** por **todos**.

Para meditar

SALMO RESPONSORIAL   Salmo 127:1–2, 3, 4–5

R. Dichoso el que teme al Señor.

¡Dichoso el que teme al Señor, y sigue sus caminos! Comerás del fruto de tu trabajo, serás dichoso, te irá bien. **R.**

Tu mujer, como parra fecunda, en medio de tu casa; tus hijos, como renuevos de olivo, alrededor de tu mesa. **R.**

Ésta es la bendición del hombre que teme al Señor. Que el Señor te bendiga desde Sión, que veas la prosperidad de Jerusalén, todos los días de tu vida. **R.**

I LECTURA La primera lectura contiene algunos versos del elogio de la mujer ideal, "hacendosa" en nuestra lectura litúrgica. El redactor cierra con un acróstico el libro de los Proverbios. En los capítulos 1–9 del libro, el autor habla de la Sabiduría, representada en forma de mujer. Se nota bien la correspondencia entre el inicio y el cierre del libro.

Habrá que decir que el libro más que presentar el ideal de la mujer anclado en su belleza, como se haría en Occidente, el hebreo presenta las cualidades de la Sabiduría con la imagen de una mujer fuerte o hacen-

dosa. En realidad, a esto corresponde el adjetivo *hayil* que significa fuerte, duro, poderoso. El autor tiene en la mente a una mujer así, fuerte y poderosa. Habla de una mujer sabia. La mujer viene descrita del punto de vista de la economía y administración. Es una mujer emprendedora, hábil en los negocios, una mujer movida, que sabe llevar bien su casa, entendida ésta en toda la amplitud de la palabra: ser una mujer hacendosa que aumenta los haberes y abre negociaciones por doquier. Además, ella goza del prestigio ante la comunidad y es respetada por ésta. Lo que indica que sus

buenas costumbres son reconocidas. Su esposo, en lugar de ser envidiado, es alabado por haber escogido a esta mujer.

Además de estar al tanto de los negocios familiares, esta mujer se preocupa y ocupa del pobre y menesteroso. Cierra el elogio el autor, adjudicándole el mayor de los bienes a la mujer, posee el temor del Señor, que es más importante que la belleza, salud y elegancia y que debería ser lo típico de una mujer ideal (v. 30).

El autor del poema aconseja e instruye al que se prepara al matrimonio. El futuro esposo debe tener en la mente a una mujer

Esta instrucción busca arraigar la esperanza cristiana. Señala la frase de "ustedes saben..." mirando a la asamblea.

Haz notar los contrastes y enfatiza el "pero a ustedes...", sin exagerar ni dramatizar. Mantén la serenidad y temperancia en todo momento.

Como abarcando a todos los presentes con tu mirada, pronuncia la línea conclusiva.

II LECTURA   1 Tesalonicenses 5:1–6

**Lectura de la primera carta del apóstol san Pablo
a los tesalonicenses**

Hermanos:
Por lo que se refiere al **tiempo** y a las **circunstancias**
    de la **venida** del **Señor**,
    no necesitan que les escribamos **nada**,
    puesto que **ustedes** saben **perfectamente**
    que el **día del Señor** llegará como un **ladrón** en la **noche**.
Cuando la **gente** esté diciendo:
    "¡Qué **paz** y qué **seguridad** tenemos!",
    de repente vendrá sobre ellos la **catástrofe**,
    como **de repente** le vienen a la **mujer** encinta
        los **dolores** del parto,
    y **no** podrán **escapar**.

Pero a **ustedes**, **hermanos**, ese día **no** los tomará por **sorpresa**,
    como un **ladrón**,
    porque ustedes **no viven** en **tinieblas**,
    sino que son **hijos** de la **luz** y del **día**, no de la **noche**
        y las **tinieblas**.

Por tanto, **no** vivamos **dormidos**, como los **malos**;
    antes bien, mantengámonos **despiertos** y vivamos **sobriamente**.

---

llana del temor de Dios —o sea, el amor a Dios—, junto con una conducta que corresponda a ese sentimiento. Al colocar este poema la Iglesia al cerrar casi el año litúrgico, nos subraya la responsabilidad de prepararnos para el encuentro próximo con el Señor. Deberemos rendir cuentas y lo mejor será reflexionar si hemos sido hábiles y buenos administradores de los talentos que Dios nos ha otorgado.

 La segunda venida de Cristo es un componente integral del Evangelio predicado por Pablo entre los tesalonicenses. El evangelizador quizás no tendría tiempo de ahondar en este tópico, debido a la persecución de la que fue objeto y que lo obligó a dejar apresuradamente la ciudad. Los creyentes tuvieron que rumiar por su cuenta el significado de este punto de su nueva fe y comenzaron a sacar conclusiones. ¿Qué implica para el aquí y ahora la inminente venida del Señor?

Pablo no puntualiza ni el día ni el lugar de la segunda venida del Señor, porque simplemente no sabe. Su única certeza es que vendrá, y de una manera repentina. Los tres ejemplos que da hablan de eso: el ladrón nocturno, la calamidad inesperada y los dolores de parto son eventos que toman por sorpresa, pero que sin duda sucederán. Por esto mismo, el Apóstol apela al sentido común para encarecer una recomendación: prepararse a dicha venida.

La recomendación de Pablo no es gratuita; se debe a lo que Timoteo le ha contado que sucede entre los cristianos de Tesalónica. Si bien no hay referencias directas a los informes del colaborador paulino, puede colegirse que, ante la inminente llegada del Señor, algunos fieles no le encontraban sentido alguno a trabajar, y se ponían

EVANGELIO   Mateo 25:14–30

Lectura del santo Evangelio según san Mateo

En **aquel** tiempo, **Jesús** dijo a sus discípulos **esta parábola**:
"El **Reino** de los cielos se parece **también** a un hombre
      que iba a salir de viaje a **tierras lejanas**;
   llamó a sus servidores de confianza y les encargó sus bienes.
A uno le dio **cinco** talentos; a otro, **dos**; y a un tercero, **uno**,
      según la capacidad **de cada uno**, y luego se fue.

El que recibió **cinco** talentos fue **enseguida** a negociar con ellos
         y **ganó** otros cinco.
El que recibió dos hizo **lo mismo** y ganó **otros dos**.
En cambio, el que recibió un talento **hizo** un hoyo en la tierra
      y allí **escondió** el dinero de su señor.

Después de mucho tiempo **regresó** aquel hombre
      y llamó a cuentas a sus servidores.

Se acercó el que había recibido **cinco** talentos
         y le presentó **otros cinco**, diciendo:
'Señor, **cinco talentos** me dejaste;
      aquí tienes otros cinco, que con ellos **he ganado**'.
Su señor le dijo:
'**Te felicito**, siervo **bueno y fiel**.
Puesto que has sido **fiel en** cosas de poco valor
   te confiaré cosas de **mucho** valor.
Entra a tomar parte en **la alegría** de tu señor'.

Se acercó luego el que había recibido **dos talentos** y le dijo:
'**Señor, dos** talentos me dejaste; aquí tienes otros dos,
      que con ellos **he ganado**'.
Su señor le dijo: '**Te felicito**, siervo **bueno y fiel**.
Puesto que has sido **fiel en** cosas de poco valor,
      te confiaré cosas de **mucho** valor.
Entra a tomar parte en **la alegría** de tu señor'.

La parábola es tan familiar que puede desconectarse el auditorio. Identifica las marcas locales y temporales para imprimirle ritmo diferente a esos momentos del relato.

Aunque es un asunto administrativo, enfatiza el trabajo de los siervos, y las frases de felicitación del amo.

a holgazanear con el pretexto de estar listos para sumarse al cortejo parusíaco y participar del glorioso advenimiento. Otros, por el contrario, se afanaban en disfrutar de los placeres carnales, dado que este mundo se tornará irrelevante en cuanto llegue el Mesías. Pablo exhorta a todos a comportarse dignamente, a sostener los valores del Evangelio con transparencia y sinceridad absolutas.

Al avizorar el final del año litúrgico, esta lectura nos dispone también a reconsiderar el final de nuestra vida, la muerte, que será nuestro encuentro definitivo con el Señor. Éste es un pensamiento sano, que nos ayuda a ajustar lo que debamos de cara al juicio que nos aguarda. Animémonos a mantener esta esperanza, como hacemos en todas nuestras liturgias, y pidámosle al Señor que venga pronto.

EVANGELIO La atención del narrador está fija en el regreso del patrón y, sobre todo, en el diálogo que establece éste con el tercer siervo.

Es una parábola cuyo tema es la parusía. Por lo tanto, habla del arribo del Hijo del Hombre. Se supone que ha transcurrido mucho tiempo entre la partida del patrón y su regreso. El dinero está representado por los talentos. Desde luego, los talentos tienen el sentido de expresar las oportunidades que cada ser humano tiene en la vida para solucionar sus necesidades materiales. La parábola dice que cada uno de esos tres siervos tuvo distintas posibilidades y oportunidades para llevar a cabo su encomienda. Estas posibilidades están repartidas de más a menos.

Cada ser humano tiene en la vida distintas maneras de atender sus necesidades y encomiendas. Las oportunidades no es lo

Imprime un tono desconfiado y displicente al discurso del esclavo miedoso.

Finalmente, se acercó el que había recibido **un talento** y le dijo: 'Señor, **yo sabía** que eres un hombre **duro**,
    que **quieres** cosechar lo que **no has plantado**
    y **recoger** lo que no has sembrado.
Por eso **tuve miedo** y fui a **esconder** tu millón bajo tierra.
Aquí tienes lo tuyo'.

El señor le respondió: 'Siervo **malo y perezoso. Sabías** que
    cosecho lo que no he plantado
    y **recojo** lo que **no he sembrado**.
¿Por qué, entonces, no pusiste mi dinero **en el banco**,
    para que a mi regreso lo recibiera yo **con intereses**?
Quítenle el talento y **dénselo** al que tiene **diez**.
Pues al que **tiene se le dará** y **le sobrará**;
    pero al que tiene **poco**, se le quitará aun eso **poco** que tiene.

Alarga la frase dondenatoria del "Allí será... ". No levantes la mirada del evangeliario sino para pronunciar la fórmula conclusiva.

Y a este hombre inútil, échenlo fuera, **a las tinieblas**.
Allí será el llanto y la **desesperación**'".

Forma breve: Mateo 25:14–15, 19–21

que hace a un hombre capaz o incapaz; simplemente son posibilidades que cada hombre aprovecha según sus habilidades y decisiones.

Jesús habla de las tres actitudes de sendos siervos. Uno, al que se le dio un gran capital, se encontró con enormes posibilidades de tener éxito y multiplicó lo entregado. El segundo recibió un capital mediano, lo trabajo bien y también lo doblo. El tercero tenía poco capital, pero no lo trabajó, se contentó con guardar el capital y no produjo nada.

En este último está el significado de la parábola. En esta actitud del último siervo está la alusión al retardo de la parusía, que era un gran problema para la comunidad de Mateo. Lejana o cercana la llegada del Señor, la comunidad, con esa parábola, está invitada a estar alerta, pero sobre todo, a fructificar en lo poco o mucho encomendado por el Señor. Vivir por vivir, sin considerar que hay que rendir cuentas, es un error garrafal. Por esto el evangelista insiste en vigilar, en estar preparado. Y, además, poner sus cualidades cada vez con más ahínco, en beneficio de los demás.

NUESTRO SEÑOR JESUCRISTO, REY DEL UNIVERSO

El oráculo transmite palabras de un Dios celoso por el bienestar de su pueblo. Transparenta el amor y el cariño en tu tono de voz mesurado e intimista pero firme.

I LECTURA   Ezequiel 34:11–12, 15–17

Lectura del libro del profeta Ezequiel

Esto **dice** el Señor Dios:
"Yo mismo iré a **buscar** a mis ovejas y **velaré** por ellas.
Así **como un pastor** vela por su rebaño
        cuando las ovejas se **encuentran dispersas**,
    así **velaré** yo por **mis** ovejas
    e **iré** por **ellas** a todos los lugares por donde se **dispersaron**
        un día de **niebla** y **oscuridad**.

Yo mismo **apacentaré** a mis ovejas, yo mismo **las haré** reposar,
    dice el **Señor Dios**.
Buscaré a la **oveja perdida** y haré volver a la **descarriada**;
    curaré a la herida, **robusteceré** a la débil,
    y a la que está gorda y fuerte, **la cuidaré**.
Yo las **apacentaré** con justicia.

En cuanto a ti, **rebaño mío**,
    he aquí que yo voy a juzgar entre **oveja y oveja**,
    entre **carneros** y machos **cabríos**".

Hay un cambio en el foco del discurso. Endurece el tono, pero no hagas contacto visual con la asamblea, conforme vas bajando la velocidad para salir de la lectura.

I LECTURA   El capítulo 34 del libro del profeta Ezequiel se dedica a hablar del buen pastor. Se notan tres partes: una invectiva contra los pastores de Israel, Dios el buen pastor y la promesa de un pastor ideal.

En la tercera parte del capítulo hay una serie de imágenes de cómo debería ser un buen pastor. Dios mismo será el pastor de Israel. Tal vez es una velada condenación del gobierno ancestral de los reyes del pueblo de Dios, pues la mayoría no habían sido buenos reyes. Pone como distintivo del cuidado divino el buscar a las ovejas perdidas y cui-

darlas estando con ellas, en medio de ellas. Estas dos cualidades, que deberían distinguir a todo buen gobernante, son las que menos tienen los actuales, sean gobierno o simples líderes o jefes de casi toda comunidad humana. Lo positivo es ese apacentar que consiste en que las ovejas estén seguras en el corral y tengan alimento suficiente. Es lo que casi nunca se vio en el Israel anterior a Jesús. Sus reyes, como les dirá Ezequiel, siempre anduvieron buscando la lana de las ovejas. No buscó la monarquía el bien común del pueblo. De aquí que lo positivo de este buen pastor, será hacer

lo contrario, cuidar sus bienes y sus personas. Desde luego, se habla del rey mesiánico. Jesús, por eso, se presentará como el auténtico pastor y dará su vida por sus ovejas. Una imagen y modelo para los que son pastores en nuestras comunidades.

Así, los pastores futuros, nuestros pastores en la Iglesia y todo aquel que ostenta una responsabilidad de jefe tendrán en cuenta el bienestar de las ovejas en todos los campos. Su tarea consiste en forjar en las comunidades a su cuidado, esa paz que trajo el Mesías.

Para meditar

SALMO RESPONSORIAL   Salmo 22:1–2a, 2b–3, 5, 6

R. El Señor es mi pastor, nada me falta.

El Señor es mi pastor, nada me falta: en
verdes praderas me hace recostar. **R.**

Me conduce hacia fuentes tranquilas
y repara mis fuerzas. Me guía por
el sendero justo por el honor de
su nombre. **R.**

Preparas una mesa ante mí enfrente de
mis enemigos; me unges la cabeza con
perfume, y mi copa rebosa. **R.**

Tu bondad y tu misericordia me acompañan
todos los días de mi vida, y habitaré en la
casa del Señor por años sin término. **R.**

II LECTURA   1 Corintios 15:20–26, 28

Lectura de la primera carta del apóstol san Pablo a los corintios

Hermanos:
Cristo **resucitó**,
   y resucitó como **la primicia** de todos los **muertos**.
Porque si por un **hombre** vino la **muerte**,
   también por un **hombre**
      vendrá la **resurrección de los muertos**.

En efecto, así como en **Adán** todos **mueren**,
   así en **Cristo** todos volverán **a la vida**;
   pero **cada uno** en su orden: **primero Cristo**, como primicia;
   después, **a la hora** de su advenimiento, **los que son de Cristo**.

Enseguida será **la consumación**, cuando,
   después de haber **aniquilado** todos los poderes del mal,
Cristo **entregue el Reino** a su Padre.
Porque **él** tiene que **reinar**
   hasta que el **Padre** ponga bajo **sus pies**
   a todos sus **enemigos**.
El **último** de los **enemigos** en ser aniquilado,
   será **la muerte**.
Al **final**, cuando todo se le **haya sometido**,
   Cristo mismo **se someterá al Padre**,
   y así Dios **será todo** en todas las cosas.

Con rejuvenecida alegría pascual proclama esta lectura. Es un trozo argumentativo que avanza con comparaciones. Toma esto en cuenta para balancear tu anuncio.

Dale mayor volumen a tu voz cuando llegue al "El último..." y "Al final..." para subrayar la obra final de Cristo.

II LECTURA Pablo ha estado tratando varios asuntos que afectan la unidad de la comunidad cristiana de Corinto, que se ha visto sacudida por los partidismos en su seno. En la parte final de su escrito, Pablo aborda un asunto toral con el que anuda la unidad en la fe de todos los fieles: la resurrección de los muertos. Habría unos entre los propios bautizados que negaban la resurrección, o tal vez la entendían en un sentido espiritual. Pablo echará por delante la fe común, lo que une a todos: la fe en la resurrección de Cristo. Puesto este fundamento arraigado en la tra-dición apostólica más venerable, pasa a hablar de la resurrección corporal de los propios cristianos. En esta secuencia encontramos los versos entresacados para nuestra lectura litúrgica.

Pablo hace un parangón entre Cristo y Adán, para subrayar el efecto que la resurrección de Cristo comporta para la humanidad entera. Pablo se vale de la simbólica unida a las primicias, que era algo bastante familiar en ambientes rurales y agrícolas. Entre los judíos, había una liturgia particular para la presentación de las primicias, pero el rito no debía ser exclusivo. Las primicias son los frutos primeros, sean de árboles o sembradíos, aunque también se aplicaría a animales y productos industriales. El campesino se alegra de manera particular cuando consigue saborear el producto que sus manos cultivaron con tanto afán y por largos meses. Solían las gentes piadosas juntar en un cesto aquellos frutos primeros y llevarlos como ofrenda al santuario de la deidad respectiva. Era una manera de mostrar agradecimiento y ocasión para celebrar la esperanza en una cosecha abundante a la vista. Pablo dice que Cristo resucitó como primicia de los muertos; con lo que apunta

---

EVANGELIO   Mateo 25:31–46

Lectura del santo Evangelio según san Mateo

En aquel tiempo, **Jesús** dijo a sus **discípulos**:
"Cuando **venga** el **Hijo del hombre**,
    rodeado de su gloria, **acompañado** de todos sus **ángeles**,
    se sentará en su trono **de gloria**.
Entonces serán **congregadas** ante él todas **las naciones**,
    y él **apartará** a los unos de los **otros**,
    como **aparta** el pastor a las **ovejas** de los **cabritos**,
    y **pondrá** a las **ovejas** a su **derecha**
    y a los **cabritos** a su **izquierda**.

Entonces dirá el rey a los de **su derecha**:
'**Vengan**, benditos de mi **Padre**;
    tomen **posesión** del **Reino** preparado para ustedes
        desde la **creación** del **mundo**;
    porque estuve **hambriento** y me dieron de **comer**,
    sediento y me dieron de **beber**,
    era **forastero** y me **hospedaron**,
    estuve **desnudo** y me **vistieron**,
    enfermo y me **visitaron**,
    encarcelado y fueron **a verme**'.
Los **justos** le **contestarán** entonces:
'Señor, **¿cuándo te vimos** hambriento y te dimos de comer,
    sediento y te dimos de **beber**?
¿Cuándo te vimos de **forastero** y te **hospedamos**,
        o **desnudo** y te **vestimos**?
¿Cuándo te vimos enfermo o encarcelado y **te fuimos a ver**?'
Y el rey les dirá:
'**Yo les aseguro** que, cuando lo **hicieron** con **el más**
    insignificante de mis hermanos, **conmigo** lo hicieron'.

Subraya las frases que hablan de la universalidad en este discurso parabólico. Es un juicio imponente, pero no ceremonioso ni protocolario.

Recitas las frases aprobatorias con verdadero entusiasmo y genuina convicción; mira a la asamblea en esos momentos.

no sólo al gozo que esto representa para todos los destinados a la muerte, sino a la esperanza en la futura cosecha de vida abundante, de la que él es la garantía. En efecto, si todos hemos sido destinados a morir, por la herencia de Adán, por Cristo lo somos a la vida, en virtud de su resurrección. Esta es la oferta de Dios para la humanidad entera.

En la fiesta de Cristo Rey, Pablo nos recuerda lo que debe ser nuestra vocación definitiva: vivir unidos a Cristo para siempre. Esta es la victoria del cristiano en su lucha por hacer la experiencia del Reino de Dios

en todo lugar y momento. La comunidad discipular reunida en asamblea cultual revive esta conciencia cuando aclama: "Tuyo es el reino, tuyo el poder y la gloria, por siempre, Señor".

EVANGELIO A partir del conjunto del capítulo 25 puede entreverse que algunos cristianos tenían la segunda venida de Cristo relegada a un plano completamente secundario, cuando en realidad debía ser el acicate para mantenerse fieles en fe, esperanza y caridad al Evangelio del Señor.

El escenario judicial es imponente. El Hijo del Hombre, Cristo, se sienta para juzgar a todas las naciones de la tierra, teniendo por testigos a todos sus ángeles. Los que van a pasar por el juicio no tienen espacio para subterfugios o excusas, porque los ángeles le procuran a Dios la información de todo lo que cada individuo hace en la tierra. El juicio es inapelable. Los de la derecha son los justos, a quienes se compensa con la vida eterna, mientras que los de la izquierda son los injustos, quienes padecerán castigo por la eternidad, como concluye la parábola. El oyente entiende que

El tono es severo y cortante. Subraya los "no" de las omisiones en cada enunciado.

Ve bajando la velocidad de lectura luego de la pregunta. Realza la frase del "tampoco...". Marca una pausa y luego enuncia el último renglón.

Entonces **dirá** también a los de la **izquierda**:
'**Apártense** de mí, malditos;
    vayan al fuego eterno, preparado para **el diablo** y **sus ángeles**;
    porque estuve **hambriento** y **no me dieron** de comer,
    sediento y **no me dieron** de beber,
    era **forastero** y **no me hospedaron**,
    estuve **desnudo** y **no me vistieron**,
    enfermo y encarcelado y **no me visitaron**'.

Entonces ellos le responderán:
    '**Señor, ¿cuándo te vimos** hambriento o sediento,
        de **forastero** o desnudo,
    enfermo o **encarcelado** y **no te asistimos**?'
Y él les **replicará**:
'Yo les **aseguro** que,
    cuando **no lo hicieron** con uno de aquellos más **insignificantes**,
    tampoco lo hicieron **conmigo**'.
Entonces irán **éstos** al **castigo eterno** y los justos a la **vida eterna**".

ahora tiene la oportunidad de labrar su suerte definitiva.

El fiel de la balanza son las obras de cada persona, no su religión ni credo ni piedad, ni siquiera sus intenciones; lo hecho es lo que determina la sentencia del Señor, pues se entiende que no todas las naciones se rigen por la Ley de Moisés. Dos puntos sobresalen. El primero es que las obras que se exigen son obras de compasión o de humanidad, que toda persona tiene oportunidad de hacer en su entorno inmediato. Se trata de suplir a los más necesitados, "a los hermanos más pequeños", de lo más básico

y elemental para vivir: comida, bebida, abrigo, techo y compañía humanos. No hay vuelta de hoja en esto, y nuestra sociedad ha ampliado lo básico en términos de los derechos de toda persona, o derechos humanos. Lo más elemental es reconocernos humanos y ser compasivos unos con otros. Y aquí encaja el punto segundo.

El Juez divino revela que es él mismo quien ha estado hambriento, sediento, desnudo, migrante, enfermo y encarcelado. Ese vulnerable y desamparado es nuestro Juez universal, el Hijo del Hombre, Cristo nuestro Señor. Cada pobre y necesitado es, cabe de-

cirlo así, su sacramento primordial. Él ha venido para restaurarnos lo humano, pues sin esto, lo demás es oropel sinsentido.

En la solemnidad que cierra el año litúrgico, la Iglesia nos urge a recuperar nuestra humanidad más elemental mediante las obras de misericordia. En esto tenemos que ser campeones. Alentemos con vigor todo aquello que abone por la justicia y el derecho que conduzcan a cada ser humano a tener una vida digna, tal y como los últimos papas, Juan Pablo II, Benedicto XVI y Francisco nos han urgido.